HELENA RUBINSTEIN

La femme qui inventa la beauté

DU MÊME AUTEUR

Romans-essais

LE RAS-LE-BOL DES SUPERWOMEN, essai, Calmann-Lévy, 1987. (Le Livre de poche).

LETTRE À MON FILS, essai, Calmann-Lévy, 1991. (Le Livre de poche).

CINQUANTE CENTIMÈTRES DE TISSU PROPRE ET SEC, roman, Grasset, 1993. (Le Livre de poche.)

UN BONHEUR EFFROYABLE, roman, Grasset, 1995. (Le Livre de poche.)

DES GENS QUI S'AIMENT, nouvelles, Grasset, 1997. (Le Livre de poche.)

LE DERNIER QUI PART FERME LA MAISON, roman, Grasset, 2004. (Le Livre de poche.)

VICTOR, roman, Grasset, 2007. (Le Livre de poche)

Avec Malika Oufkir :

LA PRISONNIÈRE, document, Grasset, 1999. (Le Livre de poche.)

Avec Marie-Françoise Colombani :

ELLE. 1945-2005. UNE HISTOIRE DES FEMMES, Ed. Filipacchi, 2005.

Adaptations théâtrales

Un corps parfait (The Good Body) Eve Eusler, Denoël et D'ailleurs, 2007, Adaptation de Michèle Fitoussi (traduit de l'américain par Béatrice Gartenberg)

Très chère Mathilde (My Old Lady) Israël Horovitz, L'avant-Scène Théâtre, 2009, Adaptation de Michèle Fitoussi.

MICHÈLE FITOUSSI

HELENA RUBINSTEIN

La femme qui inventa la beauté

BERNARD GRASSET

PARIS

Couverture : © G. Maillard-Kesslère/Archives Helena Rubinstein

Cahier Photos : Toutes les photos et documents proviennent
des Archives Helena Rubinstein, sauf page 2 en haut à gauche : © Condé Nast
Archives/Corbis

ISBN 978-2-246-75571-5

© Editions Grasset & Fasquelle, 2010.

« Tout ce que j'ai connu dans ma vie, les grands et les petits événements, le stress et les tensions, suffirait largement à remplir une demi-douzaine d'existences. »

HELENA RUBINSTEIN

A Léa,
A Hugo.

Préface

Pourquoi vous êtes-vous intéressée à Helena Rubinstein ? m'a-t-on souvent demandé. La rencontre avec un personnage est bien mystérieuse. Si l'on ne sait jamais raconter avec précision comment elle s'est passée – la plupart du temps, le hasard fait bien les choses –, on sait en revanche de quelle façon son histoire vous a marqué.

Pour moi qui ne connaissais rien à cette femme, hormis sa signature sur des produits de beauté que je n'employais pas, les premières lignes de sa biographie ont suffi : sa naissance, en 1872, à Kazimierz, le faubourg juif de Cracovie, ses sept sœurs cadettes, Pauline, Rosa, Regina, Stella, Ceska, Manka et Erna, et son départ, toute seule pour l'Australie, à 24 ans, armée d'une ombrelle, de douze pots de crème et d'un culot – *chutzpah*, en yiddish – incommensurable.

Tout de suite mon imagination s'est mise à galoper. Je l'ai vue prendre le train, le front pensivement appuyé contre la vitre, en récitant comme un mantra les prénoms de ses sœurs. Je l'ai vue, du haut de son mètre quarante-sept, grimper la passerelle du navire qui mettrait deux mois à gagner l'Australie, en parcourant la moitié du globe. J'ai vu ce minuscule bout de pionnière débarquer à Melbourne, dans un pays en friche, je l'ai vue se débattre, je l'ai vue manquer de sombrer, et je l'ai vue gagner.

Sans que j'en sache beaucoup plus sur elle, Helena Rubinstein est ainsi devenue pour moi une héroïne romanesque, une Scarlett O' Hara polonaise, une conquérante au caractère forgé dans l'acier. Sa devise, elle qui détestait le passé, aurait pu être : « *En avant* ! », juchée sur ses talons de douze centimètres. « *Donnez à une femme une paire de chaussures dans laquelle elle se sent bien et elle ira conquérir le monde* », dit l'adage.

Une plongée dans sa vie intense a confirmé ce que je pressentais. Cette personnalité mal connue et pour tout dire oubliée, dont l'existence a traversé près d'un siècle (elle est morte à 93 ans, en 1965), et trois continents, était inouïe, hors normes, un génie, pour tout dire.

Dotée de son courage, de son intelligence et de sa volonté de réussir qui lui faisaient oublier maris, enfants, famille, elle a bâti un empire à la fois industriel et financier. Mieux encore, elle a presque tout inventé de la cosmétique moderne et des moyens de la démocratiser. Ce qui n'était pas si simple à l'époque – et ne l'est toujours pas du reste, quoi qu'on en pense – pour une femme, de surcroît étrangère, pauvre et juive. Dédaignant avec superbe ces quatre handicaps, dont on ne sait lequel était le pire, elle en a même souvent fait une force. Non sans mal, on s'en doute.

Elle a fondé son premier institut de beauté à Melbourne, en 1902, l'année où les Australiennes obtiennent, parmi les premières au monde, le droit de vote. Elle ne cessera ensuite d'accompagner les femmes dans leur mouvement d'émancipation qui, tout au long du XXe siècle, passe aussi bien par la conquête de leurs droits les plus élémentaires que par la libération de leur corps, entravé par les corsets, et par la « détabouïsation » du maquillage, réservé aux prostituées et aux actrices jusqu'au début des années vingt.

Car la beauté est tout sauf frivole, elle ne cessait de le répéter. C'était, pour elle, « *un nouveau pouvoir* », celui de l'affirmation d'une indépendance naissante. La recherche de la séduction, le désir de se mettre en valeur, ne sent pas un asservissement si l'on sait les utiliser. C'est, au contraire, la prise de conscience que les femmes doivent se servir des armes mises à leur disposition pour conquérir le monde ou du moins pour s'y faire une place ; la reconnaissance, aussi, de leurs personnalités à multiples facettes, souvent plus variées et plus riches que celles des hommes, si seulement la société leur laisse le droit de s'épanouir.

Certes, avant Helena Rubinstein la cosmétique existait – elle existe depuis l'Antiquité ! Mais c'est cette visionnaire qui a créé la beauté moderne, scientifique, rigoureuse, exigeante, en mettant en avant l'hydratation de la peau, la protection contre les méfaits du soleil, les massages, l'électricité, l'hydrothérapie, l'hygiène, les régimes alimentaires, la diététique, l'exercice physique, la chirurgie.

C'est sa passion pour l'art et l'esthétique sous toutes ses formes, peinture, sculpture, architecture, mobilier, décoration, haute couture, joaillerie, qui a poussé cette collectionneuse obsessionnelle – on l'avait surnommée « *une Hearst à l'échelle féminine* » – à inventer les coloris de ses lignes de fards.

Enfin, c'est son sens inné du marketing qui lui a dicté, outre la meilleure façon de promouvoir ses produits, les innovations constantes des techniques de vente dans ses salons et au détail, la codification du métier d'esthéticienne, le recours à la publicité dès 1904...

Cette laborieuse infatigable qui prétendait que le travail était le meilleur des soins de beauté (« *Rien de tel pour chasser les rides du visage et de l'esprit* ») a bâti, presque toute seule, une gigantesque fortune. On parlait d'elle comme l'une des femmes les plus riches du monde : à son niveau, il n'existait qu'une poignée de contemporaines qui avaient réussi dans l'entreprenariat au féminin, en particulier sur le terrain de la beauté et de la mode. Coco Chanel, Elizabeth Arden, Estée Lauder, pour ne citer que celles-là, avaient, comme Helena Rubinstein, le don de leur propre mise en scène et celui de la valorisation de leur image.

Elle a commencé par être Helena « *Helayna* » prononçait-elle à l'américaine, avec son accent polonais mâtiné de yiddish, puis, le succès aidant, elle est devenue Madame. Tout le monde l'appelait ainsi, même les membres de sa famille. Effectivement, deux personnes coexistaient en elle : Helena la rebelle, l'aventurière, l'amoureuse, et Madame, la femme d'affaires, la milliardaire, la princesse sur le tard.

La première, plus jeune, plus rebelle, plus inconsciente aussi, garde ma préférence ; mais la seconde ne cesse de me fasciner, et surtout, elle me touche, au fur et à mesure qu'elle avance en âge. Ses portraits en disent long sur elle, au soir de sa vie. Malgré les vêtements de prix, les bijoux, les décors fastueux, son visage est celui d'une grand-mère juive à la fois très dure et très fragile. C'est bien ce qu'elle était malgré tout le décorum, ce qu'elle n'a cessé d'être : cette « *petite Lady de Cracovie*[1] » qui toute sa vie a dû se battre pour apprendre les codes.

Ces longs mois passés en sa compagnie m'en ont appris chaque jour un peu plus sur son aptitude à capter l'air du temps, les idées nouvelles, sur son incroyable capacité à traverser les époques, les pays, les guerres, les modes, les mœurs, en étant là où il fallait être : l'émancipation des Australiennes, la Belle Epoque en Europe, le Londres des années dix libéré du puritanisme victorien, le Montparnasse artistique et littéraire des années folles, les « *roaring twenties* » en Amérique, l'avant-guerre à Paris et à New York, les années cinquante de la reconstruction et de la démocratisation de la beauté, les années soixante de la consommation. Et toujours, en filigrane, la longue marche des femmes vers leur liberté.

Sa vie, dont la réalité dépasse largement la fiction, est un concentré d'histoire et de géographie – elle ne tenait pas en place et voyageait en bateau, train ou avion, d'un continent à l'autre, comme d'autres prennent le métro – et comprend aussi, comme dans toute saga, ses parts de drames, ses amours malheureuses, ses tragédies intimes, sa grande solitude.

Des défauts, elle en avait, et d'innombrables encore : autoritaire, exigeante, tyrannique, despote, cruelle, avare, égoïste, tricheuse, parfois inhumaine, mais elle pouvait être dans le même temps, généreuse, gentille, attentive, charmeuse, timide, ouverte, tolérante, bourrée d'humour. Elle était, comme beaucoup de gens de son espèce, un paradoxe vivant, démesuré, *too much, bigger than life,* « *Over the top* » comme le proclame le titre d'un ouvrage que Susan Slesin, la belle-fille de son fils Roy, lui a consacré il y a quelques années[2].

Sa principale coquetterie, elle qui sur le tard ne mettait que quelques minutes à se coiffer et se maquiller, soucieuse de ne pas perdre son temps, était le mensonge. Elle mentait sur tout et d'abord sur son âge, qui est, mieux que la meilleure des crèmes anti-rides, le moyen le plus simple pour se rajeunir.

A l'instar d'autres célébrités qui veulent elles-mêmes bâtir leur légende, elle n'a cessé de réécrire sa vie, de la transformer à sa guise, cachant, masquant, travestissant, embellissant, exagérant, réservant à la postérité sa part de rêve. Sur son compte abondent les rumeurs, les inventions, les contradictions, les fables. On ne prête qu'aux riches, c'est bien connu, et elle n'a pas fait exception au dicton. Mais dans le même temps, subsistent les zones d'ombre, même si les documents, les autobiographies, les biographies, les articles de journaux, les papiers d'identité, les témoignages des morts et des vivants qui l'ont connue – ces derniers peu nombreux à présent – peuvent nous éclairer sur l'ensemble.

« *Elle ne vous en voudra pas si vous recréez la légende une fois de plus*, s'est exclamée sa cousine Litka Fasse, lors de notre premier entretien. *Madame a toujours triché sur sa vie.* » Et elle a ajouté, après un silence : « *Ce qui comptait avant tout pour elle, c'était qu'on parle d'elle.* »

Pour justifier son incroyable trajectoire, Madame répétait souvent : « *Si je ne l'avais pas fait, d'autres que moi l'auraient fait.* »
N'empêche. Elle aura été la première.

Michèle Fitoussi.
Juin 2010

L'Exil

En montant à bord du *Prinz Regent Luitpold*, le paquebot allemand qui relie l'Europe à l'Australie, Helena Rubinstein s'est tout de suite sentie comme en apesanteur.

Libre.

Si elle devine que l'aventure sera rude, elle goûte chaque seconde de ce miraculeux voyage sans trop imaginer ce qui l'attend là-bas. A peine a-t-elle compris qu'en quittant son pays, elle va pouvoir changer d'existence et se réaliser enfin. Comment ? Par quels moyens ? Elle l'ignore. Elle n'a pas hésité cependant lorsque sa famille lui a proposé cet exil. En dépit des dangers réels ou supposés qui la guettent, naufrages, accidents, fièvres malignes, sans compter les mauvaises rencontres, elle a accepté de partir toute seule, à des milliers de kilomètres de sa Pologne natale, pour rejoindre trois oncles qu'elle n'a jamais vus de sa vie.

Nous sommes en mai 1896. Helena a vingt-quatre ans, un mètre quarante-sept de hauteur, du courage à revendre, une vieille malle pour tout viatique. Certains jours, sa poitrine se gonfle de désirs en attente, au point qu'il lui semble que son cœur va exploser. Elle voudrait ouvrir grands ses bras et étreindre le monde.

Malgré l'angoisse qui la saisit quelquefois depuis l'embarquement à Gênes, le présent l'émerveille. Pour la première fois de sa vie, ce qu'elle éprouve ressemble à du bonheur. Quand le temps le permet, elle s'installe sur le pont et fixe l'océan, fascinée par les reflets changeants des fonds marins dont elle aimerait capturer les nuances. Son tempérament nerveux, sujet aux migraines, s'accommode sans peine de ces heures immobiles.

Si le vent souffle trop fort, elle explore les coursives de la classe cabine, s'arrête à la salle de musique ou à la porte du fumoir, examine les ouvrages de la bibliothèque. Au bar, elle commande du thé, un cake aux fruits confits, savoure le plaisir de boire dans de la porcelaine de Chine, d'user de couverts en argent. Puis elle s'enfonce avec volupté dans les canapés de velours pour lire ou pour broder. Pas une seule fois, elle ne pense aux siens restés à Kazimierz, le faubourg de Cracovie où elle a grandi. La nostalgie ne l'atteint pas, du moins pas encore.

Par chance, elle ne souffre pas non plus du mal de mer qui assigne les passagers à leurs couchettes. Dans sa soif de découvertes, elle a même poussé jusqu'à l'entrepont, déjouant la surveillance des stewards peu commodes qui interdisent le passage d'une classe à une autre. Le spectacle de dizaines d'immigrants, hommes et femmes mélangés, entassés sur le deck, couchés les uns sur les autres, gémissant ou vociférant, vomissant leurs entrailles à même le sol, l'a bouleversée. Les effluves de corps mal lavés, de cuisine grasse et de fuel lui ont soulevé les entrailles. Le cœur battant, elle est remontée en courant, comme si elle avait usurpé sa place sur le pont supérieur, et qu'on allait, en la découvrant en bas, l'obliger à y rester. C'était une réaction de pauvre. Ensuite, elle s'en est voulu.

Ce matin-là, accoudée à la rambarde, une ombrelle protégeant sa peau fragile – le soleil, l'ennemi mortel des femmes ! – elle se passionne pour le spectacle qui s'offre sur le port de Bombay où le steamer vient d'accoster.

Dans la foule qui se presse sur les docks, grouillement d'humanité étrangère, la misère lui paraît familière, plus crue encore sous le soleil que dans la rigueur de l'hiver polonais. Son regard évite les mendiants estropiés, les coolies vêtus d'un pagne de coton, les gamins loqueteux courant derrière les Blancs, et se pose sur les Indiennes enroulées dans leurs saris de soies vives, les Anglaises boutonnées jusqu'au menton malgré la chaleur, qui houspillent leurs porteurs ployant sous les bagages.

Avant Bombay, il y a eu Naples, Alexandrie, Aden, Port-Saïd. Chaque fois, elle a d'abord scruté la multitude puis elle s'est laissé tenter par une courte promenade sur le port, tanguant comme si elle était encore à bord. Cernée par les vendeurs ambulants, elle s'est volontiers arrêtée pour tâter la pacotille. Le regard sérieux, le front plissé, comme si toute sa vie en dépendait, elle a marchandé avec assurance en comptant sur ses doigts pour se faire comprendre, puis elle a acheté, au prix qu'elle s'est fixé, de la verroterie, du bétel, des pigments, des pommades et du fard, du musc, de l'ambre, des essences, du thé, des paillettes, quelques tissus brillants.

Partout, elle a détaillé les femmes, fascinée par leur beauté multiple, insaisissable. Les Italiennes blondes et pâles de Ligurie, les Napolitaines bien en chair, les Egyptiennes et les Yéménites dont on n'aperçoit que le regard brûlant sous le voile, les Ethiopiennes aux traits fins, les Asiatiques aux doux visages. Toutes, les vieilles, les jeunes, les laides et même les fillettes serrées contre leurs mères, possèdent un charme particulier, une allure, avec leurs yeux bordés de khôl, leurs dents étincelantes qui rendent leurs peaux mates plus sombres encore, leurs bijoux volumineux portés autour du cou, des bras et des chevilles, leurs vêtements voyants, leurs parfums entêtants jusqu'à l'écœurement.

Habituée aux brumes de l'Est, Helena cligne les yeux. Trop de lumière, trop de bruit, trop de foule et trop de couleurs fortes, qu'elle absorbe pourtant avec avidité et emmagasine pour plus tard.

La jeune fille ne manque pas d'admirateurs sur le bateau. D'abord ces deux jeunes Italiens qui ne comprennent ni le polonais ni le yiddish et qui l'invitent tous les soirs à danser avec force mimiques. Le peu d'allemand qu'elle baragouine parvient à les rapprocher. Et puis, cet Anglais à moustaches qui s'exprime comme si une pomme de terre brûlante lui roulait dans la bouche. Quand il lui adresse la parole, sa face rubiconde semble prendre feu. « Oh Miss Helena, you're so... So pretty ».

Miss Helena n'est pas une véritable beauté, pourtant son charme agit tout de suite. Avec sa taille minuscule, on dirait une enfant perchée sur des talons trop hauts. Mais la jambe est fine, le buste avantageux, les années n'ont pas encore enrobé sa silhouette. Ses cheveux noirs sont coiffés en un chignon bas qui dégage son front et ses oreilles. Ses traits sont réguliers, ses pommettes hautes, ses lèvres dessinées d'un trait, sa peau est translucide à force de pâleur. Ce qu'on remarque avant tout, ce sont ses grands yeux écartés, veloutés de sombre, tantôt pensifs, tantôt inquisiteurs. « Le regard même de la précision, de l'observation, un regard que l'on devine aussi apte à compter, à scruter des dossiers, à examiner les chiffres, à étudier des formules, qu'à rêver inlassablement sur de belles choses[1] ». Parfois aussi, ils foudroient. Ses sept sœurs l'ont surnommée « L'Aigle[2] ».

Depuis le début, elle intrigue ses soupirants. Une jeune femme qui voyage seule sans paraître effrayée est une rareté pour l'époque, presque une incongruité. Il n'y a que les aventurières pour se déplacer sans chaperon. Mais ses silences, sa retenue, une dureté dans le regard, leur ont vite fait comprendre qu'elle n'est pas de cette espèce.

Si Helena aime bien s'amuser, elle pose tout de suite des limites. Sa timidité l'empêche aussi d'aller trop loin.

Et puis que penserait sa mère ? Les principes austères de
Gittel Rubinstein, sa pudibonderie, son sens de la vertu,
sont bien trop ancrés en elle. « Chaque baiser me semblait
immoral et les mystères du sexe demeuraient pour moi...
des mystères[3] ». Il lui faudra du temps pour s'en défaire.
Par trois fois, sur le navire, on l'a demandée en mariage,
et par trois fois, elle a refusé en souriant, comme s'il
s'agissait là d'une plaisanterie de garçons. Ce n'est pas
enchaînée à un homme qu'elle envisage son avenir.

Tous les soirs, après quelques polkas dans la salle de
bal, les jeunes gens prennent place autour d'elle. La cin-
quantaine de passagers que compte la classe cabine a
rapidement lié connaissance. Des idylles se sont nouées.
Des attachements aussi, qui se disent indéfectibles, mais
que la fin du voyage va briser. Les hommes sont cour-
tiers, explorateurs, chercheurs d'or, officiers français,
diplomates britanniques, missionnaires ; les femmes sont
demi-mondaines, douairières, épouses de hauts fonction-
naires. Il y a même une troupe de théâtre en tournée.
Helena a sympathisé avec deux Anglaises qui se rendent
comme elle en Australie. La première, Lady Susanna,
voyage avec son époux, aide de camp de Lord Lamington, gouverneur du Queensland. Ils rentrent d'un congé
en Angleterre. L'autre, Helen Mac Donald, qui habite
Melbourne, est sur le point de se marier. Avant de quitter le navire, Helena a noté leurs adresses. Elle a déjà ce
don pour l'amitié utile.

Dans le salon, la chaleur est écrasante malgré les ven-
tilateurs. Helena sirote un thé glacé pour se rafraîchir.
Ses yeux glissent sur les boiseries, les tables de palissandre, les services d'argent et de porcelaine, les lustres de
cristal, les hauts miroirs étincelants qui lui renvoient son
visage. Tout ce raffinement l'enchante. Puis elle revient
vers le petit groupe qui devise avec gaieté. Son regard
d'oiseau de proie enregistre chaque détail. Les vêtements
des femmes, leur maintien, leur coiffure, la façon qu'elles
ont de tenir leurs éventails, de rire ou de se taire.

Dans la journée, elle les regarde disputer une partie de tennis ou de whist en tentant d'en mémoriser les règles. Elle sait si peu de chose sur ce monde où tout semble facile, qu'elle se sert des moindres bribes glanées ici et là pour en faire son miel. Son ignorance des codes, des manières, de l'art de la conversation, explique aussi son mutisme. En filigrane, il y a – et il y aura toujours quoi qu'elle fasse – la peur d'être jugée sur ses origines. Même en apprenant sur le tas, et elle apprend vite, certains manques vont perdurer. Ni sa fortune, ni son goût, ni ses mensonges pour embellir sa vie passée, ne suffiront à les combler.

Au cours de sa très longue existence, elle accomplira bien d'autres traversées, naviguera d'un continent à l'autre. Sur son empire, celui de la beauté, le soleil ne se couchera jamais. Mais ce premier voyage va être fondateur ; il va inscrire en elle le goût de l'aventure, du luxe, de la beauté. Pour obtenir ce qu'elle désire, elle travaillera sans ménager sa peine, cela ne l'effraie pas, elle a été élevée à la dure. Si elle ne sait pas encore vers quel chemin s'orienter, elle repousse de toutes ses forces la médiocrité à laquelle sa condition aurait pu la contraindre.

La nature l'a dotée de toutes les qualités pour réussir, l'audace, l'énergie, l'obstination, l'intelligence. Il ne lui manque que la chance, qu'elle s'est promis de forcer. Elle ne mesure pas très bien les obstacles qu'il lui faudra franchir, mais elle croit en son destin. Elle refuse qu'il la déçoive.

Kazimierz

Elle est née Chaja Rubinstein, fille aînée de Hertzel Naftali Rubinstein et d'Augusta Gitte Silberfeld, le 25 décembre 1872[1], sous le signe du Capricorne. Elle déteste tellement la version hébraïque de son prénom, qu'elle s'est empressée de le changer en partant. Sur la liste des passagers du *Prinz Regent Luitpold*, elle s'est inscrite sous le nom d'Helena Juliet Rubinstein, 20 ans.

Quatre années de moins, c'est son pied de nez au temps. Elle trichera toujours sur son état civil avec le même aplomb qui la fera mentir sur le reste. Ses premiers passeports indiquent 1880 en face de l'année de sa naissance[2]. C'est que l'administration n'est pas très pointilleuse, et puis elle paraît dix ans de moins. « J'ai toujours pensé qu'une femme se devait de traiter le sujet de son âge avec ambiguïté[3] ». Ainsi commence son autobiographie dictée à... 93 ans.

Sa ville natale, Kazimierz, a été fondée en 1335 par le roi polonais Kazimir III qui a donné son nom à cette enclave séparée de Cracovie, la capitale du pays, à l'époque. Cent cinquante ans plus tard, tous les Juifs de la cité ont été assignés derrière ses murailles. Au cours des siècles, Kazimierz la Juive s'est développée à côté du quartier chrétien, plus ou moins protégée par les souverains polonais. Hertzel Rubinstein a souvent raconté à sa fille qu'à cette époque les échanges culturels étaient nombreux avec le reste de l'Europe. Les Juifs affluaient de France, d'Angleterre, d'Italie, d'Espagne et de Bohème, fuyant les persécutions.

La situation politique est cependant restée instable. Convoitée par ses voisins, la Pologne est sans cesse envahie. En 1772, un premier partage l'a coupée en trois territoires. L'Autriche a annexé ce qui deviendra la Galicie et ses deux villes principales, Cracovie et Lemberg ; la Russie qui a absorbé la Lituanie, a étendu, avec la Prusse, son protectorat sur le reste du pays. Un deuxième partage a eu lieu en 1793. Le troisième, deux ans plus tard, toujours entre les mêmes, a achevé le dépeçage. Kazimierz est désormais un faubourg de Cracovie. En 1815, le congrès de Vienne a revu la carte de la Pologne. Devenue une république autonome jusqu'au milieu du XIXᵉ siècle, Cracovie a conservé sa culture polonaise mais, à l'instar de toute la Galicie, la ville est demeurée sous la dépendance de l'Autriche.

Mutilée mais encore vivante, la Pologne refuse de se soumettre. Les révoltes se succèdent, toutes réprimées dans le sang. A la suite de ces insurrections, la lutte pour l'indépendance nationale s'est amplifiée. Dans le même temps, des vagues d'émigrés politiques ont quitté la Pologne, la plupart vers la France, des peintres, des écrivains, des musiciens, des aristocrates, tout un petit monde brillant pour qui la nostalgie est un ferment artistique. Parmi eux, Frédéric Chopin, le compositeur, et Adam Mickiewicz, le poète. C'est souvent à l'étranger que sont nées les plus belles œuvres polonaises.

L'Autriche-Hongrie se vante d'être une nation évoluée qui laisse tous ses sujets vivre en paix. Le sort des Juifs y est un peu plus « enviable » qu'ailleurs. En 1822, quand les murailles de Kazimierz ont été abattues, les plus riches ou les plus décidés d'entre eux se sont établis dans le quartier chrétien. Après bien des tergiversations, en 1867, l'empereur François-Joseph a fini par leur octroyer la pleine égalité des droits. A la naissance d'Helena, la Galicie, et avec elle la Pologne tout entière, est prise par la fièvre de la modernité. On construit des chemins de fer, des usines, des immeubles, on repousse les limites des villes, on élargit les chaussées en les pavant de pierres, on dote les rues de réverbères et de caniveaux.

Avec vingt-six mille Juifs, soit un quart de sa population, Cracovie redevient un centre important du judaïsme. On édifie des synagogues et des écoles religieuses, *yeshivas et héders*. De plus en plus de jeunes gens fréquentent les lycées et les universités, repoussant ainsi les barrières sociales. Des députés se font élire. Les médecins, avocats, dentistes, écrivains, poètes, acteurs, musiciens juifs de Galicie dépassent en nombre les Polonais et les Ukrainiens qui exercent des métiers similaires.

Les familles aisées sont installées au centre-ville, dans de vastes demeures pareilles à celles des chrétiens, remplies de livres, de tableaux, de miroirs, de mobilier précieux, de velours et de brocart. Les plus orthodoxes et les plus pauvres, ce qui va souvent de pair, sont restés à Kazimierz. C'est le cas d'Hertzel Rubinstein et des siens. Malgré l'essor économique, la grande majorité des Juifs vit toujours dans la misère en Galicie, surtout dans les campagnes. En ville, les artisans, tailleurs, menuisiers, chapeliers, bijoutiers, opticiens, s'en sortent un peu mieux. Pour autant, l'assimilation est en marche. Les élites se polonisent.

Mais on n'en a pas fini avec l'antisémitisme. L'enfance d'Helena a été bercée par les histoires de pogromes que les adultes racontent à voix basse, le soir, en pensant à tort que les enfants sont endormis. Ils détaillent les shtetls brûlés, les synagogues profanées, les maisons détruites, les mères et les filles violées ensemble, les bébés jetés vivants dans les flammes, les vieillards obligés de fouetter leurs congénères, les pères massacrés à coups de fourche par les paysans polonais, embrochés par les baïonnettes ukrainiennes ou fauchés par les sabres cosaques. Des cauchemars sanglants hantent les nuits des sœurs Rubinstein, hommes pendus par les mains, chairs tailladées, yeux crevés, langues coupées, têtes coupées avec lesquelles la soldatesque joue aux boules.

Les Juifs qui le peuvent s'en vont par vagues vers des contrées moins hostiles. Entre 1881 et 1914, trois cent mille d'entre eux qui ont fui massacres, guerres et pauvreté, ont émigré vers l'Amérique ou l'Australie. Comme les trois frères de Gitel, John, Bernhard et Louis Silberfeld, chez qui Helena a été envoyée « comme un paquet ».

Cracovie est aussi un centre intellectuel, avec ses théâtres, ses maisons d'éditions, ses salons littéraires, ses salles de concert, ses sociétés secrètes. Et son université Jagellone, la plus ancienne d'Europe, où Helena se vante d'avoir étudié quelques mois la médecine, avant d'abandonner parce qu'elle ne supporte pas la vue du sang.

En réalité, elle n'est même pas allée jusqu'au baccalauréat[4]. Elle a fréquenté l'école juive de Kazimierz, puis à seize ans, parce que c'est la règle pour les filles de son milieu, elle a été contrainte d'arrêter ses études. A regrets, car elle aime apprendre. Son esprit est synthétique, rapide, avide de savoir. Ses matières favorites sont les mathématiques, la littérature, l'histoire, surtout celle de son pays. Elle se sent polonaise jusqu'au tréfonds de l'âme.

Juive aussi, évidemment. Le moyen de faire autrement avec une famille si pieuse, si estimée dans la communauté ? Les deux branches de son arbre généalogique, les Rubinstein et les Silberfeld, comptent des rabbins, des sages, des érudits, des hommes du Livre. La lignée paternelle remonte au célèbre Rachi de Troyes, l'un des commentateurs les plus renommés de la Bible et du Talmud[5]. Salomon Rubinstein, l'arrière-grand-père d'Helena, est rabbin. Son fils Aryeh, marchand de bestiaux, a eu trois

enfants dont Hertzel Naftali Rubinstein, le père d'Helena,
est l'aîné.

La famille vient de Dukla, une petite ville des Carpates. C'est là qu'Hertzel est né en 1840, et qu'il a épousé
Augusta Gitte Silberfeld, dite Gitel, sa cousine du côté
maternel. Née en 1844, Gitel est la neuvième d'une fratrie de dix-neuf enfants dont plus de la moitié n'a pas
atteint l'âge de vingt ans. Son père, Solomon Zale Silberfeld, était usurier. La soif de promotion sociale d'Helena
l'a transformé en « banquier ».

Un an avant la naissance d'Helena, Hertzel et Gitel
Rubinstein se sont installés à Cracovie au 14, de la rue
Szeroka, dans une étroite bâtisse de pierre rouge. Au fur
et à mesure que la famille s'est agrandie – des quinze
enfants du couple, huit filles seulement ont survécu – les
Rubinstein ont beaucoup déménagé, toujours autour de
la rue Joszefa. Hertzel Rubinstein y tient une sorte de
grand bazar où il vend un peu de tout. Des œufs et des
conserves, de larges tonneaux remplis de harengs, des
bocaux de gros cornichons, des chandelles, du blé et de
l'orge en vrac et du kérosène. En entrant, l'odeur de sau-
mure et de pétrole vous saisit la gorge. Il vit mal de son
commerce mais il fait de son mieux pour nourrir les
siens. « Les Juifs n'avaient pas la vie facile à l'époque,
nous étions de très petites gens avec très peu d'argent[6] »,
avouera bien plus tard Helena, dans un des rares
moments où elle consent à lâcher prise sur ses jeunes
années.

Sa maison natale est entourée de cinq synagogues sur
les sept que compte Kazimierz. La Haute et la Vieille, la
synagogue Popper, la synagogue Ramah, la synagogue
Kupa et enfin le Mikveh, le bain rituel, où vont les femmes en fin de semaine pour se purifier. Les journées sont
rythmées par les offices, les saisons, par les fêtes. Matin
et soir, Helena entend les prières et les chants qui s'envolent vers le ciel.

Un dédale de rues pavées, bordées de vastes maisons de bois ou de pierre, flanquées de balcons, forme tout son univers. On y trouve des commerces, des librairies, des imprimeries, des journaux, des banques, des cafés, des marchés, des maisons de noces, des écoles, des cimetières, un hôpital. Aux frontons des boutiques, les raisons sociales sont inscrites en polonais et en yiddish. Entre les rues Miodowa, Dajwor, Wawrzynca, Bartosza, Joszefa et la place Nowy, coexistent la prospérité et la misère, le religieux et le profane, la culture et l'ignorance.

Des rabbins à papillotes vêtus de longs manteaux noirs croisent des hassidim barbus, vêtus de caftans ceinturés, portés sur des pantalons rentrés dans les bottes, et des juifs pieux coiffés d'une toque bordée de fourrure. Des notables en haut-de-forme saluent avec cérémonie des vieillards à calotte de velours, qui portent sous le bras de vieux livres reliés. Des bonnes femmes affublées de perruques, la tête couverte d'une étole ou d'un bonnet brodé, rabrouent des garçonnets à la casquette enfoncée sur leurs boucles. Groupés autour de leurs *yeshivot,* des étudiants hâves discutent à l'infini d'un paragraphe du Talmud.

L'été, dans les ruelles, tout le monde vit dehors, ou garde ses fenêtres grandes ouvertes. De sa chambre, Helena entend les pleurs, les disputes, les matrones qui s'apostrophent des balcons où le linge est mis à sécher, les cris des porteurs d'eau qui interpellent le client. Tirées par des chevaux faméliques, les charrettes remplies de briques ou de foin obligent au détour.

Les *yenteh,* les pipelettes, s'affalent sur de minuscules pliants pour dire du mal des voisins et injurient les gamins qui se poursuivent dans les passages entre les cours. Les commerçants disposent en plein air leurs tréteaux où s'amoncellent les marchandises en équilibre précaire, vieux vêtements, souliers usés, parapluies, châles de prières, livres, phylactères, *menorah.* Les artisans sortent les meubles cassés pour les réparer, les jeunes filles vont remplir leurs seaux à la fontaine. Mille petits métiers s'animent dès le matin, le cordonnier, le vendeur de poisson, le prêteur sur gages, la vieille femme dans son entresol qui brode les trousseaux des riches.

Dans les coins les plus misérables, on crie, on s'insulte, on s'époumone en yiddish, en polonais, en allemand, on décharge les cageots dans la poussière et les rues jonchées d'immondices, on vide les eaux sales sur les trottoirs. Des odeurs de fruits pourris, d'urine de chat, de viande fumée, d'oignon, de cumin, de concombre au sel, de tripaille, flottent dans l'air saturé. En hiver, le thermomètre peut descendre jusqu'à moins trente, des bourrasques glaciales soulèvent la neige amoncelée sur les pavés. Impitoyable, le froid vous saisit le corps et l'âme, les murs s'effritent sous l'humidité, la grisaille enveloppe la ville d'un halo triste. Quand la neige fond, les chaussées se recouvrent d'une croûte boueuse qui gâte les souliers et le bas des jupons.

Helena Rubinstein a toujours préféré garder le silence sur cette partie de sa vie, comme si elle en avait honte. Elle aimait mieux s'étendre sur le Planty, le jardin Botanique, l'église Sainte-Anne, divaguer sur les demeures d'aristocrates où elle rêvait d'être reçue et prétendra l'avoir été. Selon son humeur, elle décrira une Cracovie cultivée, élégante, ou bien terne et provinciale. La réalité se situe au milieu, la ville foisonne de monuments médiévaux et gothiques, le château royal de Wavel, tombeau des rois polonais, qui surplombe la Vistule, les remparts de la vieille ville entourés par le jardin Botanique, la basilique de Sainte-Marie, l'église Sainte-Catherine, l'Observatoire. Et cette grandiose place centrale, le Rynek commun aux villes polonaises, avec sa Halle aux Draps.

Dès qu'elle le peut, Helena s'échappe de Kazimierz par la rue Stradom puis par la rue Grodska, pour flâner le long des baraques installées sous les arcades. Ici, on ne trouve pas de Juifs à houppelande, pas non plus de commères qui radotent, ni de gamins misérables. Les hommes portent des hauts-de-forme et des melons, les femmes des chapeaux ouvragés.

La jeune fille admire le contenu des étals comme si elle voulait les apprendre par cœur. Elle qui n'a pas un *zloty* dans sa bourse, rêve de pouvoir s'offrir un jour des dentelles, des soieries, des fourrures, des diamants, des perles, des cristaux. Quand elle sera riche, elle se pavanera comme ces Polonaises distinguées qui font le tour de la place emmitouflées dans leurs pelisses, ou comme celles qu'on entrevoit, installées dans leurs calèches tirées par d'élégants équipages, alors qu'elle est obligée d'aller à pied, dans la boue, en traînant ses sœurs derrière elle.

Très tôt, Helena a eu le don de transformer les épisodes de son passé pour les enjoliver ou les flouter à son gré. Son imagination ne connaît pas de limites, au point qu'on a du mal à savoir où se situe la vérité. Une menteuse ? Plutôt une brodeuse. Toute sa vie, elle va bâtir à petits points sa légende sans craindre de se contredire.

Pourtant, la réalité est mille fois plus passionnante que ce qu'elle s'est obstinée à embellir. Elle a voulu le renier, mais c'était bien de ces rues obscures qu'elle venait, de ces impasses misérables, de ces cours mal pavées, de ces maisons de prières et de ces *héders*, de tout ce monde juif qui semblait immuable, ancré dans les shtetls et les ghettos de Galicie, de Pologne ou d'Ukraine, et qui a été englouti à jamais.

Ce milieu rude où elle a passé les vingt-quatre premières années de sa vie lui a insufflé la rage de s'en sortir. C'est de là qu'elle a tiré la force de son caractère, son courage, sa faculté d'adaptation, comme tous les émigrés qui ont réussi leur vie ailleurs.

Mais elle était une femme juive et pauvre, née en Pologne, à la fin du XIXe siècle. Autant dire qu'elle n'était personne. Pour elle, malgré tout son génie, le chemin allait être encore plus difficile.

La famille Rubinstein

Helena, Pauline, Rosa, Regina, Stella, Ceska, Manka et Erna Rubinstein. La litanie de leurs prénoms ressemble à une comptine. Toutes jolies, toutes brunes, toutes plus pâles que l'albâtre. Dix ans séparent la cadette de l'aînée. Dans la vaste et sombre maison éclairée par des lampes à pétrole, l'ambiance est rien moins qu'animée. On se dispute pour un ruban, un foulard, on se pavane devant les miroirs. L'âme de ce gynécée en réduction est Gitel Rubinstein, bonne épouse, bonne mère, bonne maîtresse de maison, qui accomplit des prodiges pour que sa famille ne manque de rien. Le tempérament lunatique de son époux a vite eu raison de l'argent du ménage. Gitel soupire souvent en pensant à ceux de ses frères et sœurs qui vivent à leur aise, à Cracovie, à Vienne, à Anvers ou ailleurs.

Certes, il subsiste quelques beaux restes, du mobilier sculpté, des miroirs, des chandeliers en argent, du linge dans les armoires, des livres à foison. Mais on rogne sur tout, savon, pain, chandelles, domestiques. Toutes ces bouches à nourrir pèsent sur la bourse.

Huit filles. Huit trésors. Mais huit dots.

Il faudra toutes les marier. Avec de bons partis, si possible. Gitel y pense depuis leur naissance. C'est une brave femme, arrondie par les maternités, qui porte la perruque coiffée en chignon des Juives orthodoxes. Elle observe scrupuleusement tous les commandements de sa foi, sans pour autant mépriser l'apparence qui compte autant que la pureté de l'âme. Elle apprend aux petites à coudre leurs chemises, à tricoter et à broder, tous travaux où elle excelle, et coupe elle-même leurs robes et leurs manteaux. Surtout, elle leur enseigne l'art d'être des demoiselles bien tenues. Elle leur montre comment prendre soin des chevelures dont elles sont si fières. Cent coups de brosse avant d'aller au lit. Ainsi, en même temps qu'elles se coiffent, les filles s'exercent à compter. Chez les Rubinstein, on ne gaspille même pas le temps.

— Le charme et la beauté intérieure vous donneront le pouvoir de contrôler vos vies et de conquérir l'amour de l'homme qui vous épousera.

Gitel possède ainsi quelques mantras, des idées fixes, qu'elle débite en boucle. Pour autant, pas question d'autoriser le maquillage. Seules les femmes de mauvaise vie, ou les actrices comme la grande Helena Modjeska, ont le droit d'oser les fards. Mais tout en restant respectable, on peut protéger son visage rougi par le vent et le gel. Et Gitel de brandir son arme secrète.

La crème de beauté.

En Pologne, comme dans toute l'Europe de l'Est, chaque famille a sa propre recette. Dans les cuisines où mijotent la soupe de pommes de terre et les ragoûts qui tiennent au corps, on fabrique des pommades et des onguents dont chaque génération se transmet la formule. Celle-là comprend des plantes, du blanc de baleine, de la lanoline, de l'essence d'amandes et des extraits d'écorce de conifère des Carpates. Chaque soir, surtout lorsque le froid a été particulièrement vif dans la journée, toutes ces jeunes demoiselles en chemise de nuit, alignées par ordre de taille, tendent leurs frimousses impatientes comme des oisillons réclamant la becquée.

— Maman, maman ! Et moi ! Et moi ! Non, Pauline, pousse-toi, c'est à moi !

A la maison, on aime les histoires. Gitel raconte que la crème a été fabriquée pour la Modjeska par les frères Lykuvsky, deux chimistes hongrois clients de Hertzel. La comédienne, aussi célèbre dans le pays que Sarah Bernhardt en France, n'a sans doute jamais fréquenté la famille Rubinstein, même si Helena prétendra le contraire. Mais Jacob, le plus âgé des deux frères, vient probablement dîner parfois chez eux. Sans doute apporte-t-il avec lui un gros bocal enveloppé de papier-journal, qui contient la précieuse mixture.

Gitel la transvase dans de petits récipients de céramique qu'elle range au froid dans le garde-manger avec les conserves de cornichons et d'oignons. Son sens des économies fait durer la crème jusqu'au prochain arrivage. Ses quelques principes de beauté vont changer le cours de l'existence de son aînée. Avant son départ pour le Nouveau Monde, Gitel lui a offert douze petits pots, comme douze petits talismans censés la protéger.

Merveilleuse intuition des mères...

La place d'Helena dans la fratrie a sans doute beaucoup compté dans la formation de sa personnalité. « Très tôt, il me fallut aider ma mère à diriger la petite troupe frondeuse. Etre l'aînée de huit filles, c'est prendre l'habitude de diriger[1] ». Ce qui ne déplaît pas à son caractère dominateur. Elle est tout à la fois un garçon manqué et une fille accomplie. Un bulldozer doué de grâce.

Commander et séduire. Tout Helena tient en ces deux mots. Dès l'âge de douze ans, elle est responsable de la bonne marche de la maison. Elle devient « chef de service », achète la nourriture et le linge « avec un goût spontané pour ce qu'il y avait de mieux et de plus solide. » Sans doute ces charges précoces ont-elles façonné ses talents d'organisatrice. « Je servais d'intercesseur et d'interprète entre mes plus jeunes sœurs et nos parents, le meilleur des entraînements pour diriger mes futurs employés[2]. » Mais elle doit encore assumer d'autres tâches ménagères auxquelles l'unique servante ne peut suffire : faire les lits, mettre l'eau à chauffer, aller chercher du bois pour le poêle, aider les petites à leur toilette, surveiller leurs devoirs, les séparer quand elles se battent.

— *Shat, shat,* du silence ! Papa va vous punir. Et s'il ne le fait pas, je vous jure que moi je le ferai !

Et puis dresser la table, la desservir, ranger la vaisselle en séparant les plats pour les produits lactés et ceux pour la viande, veiller aux préparatifs du Shabbat et des fêtes qui se succèdent, Rosh Hachana, Kippour, Hannouca, Pessah, Souccoth, Pourim, Chavouot. Sortir les nappes, les repasser, nettoyer les couverts, allumer les bougies, disposer les livres de prières, surveiller le dîner à la cuisine, le bouillon de poule où cuisent les *kneidlers* ou *le gefiltefish*, pétrir le pain *halot* avec sa mère. Que ses filles deviennent de bonnes *balabooste,* des maîtresses de maison accomplies, c'est là toute l'ambition de Gitel. Car attraper un homme ne suffit pas, il faut savoir le retenir.

Ce n'est certes pas l'ambition d'Helena qui déteste rester confinée au foyer. Dès l'adolescence, elle se dépêche d'aller retrouver son père pour éviter les corvées dont sa mère l'accable. Quand elle quitte l'école, sa place est vite trouvée derrière le comptoir. Elle aurait préféré entreprendre des études, mais on ne lui a pas laissé le choix.

Du reste, elle aime bien aller au magasin. Avec la clientèle, elle se débrouille beaucoup mieux que son père, calcule plus vite que lui, connaît au centime près l'état des stocks, des commandes, des dettes et des créances. Plus doué pour la lecture des textes sacrés que pour le négoce, Hertzel apprécie son énergie, son aptitude à tenir les comptes, mais il s'agace aussi de son autorité. On devrait la marier vite, seulement pour cela il lui faut une dot et Hertzel ne réussit jamais à mettre le moindre sou de côté, ni pour elle, ni pour celles qui suivent. Il soupire souvent en y pensant. Puis il se replonge dans ses vieux bouquins, en s'en remettant à la volonté du Tout-Puissant qui finira bien par l'aider.

Helena est souvent contrariée par la mollesse de son géniteur. Les livres, toujours les livres... A quoi cela lui sert-il d'étudier s'il ne parvient pas à nourrir sa famille ? A deux reprises, elle l'a tiré d'embarras. La première fois, elle est allée négocier l'achat de vingt litres de kérosène à un fournisseur qui habite Lemberg, la capitale. La veille, un tour de reins a cloué son père au lit. Gitel a bien trop à faire à la maison pour le remplacer.

Hertzel ne peut pas se permettre de rater ce contrat. La cargaison a été revendue au double de son prix à un marchand de bestiaux, qui lui a déjà accordé une avance. Pour une fois, on pourra finir le mois sans dettes. Toute la soirée Helena entend ses parents se quereller, son père se lamenter, sa mère soupirer. Ce sont toujours les mêmes reproches, Gitel souffre de leur pauvreté, Hertzel la rabroue parce qu'il a honte. La jeune fille en a plus qu'assez de leurs disputes.

Au matin, sitôt levée, elle annonce qu'elle se rend à Lemberg à la place de son père qui la traite de folle et lui prédit qu'on va lui rire au nez. Helena insiste tant que Hertzel, avec l'assentiment de sa femme, la laisse prendre le train, escortée toutefois par le commis du magasin. Juste avant qu'elle ne se rende à la gare centrale de la rue Lubicz, Gitel a regardé sa fille droit dans les yeux.

— Si tu veux vraiment être maligne, écoute surtout. Et parle le moins possible.

L'affaire s'est conclue à son avantage, au prix que Hertzel a demandé. Il lui a suffi de rester ferme. Et personne ne s'est moqué d'elle.

Quelque temps plus tard, Hertzel commande en Hongrie une énorme quantité d'œufs qui doivent être consommés le plus vite possible. Le convoi prend du retard et la cargaison arrive en gare de Cracovie la veille de la fête de l'Assomption. Ce qui, dans cette Pologne catholique, signifie quatre jours chômés, sans ouvriers pour la décharger.

La canicule du mois d'août écrase la ville. Dans les rues chauffées à blanc, personne ne se risquera à sortir avant la fin de l'après-midi. Les wagons vont se transformer en couveuses. Déjà quelques dizaines de poussins sont nés. Certain de sa ruine prochaine, Hertzel se démène en vain pour obtenir une dérogation. Les lamentations de Gitel recommencent. Sans prévenir ses parents Helena décide de convaincre elle-même le chef de gare de débarquer la cargaison. Au bout d'une demi-heure de palabres, où il n'a pas le dernier mot, l'homme l'envoie chez le directeur des Chemins de Fer. Lequel, enfermé dans son bureau transformé en fournaise, sue comme un bloc de saindoux.

Quand elle pénètre dans la pièce, il toise cette Juive minuscule avec tout le mépris qu'elle lui inspire. Mais Helena se fiche comme d'une guigne de ce qu'il peut penser d'elle, obsédée qu'elle est par l'idée de le convaincre. Elle renifle, elle hoquette, elle déverse un flot de paroles, les œufs, mon père, la faillite. Puis elle recommence jusqu'à lui en donner le tournis.

Epuisé, le directeur ordonne de décharger les œufs sur le quai, et la renvoie d'un geste. Helena court dans tout Cracovie comme si elle avait un *dibbouk* à ses trousses et arrive chez elle, hors d'haleine, le visage tout rouge, les cheveux défaits. Sans reprendre son souffle, elle annonce la bonne nouvelle à ses parents qui pestent contre son audace mais sont bien obligés de la remercier. Hertzel est sauvé.

Plus tard, elle raconte qu'elle doit ses premiers succès à sa jeunesse, son inexpérience, et aux conseils avisés de sa mère. Modeste ? Pas tout à fait. « Mon sens du triomphe était un avant-goût de ce que la réussite en affaires pouvait signifier pour moi[3] ».

Travailler, toujours travailler. Helena devient trop mûre pour son âge. Trop sérieuse, trop anxieuse, trop nerveuse aussi. Son père se montre intraitable dès qu'il s'agit de son indépendance. Et bien sûr, comme toutes les filles, elle voudrait un peu s'amuser. Chanter, danser, porter des robes neuves, pas les vêtements retaillés de Gitel, qui passeront ensuite de sœur en sœur jusqu'à ce que le tissu soit usé. Elle guette toutes les occasions de rire. Il n'y en a pas tant que ça.

A côté de chez eux, habite un professeur de musique qui donne chaque semaine un cours de danse aux garçons et aux filles du quartier. La plupart de ses amies ont le droit d'y aller. Helena doit se contenter d'écouter la musique et d'esquisser trois pas dans sa chambre. Un après-midi, n'y tenant plus, elle se glisse hors de la maison et court rejoindre la joyeuse bande.

Pendant plus d'une heure, elle oublie tout, le ménage, les comptes, ses sœurs, la vie dure. Elle tourne, virevolte dans les bras de son danseur.

— Dévergondée !

Offensé comme si sa fille avait offert sa virginité à un bataillon de cosaques, Hertzel vient de débarquer dans le salon du professeur. En colère, il peut être très imposant. Il lui intime de le suivre et, bouche fermée, lèvres pincées, il tourne les talons. Helena trottine derrière lui, le rouge au front. Qu'a-t-elle encore fait de mal ? Décidément, personne ici ne la comprendra jamais. Ses idées ne sont pas celles de tout le monde. Elle étouffe dans cet univers trop petit. Tout est toujours si semblable, si ennuyeux. C'en est désespérant.

Aucune de ses tentatives pour changer le cours de leur petite vie monotone ne semble plaire à Hertzel. Entre autres scandales, il y a eu la vente du mobilier de la chambre qu'elle partage avec Pauline, sa cadette d'un an. Helena déteste leur grand lit de palissandre qui ressemble à un catafalque. Il lui donne des cauchemars. Au plus sombre de la nuit, elle croit voir des fantômes et elle attrape la main de Pauline pour calmer sa terreur. Elle trouve aussi ces tables de chevet, rongées par les termites, atrocement démodées. Ses parents ont hérité ces meubles de leurs parents. Au gré des naissances et des déménagements, ils ont ajouté des lits, des armoires, des bahuts, venus des greniers familiaux ou achetés pour quelques sous à des brocanteurs. Tout est disposé au petit bonheur, sans recherche, ce qui la désespère.

Dans la rue Stradom dont elle connaît chaque vitrine presque par cœur, un marchand de meubles vient d'ouvrir. Elle a d'abord glissé un œil vers l'intérieur, puis elle s'est enhardie jusqu'à y pénétrer. Elle a repéré un grand lit sobre et moderne et deux tables de chevet assorties. C'est le style Biedermeier, lui apprend le vendeur. Mademoiselle, ne cherchez pas, c'est ce qui se fait de mieux à Vienne, ajoute-t-il, d'un ton un petit peu affecté.

Helena passe la main sur le bois verni. La texture lui plaît. Sans l'avoir appris, elle sait d'instinct faire la différence entre le beau et le laid, le raffiné et le grossier. Elle n'aura pas trop de toute son existence pour affirmer ce goût de la beauté qui lui vient d'on ne sait où. Mais elle n'a pas les moyens d'acheter ces meubles dont le prix lui a semblé vertigineux. Pour la convaincre, le vendeur lui propose de payer à crédit, et même de reprendre son vieux mobilier. Et tenez, puisque vous semblez vous y connaître, je vous vends ce fauteuil à moitié prix. Avec, en prime, le grand miroir sur pied.

La tentation est trop forte. Helena marchande, et comme elle excelle à ce petit jeu, elle obtient un meilleur tarif encore. Elle se débrouillera bien pour rembourser les traites. Pour réceptionner la livraison, elle attend que ses parents s'absentent. La surprise n'en sera que meilleure. Justement, les grands-parents maternels d'Helena, Salomon et Rebecca, ont invité toute la famille à venir passer le Shabbat dans leur vieille maison des environs de Kazimierz. Pour ne pas les accompagner, Helena prétexte une migraine, ce qui lui arrive souvent.

Gitel s'inquiète. D'habitude sa fille ne manque jamais ces visites, elle est la petite-fille préférée de Rebecca qui la couvre de présents : des mouchoirs brodés, un col en dentelle. Quand elle a eu quinze ans, sa grand-mère lui a même offert un rang de perles. Ses sœurs ont cru en mourir de jalousie. Helena a toujours gardé ce collier, c'est même à cause de ce précieux cadeau qu'elle s'est mise à tant aimer les bijoux. Là-bas, il y a aussi Stass, l'homme à tout faire de ses grands-parents. Fort habile de ses mains, il fabrique pour les petites filles un mobilier miniature qui imite à la perfection celui des grandes personnes. Helena ne se lasse jamais de découvrir les nouvelles merveilles qu'il a façonnées. Les maisons de poupées vont rester tout au long de sa vie une passion constante, elle les collectionnera sans se lasser.

Tu es sûre ? demande Gitel.

Sûre, répond Helena. Elle se reposera mieux dans sa chambre, elle a besoin de calme. Dépêchons, dépêchons, crie alors Hertzel excédé par les allers et retours de sa femme qui court partout sans pouvoir se décider à partir. Nous allons être en retard, si sa fille veut bouder, c'est son affaire. Gitel se laisse convaincre et rejoint le reste de la troupe, déjà entassée dans la voiture à cheval.

Toutes ces tergiversations les ont retardés. Helena s'est rendue plusieurs fois à la fenêtre. Elle s'inquiète. La carriole avec son chargement de meubles doit arriver d'un moment à l'autre. Par chance, sa famille tourne le coin de la rue juste au moment où le marchand vient débarquer sa livraison. Helena n'a pas trop de la journée pour tout ranger selon son goût, refaire le lit, y étendre la courtepointe qu'elle vient de broder, car elle excelle, tout comme sa mère, dans les travaux d'aiguille.

Puis elle attend ses parents avec confiance, certaine de leur enthousiasme.

C'est mal connaître Hertzel qui reste cloué sur le seuil de la chambre. Décidément sa fille est *meshuggeh,* complètement folle. Un *dibbouk*, lui aura tourné la tête. Vendre ainsi les meubles de famille ! Ce ne sont pas des façons d'agir ! Avec qui a-t-elle fait affaire ? Un magasin de la rue Stradom ? Mais elle a la folie des grandeurs ! Cela a dû coûter les yeux de la tête ! Hertzel lui ordonne de le suivre et court au magasin pour rendre les meubles avant qu'il ne soit trop tard.

Obéir à son père, une fois de plus. Jusqu'à quand cela va-t-il durer ? Jusqu'à ton mariage, répond fermement Gitel. Après, tu devras obéissance à ton mari. Oui mais qui voudra d'elle ? réplique Hertzel avec amertume quand Helena a le dos tourné. Tout le monde sait à quel point elle se montre rebelle. Elle a déjà refusé quatre prétendants. Et elle a largement dépassé les vingt ans ! Sans dot conséquente, point de bon parti, rétorque Gitel. A son âge, elle n'aura que les laissés-pour-compte. Et n'oublie pas qu'il y en a sept autres derrière elle qui attendent leur tour.

Hertzel fait mine de ne pas entendre. Gitel consulte les marieuses, fait appel aux relations des relations, remue tout Kazimierz et les environs, Podgorze et Dukla, où elle est née, se demande dans son agitation si elle ne doit pas dépêcher des ambassadrices à Lemberg. Enfin, on lui indique la perle rare. Schmuel, un vieux veuf fortuné qui demeure à Cracovie, du côté du quartier chrétien, accepte d'épouser leur fille sans dot. Il l'a aperçue quelquefois à la synagogue et l'a trouvée fort à son goût.

Lui-même n'est pas très beau, petit, chauve et légèrement prognathe, mais sa famille est honorable et après tout, qu'a-t-on à faire de la beauté d'un homme ? Il possède une grande maison tout près du Rynek, où s'affairent trois serviteurs, et un atelier de confection prospère. Helena ne peut pas rêver mieux pour s'établir.

Hertzel est soulagé quand sa femme lui annonce la nouvelle. Ce Schmuel est une excellente idée. Il va les débarrasser de leur fille, et lui faire deux ou trois enfants pour commencer. Grâce à lui, la diablesse va se calmer. Il ne reste plus qu'à la convaincre.

La jeune fille écoute d'abord son père, puis sa mère. Les regarde tous les deux, muette pour une fois. Elle ne répond pas, c'est bon signe, pense Hertzel. Gitel est plus circonspecte. Elle connaît sa fille. Son immobilité ne lui dit rien qui vaille. D'ailleurs ne vient-elle pas de secouer la tête ? Que marmonne-t-elle encore ? Qu'il n'en est pas question ? Que jamais elle n'épousera ce... Ce comment déjà ? Ni lui, ni un autre du reste.

— Mais que veux-tu à la fin ? s'emporte Hertzel.

— Stanislaw.

Etonné, Hertzel se tourne vers sa femme qui esquisse un geste montrant son ignorance sur le sujet.

Stanislaw est un étudiant en médecine qu'Helena prétend avoir croisé devant l'université. Elle va parfois y rôder en rêvant qu'elle fait partie de ces groupes d'étudiants qui rient et discutent, sans lui prêter la moindre attention. Tous ont de la prestance mais aucun ne ressemble à Stanislaw. Des yeux comme le ciel de Cracovie en été, une chevelure bouclée. Il a une de ces allures sous sa redingote à boutons dorés. Un prince.

Elle ne lui a probablement jamais adressé la parole. Comment le pourrait-elle avec ce père si pointilleux sur ses fréquentations ? Mais une de ses amies qui connaît le jeune homme le lui a désigné un jour qu'elles se promenaient ensemble. Helena affirme qu'elle en est tombée amoureuse tout de suite, elle a tellement soif de romantisme. Cela, elle se garde bien de le raconter à ses parents. Au contraire, elle brode sur leur histoire, comme si, entre eux, les choses étaient déjà très avancées. Tout, plutôt que d'épouser Schmuel.

Alors Hertzel Naftaly Rubinstein se met vraiment en colère. Il marche de long en large dans le salon, criant, vitupérant contre elle.

— *Shoyn gening*, c'en est assez ! Tu dois m'obéir !

Assise sur le canapé de taffetas râpé, Gitel se tord les mains. Son visage rond dodeline au rythme des pas de son mari. On dirait une poule dodue.

— *Oi gevald,* qu'allons-nous faire de toi ? répète-t-elle en pleurant.

— Elle traîne trop dehors, je te l'ai toujours dit, reproche Hertzel à sa femme en oubliant que c'est lui qui surcharge sa fille de tâches impossibles.

Helena se tait mais n'en pense pas moins. Tout en elle refuse cette vie qui l'attend, inexorablement. Coincée à Cracovie, amoureuse d'un homme inaccessible, menacée d'en épouser un autre qu'elle n'aime pas. Promise au sort ennuyeux à périr de sa mère, de ses tantes, de ses grand-mères et de toutes ces générations de femmes avant elle. Beaucoup d'enfants, beaucoup de Shabbats, beaucoup de prières et beaucoup de soumission.

On ne change pas la tradition. Et surtout pas pour faire plaisir aux filles. Elle est l'aînée, elle doit se marier la première. Sinon comment caser les autres ? hurle Hertzel. Tu as déjà refusé tant de bons partis ! Pour qui te prends-tu ? Tu n'es qu'une prétentieuse !

Helena entend ses sœurs chuchoter derrière la porte du salon. Il n'y en a pas une pour lui venir en aide, terrorisées qu'elles sont par les hurlements de leur père. Et puis Helena exagère... Elle ne va pas s'en tirer cette fois.

Ah bon ? Elle lève le menton, se dresse sur ses talons comme un coq qui se prépare au combat. Pas de Stanislaw ? Soit. Mais pas de Schmuel vieux et chauve non plus. A vingt et un ans, elle n'est plus une petite fille. Personne ne doit décider pour elle. Pourtant, dans une famille comme la sienne, on ne badine pas avec le mariage. Même dotée de cette *chutzpah,* de ce toupet monstre, une fille doit en passer par là.

La scène prend un mauvais tour. Helena passe en courant devant ses sœurs, claque la porte et s'enferme dans sa chambre. Elle s'effondre sur son lit en sanglotant de rage. Je les déteste. Je veux m'en aller. Ici, tout est vieux, moche, figé, pauvre. Je vais mourir si je reste.

Helena est partie.

Elle s'étonne encore d'avoir eu ce courage. Elle est allée se réfugier à Cracovie chez sa tante Rosa Silberfeld Beckman, l'une des sœurs de Gitel, qui veut bien l'accueillir pour quelques mois. Pas plus, la prévient-elle, juste le temps de te retourner.

Helena ne compte pas vivre dans cette petite maison triste ni partager la chambre de sa cousine Lola, la fille de Rosa. Elle a d'autres ambitions. A Vienne, vit une autre sœur de sa mère, Chaja Silberfeld mariée à Liebisch Splitter, un fourreur qui tient un vaste magasin avec ses trois frères. La grande Chaja invite la petite à venir la rejoindre[4]. Elle aidera sa tante à s'occuper de la maison et travaillera dans l'affaire de son oncle.

Les Splitter sont plus aisés que ses parents, ce qui n'est pas difficile. Leur demeure est bien plus vaste, leur mobilier bien plus moderne. Liebisch a le sens des affaires, il ne rêve pas comme Hertzel, il ne se perd pas dans les livres non plus. Il amasse. Et ses cousins se montrent aimables. Et puis Vienne est une vraie capitale, riche en musées, en théâtres, en cafés, en salles de concert. A côté, Cracovie, qu'elle aime tant, fait province.

Helena améliore sa connaissance de la langue allemande et apprend les rudiments du commerce de luxe. Elle n'a pas son pareil pour accrocher une cliente, la retenir et lui vendre la fourrure la plus chère. Elle aime bien en porter aussi. Sur une photo qui date de ces années-là, on la voit poser dans un manteau d'astrakan noir.

Deux ans passent ainsi très vite. La jeune fille n'a pas de temps à consacrer aux loisirs. Elle travaille. Elle ne s'intéresse pas non plus aux bouillonnements politiques, philosophiques ou littéraires de la capitale autrichienne. Elle a vaguement entendu parler de l'affaire Dreyfus, parce que tous les Juifs d'Europe s'en inquiètent, et qu'on en discute à table et parfois même au magasin, ainsi que de l'antisémitisme qui règne en Autriche et gagne tous les milieux, mais cela ne la concerne pas plus que cela. Non plus du reste que cette effervescence autour du sionisme, de la Palestine, et de ce journaliste hongrois, Theodore Herzl qui fait se disputer les frères de son oncle Liebisch. Elle économise pour la vie qu'elle commencera un jour, dès que l'occasion s'en présentera.

Ses seules distractions sont la rituelle promenade sabbatique sur les bords du Danube ou dans les jardins du Prater. Cédant aux supplications de Gitel, sa tante lui a bien présenté quelques prétendants mais Helena les refuse toujours. Chaja Splitter n'insiste pas. Sa nièce est devenue indispensable à la boutique.

Helena, qui ne parle plus à son père, entretient des relations épistolaires avec sa mère. A chaque courrier, Gitel lui pose la même question sans se lasser. Quand comptes-tu te marier ? Et invariablement, la jeune fille hausse les épaules. Comme si le mariage était le seul destin d'une femme. Les lettres de ses sœurs la consolent un peu. Mais ce qu'elles racontent ne lui donne pas envie de revenir à Cracovie. Rien, là-bas, ne semble changer.

Vendre des fourrures n'est pas un destin. En tout cas, ce n'est pas le sien. Il est temps de se sortir de là. Sa cousine Eva, la fille de son oncle Bernhard Silberfeld, le frère de Gitel, s'est mise à lui écrire avec régularité. Orpheline de mère, elle a longtemps vécu dans la famille d'Helena, comme une neuvième sœur. Plus jeunes, elles étaient très proches.

Après avoir rejoint son père en Australie, Eva a épousé Louis Levy, un homme violent, alcoolique, qui s'est mis à la voler, puis à la battre, et qui, par deux fois, a failli la tuer. Eva a pourtant trouvé la force de divorcer. Dans ses lettres, elle appelle Helena à son secours pour l'aider à s'occuper de ses trois enfants en bas âge. Théodore, le petit dernier, est encore un bébé.

L'Australie ? C'est une idée parmi d'autres. Helena y a pensé quelquefois sans vraiment s'y attarder. Elle ne connaît pas grand-chose à ce pays de colons mais il l'attire, incontestablement. Quand Eva lui décrit les grands espaces, les étendues sauvages, les villes modernes, Helena rêve de liberté.

Elle réfléchit et s'en ouvre à sa tante, qui en parle à son tour à son mari. Ce dernier trouve le projet excellent. Les Splitter, qui déménagent pour Anvers, vont bientôt laisser leur nièce sans toit, sans travail et sans ressources. Là-bas, il n'y a pas de place pour elle, et de toute façon, elle refuse de les accompagner.

Alors Chaja écrit à Gitel. Et tout le monde tombe d'accord : Helena doit émigrer. Comme d'habitude, elle enjolive ensuite les raisons de son départ : « Depuis que j'étais enfant, j'ai toujours rêvé de partir pour l'Australie. Mes oncles s'étaient établis là-bas et mon imagination avait été nourrie de leurs lettres racontant leur vie dans ces terres isolées[5] ». En faisant sienne la décision de s'exiler si loin, elle façonne comme elle l'entend sa légende d'aventurière. Si elle s'en va, c'est parce qu'elle l'a décidé. Elle ne veut rien devoir à personne.

Il n'est pas question de raconter que sa famille a voulu se débarrasser d'elle en l'expédiant à des milliers de kilomètres. Pour tous, la solution australienne est une porte de sortie honorable à cette rebelle in-ma-ri-able. *Alteh moid*, vieille fille, voilà le sort qui la menace. Mais peut-être, aux antipodes, pourra-t-elle encore rencontrer un *gvir*, un riche époux, qui voudra bien d'elle, malgré son âge, comme l'espère toujours Gitel.

Helena les laisse dire de peur qu'ils ne changent d'avis. Une fois là-bas, elle sera trop loin pour qu'on vienne encore l'ennuyer avec ces histoires de mariage.

Gitel vend un bijou, un des rares qu'elle possède encore, et lui envoie l'argent avec douze pots de sa fameuse crème qu'Helena glisse dans sa valise, sous ses robes de soie plissée. Les Splitter ainsi que d'autres membres de la famille de Cracovie complètent la somme.

La jeune fille peut ainsi s'offrir un billet en classe cabine, sans toucher à ses économies. Puis, plus seule et plus déterminée que jamais, elle prend le train pour l'Italie.

A Gênes, où vient d'appareiller son bateau qui arrive de Brême, elle embarque de nuit.

Un Nouveau Monde sans pitié

Des moutons.

A perte de vue.

Qu'y a-t-il au monde de plus ennuyeux qu'un mouton ? Ici, on les compte par milliers, éparpillés dans le bush carbonisé par le soleil. De stupides animaux qui broutent inlassablement au milieu des buissons et des eucalyptus gorgés de résine, dans ces étendues monotones, où l'on peut parcourir des centaines de miles à cheval sans rencontrer âme qui vive. Mais au moins les moutons ne boivent-ils pas de rhum, ni de bière jusqu'à ne plus pouvoir articuler. Ils ne rentrent pas ivres morts des bouges de Coleraine. Ils ne la poursuivent pas de leurs ardeurs, les yeux fixés sur sa poitrine, comme s'ils n'avaient jamais vu une femme. Ils ne se montrent pas grossiers avec elle, ne hurlent pas, n'éructent pas. Les moutons sont idiots mais ils restent supportables. Pas comme ses oncles.

Helena referme son ombrelle d'un geste brusque avant d'entrer dans le magasin du 107 Whyte Street, accolé à la maison de briques au large porche, où elle habite désormais[1]. C'est un bazar, un peu plus moderne que celui de son père à Kazimierz, avec ses hauts comptoirs, ses étagères et ses casiers de bois. Son oncle Bernhard qui est aussi éleveur de moutons et se targue d'être oculiste – un bien grand mot pour les quatre paires de lunettes qu'il propose – y vend de tout. De l'huile de castor, des pelles et des tamis, des biscuits secs, du sucre, des patates, des cataplasmes, de la pommade pour les articulations des chevaux, des licols, des cordes, de la farine, des clous, des outils, du savon noir, des lunettes et même des vêtements, des pantalons de coutil, des chemises de lin brut et des chapeaux de toile qu'on appelle par ici des *akubras*.

Helena déteste la façon qu'ont les fermières de s'habiller, leurs jupons de calicot rêche et leurs grosses chaussures lacées. Même si c'est incommode, elle revêt chaque matin l'une de ses robes de soie plissée qu'elle raccommode sans cesse et chausse ses bottines à talons, maltraitées par les promenades à cheval. Elle ne supporte pas les bottes que son oncle l'oblige à porter lorsqu'il l'emmène chevaucher dans le bush, un autre de ses nombreux supplices ici, tant elle tremble devant sa monture. A-t-on idée de grimper sur le dos d'un animal ? Elle n'est pas faite pour être cavalière. Sa seule concession à la rusticité est ce tablier qu'elle passe sur ses vêtements pour ne pas les abîmer quand elle travaille au magasin.

C'est ce qu'elle fait en entrant, juste avant de se diriger derrière le comptoir. Aucun client n'est en vue mais elle ne sait pas rester inactive. Elle ouvre le livre de comptes, attrape un porte-plume. Bientôt elle est absorbée par ses calculs.

— Tu es rentrée ? La voix vient de l'arrière-boutique. Pas trop tôt. Où es-tu encore allée traîner ?

— Cours d'anglais, répond-elle sèchement. Depuis que je suis là, je vais tous les jours à l'école, tu devrais le savoir.

Et dès que j'en sais suffisamment pour me débrouiller seule, je m'en vais, ajoute-t-elle tout bas, avant de replonger sa tête dans les chiffres.

L'accent yiddish de Bernhard l'exaspère. Sa grosse voix rugueuse aussi, sans parler de ses mauvaises manières. Il chique, rote, se cure le nez sans aucune gêne. Rebecca Silberfeld, la grand-mère d'Helena, serait furieuse de voir son fils si négligé. C'est devenu un vrai bouseux avec ses chaussures crottées, ses manchettes de lustrine et son crayon derrière l'oreille. Il ne dépare pas au milieu de tous ces colons, ces *gold diggers* ou chercheurs d'or, ces *stockmen,* ou gardiens de moutons, et ces anciens convicts déportés d'Europe. Si le pays est tellement rude, c'est qu'il ressemble à ceux qui le peuplent.

Dans les villes, c'est différent, les gens sont éduqués, bien habillés, raffinés. Elle l'a bien remarqué quand elle a débarqué du bateau à Melbourne. Le peu qu'elle a réussi à entrevoir pendant la demi-journée qu'ils sont restés là-bas, car Bernhard avait besoin de faire des achats, lui a plu tout de suite. Mais à Coleraine, il n'y a guère le choix. Ce n'est pas le genre humain qui compte, ici, le mouton est roi. Les fermiers élèvent des moutons, les femmes qui épousent des fermiers, s'occupent des moutons et font de nombreux enfants qui suivront les traces de leurs parents. Elles n'ont aucun sujet de conversation si l'on excepte les maladies infantiles ou bien alors se plaignent du temps, des domestiques aborigènes, de la sécheresse, des inondations et bien sûr des moutons.

Helena se remet à calculer à toute allure. Il fait de plus en plus chaud, elle essuie son front moite sur sa manche. Elle ne supporte pas ce climat torride l'été, glacial l'hiver, humide souvent. D'ailleurs elle ne supporte rien. Cela fera presque deux ans qu'elle est arrivée dans cette petite ville de pionniers de deux mille âmes, surgie au milieu de nulle part, située au sud-ouest de l'Etat du Victoria, et elle ne s'habitue toujours pas.

Tout autour de Coleraine s'étendent de vastes landes battues par le vent violent de la prairie qui charrie derrière lui des nuages de poussière jaune et lui provoque des migraines. A quelque six miles au sud, coule la rivière Wannon qui a donné son nom au district et déborde trop souvent à la saison des pluies, isolant Coleraine et ses alentours.

D'étranges animaux complètent le tableau, pour certains beaucoup moins inoffensifs que les moutons. Des kangourous, des koalas, des geckos, des opossums, des ornithorynques, des rats d'eau, des chats sauvages, des dindes de brousse, et des chiens de prairie. Ici, il faut toujours se tenir sur ses gardes, faire attention aux moustiques, éviter les serpents, les mygales et les araignées à dos rouge, veiller aux incendies qui éclatent sporadiquement dans le bush, causés par la malveillance de vagabonds ou par le soleil qui enflamme l'herbe sèche. Sans parler des bandits de brousse, les *bush rangers,* qui rôdent autour des fermes en quête d'un mauvais coup, et des indigènes dont il est entendu qu'on doit se méfier et qui se dressent soudain devant vous avec leurs peaux sombres à l'éclat menaçant et leurs bouches édentées, plus effrayants que des masques.

Coleraine compte une poste, trois bazars comme celui de Bernhard, un fabricant de selles, un forgeron, un journal local, un bijoutier, un tailleur, trois hôtels, un presbytère et une école privée tenue par deux vieilles filles, Miss Crouch et sa nièce Miss Arrovoye, où Helena apprend l'anglais avec des élèves qui ont quinze ans de moins qu'elle. Et encore deux ou trois bars où les fermiers s'enivrent après les courses de chevaux, la seule distraction du coin.

L'endroit n'a rien à voir avec ces ports magnifiques qu'Helena a aperçus pendant son voyage en bateau et dont les noms la font encore rêver. Ni avec Melbourne dont elle a pu apprécier l'effervescence, avant de parcourir trois cents kilomètres sur une route poussiéreuse, dans la voiture à cheval de Bernhard, tellement bourrée de marchandises qu'elle a à peine pu caser sa malle et s'asseoir. Coleraine est bien loin de Vienne, tellement raffinée, et de Cracovie, dont la simple évocation lui fait monter les larmes aux yeux.

Au bout de tout ce temps, Helena se sent toujours aussi seule. Ce n'est pas un hasard si ces régions ont été surnommées *out back,* « les terres isolées », un nom qui traduit à la perfection son sentiment d'abandon. La beauté des lieux ne la touche pas, elle n'a que faire de la luxuriance de la nature, des nuances éclatantes des fleurs au printemps, des vastes étendues sauvages. Elle n'a pas d'amis à Coleraine, ne cherche pas non plus à s'en faire.

Bien sûr, les gens sont gentils, se montrent serviables, solidaires, il faut bien s'entraider quand les conditions de vie sont si difficiles, mais elle n'a rien à leur dire en dehors des relations de voisinage ou des échanges avec les clientes. Si au moins Eva était restée avec elle. Mais au bout d'une année à Coleraine, sa cousine qui ne s'entend pas avec son père a choisi de rentrer à Melbourne, ses trois enfants sous le bras.

Helena l'aurait bien suivie si elle avait su quoi faire en ville. Mais sans argent, où aller ? Désormais, elle s'occupe seule des repas. Elle est aussi chargée du ménage. La maison de Bernhard, dotée de tout le confort moderne, possède une vraie salle de bains, avec une baignoire à pieds griffés et une douche, quatre chambres à coucher, une cuisine, un salon, une salle à manger[2]. Mais tout nettoyer lui prend un temps fou.

Son oncle ne lui en est même pas reconnaissant. Quand il ne se moque pas de ses vêtements de dame, des talons ridiculement hauts qu'elle s'obstine à porter même sur les chemins de terre, de son inaptitude à monter à cheval, de sa peur des lézards, des araignées et des bruits de la nuit, des ombrelles qui protègent toujours son visage, de ses manières un peu trop urbaines, ou de ses gigots brûlés, il se tait. Il peut rester des jours sans dire un mot, s'exprimant par des grognements et autres bruits innommables. Pas étonnant qu'il n'ait jamais réussi à se recaser depuis la mort de son épouse, la pauvre tante Chana. Aucune femme sensée ne voudrait d'un type pareil.

Au début, pressé par le chœur familial, dont ses sœurs qui, de Cracovie, insistaient par courrier, Bernhard s'est mis en tête de marier sa nièce. Les premiers mois de son installation, il lui a présenté des prétendants choisis parmi les quelques immigrés juifs polonais, roumains, allemands qui habitent Coleraine et les bourgs environnants du district de Wannon. Tous ont été séduits, Helena est une denrée rare par ici. Une *shaineh maisdel,* une jolie fille, disent les regards appréciateurs qui suivent la frêle silhouette aux rondeurs bien placées pour plaire à un homme. Et puis avec ça un vrai caractère, bien utile pour survivre dans ce pays difficile. Ils la voient déjà tenir leur foyer, réchauffer leur couche, mener à la baguette les nombreux enfants qu'ils ne manqueront pas de lui faire.

Mais ce sont des éleveurs, et puis des forgerons, des cordonniers, des orpailleurs, des *proster mensh,* des individus vulgaires qu'elle n'aurait jamais imaginé fréquenter à Cracovie. Alors les épouser...

Puis comme elle s'est obstinée à les repousser sans même leur accorder un sourire – non, je ne veux pas de Yankel, je me fiche que son bar soit le plus fréquenté de Digby, et je ne veux pas de Moishe le boiteux non plus et ce Nathan, il a beau être un fermier très riche, c'est quand même un *ongentrinken,* un ivrogne – Bernhard a fait défiler ce qui restait de célibataires dans les environs, des *goyim,* cette fois.

Helena ne se mariera pas. Combien de fois lui a-t-elle expliqué, d'abord en y mettant les formes, puis en haussant le ton au cours des disputes qui ont suivi chacun de ses refus, qu'elle ne compte pas s'enterrer à Coleraine ? Alors Bernhard a abandonné l'idée. A présent, il regarde tout ce qu'elle mange comme s'il calculait ce que chaque bouchée lui coûte. Pourtant Helena a un appétit d'oiselle. Quand il a bu, il lui prédit qu'elle va se dessécher comme une vieille peau de mouton tannée par le *brick-*

fielder, le vent du désert, puisqu'elle ne veut pas d'un homme à ses côtés.

Mais il y a pire que Bernhard.

Louis, son frère cadet, élève des moutons à Merino, un petit bourg situé à douze miles au sud de Coleraine. Louis le lubrique, un vrai *bushman,* qui dort sans ôter ses bottes et parle avec l'accent épais des gardiens de troupeaux. Il la dévisage en se passant la langue sur les lèvres, comme si elle était un saladier de crème. A chacune de ses visites, il insiste pour lui apprendre à monter à cheval. Au bout de quelques minutes à peine, Helena qui se plaint d'avoir mal au dos, réclame de faire demi-tour. Elle ne saurait dire qui de l'animal ou de son oncle l'effraye le plus.

Louis ne se décourage pas. Les rebuffades de sa nièce semblent même l'exciter. La dernière fois qu'il s'est approché trop près d'elle, dans l'étable, en lui effleurant les seins, elle lui a donné un bon coup d'ombrelle. Il est devenu écarlate, a levé le poing pour la frapper. Bernhard qui ne tient pas à ce que la fille de Gitel soit défigurée – cela ferait désordre dans la famille – a réussi de justesse à calmer son frère. Louis a fait mine de la poursuivre en l'insultant.

Helena a couru aussi vite qu'elle l'a pu et s'est réfugiée à l'école. Les élèves l'ont regardée, bouche bée.

— C'est quoi un *bugger* ? a-t-elle demandé, quand elle a retrouvé son souffle, à Miss Crouch et Miss Arrovoye, les institutrices.

Les deux vieilles filles sont devenues cramoisies comme les rideaux de peluche usés de la chambre à coucher qu'elle occupe chez Bernhard.

— Eh bien, je suppose que c'est une femme de mauvaise vie ou quelque chose dans ce genre, a murmuré Miss Crouch, tandis que Miss Arrovoye baissait les yeux.

Non, rien ici ne se passe comme prévu. Qu'avait-elle prévu, du reste ? Elle ne le sait même plus. Elle pleure tous les soirs en se couchant épuisée, après avoir travaillé pire qu'une bête au magasin, exception faite des quelques heures où elle se rend à l'école. Elle se réveille à l'aube toujours en pleurant parce qu'elle a rêvé des boutiques du Rynek et des promenades sous les remparts, quand les lilas embaument. Même la pensée des ruelles bruyantes de Kazimierz la rend nostalgique. Il lui arrive de fermer les yeux et d'invoquer son petit monde perdu, les carrioles des marchands ambulants, les bonnes femmes sur le pas de la porte, les gâteaux au pavot de sa mère.

Le mal du pays la ronge. Ici, elle déteste tout, le climat, les gens, les moutons, ses oncles. C'est trop dur et pourtant, en Pologne, la vie était loin d'être facile. Mais l'Australie... Elle ne s'y fera jamais. Gitel pleurerait pendant une semaine si elle avait la moindre idée des conditions de vie de son aînée.

— Ne t'inquiète pas, maman, répète souvent Helena en se regardant dans le bout de miroir, au-dessus de la cuvette. Je me nettoie la peau en me levant, je m'hydrate avec ta crème, et je brosse cent fois mes cheveux avant d'aller au lit, comme tu me l'as appris.

Le rituel de Gitel. L'un des seuls souvenirs qui la raccrochent au passé. Helena oublie combien elle a pesté contre l'étroitesse de sa vie là-bas, et combien elle a prié le Ciel pour s'en aller. Elle regrette ses sœurs, revoit la beauté de Stella, la plus jolie de toutes, pense aux mots d'esprit de Pauline, au mauvais caractère de Ceska avec laquelle elle s'est si souvent disputée, et à sa petite Erna, la dernière des filles, qu'elle a pratiquement élevée. Jamais elle n'aurait cru que ces insupportables moufflettes lui manqueraient si fort alors qu'à Vienne, elle n'y pensait presque jamais.

Helena sent physiquement la chaleur du cocon. Les rares lettres qu'elle reçoit de Cracovie et qu'elle relit jusqu'à les apprendre par cœur la plongent dans une nostalgie qui l'anéantit bien après la lecture. Elle a le *pip*, le cafard. C'est épais et ça plombe.

A bientôt vingt-sept ans, elle a tout raté, se dit-elle parfois, quand le désespoir la submerge. Elle n'a pas suivi d'études, ne s'est pas mariée, elle travaille comme une brute sans gagner le moindre shilling. Son existence est vouée à l'échec dans un pays hostile, avec des oncles qui ne le sont pas moins. Pas question pour autant de retourner en arrière. Pour retrouver quoi ? La même vie difficile mais sans aucune possibilité de fuite ? Le regard empli de commisération des siens ? Elle les entend d'ici. Toujours sans un sou, cette pauvre Chaja, et toujours incasable. Etre taxée de *shlimazel*, de malchanceuse ? Ou pire de *lebish*, de perdante ?

Jamais.

Jusque-là, elle a échappé aux pièges qui la guettent. Mais un de ces jours, elle va tomber d'un de ces maudits chevaux et se retrouver avec les reins brisés. Ou elle se fera piquer par un de ces vicieux petits serpents de brousse qui se glissent dans vos draps et vos chaussures et elle mourra après une horrible agonie. Ou bien cet abruti de Louis parviendra à ses fins. Il la violera dans un coin sombre et elle s'abîmera les yeux à force de pleurer. Si, par chance, elle réussit à survivre, on l'obligera forcément à épouser l'un de ces rustres. Elle ne pourra pas y couper.

Coincée entre les troupeaux d'enfants et de moutons, le visage raviné par le soleil et le vent, elle vieillira prématurément, noiraude et ridée comme les clientes du magasin, ou comme ces ladies anglaises qu'elle a croisées à Melbourne, et dont le visage ressemble à du parchemin. Heureusement que sa mère lui a fait don de ces quelques pots de crème. Le geste prévoyant de Gitel, ajouté à sa terreur du soleil, ont gardé intact son teint de porcelaine qui lui vaut les regards appréciateurs des hommes et les compliments un peu envieux des femmes.

— Ma chère, comment faites-vous pour avoir la peau si blanche ?

Leur hantise est de ressembler aux femmes aborigènes, ces moins que rien selon leurs codes, dont la peau sombre les dégoûte. Helena répond dans son mauvais anglais, coloré d'un impossible accent polonais qu'elle ne réussira jamais à perdre :

— Family secret.

Puis, comme si elle partageait un trésor mystérieux et précieux, elle sort de dessous le comptoir un petit pot de crème et masse le visage de la cliente. Les femmes adorent qu'on s'occupe d'elles. Helena leur donne aussi des conseils. N'allez pas au soleil, c'est désastreux pour le visage. Utilisez vos ombrelles, vos chapeaux. Elles ressortent enchantées du bazar de Bernhard.

Malgré l'usage parcimonieux qu'elle en a fait depuis son arrivée, ses provisions touchent à leur fin. Helena a beau répéter aux fermières que la crème coûte très cher parce qu'elle vient de loin, elles en redemandent. Elle pourrait peut-être en vendre quelques pots au bazar. Bernhard ne dirait pas non. Mais pour cela il faudrait en commander à Gitel.

Une nuit où elle ne réussit pas à s'endormir – à Coleraine, la nuit l'effraie plus encore que le jour – Helena refait pour la centième fois ses calculs. Si tout se passe pour le mieux, il faudra deux mois pour que sa mère reçoive sa lettre, deux mois pour que le colis voyage de Cracovie à Melbourne, plus quinze jours pour dédouaner la marchandise et la faire transporter ici.

C'est bien trop long et bien trop compliqué aussi. Helena aurait plus vite fait de fabriquer la crème elle-même. Cela ne doit pas être si difficile. Il suffirait de demander la formule à Jacob Lykuvsky. Oncle Jacob. Elle y pense soudain très fort et se remémore avec nostalgie le sourire épanoui de sa mère quand elle ouvrait les gros bocaux de crème apportés par le chimiste. Il ne pourra pas lui refuser ce service.

Helena se dresse sur son lit, surexcitée. Comment n'y a-t-elle pas pensé plus tôt ? Les Australiennes envient son teint parfait ? Elle va leur offrir le même. Ou plutôt le leur vendre. Elle fabriquera cette crème et elle la commercialisera dans de petits pots joliment décorés. Si elle s'y prend bien, elle pourra rapidement gagner sa vie. Mais pour investir dans ses recherches, il lui faut un peu d'argent. Hélas, ses économies ont fondu depuis longtemps.

Depuis son arrivée à Coleraine, le chiffre d'affaires du bazar a augmenté d'un tiers. Mais ce vieil avare de Berhnard préférerait être piqué par un serpent à sonnette plutôt que de le reconnaître. Sous prétexte qu'il fournit à sa nièce le gîte et le couvert, il ne lui accorde pas de salaire, excepté un peu d'argent de poche de temps à autre pour couvrir ses besoins essentiels. A chaque fois, Helena se sent humiliée de devoir quémander ces billets auxquels elle a pourtant droit.

Bernhard est si près de ses sous, qu'il ne lui prêtera pas le moindre shilling, elle en est certaine. D'ailleurs, à Coleraine, personne ne le fera. Il lui faudra se débrouiller seule. Toute la nuit, Helena échafaude des plans qu'elle peaufine ensuite pendant les semaines qui suivent. Elle doit quitter Coleraine pour Melbourne. Là-bas, elle ouvrira son salon de beauté dans un quartier huppé. Elle l'entrevoit dans ses moindres détails, imagine les couleurs des murs, la forme des meubles. Dans son institut, les femmes se sentiront chez elles, débarrassées pour quelques heures de leurs soucis domestiques et des cris de leur marmaille.

Helena leur apprendra à soigner leur peau, à la protéger avec la crème de Gitel. Peut-être leur faudra-t-il aussi des massages. Helena se souvient du bien-être ressenti quand sa mère lui pétrissait le dos dans ses très rares moments de tendresse.

Rêver lui fait du bien, elle oublie ainsi sa vie misérable. Désormais, elle ne pleure plus en allant se coucher. Elle n'a même plus peur des bruits nocturnes qui d'habitude la font sursauter ou l'obligent à se recroqueviller sous la couverture, parce qu'elle est sûre qu'un animal sauvage rôde autour de la maison. Au contraire, elle a hâte de souffler la lampe à pétrole et de laisser son esprit vagabonder dans le noir. Mais chaque fois, elle bute sur le même problème. Il lui manque le financement. Comment payer son voyage à Melbourne ? Et la fabrication de sa crème ? Ces questions se font de plus en plus lancinantes.

Elle pense soudain à ce vieux pharmacien, qui tient une officine à Sandford, le bourg voisin. Chaque semaine, quand elle se rend au marché dans la carriole de l'oncle, elle ne manque jamais de lui rendre visite. Sa minuscule boutique, poussiéreuse et vieillotte, regorge de bocaux remplis d'herbes, d'écorces, d'huiles, de potions, d'onguents et de pommades. Helena raffole de ces odeurs médicinales qui lui rappellent une vocation étouffée. Depuis que sa femme a été emportée par une mauvaise grippe au printemps dernier, monsieur Henderson, qui n'a pas d'héritier, a du mal à tenir seul son affaire. Il s'en est déjà plaint à elle, et elle a hoché la tête en signe de compassion.

Comment n'y a-t-elle pas songé plus tôt ? C'est lui qui la sauvera, se dit-elle. Le jour du marché, elle plante là Bernhard qui s'attarde avec les vendeurs de bestiaux et se dirige, le cœur battant, vers la pharmacie.

Elle fait d'abord semblant de fouiner dans la boutique, débouche les flacons, déplace les pots de crème. Puis, pour se donner du courage, elle respire un grand coup et fonce vers le vieux pharmacien.

— Dites, monsieur Henderson. Vous m'engageriez pour vous aider ?

Un rude apprentissage

L'oncle Bernhard refuse de la laisser partir à Sandford. Il ne veut même pas entendre parler du vieux pharmacien qui a tout de suite accepté la proposition d'Helena.

Ta place est à Coleraine, répète-t-il en secouant sa tête dure de Polonais, tu n'as rien à faire là-bas. Gagner ta vie ? Mais pourquoi ? Une femme respectable doit rester au foyer, pas derrière un comptoir. Tu aurais mieux fait de te marier plutôt que de tordre la bouche devant les beaux partis que je t'ai présentés ! A présent, te voilà bien avancée. Tu vas devenir la honte de la famille en travaillant chez ces *fremders*, ces étrangers ! Que va dire ta pauvre mère, ma chère Gitel, qui t'a confiée à moi ? Et mes autres sœurs, ma chère Rosalie et ma chère Chaja ? Toute ma vie, elles me reprocheront de t'avoir abandonnée.

Bernhard tente même d'amadouer sa nièce en lui proposant un salaire, bien maigre il est vrai, mais de la part de ce vieil avare, c'est le signe qu'elle lui est nécessaire. Helena est déterminée. Même pour tout l'or du monde, elle n'a pas l'intention de rester une minute de plus à Coleraine. Tu es plus têtue qu'un foutu mouton, lui lance Bernhard, qui troque son ton plaintif contre des insultes en yiddish.

Helena lui jette un regard glacial et sans un mot de plus, elle retourne dans sa chambre pour terminer de préparer ses effets. Posté sur le seuil, sans oser entrer, Bernhard poursuit ses amabilités. Toujours en silence, Helena sort dans la rue en traînant sa lourde malle derrière elle. Il n'esquisse pas un geste pour l'aider.

Dehors, un voisin l'attend dans sa carriole. C'est un brave fermier qui a accepté de la conduire à Sandford. Elle se hisse sur le siège, ajuste son chapeau, tandis que l'homme dépose son bagage à l'arrière, au milieu des moutons.

— Bon débarras, crie Bernhard en guise de bénédiction, quand les chevaux se mettent en route.

Le pharmacien a fixé son salaire à vingt-deux shillings par mois pour des journées de travail ininterrompues de l'aube jusqu'au soir. Ce n'est pas grand-chose, mais c'est déjà un début d'indépendance. Et puis Helena apprécie la clientèle. Comme dans le bazar de son oncle, les femmes viennent se confier à elle. La jeune femme les écoute avec un mélange de curiosité et d'empathie, pose des questions sur leurs enfants, leurs maris, leur santé. Elle se met en quatre pour les aider, va chercher les potions dont elles ont besoin dans l'arrière-boutique, prépare les prescriptions. Travailler dans la pharmacie la grise, elle ne se lasse pas de ce pouvoir minuscule que les clientes lui octroient en suivant aveuglément ses conseils.

Jour après jour, le vieil Henderson lui enseigne son savoir. Elle apprend sur le tas comment mélanger le blanc de baleine et l'oignon de lys, la paraffine et l'écorce d'amande douce, la cire et les herbes, la lavande et le miel. Elle lit les traités scientifiques qu'il lui conseille et pense plus d'une fois à sa vocation médicale empêchée. Au beau Stanislaw aussi, son amour de Cracovie, mais de moins en moins souvent. Les traits du jeune homme se sont estompés depuis longtemps. Il doit être marié avec une kyrielle d'enfants, se dit-elle parfois sans ressentir la moindre nostalgie. Elle n'est pas le genre de femme à se complaire dans un chagrin d'amour, réel ou supposé.

Helena examine le dernier pot de crème de Lykuvsky au microscope et tente d'en décomposer tous les éléments. Elle s'use les yeux, y passe toutes ses nuits jusqu'à tomber littéralement de sommeil dans l'escalier qui mène au débarras où elle loge. Le matin, elle se lève avant le soleil pour nettoyer la pharmacie, lessiver les sols, passer un chiffon sur les bocaux. Le soir, il faut encore s'occuper de la caisse, après des heures harassantes où elle n'a pas le temps de souffler. Elle ne se plaint pas. Elle a toujours été dure à la tâche, et puis à présent, elle est stimulée par son projet.

Gitel a fini par lui répondre. Elle a joint quelques pots de crème à sa lettre. Je ne peux pas t'en envoyer plus ma fille, tout coûte cher ici. Qu'est-ce que tu crois ? L'argent ne pousse pas sous les pavés de la rue Szeroka. Helena parcourt à toute vitesse deux pages remplies de nouvelles sans intérêt. Gitel y récrimine à longueur de phrases. *Oy gevelt,* tes sœurs grandissent, c'est difficile de les marier sans dot, ton père a encore fait faillite.

Alors que le découragement la gagne, un post-scriptum lui indique ce qu'elle brûle de connaître. La formule magique. Ou du moins ce que sa mère en a compris. Des herbes, de l'écorce de pin, du sésame, de l'essence d'amande, de l'huile, de la cire... Le texte d'une main, un pilon de l'autre, Helena se remet dare-dare à ses recherches. Ça ne doit pas être si compliqué. Si, pourtant. La texture se dérobe. Trop liquide, ou pas assez, trop sèche ou trop collante.

Helena devient son propre cobaye. Tous les soirs, avant de se coucher, elle essaye sur son visage les mixtures qu'elle a préparées. Parfois elle s'en effraye. Et si elle se réveillait couverte de boutons ? Non, il n'y a pas de danger, en tout cas pas avec ces ingrédients-là. Mais il manque toujours quelque chose pour que ses préparations hasardeuses ressemblent à une crème de beauté digne de ce nom.

Jusqu'au jour où une minuscule lueur s'allume dans sa tête. Cela lui arrive par hasard, juste au moment où elle va s'endormir. C'est souvent entre veille et sommeil, dans ce drôle d'état intermédiaire où pensées et songes se bousculent, que les grandes révélations vous tombent dessus. Au moment où elle s'y attend le moins, Helena pense aux moutons. Elle a lu dans un des grimoires de monsieur Henderson, sans y prêter vraiment attention, que leur laine sécrétait une graisse indispensable à la fabrication d'une *cold cream*, comme disent les ladies anglaises qui prononcent le mot en arrondissant leurs lèvres. Cet ingrédient, c'est la lanoline. Et tout à coup, sa lecture lui revient en mémoire. Et cela lui paraît lumineux, comme si la dernière pièce du puzzle venait s'ajuster aux autres pour former le bon dessin. La lanoline est exactement ce qu'il faut ajouter aux autres ingrédients pour obtenir une crème, à la fois douce et hydratante.

Dans un des vieux bouquins de cosmétologie du pharmacien, elle lit d'une traite en anglais – merci à Miss Crouch et merci à miss Arrovoye pour leurs leçons – tout ce qui concerne les pouvoirs adoucissants de la lanoline. Mais aussi comment l'extraire de la toison, comment la purifier, car le suint, à l'état brut, dégage une puanteur insoutenable.

Elle se souvient alors de ses froncements de nez lorsqu'elle passait dans certaines ruelles étroites de Kazimierz, là où les tanneurs faisaient sécher les peaux avant de les transformer en cuir. Pour en effacer l'odeur, il faudra y ajouter de l'eau de rose ou de la lavande et puis aussi de l'eau, essentielle à l'hydratation.

La lanoline est le chaînon qui lui manquait pour transmuter le plomb en or. Ou plus exactement, le mélange bourré de grumeaux qui jusque-là sortait de ses casseroles, en produit fini. Un peu de patience encore et elle sera riche. D'avance, elle savoure sa revanche. Mais il va lui falloir encore beaucoup travailler pour pouvoir se procurer tous ces coûteux ingrédients surtout au prix où monsieur Henderson la paye. Or Helena est pressée. Les années filent à toute allure.

Le visage avenant de lady Susanna, l'épouse de l'aide de camp du gouverneur du Queensland, qu'elle a rencontrée sur le *Prinz Regent Luitpold,* lui revient alors en mémoire. Helena a gardé son adresse dans un petit réticule de soie blanche où elle serre ses documents les plus précieux. Elle lui écrit tout de suite et reçoit une réponse par retour du courrier. Mais oui, Susanna se souvient parfaitement d'Helena. Comment oublier une personne si charmante ? Elle termine sa lettre en l'invitant à Brisbane. Tout le temps qu'il vous plaira ma chère. Vous verrez, vous aimerez la ville. Un peu provinciale, certes, ce n'est pas Londres, ni Melbourne, mais on y trouve de tout.

Rompue désormais à l'art de faire ses malles, Helena se bricole quelques toilettes à peu près présentables. Puis elle dit adieu à son protecteur et grimpe dans le train qui va la sauver. Le trajet est bien long, surtout pour une jeune femme qui voyage seule, mais elle commence à en avoir l'habitude. Pour rejoindre Brisbane, il faut parcourir deux mille kilomètres et franchir trois Etats, le Victoria, la Galle du Sud et le Queensland.

Au bout d'une semaine interminable, passée à regarder les paysages et à dormir, Helena arrive à la gare centrale de Brisbane, fourbue et poussiéreuse.

Mais libre, encore une fois.

Dans le fiacre qui la conduit chez son amie, son regard est sollicité par ce qu'elle découvre autour d'elle. Brisbane, la capitale du Queensland, est une ville agréable, moderne, dotée de larges avenues où se succèdent des immeubles bas, des restaurants, des théâtres, des magasins de vêtements, et d'un tout nouveau tramway électrique. Des colons anglais et allemands l'ont construite cinquante ans auparavant au bord du fleuve éponyme, célèbre pour ses inondations à répétition. La dernière, la plus terrible, survenue en 1893, est restée dans toutes les mémoires. Chaque fois, il a fallu rebâtir les maisons au bord des rives.

Helena absorbe le spectacle de la ville, comme si elle avait été trop longtemps privée de beauté. Elle s'étonne devant les monuments de style classique, la cathédrale, le Parlement et le Vieux Moulin, érigé par des forçats. Le pays s'est formé à la sueur de leurs fronts. Les premiers bagnards, qui sont arrivés à Sydney en 1788, ont été déportés d'Angleterre sur onze bateaux de la Royal Navy. A une époque où les prisons britanniques débordaient de monde, l'Australie était devenue le meilleur endroit pour se débarrasser des criminels en surplus. Pendant près d'un siècle, les convicts ont été employés à établir des colonies, dans des conditions souvent effroyables. Le dernier arrivage a eu lieu en 1868. En tout, cent soixante mille âmes, hommes, femmes, enfants, ont été déportées. Beaucoup avaient moins de quinze ans.

Elle qui s'est si longtemps sentie prisonnière dans ce bush tant détesté, ne peut que compatir à leur histoire. Elle aussi a le sentiment de sortir de prison. A Coleraine, entrer seule dans un bar vous faisait passer pour une femme légère. Elle se demande comment elle a pu y rester tout ce temps.

En arrivant chez Susanna, après les premières effusions suivies d'une bonne tasse de thé, elle donne à son amie un récit tout personnel de ses années dans le Victoria. « Never complain never explain » pourrait être sa devise. Elle refuse d'inspirer la pitié. Dans ses Mémoires, elle s'en tiendra toujours à des versions très édulcorées de ses moments pénibles. Son oncle est un grand propriétaire terrien, prétend-elle. Là-bas, elle n'a manqué de rien, mais elle a refusé d'épouser son frère qui lui faisait les yeux doux. Helena sourit intérieurement quand elle profère ce mensonge, en baissant les yeux comme une vierge effarouchée. Aussi, poursuit-elle, lui était-il délicat de rester plus longtemps. Et puis cette vie de jeune femme oisive l'ennuyait à périr.

Elle passe sous silence le magasin de Bernhard, la brutalité de Louis, la pharmacie de monsieur Henderson et toutes ces heures où elle a travaillé sans relâche, lavant, essorant, préparant, vendant... Tout en parlant, elle cache ses mains calleuses qui pourraient la trahir. Elle les a pourtant soignées du mieux qu'elle a pu. Mais les ongles manucurés ne sont pas compatibles avec le ménage.

Heureusement, Susanna ne regarde que son visage, tout en poussant de temps à autre de petits « oh » désolés. Le seul moment où Helena se montre sincère est lorsqu'elle demande à son amie de l'aider à trouver un emploi honorable car elle doit gagner sa vie. Et Susanna, touchée par un récit dans lequel, sous certains non-dits, elle entrevoit sans doute une vérité plus sordide, promet.

Ces quelques semaines à Brisbane passent comme un rêve. Partagée entre son admiration pour Susanna et ses amies et la perception qu'elle a de sa modeste personne, Helena ne sait plus quoi penser. Ses tenues rafistolées lui semblent misérables devant celles des ladies de Brisbane qui toutes exhibent des toilettes à la dernière mode de Londres. Mais sur leurs carnations claires le soleil et le vent ont commis des dégâts difficiles à réparer. Elles s'extasient sur la peau sans défaut de la jeune femme, le velouté de son grain, son absence de rides. Ces compliments lui redonnent confiance en elle et surtout en son projet. Bientôt elle sera aussi riche que ces femmes inaccessibles.

Fidèle à sa promesse, Susanna se met en quête de lui trouver un travail et un toit. Par hasard, elle apprend que Lady Lamington, l'épouse du gouverneur du Queensland, devenu très populaire en Australie pour avoir défendu la cause des tribus aborigènes, recherche une personne de confiance pour seconder leur nanny. Le

couple qui vit à Brisbane a installé ses deux jeunes
enfants dans son manoir de Toowomba, une station de
montagne située à soixante kilomètres de la ville.

A Brisbane, les Lamington résident dans le palais du
Gouverneur, une imposante demeure coloniale située
dans de vastes jardins. En tant qu'épouse de l'aide de
camp, Susanna n'a pas eu de mal à obtenir un entretien
pour son amie. Le couple apprécie Helena. Ils la trouvent jolie, bien élevée et réservée. De son côté, elle se
sent intimidée plus qu'elle ne l'aurait souhaité devant le
luxe de la maison et les nombreux domestiques. Fidèle à
sa règle de conduite, elle raconte le strict nécessaire sur
son passé. Mais les Lamington sont curieux. Ils la pressent de questions.

Sept sœurs ! dit Lady Lamington, amusée. Comment
peut-on avoir sept sœurs ? Parlez-vous allemand ?
demande Lord Lamington, c'est très important. Ah bon,
vous avez vécu à Vienne ? Et le français ? En Pologne,
où mon père possédait un vaste domaine, j'ai eu une
gouvernante qui venait de Paris, réplique Helena sans
broncher. Au fur et à mesure de la conversation, touchée
par l'intérêt que lui portent ses hôtes, elle reprend de
l'assurance.

Les Lamington ne vérifieront jamais ses dires. Helena
profère ses mensonges avec une telle candeur, qu'on ne
peut que lui faire confiance. D'ailleurs la jeune femme
est tout de suite à l'aise avec les deux petits qui la suivent
bientôt partout et se réfugient dans ses bras. Elle aime
beaucoup les bébés, surtout ceux des autres. Sa vivacité
et son intelligence en font plus qu'une nanny ordinaire.
En quelques jours, elle est adoptée par la famille et passe
du statut de domestique à celui de demoiselle de compagnie. C'est tout aussi humiliant à ses yeux, mais cette
position nouvelle lui donne cependant un accès à leur
monde, une porte d'entrée dans l'aristocratie, même si
c'est par l'escalier de service.

Quand les Lamington reviennent à Toowomba, elle est de tous leurs dîners, de toutes leurs parties de plein air. Son éducation mondaine débute au manoir. Elle y apprend les mœurs de l'aristocratie anglaise, ce qui lui sera bien utile, plus tard, à Londres, dans sa fréquentation de la gentry. Elle observe, imite, engrange. Se tenir à table, se servir d'une fourchette à huîtres, apprécier un vin, sourire quand elle n'a rien à dire, écouter patiemment les messieurs parler de chasse et les dames de leurs soucis domestiques.

Considérée comme un charmant animal exotique, dans ce pays qui pourtant n'en manque pas, la petite demoiselle de Cracovie commence à se dégrossir. Dans le même temps, elle poursuit ses recherches pour améliorer sa crème. Car elle reste fixée sur son objectif.

De tous les Etats d'Australie, pourtant richement dotés par la nature, le Queensland est le plus réputé pour sa flore. Une quantité de plantes y poussent qui entrent dans la composition d'onguents et de pommades de beauté. Quand la nursery lui laisse un peu de répit, Helena herborise. A Coleraine, le bush ne l'avait jamais séduite. Ici, elle se sent inspirée lorsqu'elle entreprend ses cueillettes autour de la maison, un panier sous le bras pour y déposer ses trésors.

De retour dans sa chambre, elle examine chaque trouvaille avec sérieux, recherche les propriétés des plantes, la façon de les mélanger avec d'autres pour en tirer le meilleur parti. La bibliothèque de la maison regorge de livres de botanique, d'herbiers anciens et d'encyclopédies qui ajoutent aux rudiments de ses connaissances sur les simples.

Ces heures passées sur les vieux traités seront des moments de pur bonheur. Elle absorbe les connaissances, mémorise les recettes. Dans l'Antiquité, lit-elle, la *Cosmétologie* a été reconnue comme un art à part entière, et ses formules retranscrites dans les traités de Galien, le médecin de la cour de Marcus Aurélius, dans ceux d'Héraclite de Tarente et dans ceux de Criton, qui soigne l'épouse de l'empereur Trajan. Le mot vient du grec *kosmos,* qui signifie à la fois ornement et ordre. Platon rejette les fards et les onguents parce qu'ils produisent une beauté étrangère, manquant de naturel, qu'il oppose à la beauté du corps, modelée par la gymnastique.

Une autre étymologie l'attribue à *kemet,* la terre noire des bords du Nil, que les femmes utilisent pour se protéger contre l'air sec et les vents du désert. Les Egyptiens sont de véritables chimistes en beauté, capables de créer des produits de synthèse pour embellir et pour soigner. Ils fabriquent leurs poudres préférées avec de la farine de gypse, parfumée de myrrhe et d'oliban. D'autres pommades incluent de l'ocre pour éclaircir le teint, de l'huile d'olive, de la cire d'abeille, de l'eau de rose. L'utilisation d'objets de toilette est courante : pinces à épiler, peignes, épingles à cheveux, miroirs qu'on serre dans de jolis coffrets.

A Rome et à Athènes, les élégantes se trempent dans des bains parfumés d'huiles aromatiques, tirées d'olives pressées ou d'amandes amères, mélangées à des épices comme la cardamome et le gingembre, ou à des essences de lys ou d'iris. Elles s'enduisent de céruse, toxique pour la peau, ce qu'on ignore alors, et se confectionnent des masques à base d'argile, d'amidon, de miel, ou de lait d'ânesse.

Au Moyen Age, on prescrit de la cervoise pour donner de la couleur au visage et de l'herbe licium pour faire briller les yeux. La farine de fève et les pois chiches entrent dans la composition des masques de beauté. Les femmes s'épilent entièrement le visage et le corps avec des bandes de cire chaude et soignent leurs rides à l'aide de pommades composées de cire, d'huile d'amande, de graisse de crocodile, de sang de hérisson, de chauve-souris ou de serpent. Mais l'Eglise s'oppose aux techniques d'embellissement, car elles corrigent l'œuvre du créateur et entraînent les femmes à se préoccuper de futilités au lieu d'œuvrer au salut de leurs âmes. Pour les clercs, la beauté a les couleurs du Diable.

A l'époque de la Renaissance, Lucrèce Borgia doit la transparence de sa peau à une pommade à base de lait de femme et d'huile d'olive, mêlée de paillettes d'argent et de perles finement broyées. Le rouge, fabriqué avec de la cochenille, du bois de santal et du sulfure de mercure, est la couleur préférée des belles pour rehausser leur visage. Mais la pâleur reste la marque suprême de la distinction.

Helena ne se lasse pas d'apprendre et de noter. Elle raffole des recettes naturelles de la marquise de Pompadour : du miel battu avec de la crème fraîche et de l'eau de cerfeuil tonifiante pour rafraîchir le visage. Au XVIIᵉ siècle, l'albâtre de la peau est un capital difficile à conserver. Il faut se garder du grand air et du soleil, mais aussi des excès de la vie de cour, veilles tardives et riches nourritures qui maltraitent le teint. Des pommades à base de limaçons et de plantes aromatiques sont appliquées de nuit pour restaurer la pâleur et soigner les pustules.

Son nouveau savoir la conforte dans ses intuitions : le soleil est mauvais pour la peau et l'hydratation répare bien des maux. Elle attend avec impatience les colis de crème que lui envoie sa mère de Cracovie tous les deux ou trois mois. Le nombre des pots varie selon les moyens de Gitel. Helena convoque alors l'entourage féminin des Lamington pour la tester et remporte toujours le même succès.

Un an après son arrivée à Toowomba, le 1ᵉʳ janvier 1901, le Commonwealth australien, formé de la fédération des six grandes colonies du pays, est proclamé. Le 22 du même mois, la reine Victoria s'éteint à l'âge de 80 ans. Son fils, le roi Edouard VII, lui succède et inaugure quelques mois plus tard le premier parlement australien, à Melbourne.

Les Lamington, qui rapatrient enfants et domestiques à Brisbane, se retrouvent très occupés par les cérémonies et les fêtes du couronnement. Malgré elle, la jeune femme se trouve prise dans ce tourbillon qui marque ses vrais débuts dans le monde. Lady Lamington la présente à toutes ses amies comme une spécialiste de la beauté. Pour la timide Helena qui n'est toujours pas à son aise dans cette aristocratie méprisante et fermée, la seule façon de susciter l'interêt est de parler de sa crème et de ses projets pour la fabriquer.

Tout le monde s'en amuse et l'encourage, comme s'il s'agissait d'une excentricité charmante. Les Anglais sont friands de ce genre de personnages. Alors, Helena joue la légèreté, mais son cerveau reste en alerte. Elle ne doit pas se laisser griser par ce monde auquel, quoi qu'elle fasse, elle n'appartiendra jamais.

Cette parenthèse s'achève brusquement quand Lady Lamington lui annonce le départ de la famille pour Bombay. Au fil des mois, les deux femmes ont conçu une vraie estime l'une pour l'autre. Mais dans le cœur d'Helena il n'y a pas de place pour les regrets. Sa vie de domestique, toute dorée qu'elle ait pu être, n'était que provisoire. Il est temps pour elle d'enseigner aux Australiennes l'art et la manière d'être belles.

242, Collins Street

Que peut faire une trentenaire décidée à en découdre, dans une grande ville comme Melbourne ? Travailler. Comme ces milliers de jeunes femmes célibataires qui forment à cette époque plus d'un tiers du bataillon des actifs.

Melbourne est alors une cité nouvelle de plus de deux millions d'habitants. Fondée en 1834, à l'embouchure de la rivière Yarra, par deux sujets de la reine Victoria, la ville a été baptisée du nom du Premier ministre britannique, Lord Melbourne. Vingt ans plus tard, le pays des forçats est devenu une terre promise. La rumeur enfle de toutes parts. On a trouvé des pépites au fond d'une rivière, près de Ballarat, dans l'Etat du Victoria.

L'ouest de l'Australie connaît alors la frénésie de la ruée vers l'or, comparable à celle qu'avaient déjà vécue la Californie et l'Alaska. Du monde entier, des hommes armés de pelles et de pioches débarquent dans Port Philip Bay et partent fonder ces villes aurifères qui poussent comme de la mauvaise herbe. Le rêve est de courte durée, quatre ans à peine. Qu'importe. Melbourne se met alors à croître de façon exponentielle. A défaut d'or, les colons gagnent de l'argent à foison dans l'immobilier et la finance. On bâtit à tour de bras des églises, des temples, des bureaux, des cafés, des restaurants, des hôtels de luxe, des galeries commerciales. On trace des boulevards, on crée des jardins. Devenue en moins de quarante ans l'une des plus importantes cités de l'Empire, Melbourne passe pour être la ville la plus riche du monde. Sa bourse compte autant, sinon plus, que les places financières de New York et de Londres.

En 1891, la crise économique met un frein à cet essor démesuré. Melbourne continue à se développer mais sans la frénésie des débuts. Sydney ne met pas longtemps à la distancer. A l'arrivée d'Helena, la ville peuplée par plus de trente nationalités est encore *Marvellous Melbourne,* ou *Smellbourne,* en référence au système sophistiqué du tout-à-l'égout que la municipalité vient d'installer. La jeune femme s'enthousiasme devant une modernité qui dépasse tout ce qu'elle connaît déjà. A côté, Cracovie, Vienne, et même Brisbane, paraissent ternes.

Le seul bémol à son bonheur est cette pauvreté qui la paralyse. Ses économies sur le salaire reçu chez les Lamington lui assureront tout juste la location d'un meublé et de quoi subsister le temps de retrouver un emploi. Elle devra se contenter de rêver devant les salles de concert, les théâtres et les restaurants sans avoir les moyens d'y entrer.

Avant de se lancer à la conquête de la ville, elle décide cependant de s'imprégner de son atmosphère pour mieux la comprendre. Se promener à pied est un plaisir gratuit, dont elle abuse volontiers. Et ce qu'elle découvre lui plaît. Pour quelques pence, elle emprunte le nouveau tramway, pousse jusqu'à la rivière Yarra pour regarder les canoteurs, assiste aux régates organisées dans le port. Le sport national est le cricket : d'un bout à l'autre du pays, les Australiens s'y adonnent avec ferveur. Les Ashes, le tournoi qui oppose tous les deux ans les équipes d'Angleterre et d'Australie, déplacent des foules innombrables. Pendant quelques semaines, tout le monde est suspendu aux exploits des champions.

A Melbourne, pendant la saison chaude, les habitants vivent dehors. Les femmes, saines et musclées, jouent au tennis, pédalent gaiement sur leurs bicyclettes, prennent des bains de mer vêtues de la tête aux pieds. Une nageuse australienne, Annette Kellerman, inventera bientôt le costume de bain, plus dénudé.

Cependant, malgré la protection des chapeaux et des ombrelles, le soleil abîme les visages, le vent d'hiver crevasse les peaux, des sillons précoces se forment autour des bouches et des paupières. A l'instar des habitantes de Coleraine ou de Brisbane, aucune de ces citadines ne se soucie encore de protéger son teint.

Comme dans toutes les grandes villes d'Australie, la nouveauté est bienvenue ici. Le système social est bien plus avancé qu'en Europe. Les droits des salariés sont respectés, la journée de huit heures, pour laquelle ils ont longtemps milité, vient d'être instaurée. Les suffragettes se montrent particulièrement actives. A Sydney, Louisa Lawson, écrivain, éditeur et journaliste, a fait campagne pour les droits des femmes. Plus de dix ans auparavant, elle a fondé *The Dawn,* un mensuel dont l'équipe est entièrement féminine. Distribué à travers toute l'Australie et même au-delà des mers, le magazine traite de politique, de violences conjugales et de l'éducation des filles.

Grâce à l'action de ces féministes, les Australiennes se voient octroyer le droit de vote en 1902, quelques années après les Néo-Zélandaises qui l'ont gagné en 1898. Les Tasmaniennes l'obtiendront un an plus tard, en 1903. L'hémisphère austral est très en avance sur son temps : pour voter, les Américaines attendront 1920, les Anglaises 1928, et les Françaises, 1944. Seules les Aborigènes restent à la marge. Il faudra encore soixante-cinq ans pour que leur peuple obtienne une citoyenneté à part entière, alors que leur présence sur leurs territoires remonte à 50 000 ans au moins. Mais les colons britanniques, qui se sont attribué le pays, l'ont baptisé « Terra Nullius », comme si personne avant eux n'y avait jamais vécu. Tout comme les Indiens d'Amérique, les Aborigènes d'Australie n'existent pas officiellement pour les Blancs.

Sur cette terre de pionniers où la vie est rude pour tous, les femmes tiennent un rôle presque aussi important que celui des hommes. Personne ne s'étonne ici de voir autant de jeunes vendeuses, secrétaires, journalistes, barmaids, femmes de chambre, serveuses, ou opératrices au central téléphonique flambant neuf. Leurs salaires sont deux fois moins élevés que ceux de leurs collègues masculins mais toutes se sentent grisées par leur nouvelle indépendance. Et puis, ne leur reste-t-il pas, une fois payés le loyer, le gaz et la nourriture, un petit quelque chose à dépenser, en fanfreluches, bas de soie ou cosmétiques ? Elles ne s'en privent pas.

La fabuleuse ascension d'Helena Rubinstein en Australie s'explique aussi par son génie du bon *timing*, ce qui, en affaires comme en amour, est la condition première du succès. Elle est arrivée au bon endroit, au bon moment, dans un pays où les femmes commencent à se sortir des carcans imposés. A Londres, à Paris, à New York, le même scénario va se répéter. Chaque fois, son enseignement de la beauté accompagne leur évolution. Il n'y a rien de frivole à vouloir être belle, et du reste, les droits politiques, le travail, l'autonomie financière vont de pair avec l'amélioration de l'apparence. Ce dernier point devient même souvent un acte de résistance. Helena l'a bien compris : pour réussir sa vie, une femme moderne se doit d'avoir une tête aussi bien faite que bien pleine.

Pour le moment, elle n'a pas encore vraiment réfléchi à tout cela. Ce qu'elle veut avant tout, c'est gagner de l'argent, et vite. Après toutes ces années difficiles, plus rien ni personne ne l'effraye, excepté la pauvreté. Ce qu'elle refuse, en revanche, c'est de retourner en arrière. Pourtant, dans cette grande ville où elle ne connaît personne, son premier réflexe est de prendre contact avec la communauté juive. Son oncle John, le frère aîné de Bernhard et Louis, qui s'était installé dans la ville comme diamantaire, part pour Anvers au moment où sa nièce arrive à Melbourne.

Nantie de ses recommandations, elle pose sa candidature pour un poste de nanny dans un respectable foyer juif polonais dont les membres ont émigré en Australie quelques années auparavant. Une femme en perruque la reçoit dans un appartement vieillot qui sent le bouillon de *kniddels* et la *kasha* recuite. Elle subit une rafale de questions tandis qu'une marmaille hurlante se poursuit dans le salon. C'était bien la peine d'avoir fui la Pologne pour se retrouver piégée dans le même genre de famille que la sienne. En sortant de là, Helena se met à courir comme si elle avait les démons à ses trousses.

Elle trouve une chambre dans une pension de famille, à Saint-Kilda, un faubourg de la ville, et doit se résoudre à prendre deux emplois de serveuse qui lui permettent tout juste de survivre. Le matin, elle officie à La Maison Dorée, l'après-midi et le soir, au Winter Gardens Tea Room, un café fréquenté par des écrivains, des musiciens, des peintres. Levée à l'aube, elle travaille comme une brute, toujours debout, les jambes enflées, les pieds meurtris. Quand elle rentre enfin dans son minuscule logis, bien après minuit, elle trouve à peine la force de s'allonger sur son lit avant de s'endormir aussitôt.

Certains soirs, elle est si fatiguée qu'elle néglige les sacro-saints préceptes de Gitel : se brosser les cheveux, nettoyer son visage, l'enduire de crème. Mais le découragement a beau la gagner dans ces moments extrêmes de solitude et d'épuisement, elle ne compte pas renoncer. A l'aube, elle serre les dents et repart vaillamment.

Dans son infortune, elle a pourtant eu du flair. La Maison Dorée et le Winter Gardens Tea Room sont deux endroits stratégiques pour rencontrer du monde. Le salaire est maigre, même en comptant les pourboires, mais une jeune femme habile peut là-bas aisément accrocher un homme riche et faire une fin dans un beau mariage. Helena aurait eu toutes ses chances si tels avaient été ses projets. A Melbourne, comme jadis à Coleraine, les hommes ne sont pas indifférents à son charme. Mais cela ne lui dit rien. Alors, elle s'esquive prestement pour éviter les frôlements de ses admirateurs. Parmi eux, quatre amis qui viennent souvent vider quelques chopes ensemble. Il y a là Cyril Dillon, un artiste peintre qui commence tout juste sa carrière. Abel Isaacson, qui a fait fortune en vendant du vin et arbore en toute circonstance un Borsalino et une cravate de soie blanche piquée d'une épingle de perles. Herbert Farrow, qui possède l'une des imprimeries les plus rentables de la ville. Et enfin monsieur Thompson, le directeur de la Robur Tea Company, une entreprise qui importe du thé d'Inde et de Chine et manufacture de la porcelaine et des ustensiles en argent.

Bel homme et amateur de femmes, Thompson couvre Helena de fleurs. Certes, il est marié, mais elle ne s'encombre plus de principes. A-t-il été son premier amant ? Trois ans à Coleraine, un an à Toowomba ont certainement eu raison de sa pudeur. Cependant, elle demeurera toujours discrète sur le sujet. Tous les quatre vont lui servir de marche-pied dans son impressionnante ascension australienne, même si plus tard elle les effacera de son parcours. Sa légende ne devra mentionner qu'elle.

Au milieu des années cinquante, lorsqu'elle revient pour la dernière fois en Australie accompagnée par son secrétaire Patrick O'Higgins, Abel Isaacson, qui vit encore, raconte au jeune homme le rôle que tous ont joué auprès d'elle. En 1971, quand paraît le livre de O'Higgins sur sa patronne[1], Cyril Dillon, dont les toiles sont désormais exposées dans divers musées d'Australie et d'Amérique, confirme à un journaliste australien la version du marchand de vins[2]. Dans une interview donnée au *Herald*, de Melbourne, il s'étend longuement sur leurs rôles respectifs.

A force de les voir tous les jours, ensemble ou séparément, elle a fini par sympathiser avec eux. Intrigués par la personnalité d'Helena, les quatre amis l'ont pressée de questions, jusqu'à ce qu'elle leur explique son projet. Dès que son travail lui laisse quelque répit, elle travaille sur sa crème. Elle y a incorporé de la lanoline, achetée sur son salaire, et de l'essence de nénuphar pour que l'odeur soit plus agréable.

Quand elle s'exprime, avec son mauvais anglais, teinté de yiddish et de polonais, son visage s'anime, ses yeux lancent des éclairs. Soudain, on ne voit plus que cette petite femme volontaire, autoritaire, qui a décidé que la vie lui devait une revanche. Ils la prennent au sérieux et décident de l'aider, chacun à sa manière. Thompson lui explique l'importance du marketing, un mot nouveau qui signifie qu'on peut influencer le consommateur si on lui présente les produits de façon alléchante. La Robur Tea Company achète régulièrement des espaces aux journaux pour faire paraître des annonces qui ont une réelle influence sur les ventes. Quand elle aura manufacturé sa crème, elle devra faire de même. Sans publicité, on n'arrive à rien de nos jours, conclut-il après son exposé. Helena retient la leçon.

Cyril Dillon dessine un logo au motif égyptien, ce qui lui plaît beaucoup. Elle décide de l'utiliser pour décorer les emballages. Dillon est chargé de maquetter les premiers dépliants qu'Herbert Farrow va imprimer. On les distribuera dans les tramways et dans les gares. Abel Isaacson mettra sa logistique à son service.

Un cinquième homme entre en scène, il s'agit de Frédéric Sheppard Grimwade, le président d'une entreprise pharmaceutique très réputée. A-t-il été lui aussi son amant ? Là encore, le mystère reste entier. Mais grâce à lui, en mai 1907[3], Helena obtiendra la nationalité australienne. Garant de sa protégée, il a signé le document au bas de la page. Mieux encore, son laboratoire fournit à la jeune femme les outils sophistiqués indispensables à la fabrication de sa crème, les chaudrons pour la faire bouillir à haute température, les alambics pour la distiller, les récipients pour mélanger les ingrédients.

Rebaptisée *Valaze*, la crème de son enfance renaît enfin presque à l'identique.

D'où vient ce drôle de mot qui claque comme un nom d'aristocrate français et signifie « Don du ciel » en hongrois ? On ne sait. Mais il plaît.

La crème ne revient pas cher, à peine dix pence le pot. Thompson, qui se mêle aussi des comptes, pense qu'il faut la vendre deux shillings et trois pence. Les femmes n'achèteront pas un produit si bon marché, déclare Helena. Pour améliorer leur apparence, elles voudront avoir l'impression de s'offrir quelque chose d'exceptionnel. Il faut le leur proposer, voyons... A sept shillings et sept pence.

Elle a bien compris la psychologie de ses futures clientes. Aucune ne tiquera jamais sur l'étiquette, toutes savent que la beauté a un prix. Avant même d'avoir trouvé un local, Helena propose ses petits pots dans les marchés. Elle les place aussi dans les officines des pharmaciens où elle fait du porte-à-porte. Ils lui en prennent six pots la première semaine, huit la suivante... Et ainsi de suite.

Les clientes, elles aussi, achètent. Elles aiment le bagout d'Helena qui n'a peur de rien et les harangue avec humour. Les petits pots se vendent comme des petits pains. L'argent gagné sou après sou remplit une boîte en carton qu'elle dissimule sous son matelas.

Le Winter Gardens Tea Room se trouve dans la galerie commerciale du Block Arcade qui joint Elizabeth Street à Collins Street et Little Collins Street, trois des rues les plus élégantes de la ville. Bâtie dans le plus pur style victorien, pavée de mosaïques, la galerie est éclairée par une verrière qui couvre tout le plafond. En parcourant le quartier, Helena déniche un petit appartement de trois pièces à côté du restaurant, au 138, Elizabeth Street. Thompson et Grimwade lui prêtent probablement de l'argent pour payer la caution.

Elle prétend aussi avoir emprunté deux cent cinquante dollars à Helen Mac Donald, rencontrée sur le bateau qui l'a emmenée en Australie. Quoi qu'il en soit, elle remboursera ses dettes dès qu'elle le pourra, elle déteste devoir de l'argent à quiconque. Un beau matin, elle rend son tablier de serveuse et déménage ses maigres possessions et ses cartons de crème. L'appartement servira aussi de siège social et de fabrique. Sans attendre, elle fait graver son nom sur une plaque, apposée à l'entrée de l'immeuble. HELENA RUBINSTEIN & COMPANY.

Un peu avant sa mort, Helena, qui a toujours été évasive sur la composition de cette première crème, montre à son secrétaire Patrick O'Higgins un bout de papier retrouvé en triant des vieux dossiers. Il s'agit de la fameuse formule magique de Jacob Lykuvsky. Elle insiste pour que le jeune homme la lise en lui affirmant qu'elle appartient à l'histoire.

Sur la feuille jaunie par les années, déchirée par endroits, tous les ingrédients sont notés de sa large écriture à l'ancienne, qui respecte les pleins et les déliés. O'Higgins qui s'attendait à une liste de composants exotiques, comme l'essence d'amande d'Orient ou les extraits d'écorce de conifère des Carpates, en est pour ses frais. « De la cire végétale, de l'huile minérale et du sésame. » C'est là toute la recette, à laquelle il manque sans doute la moitié des ingrédients, et surtout la façon de les mélanger.

Jusqu'à la fin, Helena Rubinstein a gardé le secret de cette première crème *Valaze* dont on imagine qu'elle n'avait ni la fluidité, ni la légèreté, ni les propriétés des produits à venir. Mais c'était déjà une promesse. Et puis le démarrage est excellent. Grâce à l'effet conjugué du marketing – les leçons de Thompson – et des premiers

articles que la presse lui consacre, les ventes vont en aug-
mentant.

Au bout de quelques mois seulement, elle peut quitter
Elizabeth Street. En 1902, elle ouvre son premier institut
au 242, Collins Street.

La Beauté c'est le pouvoir

Eugenia Stone mordille le bout de son crayon, ce qui est chez elle le signe d'une agitation extrême. Les officines dédiées à la beauté ne manquent pourtant pas dans le pays. Melbourne, Brisbane, Adelaïde ou Sydney regorgent de salons de coiffure et de massages, d'échoppes de manucurie et de pédicurie, souvent tenues par des immigrés chinois. Elle-même en a testé un certain nombre pour rédiger ses articles. Mais cet appartement de trois pièces inondées de lumière, situé au deuxième étage d'un bel immeuble du centre-ville de Melbourne, ne ressemble en rien à ce qu'elle connaît déjà.

Avec sa décoration impertinente, à la fois féminine et dépouillée, à l'opposé de l'austère goût victorien en vogue, ses murs peints en blanc, ses rideaux assortis taillés dans une soie plissée, ses buffets et ses sièges en rotin, *La Maison de Beauté Valaze* possède une touche européenne, parisienne, même. Eugenia en frissonne d'excitation. C'est *so chic* et surtout tellement adapté aux besoins des femmes modernes.

Miss Stone est venue exprès de Sydney constater le phénomène dont on parle aussi là-bas. Elle a eu beau chercher le moindre petit défaut, elle n'a rien eu à redire sur la propreté des lieux, sur leur charme, non plus que sur l'agencement de la marchandise. Ces jolis pots de crème blancs, noirs et dorés qui garnissent les étagères, donnent envie de les acheter tous.

Mais le plus incroyable reste la propriétaire, un bout de femme au chignon strict, à la peau presque transparente à force de pâleur. Sur sa robe bleu nuit aux reflets moirés, elle a passé une blouse blanche de chimiste. Quand elle parle, les r roulent comme un torrent de cailloux dans sa bouche. Elle écorche la moitié des mots anglais et mélange deux ou trois langues. Eugenia Stone tend l'oreille mais ne réussit pas à deviner l'origine de son accent. En ville, on murmure qu'elle est viennoise.

La journaliste est arrivée au moment de la fermeture. Miss Rubinstein donnait un cours de beauté à quelques clientes. Quand elle l'a aperçue, elle est allée vers elle pour l'accueillir puis elle lui a proposé avec simplicité de se joindre à leur petit groupe. Miss Stone n'a encore jamais entendu personne parler de la peau de cette façon scientifique, comme le ferait un médecin ou un biologiste.

Sans se démonter, avec le sérieux d'un vieil érudit, Miss Rubinstein leur parle de derme et d'épiderme, remonte à l'Antiquité et au Moyen Age, évoque les élégantes de l'Europe de l'Est qu'elle a jadis côtoyées dans leurs nobles palais, toutes dotées d'une carnation parfaite car leurs secrets de beauté se transmettent de mère en fille. Il ne manque plus qu'un tableau noir, des formules chimiques et quelques professeurs en toge, pour se croire à l'université, se dit Miss Stone, de plus en plus subjuguée.

Tout ce que raconte cette jeune femme semble frappé au coin du bon sens. D'ailleurs les clientes, qui ne demandent qu'à la croire, sont toutes reparties enchantées, un petit sac noir et beige au nom d'Helena Rubinstein sous le bras. Chacune a au moins acheté trois pots de crème.

L'heure de fermer est largement dépassée mais la boutique ne désemplit pas. Enfin, Helena consent à s'arrêter. Elle baisse elle-même le rideau de fer et invite la journaliste à s'asseoir. Elle pratique les interviews en vraie professionnelle, et ne cesse de parler. Miss Stone en a mal au poignet à force de prendre des notes. Ses lectrices du supplément féminin du *Sydney Morning Herald* vont adorer son article. Elle-même, qui se vante d'être parmi les premières journalistes féminines de la ville, est littéralement bluffée. En ce tout début du XXe siècle, dans un pays où les femmes ont obtenu quelques victoires, il n'est toujours pas facile de réussir dans un monde d'hommes. Mais cette jeune lady au chignon serré est en train de démontrer que la volonté mène au succès.

Ce qu'elle révèle sur ses origines polonaises, ses études de médecine interrompues à Cracovie, ses cours auprès de grands chimistes à Vienne, ses années à Coleraine parmi les pionniers, sa fréquentation des Lamington alors même qu'elle ne connaissait personne en débarquant en Australie, est absolument inouï. Et puis ce salon... Faute d'argent, raconte Helena avec simplicité, elle a acheté des meubles en bambou pour quelques sous, installé un petit laboratoire qu'elle appelle sa *cuisine*, coupé les rideaux dans une de ses robes. Et tracé toute seule au pinceau, sans trembler, les lettres de l'enseigne, avec la fierté que l'on imagine.

Son histoire a des accents criants de vérité, Miss Stone ne se trompe jamais. Le pays n'a jamais manqué de femmes courageuses, des premières pionnières du bush, ces amazones qui montaient à cheval et tiraient les bêtes féroces à la carabine, jusqu'aux suffragettes que Miss Stone a si souvent défendues. Et cette brune minuscule ne fait pas exception. Bientôt elle sera la fierté et l'honneur des Australiennes. Et des Australiens aussi.

Helena Rubinstein poursuit ses explications. Une fois lancée, rien ne peut l'arrêter.

— Donc, ma chère, explique-t-elle en roulant les r de plus belle, je vous disais que mes premières recherches m'ont conduite à une trouvaille fondamentale. Et même révolutionnaire. La peau des femmes peut être classifiée en trois catégories : la sèche, la grasse et la normale.

Exactement comme il existe trois carnations, la rousse, la blonde et la brune. Personne avant moi ne l'avait remarqué. Mais j'ai observé les femmes, c'est mon métier. Et je peux vous l'assurer, l'hydratation n'est pas la même pour toutes. La protection non plus. Chaque femme doit apprendre à identifier son type de peau avant de choisir son soin. Pour l'instant ma gamme est encore limitée mais je travaille d'arrache-pied à la compléter.

Helena a eu très vite une de ses nombreuses intuitions en matière de typologie de la peau. Plus tard, elle ira la vérifier auprès des plus grands spécialistes. Pour le moment, elle tâtonne encore, lance des observations de façon empirique. Son instinct est tel, cependant, qu'il est rare qu'elle se trompe. La beauté féminine lui apparaît comme un vaste domaine en friche qu'il lui incombe de faire fructifier. Cette idée la grise plus encore que la perspective de gagner de l'argent.

Elle a compris quelque chose d'essentiel : « La beauté c'est le pouvoir. Et même le plus important de tous. » C'est ce qu'affirme une de ses premières annonces publicitaires parue dans le *Table Talk* en 1904. Dans ce monde régi par les hommes, les femmes doivent composer et ruser. L'intelligence est un atout de taille mais sans séduction, elle ne sert pas à grand-chose. Les deux ensemble composent l'arme fatale. « Entre une femme dont les heureux atouts sont le divin cadeau de la beauté, et une femme intelligente, brillante, travailleuse, qui est épanouie et aimée et qui doit toujours se battre, laquelle choisissez-vous ? », interroge une autre de ses réclames parue dans *The Mercury*[1].

Visionnaire, Helena voit émerger un nouveau genre de beauté, comme une nouvelle dignité. La taille corsetée, la cambrure en sablier, le buste épanoui, l'absence de muscles, les mouvements entravés par la crinoline, tout ce fatras encombrant qui enferme les femmes aussi sûrement que les sultanes dans les harems va bientôt disparaître. La femme nouvelle devra avoir une anatomie de combat pour gagner et maintenir sa place au soleil. La vie active n'acceptera ni la tristesse, ni la fatigue, ni les rides que l'une et l'autre accentuent.

Dans ce XXe siècle naissant, Helena, tournée résolument vers la modernité, a déjà tout entrevu de la future vie de ses semblables. Cette profession de foi en faveur de la beauté et de l'hygiène de vie pour « gagner », est une vraie révolution. Elle est reprise par les féministes du monde entier qui luttent, entre autres, contre l'asservissement du corset.

Eugenia Stone est repartie de Collins Street avec quelques pots de crème *Valaze* emballés dans un joli sac de papier. Un cadeau, a insisté Helena, si, si, je vous assure, vous m'êtes vraiment très sympathique. Le moyen de refuser ? La journaliste raffole de l'emballage et de l'étiquette libellée de la main de sa nouvelle amie. L'ensemble sera du plus bel effet sur sa table de toilette. En Australie, on n'a jamais encore rien vu de si raffiné.

Miss Stone a aussi testé la crème sur son visage. La sensation lui paraît onctueuse, l'odeur délicate. Elle jure qu'elle suivra tous les conseils de l'experte. Helena acquiesce en souriant. Elle a compris l'importance de la presse. Les journalistes, qui sont des femmes comme les autres, aiment bien être gâtées comme les autres. Et peut-être même plus que les autres, eu égard au retentissement de leurs articles qui font ou défont les réputations. Il faut donc les soigner mieux que les autres. Elle agira toujours ainsi. Même quand sa réussite sera établie, elle ne leur offrira pas seulement ses produits, mais ses robes sorties de ses placards, et même ses bijoux, puisés dans sa cassette.

Dès l'ouverture du salon, le succès est immédiat. On se repasse l'adresse dans les dîners, les parties de whist, les pique-niques sur les berges de la Yarra. Appliquant toujours les conseils de son ami Thompson, Helena

publie, dès 1904, force encarts publicitaires dans le
Table Talk, de Melbourne et l'*Advertiser* d'Adelaïde.

« *Valaze* du Dr Lykuvsky, le plus célèbre des spécialistes européens de la peau, est la meilleure des crèmes
hydratantes. *Valaze* améliorera les pires problèmes de
votre peau en moins d'un mois ».

Elle a fait paraître aussi des annonces, qui amorcent
un début de vente par correspondance. Mais l'article
d'Eugenia Stone va lui donner le coup de pouce indispensable. « La crème de madame Rubinstein est la
réponse aux prières de chaque femme australienne »,
écrit la journaliste en conclusion de sa chronique toujours très lue.

Quinze mille lettres et presque autant de commandes
suivent la parution de l'article. Helena est prise de court.
Elle les décachette les unes après les autres. Toutes disent
peu ou prou la même chose.

« Chère mademoiselle Rubinstein, j'ai une peau très
blanche et de nombreuses taches de rousseur, croyez-
vous qu'il soit possible de... »

« Chère madame, je vis dans une ferme à côté de Sydney. Depuis quelque temps, j'ai remarqué des marques
sombres sur mon visage... »

La plupart des enveloppes contiennent des billets ou
des chèques. Jamais les stocks qu'Helena a constitués toute
seule ne pourront suffire à honorer toutes ces commandes.
Elle se met tout de suite au travail. Tôt le matin, avant
l'ouverture du salon, elle prépare ses mixtures dans sa
cuisine. Puis elle remplit des pots de porcelaine, colle les
étiquettes, les range sur les étagères, enferme les stocks
dans les meubles de bambou.

Toute la journée elle s'occupe seule de la clientèle. Le
soir, après avoir inscrit ses recettes et ses dépenses dans
un grand cahier acheté tout exprès, elle répond au courrier. Dans ses lettres, elle exhorte ses futures clientes à la
patience car la crème met « huit semaines à arriver par
bateau ». Elle tient plus que tout à cette légende qui

explique le coût élevé du produit « en raison du transport et des frais de douane ». Et puis « le pin des Carpates » ou « l'essence de rose de Hongrie », font autrement rêver les femmes que la lanoline des moutons du Victoria ou les nénuphars du Queensland. C'est un sérieux avantage sur la concurrence.

Helena a proposé de rembourser celles qui ne veulent pas attendre. Une seule réclame son argent. Les autres acceptent de patienter jusqu'à la reconstitution des stocks. Seulement, la tâche est surhumaine même pour une force de la nature comme elle. Comment y arriver toute seule ?

Cent fois le sommeil l'a surprise à sa table, aux petites heures de l'aube. Quand elle se réveille brusquement, le soleil est déjà haut, elle a juste le temps de monter se laver et se changer, de boire un thé en vitesse. Déjà, les premières clientes tambourinent à la porte. Cela ne peut plus durer, elle a besoin d'aide et sérieusement, cette fois. Alors elle prend sa plume et son nouveau papier à lettres dont elle a fait graver l'en-tête à son nom.

« Cher docteur Lykuvsky. Savez-vous que votre crème a créé un véritable engouement en Australie ? Les femmes se battent pour s'en procurer et j'ai du mal à fournir. Voulez-vous venir travailler avec moi ? Je vous signerai un contrat en bonne et due forme et je vous achèterai légalement votre formule. Je vous en prie, acceptez, vous ne le regretterez pas. Je vous envoie le prix de votre passage. Votre dévouée, etc. »

Trois mois plus tard, Jacob Lykuvsky débarque à Melbourne, mais seulement pour une courte période, a-t-il précisé dans sa réponse. Helena a dit oui à tout. Qu'il vienne, on verra bien. Prenant la suite d'Eugenia Stone, les journalistes qui lui ont rendu visite ont tous publié des articles élogieux qui, ajoutés aux réclames dans les journaux, ont eu un impact considérable sur les clientes. Helena a annoncé ainsi que le Dr Jacob Lykuvsky, un grand médecin polonais, est venu lui prêter main forte. Ce qui provoque un nouvel afflux de femmes attirées par la caution scientifique.

Le besoin de main-d'œuvre se fait sentir mais elle n'a pas les moyens de la payer. Elle prend alors l'habitude d'utiliser les hommes qui l'invitent à sortir. Car de nouveaux jeunes gens se sont agrégés à son groupe d'admirateurs habituels. Cette jolie célibataire, seule à Melbourne, les attire tous comme des guêpes un pot de miel.

Quand ils entrent dans le salon, les uns après les autres, leur chapeau roulant entre leurs mains moites et le cœur palpitant d'espoir, ils en sont invariablement pour leurs frais. Helena est bien trop occupée à expérimenter ses préparations dans sa *cuisine* pour accepter de les suivre au théâtre ou au concert. Alors elle bat des cils, arbore une mine enjôleuse. John, vous qui avez une si jolie écriture, voulez-vous répondre au courrier ? Et vous Robert, avec vos larges épaules, vous porteriez toutes ces caisses jusqu'à l'étage ? Oh... et quand vous aurez fini, ne vous sauvez pas... Il y en a encore autant dans la cour... Et dans l'appentis...

— Et moi, Miss Helena ?

Elle regarde d'un air dubitatif les biceps maigrelets et les cuisses de serin du jeune homme, puis elle secoue la tête et son visage s'éclaire alors d'un sourire empli de malice.

— Avec votre langue bien pendue, mon cher, je suis sûre que vous ferez un formidable colleur d'étiquettes...

L'après-midi du dimanche passe ainsi. Rares sont les courageux qui reviennent la fois suivante. Trop occupée pour songer à flirter, Helena ne s'en aperçoit même pas.

Enfin, elle vient à bout des premières commandes. Lykuvsky l'a aidée à reformuler la crème qu'elle a déposée sous le nom de *Valaze*. Il l'aide aussi à augmenter la gamme de soins. Ensemble ils fabriquent un savon, une lotion astringente, une crème nettoyante. Elle instaure un rituel de soins pour lequel les clientes doivent payer le prix fort. Au salon, elle distille son savoir-faire naissant avec le mélange de douceur et d'autorité dont elle a fait montre toute sa jeunesse à Cracovie, avec ses sœurs.

— Avant tout, il faut vous couvrir la face avec la crème nettoyante, explique-t-elle tout en joignant le geste à la parole. Elle doit pénétrer dans tous les pores de la peau pour dissoudre la saleté accumulée dans la journée. Puis vous devez la nettoyer avec la lotion astringente pour enlever les résidus. Regardez-moi ce linge ! Il est dégoûtant.

Melbourne n'est pas encore polluée par les pots d'échappement des voitures. Mais une journée en ville vous salit horriblement la peau. Le fin tissu blanc est devenu tout gris. La cliente est confuse.

— Attendez, reprend Helena qui porte l'estocade. Maintenant, nous arrivons à la troisième étape. Il faut appliquer la crème *Valaze* pour hydrater, protéger et blanchir votre peau. Je masse lentement afin de faire pénétrer les actifs. Vous allez voir, c'est un véritable miracle.

Un miracle économique, avant tout.

Les clientes en parlent à leurs amies, les envoient au salon, reviennent avec elles. Toutes achètent de la crème. De la lotion astringente aussi, à dix schillings et trois pence. Les prix ont encore augmenté à cause des « frais de douane ».

L'argent afflue.

Au bout de quelques mois, Helena a constitué un joli pactole qui ronronne sur son compte en banque. L'ère de la boîte en carton sous son lit est révolue. Elle rembourse ses dettes, engage une vendeuse qu'elle forme à l'enseignement de ses principes, et réinvestit la moitié de ses gains en publicité. De Melbourne à Brisbane, de Sydney à Perth, d'Adelaïde à Victoria, on voit son nom partout. Les annonces continuent à vanter le fameux docteur Lykuvsky, les propriétés de la crème *Valaze,* sa composition et sa provenance. Elle ne manque jamais d'y ajouter l'adresse du salon de Collins Street, car la vente se fait aussi par correspondance.

Elle rédige un *Guide de la Beauté,* qui explique à la fois le rituel des soins et les propriétés de la crème, et le fait imprimer à des centaines d'exemplaires. Pour l'obtenir, les clientes doivent écrire en joignant à leur courrier le coupon découpé au bas de l'encart publicitaire. Helena le propose aussi dans son salon.

Pendant des années, les textes seront sensiblement semblables, même si le langage devient de plus en plus recherché. « Une bonne mise au point avec un peu de blabla[2] », dira-t-elle souvent, pas dupe. Un peu plus tard, elle demande à des comédiennes de vanter ses produits. Nelly Steward, une des plus grandes stars de la scène australienne, se trouve justement à Melbourne pour quelques mois. Après le succès de sa pièce, *Sweet Nell of Old Drury,* son nom est sur toutes les lèvres, et les spectateurs ont mémorisé ses répliques les plus célèbres. Il ne lui faut pas longtemps pour entendre parler d'Helena.

En revenant dans son pays natal, la comédienne a parcouru des kilomètres dans une voiture découverte, sans penser à se protéger du soleil. Sa peau s'est asséchée, de vilaines taches parsèment ses joues et son nez.

— Ma chère, diagnostique Helena après l'avoir examinée, vous allez retrouver votre carnation naturelle. Faites ce que je vous dis, sans rien oublier.

Nelly l'embrasse comme si elles étaient les meilleures amies du monde. Ce qu'elles ne manquent pas de devenir. Nelly Steward accepte d'être la première égérie de *Valaze.* « C'est la préparation la plus merveilleuse que j'aie jamais utilisée », déclare-t-elle dans les placards publicitaires.

Helena a-t-elle eu vent des crèmes, savonnettes, parfums et lotions, dont Sarah Bernhardt est devenue l'emblème lors de son séjour à New York en 1880[3] ? Ou bien le procédé ne doit-il qu'à sa seule imagination ? En tout cas, elle a compris l'importance des *people* dans la communication d'une marque. Et elle s'en servira souvent par la suite puisque femmes du monde, actrices et *socialite* vont devenir ses égéries.

Nelly Steward débarque souvent de façon impromptue au salon. Un jour, elle arrive avec une autre Nellie, australienne comme elle : la Melba. La plantureuse cantatrice est elle aussi revenue au pays, pour une tournée qui se révèle triomphale. Vêtue d'un long manteau brodé et coiffée d'un extravagant chapeau surmonté de plumes d'autruche, elle entonne, en guise d'introduction, le grand air d'*Aïda*. Puis elle tourne son énorme corps vers une Helena médusée.

— Vous qui avez rendu à ma petite Nelly son teint de pêche, je suis sûre que vous allez me fabriquer une crème qui puisse améliorer ma voix...

— Chère madame, asseyez-vous.

Les fragiles sièges de rotin risquent de s'affaisser sous le poids de la créature, qui, prudemment, insiste pour rester debout. C'est donc à la petite Helena, qui se sent « comme une naine » auprès de l'imposante carcasse, de grimper sur une chaise pour parvenir à sa hauteur.

Certains jours, les clientes font la queue dans l'escalier et jusque dans la rue. Le salon devient trop petit pour les contenir toutes. On ne peut pourtant pas repousser les murs. Un peu plus loin, au 274, Little Collins Street, Helena a repéré un immeuble dont la construction vient d'être achevée. Elle y loue un appartement composé de sept petites pièces, qu'elle transforme en trois grandes, en faisant abattre les cloisons.

L'ordonnance reste la même : un bureau, un salon de beauté, une *cuisine*. Les murs sont repeints d'un beau vert tendre, le mobilier est amélioré. L'ensemble est décoré avec le même bon goût « artistique », comme l'écrit un quotidien de Sydney. C'est toujours aussi moderne, toujours étudié avec soin pour le bien-être des femmes. La ligne de soins s'est étoffée, l'équipe s'est agrandie, et le compte en banque a encore grossi.

En 1905, neuf ans après son arrivée en Australie, Helena a trente-trois ans et cent mille dollars australiens devant elle. Elle doit cet argent à sa phénoménale capacité de travail, elle qui ne ménage ni son temps, ni sa peine pour fabriquer et vendre ses petits pots de crème par milliers.

Chacun d'eux lui a fait gagner douze *cents*, en déduisant les taxes, les salaires, la location des salons, la publicité dont les investissements, pour coûteux qu'ils soient, rapportent au centuple selon les prédictions de monsieur Thompson, et tous les autres frais. Elle habite toujours au-dessus du magasin, dépense peu pour elle, hormis ce qu'elle juge bon pour faire parler de la marque, économise sou par sou pour faire fructifier son entreprise.

De cette époque, elle a retenu quelques règles simples. Soixante ans plus tard, elle continuera à les appliquer. Ne jamais laisser de courrier sans réponse. Ecouter tout le monde avec attention. Passer une nuit à dormir avant de prendre une décision importante. En cas de doute, demander conseil et se taire. Elle apprend aussi, sur le tas, à diriger une équipe et à déléguer le travail. Elle sépare chaque branche de l'affaire, la fabrication de la crème, l'emballage, la vente, la publicité, en départements distincts, mais vérifie elle-même la bonne marche de l'ensemble. « J'avais alors une passion pour les détails et je l'ai toujours gardée[4] ».

Elle est consciente de la fragilité du moment : tout lui est ouvert, mais tout peut encore basculer. Elle pourrait se contenter de jouir de sa réussite en Australie, et de la consolider en ouvrant quelques salons supplémentaires, à Sydney, Brisbane, Wellington, en Nouvelle-Zélande, ce qui suffirait largement à la faire vivre. Mais son succès l'aiguillonne et puis elle demande toujours plus à la vie. Sa nature ambitieuse est celle d'une entrepreneuse. Puisqu'elle a réussi là où tout concourait à la faire échouer, elle se doit à elle-même de se dépasser. Persuadée que le seul, le véritable chemin vers la beauté est l'approche scientifique, elle regrette plus que jamais de ne pas avoir pu étudier la médecine. A présent qu'elle en a les moyens, elle décide de combler ses lacunes. Elle mettra son nouveau savoir au service de son savoir-faire.

Depuis son départ d'Europe, neuf ans auparavant, il y a certainement eu d'autres découvertes sur la peau. Elle brûle de les connaître.

« Je veux offrir toutes les ressources de la science à ce culte de la beauté dont je mesure combien il est facile de l'éveiller chez les femmes[5]. »

C'est dit. Il ne reste plus qu'à mettre sa phrase en pratique. Pour cela, elle doit retourner sur le vieux continent, là où se trouvent les meilleurs scientifiques, les meilleurs experts, les meilleures universités, les meilleures bibliothèques. Elle assouvira ainsi sa soif d'études, rafraîchira ses connaissances.

En juin 1905, elle reprend le bateau, cette fois vers l'Europe.

Le retour aux sources

Kazimierz, la première étape obligée de son voyage, lui paraît pauvre, sale, étriquée. En Australie, Helena s'est habituée à une vie confortable. Et puis elle a voyagé, elle a rencontré des gens de toutes sortes, des colons, des ladies, des hommes d'affaires, des banquiers. En les côtoyant, elle a beaucoup appris, son horizon s'est élargi. A Melbourne, le mouvement perpétuel est la norme, la cité ne semble jamais dormir. Ici c'est le contraire. Une immobilité pesante règne sur tous et sur tout. Rien n'a changé depuis son départ, ni les rabbins hors d'âge, corbeaux barbus engoncés dans leurs redingotes défraîchies, ni les commères jacassant sur le seuil de leurs maisons, ni les étudiants au teint pâli par l'étude, qui sortent des *yeshivot* en se disputant sur un commentaire de la Torah.

Même les rues semblent avoir rétréci pendant son absence. Les odeurs de nourriture grasse qui s'échappent des fenêtres ouvertes lui soulèvent le cœur. Elle remarque les façades décrépies, les murs noircis de fumée, les ordures qui jonchent les trottoirs boueux, comme si elle ne les avait jamais vus auparavant. Dans le fiacre qui l'emmène de la gare jusqu'à chez elle – quelle revanche sur les trottoirs crottés – son enfance lui revient, par bribes. Jamais elle ne pourrait revivre ici, parmi ces étrangers.

D'ailleurs, Cracovie la déçoit d'un bloc. Tout est si provincial, même les échoppes autour du Rynek. Son goût s'est affiné, désormais, elle s'habille chez des couturières renommées qui copient les robes à la dernière mode de Paris. La nostalgie ressentie de loin lui semble préférable à cette réalité trop décevante.

Mais l'accueil de sa famille est ce qui la chagrine le plus.

— Pourquoi portes-tu un chignon si sévère ? lui demande Gitel de cette voix réprobatrice qu'elle déteste. Tu abîmes tes cheveux. Et ce n'est pas attifée ainsi que tu te trouveras un époux, ma fille. Tes sœurs, Pauline, Rosa et Regina sont déjà mariées... Tandis que toi !

Gitel a vieilli. Ses mains tremblent, sa bouche a pris un pli amer, trop de privations ont accentué son aigreur. Peut-être entre-t-il du dépit dans ses reproches, un peu d'envie aussi. Son aînée a réussi, malgré ses prédictions les plus sombres. Helena a failli hausser le ton comme autrefois, mais elle se contente de secouer la tête. Sa mère ne changera jamais. Toujours obsédée par le mariage de sa progéniture, elle énumère les maris espérés ou supposés comme un avare compterait son or. En attendant, si trois de ses sœurs ont trouvé un époux, les autres se morfondent à la maison.

Hertzel étudie dans son coin, en silence. Il s'est tassé, voûté, sa barbe a blanchi. Avec sa calotte de velours et sa veste lustrée, il ressemble de plus en plus à son grand-père, le rabbin Salomon Rubinstein, dont le visage sévère orne l'un des murs du salon. Il refuse toujours de pardonner à sa fille, et il lui adresse à peine la parole. Il se replonge dans ses livres après l'avoir saluée avec froideur.

Par bonheur, Stella, Manka, Ceska et Erna, se montrent plus aimables. Admiratives devant l'élégance de leur sœur aînée, fascinées par ses bijoux, elles palpent le tissu de sa robe, évaluent ses dentelles, le prix de son chapeau, la pressent de questions sur sa nouvelle vie. Elles jacassent, gloussent et la critiquent de leurs petites voix pointues d'écolières. Forcément, elles sont un peu jalouses.

Helena désamorce les mots aigres, plaisante et les fait rêver en leur racontant l'Australie. Dans leurs yeux écarquillés, elle retrouve l'envie de larguer les amarres, qu'elle a éprouvée jadis. Elle sort de son sac des crèmes et des lotions *Valaze*, enduit et masse leurs visages comme leur mère le faisait, leur explique ses principes de beauté, et tout ce qu'elle a appris en dix ans.

Quelques heures durant, elle éprouve l'illusion d'avoir retrouvé la volière de son enfance. Mais le charme est cependant rompu. Elle s'ennuie et s'enfuit dès qu'elle le peut, prétextant des rendez-vous importants. Elle ne reverra jamais ses parents. Cette visite à moitié ratée la conforte dans l'idée qu'elle ne s'est pas trompée en choisissant une voie difficile, mais préférable à n'importe quel mariage imposé.

Pourtant les membres de sa famille restent chers à ses yeux. Ses sœurs, ses cousines, ses oncles et ses tantes sont les seules personnes en qui elle peut avoir confiance. Elle veut les associer à son entreprise et se promet de le faire dès qu'elle en aura l'occasion. Avant de repartir, elle persuade sa jeune sœur Ceska, âgée de vingt-deux ans, ainsi que sa cousine Lola, la fille de sa tante Rosalie Beckman, de venir la seconder à Melbourne. Pour leur laisser le temps de préparer leurs effets, elle leur donne rendez-vous à Vienne.

En Europe un vent de modernité et de liberté s'est levé. Partout on glorifie la beauté, le corps, la jeunesse. Helena est en phase avec les nouvelles envies des femmes : « Elles jetèrent les corsets qui avaient comprimé leur poitrine, elles renoncèrent à leurs ombrelles et à leurs voiles, parce qu'elles ne craignaient plus l'air et le soleil, elles raccourcirent leurs robes afin de mieux mouvoir leurs jambes au tennis, elles n'eurent plus honte de laisser voir leurs mollets bien faits[1]. »

A Vienne, la deuxième étape de son voyage, elle fait la connaissance de la doctoresse Emmie List, célèbre pour son traitement à base de peelings qui viennent à bout de l'acné et des taches persistantes. Au bout de six mois d'abrasions régulières, les cicatrices s'atténuent, la peau retrouve sa jeunesse. Le médecin devient son amie. Lorsque Helena ouvrira son salon de Londres, elle la fera venir pour travailler à ses côtés.

Lola et Ceska la rejoignent. Toutes les trois se dirigent en train vers l'Allemagne. Là-bas, les chirurgiens ont inventé de nouvelles techniques d'embellissement. A Berlin, en 1901, le Dr Eugène Hollander a été le premier à pratiquer un lifting sur une aristocrate polonaise. Quelques années plus tôt, le Dr Jacques Joseph avait effectué la première opération du nez. Parmi toutes ces innovations, l'injection de paraffine sur la face pour faire disparaître les rides est la plus spectaculaire.

Mais les conséquences sont souvent désastreuses car la paraffine qui se déplace sous la peau provoque des creux et des grosseurs indésirables et parfois, mais plus rarement, une cécité ou une nécrose. La chirurgie esthétique qui prétend « remédier aux laideurs et difformités[2] », balbutie encore. Ses résultats ne sont pas à la hauteur des espérances. Il faudra attendre la Première Guerre mondiale, pour apprendre à réparer les « Gueules Cassées », ces soldats aux visages abîmés dans les tranchées. Pour l'heure, tout le monde s'accorde à penser que les séquelles de ces opérations sont inévitables et qu'il va falloir trouver des solutions pour réduire les cicatrices[3].

Poursuivant leur voyage, les trois jeunes femmes découvrent les Spas. Pour Helena, c'est une révélation. Son engouement est tel que tout au long de sa vie, elle s'y rendra régulièrement pour maigrir, se reposer ou soigner une dépression passagère, ce qui lui arrivera souvent après l'ouverture de l'un ou l'autre de ses salons.

Pour les aristocrates européens, prendre les eaux est devenu un passage obligé de la mondanité. Ils vont à Brides-les-Bains et à Eugénie-les-Bains, deux sources thermales découvertes par Napoléon III et sa famille. Ils apprécient Budapest, Baden-Baden et Marienbad dont la mode a été lancée par le roi Edouard VII, fervent des soins naturels. Chacune de ces stations possède sa spécialité et son médecin vedette qui ordonne les hydrothérapies, les enveloppements et les peelings. « De nombreux Hongrois et Roumains très habiles dans les soins de la peau m'enseignèrent quantité de choses[4] », se souvient-elle.

A Wiesbaden, sur la rive droite du Rhin, Helena se lie d'amitié avec le docteur Joseph Kapp, le directeur de la station thermale, qui lui prescrit un traitement veineux pour les troubles circulatoires dont elle souffre. Elle observe ses méthodes qu'elle compte bien copier. Le médecin devient une de ses références. Chaque fois qu'elle a besoin de mettre à jour ses connaissances médicales, Helena dont la soif d'apprendre ne se tarit jamais, s'adresse à lui.

A Paris, la Belle Epoque dénote un formidable appétit de vivre. Après une longue période de dépression commencée en 1873, qui a duré plus de vingt ans, les Parisiens recherchent les divertissements. Les ouvriers et les bourgeois, les midinettes et les femmes du monde mêlent leur sueur dans les lieux de plaisir. On s'encanaille au Chat Noir et au Bal Bullier, on applaudit les danseuses des Folies-Bergère et du Moulin Rouge. On découvre le cinéma avec les films de Méliès, des frères Lumière et de Charles Pathé. L'automobile n'est plus une excentricité réservée aux intrépides, son usage se répand parmi le commun des mortels. Le chemin de fer qui relie Paris à Nice précipite les foules vers la Riviera enchantée, ses palaces et ses bains de mer.

Le sculpteur Guimard a lancé le style Art Nouveau qui décore les bouches du tout nouveau métropolitain. Au Bateau-Lavoir, une cité d'artistes accrochée à la Butte Montmartre, on croise Renoir, Toulouse-Lautrec, Utrillo, Max Jacob, Matisse, Braque, Apollinaire et Picasso. A Montparnasse, c'est la Ruche qui attire comme du miel les peintres juifs venus d'Europe de l'Est, Zadkine, Kikoïne ou Chagall.

Helena a un coup de foudre pour Paris, qui va rester l'une de ses villes préférées. Toujours accompagnée par sa sœur et sa cousine, elle visite le Louvre, admire la Joconde et le département des antiquités grecques, grimpe au sommet de la tour Eiffel, déjeune au Café de la Paix, se promène en victoria sur les Champs-Elysées. Durant son court séjour, elle se livre à une frénésie d'emplettes : des vases de Gallé, des flacons de Lalique, des bijoux, des vêtements, quelques tableaux déjà.

Rien n'est trop beau pour cette ancienne pauvre qui découvre avec volupté les rayons de mode et de beauté du *Bon Marché*, cette « cathédrale de commerce[5] » fondée en 1838 par Marguerite et Aristide Boucicault. Elle y achète des parfums, des onguents, des gants de cuir fin, des dessous. Dépensant avec bonheur un argent qu'elle ne doit qu'à son travail, elle fait confectionner ses premières toilettes de haute couture chez Doucet et Worth, rue de la Paix. Elle apprécie le confort feutré des salons et des cabines d'essayage, le ballet des vendeuses qui font apparaître un tourbillon de rubans, de dentelles, de satins, de velours. Quand on lui livre ses toilettes à l'hôtel, elle étale sur le grand lit les jacquettes et les robes serrées à la taille qui forment, en s'évasant, une série de godets. Elle aimerait les porter toutes en même temps.

Toute sa vie, elle va s'habiller chez les plus grands couturiers, par goût d'abord, ensuite parce qu'elle a dans l'idée d'être la meilleure ambassadrice de sa marque.

Chaque dépense d'Helena profite à Rubinstein. Et puis, dit-elle souvent, « la couture et la beauté vont de pair ». Mais elle n'est pas venue de si loin pour jouer à la touriste oisive. En France la médecine et l'hygiène ont beaucoup évolué. Depuis que Pasteur a découvert la microbiologie en 1860, l'asepsie est devenue obligatoire dans les hôpitaux. Helena commence sa tournée de visites par Marcellin Berthelot qui a inventé la désinfection par l'eau de Javel en 1875. Le chimiste déjà très âgé – il mourra deux ans plus tard – a accepté de la recevoir sans recommandations.

Il lui dispense un cours magistral sur les principes qui régissent la santé de la peau. « C'est la soupape de la sécurité animale », lui explique-t-il en citant Pierre Curie. Avec lui, elle vérifie son intuition de la classification des peaux en plusieurs types, ce qui lui permettra d'étendre sa gamme de produits. Elle consulte des dermatologues qui lui enseignent comment régénérer les tissus, les raffermir, retarder l'apparition des rides. Elle apprend les techniques de l'électricité dont les bienfaits, qui datent d'un quart de siècle à peine, sont déjà appliqués aux soins du visage.

Certains médecins ne la prennent pas au sérieux. La place d'une femme est à la maison, lui disent-ils, pourquoi s'obstine-t-elle à bourrer son charmant petit crâne de tout ce fatras compliqué, et surtout inutile ? Si vraiment elle a un quelconque talent dans la parfumerie, à quoi bon s'encombrer d'anatomie ?

— Laissez cela aux hommes, ma chère, dit l'un d'eux en baisant sa petite main désormais bien soignée.

Il la pousse doucement mais avec fermeté vers la porte de son cabinet. Helena ne cherche pas à convaincre. Du reste, d'autres savants réputés ne demandent qu'à la recevoir. Elle retient cependant la leçon. Pour obtenir ce qu'elle désire, une jolie femme ne doit jamais paraître trop intelligente. Elle n'a pas l'habitude de louvoyer ainsi, elle qui est plutôt char d'assaut qu'odalisque, mais tous les moyens sont bons pour arriver à ses fins.

Persuadée que la beauté passe aussi par l'entretien du corps, elle se passionne pour le pétrissage des chairs à l'aide de rouleaux censés effacer les bajoues, le double menton et la graisse. Certains sont pourvus du courant électrique, ce qui permet de masser la face, le ventre ou les seins, avec plus d'efficacité qu'à la main[6]. La diététique n'est pas encore devenue l'obsession du siècle mais les coquettes savent déjà comment corriger leurs silhouettes par des traitements appropriés et des régimes qui changent selon les modes et les saisons.

Déjà, en 1896, le magazine féminin *La Vie Parisienne* ne proposait pas moins de huit régimes amaigrissants, tous différents. Plus tard, Horace Fletcher, un Américain surnommé « Le Grand Masticateur » explique que, pour perdre du poids, il faut mâcher des centaines de fois tous les aliments liquides et solides. Le Dr Guelpa, un Français, en tient pour le jeûne, tandis que le Dr Leven préconise la diète lactée. Les pilules à base de séné et les diurétiques naturels, fenouil, anis ou genièvre, se vendent avec profit. Les « Cardina » sont censées diminuer le ventre, affiner les hanches, amincir la taille[7]. D'autres cachets, à base d'extraits de thyroïde, causent bien des dégâts si on en abuse. On ne compte plus les malheureuses qui, s'obstinant à maigrir quel qu'en soit le prix, souffrent à présent de désordres endocriniens ou de troubles menstruels.

La visite attentive des salons parisiens permet à Helena d'observer les pratiques qui ressemblent à celles dispensées dans les Spas européens : l'hydrothérapie qui tonifie et galbe le corps, l'électricité sous toutes ses formes, la lumière, la gymnastique, les massages[8]. Elle va importer ces nouveautés à Melbourne puis, plus tard, dans ses instituts du monde entier, en y apportant des améliorations. Dès qu'il s'agit de soins, son imagination est sans limites.

De tout ce qu'elle a appris pendant son voyage, elle a retenu deux ou trois idées fortes qui vont composer le socle de ses programmes. Pour augmenter l'efficacité des produits et entretenir un teint lumineux, une hygiène de vie, des exercices physiques, un régime diététique à base d'eau, de jus de fruits et de légumes pauvres en matières grasses et en toxines, et l'apprentissage de la respiration sont nécessaires. Ses futures clientes ne devront pas se contenter d'acheter de la crème, elles devront aussi appliquer ces principes.

L'Angleterre met un terme à son séjour en Europe. C'est de là qu'elle va reprendre le bateau pour l'Australie. A Londres, la beauté est réservée à l'élite. Le privilège est, là-bas, sans doute plus marqué qu'ailleurs. Quelques parfumeurs anglais comme Atkinsons ou Yardley occupent le terrain. Les marques françaises importées, Coty, Bourjois ou Rimmel, restent horriblement coûteuses. Les trois jeunes femmes les découvrent chez *Harrods,* sur Brompton Road, un grand magasin qui n'a rien à envier aux enseignes parisiennes. L'escalier roulant les fascine, mais elles hésitent à l'emprunter de peur d'accrocher leurs jupes longues.

Ensemble, elles testent les instituts de Bond Street, souvent luxueux à l'intérieur mais qui ne tiennent pas les promesses attendues. Il y a du travail en perspective, note Helena qui compte bien revenir. Tout ce qu'elle a vu, observé, retenu, lui a démontré une fois de plus que la beauté se travaille et se gagne. Les efforts en valent la peine : « Il n'y a pas de femmes laides, il n'y a que des femmes paresseuses », devient son axiome favori.

Elle oublie ou veut oublier que les femmes ne sont pas égales devant la beauté, que leur monde est divisé entre celles qui ont le temps et l'argent pour améliorer leur condition physique et celles que leur pauvreté condamne à une vieillesse précoce.

Au retour, ses malles sont bourrées de pilules amaigrissantes, de formules pour guérir l'acné ou les méfaits du soleil, de rouleaux électriques pour malaxer, pétrir, raffermir les jambes, les fesses, la poitrine. Tout un matériel de travail qui voisine avec ses nouvelles toilettes. Elle rapporte aussi des vases, surtout des opalines qu'elle a commencé à collectionner, des tableaux, des bibelots, des tissus, et de quoi redécorer ses deux salons.

Un placard publicitaire publié dans le quotidien australien *The Talk,* en 1906, annonce que mademoiselle Helena Rubinstein vient de rentrer d'Europe. Ses études auprès des plus grands spécialistes de la peau l'ont aidée à améliorer les soins proposés dans l'institut de beauté du 274, Collins Street. Le texte mentionne qu'elle a engagé deux assistantes « viennoises ». Ces dernières jouent leur rôle avec sérieux.

Pourtant Ceska a du mal à se faire à l'Australie, elle souffre du mal du pays. Et puis Helena est trop exigeante. Matin et soir elle les fait travailler comme des esclaves enchaînées à une mine de charbon. Il y a autre chose que les salons de beauté dans la vie, non ?

— Non ! Est-ce que je m'amuse moi ? Comment vivrais-tu sinon ?

Ceska rechigne, proteste, mais finit par s'adapter et passe des heures dans la *cuisine* à regarder sa sœur concocter ses nouvelles préparations, l'Eau Verte, l'Eau qui pique. Le soir, elle est invitée un peu partout. Comme toutes les filles Rubinstein qui ont hérité de leur mère une carnation sans défaut, elle paraît plus jeune que son âge. Et comme Helena, elle triche, avoue dix-huit ans, alors qu'elle en a quatre de plus, ce qui ne semble pas la gêner. Du reste, en Australie, personne ne se soucie de l'état civil. Un charmant Anglais nommé Edward Cooper s'est mis à la courtiser, et de son côté elle n'est pas indifférente à ses avances.

Et Helena ? Elle est riche, jolie, et encore jeune malgré ses trente-quatre ans bien sonnés. Son salon de Melbourne marche presque seul, sa ligne de beauté est parfaite et sa réputation parfaitement établie. Elle pourrait, elle aussi, songer à se marier.

Mais Mademoiselle Rubinstein est faite d'une autre étoffe que la plupart des jeunes femmes qui gravitent autour d'elle. Elle n'ambitionne pas de fonder une famille, ni d'élever des enfants qui lui ressembleront. Dans ses rêves, les mots doux, les serments au clair de lune, les étreintes langoureuses n'ont pas leur place. Son petit cerveau bien structuré bourdonne de mots sérieux comme bilans, livres de comptes, chiffre d'affaires ou expansion. Elle est une des rares *self made women* de son époque et elle a bien l'intention de continuer dans cette voie. Toute seule. Elle n'a pas besoin d'hommes. A quoi lui serviraient-ils ?

Et Melbourne lui semble déjà trop petit.

A présent, elle vise Londres, une ville comme elle les aime, moderne, élégante, bouillonnante. Là-bas, tout est à inventer. Durant son bref séjour dans la capitale, Helena a eu le loisir d'observer les Anglaises aux joues sèches, sujettes à la couperose, comme celles des Australiennes. Beaucoup d'entre elles souffrent d'une acné persistante qu'elles ne savent pas soigner et dissimulent sous des emplâtres de poudre.

Helena a du mal à contenir son impatience. Ses plans sont déjà établis. Elle s'installera en Angleterre dès l'année prochaine. Avant, il faudra ouvrir le salon de Sydney dont les travaux ont déjà commencé. Ceska doit bientôt partir les surveiller. Elle songe aussi à s'étendre jusqu'à Wellington, en Nouvelle-Zélande.

C'est le moment de la fermeture. Toute seule au salon, Helena ne se résigne pas à monter se reposer. Ses deux employées ont pris congé une demi-heure plus tôt que d'ordinaire, Lola et Ceska ont fait de même. La semaine a été rude, les clientes sont venues encore plus nombreuses, et les jeunes filles, épuisées, ont demandé grâce. Elle a dû accepter, un peu malgré elle, de les laisser partir.

Quand elle aura terminé ses comptes, elle nettoiera le sol et baissera le lourd rideau de fer. Aucune tâche ne lui semble honteuse ni subalterne. Pour le moment, elle se tient debout derrière le comptoir, occupée à calculer la recette de la journée.

A Melbourne, certaines journées de mai devancent la moiteur de l'été. En ce début de soirée, la chaleur reste collée au bitume et la nuit n'offre aucune promesse de fraîcheur. Helena a dégagé son décolleté un peu plus que la décence ne le permet. Ses joues sont cramoisies, son front mouillé de sueur. Quelques mèches folles s'échappent de son chignon. Ce brin d'indiscipline qui adoucit son maintien strict, la rend tout à fait charmante.

— Est-ce à mademoiselle Helena Rubinstein que j'ai l'honneur de parler ?

Surprise par cette voix masculine, elle relève la tête. Et fixe de son regard d'oiseau de proie l'homme qui vient de soulever son chapeau. C'est un grand brun à l'allure élégante, qui porte un habit de la meilleure étoffe avec un plastron amidonné. Quelques livres et journaux sont glissés sous son bras droit. Derrière ses lunettes rondes, ses yeux vifs la détaillent. Elle a l'impression qu'il note tout, le désordre de sa mise, l'échancrure de son corsage. Machinalement, elle se reboutonne.

— Oui ?

— J'ai rencontré deux de vos sœurs à Cracovie, il y a quelques mois, lorsque je suis allé rendre visite à ma famille. Elles m'ont parlé de vous. Je suis journaliste, né en Pologne tout comme vous, mais citoyen américain.

Un compatriote ? Il a du charme, de l'aisance, une voix chaude. Le regard assuré, trop peut-être. Elle se déride un peu, s'essuie le front, remet de l'ordre dans sa coiffure.

Il ne lui a toujours pas dit son nom.

— Pardonnez-moi. Vous me troublez. Je m'appelle Titus. Edward William Titus.

Helena mordille son stylo, baisse la tête vers son livre de comptes. Son cœur bat trop fort sans qu'elle comprenne seulement pourquoi.

Il est troublé ?

Elle aussi.

Edward William Titus

Elle n'a encore jamais rencontré un homme comme lui. Incollable en peinture, en littérature, en musique, en politique, il se fait un plaisir de jouer les Pygmalion. Helena pourrait l'écouter des heures, Edward William Titus ne se montre jamais pédant ni ennuyeux. Au contraire, c'est un formidable pédagogue, clair, précis, amusant. Il lui suffit d'ouvrir la bouche pour qu'aussitôt elle se passionne. Son discours est truffé de citations, d'anecdotes. Auprès de lui, elle oublie les crèmes, les clientes et les comptes.

— Helena, regardez ce building, le Yorkshire Brewery. Il date du début des années 1880, c'est le premier *skyscraper* de la ville, construit sur le modèle des gratte-ciel new-yorkais. Huit étages, vous imaginez ? De là-haut, la vue est inouïe. On grimpe ?

Il lui fait découvrir un Melbourne différent, alors qu'elle croyait pourtant bien connaître la ville. Jusqu'à présent, ses longues journées vouées à son travail ne lui ont laissé que peu d'occasions de sortir. Désormais, Edward l'emmène au théâtre presque tous les soirs. Dans cette Australie du début du siècle, c'est le divertissement le plus apprécié. Les troupes étrangères inscrivent les grandes villes au programme de leurs tournées. On va tout voir sans faire de distinction. Le public est très mélangé, l'ambiance plutôt bon enfant, on est loin de la retenue polie des spectateurs européens.

Helena pleure à *The Squatter's Daughter* un mélo bien épais, applaudit Minnie Tittel-Brune qui triomphe dans *Tosca* et *l'Aiglon*, s'amuse aux pantomimes, un art anglais que les Australiens ont porté à son sommet. Edward ne rate pas une occasion de parfaire son éducation. Ce garçon a vraiment un charme fou quand on y pense, et Helena y pense souvent. Ses traits réguliers, ses cheveux grisonnants, lui donnent un air de distinction très anglais. Sa façon de parler est précise, incisive, son vocabulaire recherché. Toujours rasé de frais, fleurant bon l'eau de toilette à la lavande, il s'habille avec un souci pointilleux de l'élégance. Ses costumes sont taillés à Londres, son bottier est italien, ses chemises viennent de chez Charvet, à Paris.

Grand connaisseur de la mode féminine, il apprécie les toilettes parisiennes d'Helena, remarque les moindres détails, le tombé d'une jupe, le ruché d'un corsage, la garniture d'un chapeau. Quand elle rentre chez elle, après une soirée passée en sa compagnie, elle se surprend à fredonner un air de Grâce Fletcher ou de Dorothy Brunton en se déshabillant devant son miroir. Après le spectacle, ils vont souper dans les restaurants de Melbourne les plus à la mode. On y mange mal, peste Edward, rien à voir avec la France. Quand nous serons à Paris, vous verrez, je vous emmènerai...

Helena se sent provinciale, empruntée. Edward vient à peine d'arriver à Melbourne et il est déjà à l'aise partout. Il connaît les maîtres d'hôtel par leurs prénoms, obtient les meilleures tables, l'initie aux vins français, à la cuisine chinoise. Il « excite son imagination », raconte-t-elle, lui ouvre « un nouveau monde inconnu d'elle[1] ». Sa conversation est truffée de noms célèbres – certains dont Helena n'a jamais entendu parler – des artistes, des écrivains, des peintres, des intellectuels, mais aussi des puissants, des titrés, ladies anglaises, comtesses parisiennes, socialites new-yorkaises.

S'il pratique avec désinvolture le *name dropping*, en véritable snob qu'il est, les gens riches et bien nés ne l'impressionnent guère. A la grande surprise d'Helena qui les imagine supérieurs.

— Ma chère, ce n'est pas ce qu'on est qui est important, mais ce qu'on fait.

Et lui, qui est-il au juste ? Son existence demeure très mystérieuse, du moins pour la partie qui précède sa rencontre avec Helena Rubinstein, en Australie. Tout comme elle, il entretient à dessein un flou artistique. « Un journaliste américain d'origine polonaise », c'est ainsi qu'on le présente souvent dans les biographies. Mais qu'a-t-il publié avant cette époque ? Et dans quels journaux ? Mystère.

Selon le témoignage de son neveu, Emmanuel Ameisen, fondé de pouvoir de la firme française d'Helena Rubinstein à la fin des années trente[2], avant d'en devenir le directeur général après la guerre, Edward Titus s'appelle en réalité Ameisen. Il a changé son nom avant de partir pour l'Australie en 1904 ou 1905. Un choix étrange pour un Juif, comme le constate le fils d'Emmanuel, Olivier Ameisen : « Titus est l'empereur romain qui a détruit le temple de Jérusalem. Mais Edward était un véritable anticonformiste », ajoute-t-il[3].

Comme Helena Rubinstein, Edward Titus a donc eu plusieurs vies. Dans la première, il est né Arthur Ameisen, le 25 juillet 1870 à Podgorze, un faubourg de Cracovie. Son père, Leo Ameisen, marié à Emilie Mandel, possédait une petite fabrique de sodas. Aîné d'une fratrie nombreuse qui comprenait neuf enfants[4], dont le cadet, Yakov, était le père d'Emmanuel Ameisen, il est allé à l'école publique de la ville et a poursuivi ses études secondaires au gymnasium de Sainte-Anne.

Engagé dans un quotidien appartenant à son oncle, il a été journaliste pendant trois ans en Pologne. C'est sans doute à cette époque qu'il a appris l'anglais et le français qu'il parle couramment, avec le polonais, l'italien, le yiddish et l'hébreu. A l'âge de vingt et un ans, en 1891, il a émigré aux Etats-Unis, sur le *Campania* en partance de Liverpool. Il a vécu à Pittsburg, en Pennsylvanie, où une importante colonie austro-hongroise s'est installée. Il a demandé la nationalité américaine en 1893[5]. et l'a obtenue trois ans plus tard[6].

Dès son arrivée à Pittsburg, Arthur Ameisen a travaillé au consulat d'Autriche sous les ordres du consul Max Schamberg jusqu'en 1895[7]. En parallèle, il a suivi des études de droit, et après son diplôme obtenu en 1897, il a créé un cabinet de juriste, Ameisen et Kramer, où il a travaillé plus particulièrement avec ses compatriotes établis à Pittsburg. Il a été marié une première fois avant de rencontrer Helena Rubinstein[8], et a probablement eu deux enfants[9], qui, lorsqu'il a abandonné leur mère, ont refusé de le revoir. Il n'y fera jamais allusion, seule sa famille connaît ce lourd secret. Helena aussi sans doute, mais elle n'en parlera jamais non plus.

Après Pittsburg, sa trace se perd... Et se retrouve quelques années plus tard, à New York puis en Australie. Edward William Titus – alias Arthur Ameisen – a gardé pour lui quelques-uns de ses secrets, qui sans aucun doute ajoutent à son charme.

En attendant, il séjourne à Melbourne et fait sa cour sans en avoir l'air. Parfois il débarque au salon de beauté *Valaze* au milieu de l'après-midi, et malgré les protestations de sa propriétaire, il l'embarque pour une promenade dans les jardins de Fitzroy ou au parc QueenVictoria que les Australiens ont inauguré l'année précédente, en mémoire de la défunte reine.

Rougissante, Helena laisse Ceska s'occuper de la boutique, noue les rubans de son chapeau, attrape son ombrelle et disparaît à son bras, sous les regards mi-attendris, mi-moqueurs de sa sœur et de sa cousine. Pour se défendre, elle tente de recadrer leur relation sur le terrain professionnel. Elle l'embauche comme directeur du marketing et de la publicité. C'est qu'Edward est doué en diable. Avec lui, les mots s'ordonnent tout seuls, sa plume court sur le papier. Il ne lui a pas fallu longtemps pour comprendre toute l'ambition de la jeune femme et lui proposer de l'épauler.

Elle l'écoute, accepte ses innovations. Il a cent idées à la seconde, au point que bien souvent il lui donne le tournis. Mais il sait traduire dans l'instant ce qu'elle lui propose. Elle n'a pas le temps de commencer une phrase qu'il l'a déjà terminée. C'est précieux et surtout c'est nouveau. Edward est le seul à penser plus vite qu'elle, il la surprend sans arrêt.

Il sait tout faire et le fait bien : il améliore le design et le packaging des produits, rédige les textes des réclames, y ajoute des citations, des poèmes, du lyrisme. Jamais à court d'imagination, il invente, spécialement pour Helena, une école de la beauté viennoise « différente des écoles anglaise et australienne. » Les publicités qu'il rédige et qui paraissent dans *The Talk, The Mercury, The Sydney Herald Tribune, The Australian Home Journal*, sont bâties sur le même principe. D'abord, il donne aux futures clientes une raison spécifique de recourir aux cosmétiques, par exemple, les rigueurs du climat australien. Puis, il établit un rapport privilégié avec elles, en s'appuyant sur l'expérience et l'expertise scientifique d'Helena. « Ce que veulent les femmes ? Un "je ne sais quoi"... », explique-t-il en français dans le texte...

A propos du petit *Guide de la beauté* il écrit : « Il n'existe pas d'autre livre au monde plus concis, plus lumineux et dont les conseils soient si régulièrement remis au goût du jour. » Sur la jeunesse : « On dit qu'une femme a l'âge qu'elle paraît, c'est-à-dire l'âge que sa peau paraît. Gardez votre peau jeune et les années ne vous terroriseront pas. »

Il donne encore ces conseils avisés aux épouses : « Un homme qui, matin après matin, au petit déjeuner fait face à une femme intelligente, dont la conversation est brillante mais dont la peau est abîmée, ne sera pas content tous les jours : il lui arrivera de faire la grimace. »

Il pose Helena en « bienfaitrice de son sexe. » « Madame Rubinstein a inventé toutes sortes de choses délicieuses et efficaces pour que les femmes en bonne santé soient belles et le demeurent ».

— Il faut vous valoriser, parler sans cesse de vous, vous mettre le plus possible en avant. Vous êtes votre meilleur atout commercial.

En très peu de temps, Edward Titus façonne l'image d'Helena Rubinstein. Elle devient cette prêtresse de la beauté, brillante, riche, célèbre en Europe, qui met ses compétences scientifiques au service des femmes à la mode. C'est encore lui qui trouve son surnom.

— Helena que pensez-vous de Madame ? Pas madame Rubinstein, Madame... tout court. Ça sonne bien, non ?

Ravie, elle répète ce *Madame*, sur tous les tons. C'est le nom sous lequel on va désormais la connaître, celui que lui donneront les employés, les clientes, les journalistes, sa famille et même ses enfants. Edward, lui, préfère l'appeler avec affection, *Petite Madame*.

Avec son soutien, Helena se sent pousser des ailes. Comme prévu, elle crée un autre salon à Sydney, en 1907, situé au 158, Pitt Street. « Comme vous le savez, j'en ai déjà un à Melbourne, créé sur le modèle des fameux instituts de beauté européens où je suis allée. Venez me voir à Sydney, je vous y accueillerai avec ma sœur », annonce-t-elle. En 1908, elle inaugure celui de Wellington, toujours avec le même succès.

Edward est encore à ses côtés pour la conseiller. Edward par-ci, Edward par-là. En moins de deux ans, il est devenu aussi indispensable à sa vie que l'air qu'elle respire. Il ne se passe pas de jour sans qu'elle lui demande son avis sur tout et n'importe quoi. Il est son salarié mais aussi son conseiller, son guide, son ami, son complice. Dans la journée, il travaille à ses côtés ; le soir, on les voit partout ensemble.

Alors elle prend peur. Ce n'est pas ainsi qu'elle entend conduire son existence. Et pourtant, elle est amoureuse. Une nouvelle Helena est apparue, qui chantonne le matin dans son tub, accorde plus de soin que de coutume à son apparence. La nuit, elle se retourne cent fois dans son lit avant de réussir à s'endormir, repasse en boucle les moindres paroles prononcées par Edward, interprète ses regards, ses frôlements, ses pressions de la main.

Puis elle se raisonne, se calme, se lève et va à la salle de bains se passer de l'eau sur le visage. Elle se regarde dans le miroir, y voit une jeune femme en chemise de soie blanche, ses cheveux défaits autour de son visage. Elle sourit, puis soupire. Elle n'est pas assez belle pour lui, pas assez cultivée non plus, trop âgée sans doute. Amoureuse, on vous dit.

Elle réfléchit. Edward est séduisant, charismatique, il aime plaire, conquérir. A l'évidence, c'est un homme à femmes, il la fera souffrir. Et pourtant, il semble trouver un réel plaisir à sa compagnie, il est fasciné par sa réussite, sa volonté, son ambition, son courage. Elle lui a raconté sans tricher son départ de Kazimierz, et les années de galère qui ont suivi.

Cependant quelque chose dans son attitude n'est pas limpide. Pourquoi est-il si... ? Ou, plutôt, pourquoi n'est-il pas assez... Il ne la courtise pas, du moins pas au sens classique. Il ne la couvre pas de compliments comme les autres hommes. Il n'a jamais essayé de l'embrasser. Ne lui plaît-elle donc pas ? Que lui veut-il exactement ? Son argent ? Son affaire ? Les deux ?

Ce soir d'été où ils sont tous les deux attablés à la terrasse d'un restaurant français, elle demeure silencieuse pendant tout le repas. Elle touche à peine au verre de bordeaux qu'Edward a commandé car il s'est mis en tête de l'éduquer aux grands crus. Pour une fois, toute à ses pensées, elle n'a rien écouté de ce qu'il lui raconte.

Elle déchiquette la mie d'un morceau de pain et la roule en minuscules boulettes. Sa nervosité n'a pas échappé à son compagnon. Il se penche vers elle et prend sa main qu'il garde dans la sienne. Elle frissonne, tente de se dégager mais il resserre son emprise. Ils restent ainsi quelques instants sans prononcer un mot.

La gorge d'Helena est sèche, elle redoute ce qu'elle va entendre. L'attente lui paraît interminable.

— Helena, dit-il lentement, je vois que vous êtes déterminée à bâtir un empire. Epousez-moi et nous le construirons ensemble.

Mayfair Lady

Il pleut sur Londres. Une petite pluie fine, triste, qui tombe drue sur sa capeline de velours. Il a déjà plu la veille. Et l'avant-veille. Et depuis quinze jours. Et quand il ne pleut pas, le brouillard prend la relève, épais, glacial, collant. En ce mois d'avril 1908, le printemps se fait attendre. Et bien sûr, il n'y a aucun fiacre en vue.

Trempée, grelottante, Helena se résigne à s'abriter sous un porche. Elle ne doit pas se décourager, elle ne cesse de se le répéter, c'est même devenu son obsession. Depuis Coleraine elle sait que plus le but qu'on s'est fixé est ambitieux, plus le prix à payer pour l'atteindre est élevé. Comme un mantra, elle se répète la phrase en se réveillant chaque matin dans ce petit meublé, loué au troisième étage d'un immeuble d'Arlington Street, dont elle partage le loyer avec une jeune Australienne.

Ici, Madame n'existe pas. Sa réussite, son argent – elle possède près d'un demi-million de dollars à l'abri dans une banque australienne et elle vient d'ouvrir un compte londonien – ne l'empêchent pas de se sentir une étrangère. Dans ce monde hermétique, régi par des codes compliqués qu'elle ne sait pas décrypter, elle est seule, une fois de plus. Bien sûr, elle apprendra, comme elle a appris le reste. Mais les débuts sont sévères.

Au moins une fois par jour, elle se demande si elle n'a pas commis une erreur en refusant d'épouser Edward. Il lui manque tant que penser à lui l'empêche parfois de respirer. Elle est nostalgique de leurs conversations, de leurs soirées, de leur complicité, elle se sent envoûtée, ne trouve pas d'autre mot pour définir ce sentiment qui la submerge. Chaque fois qu'elle repense à leur dernière soirée à Melbourne, elle décortique ses moindres paroles.

Son émotion a semblé sincère quand au bout de quelques minutes qui lui ont paru des siècles, elle a fini par dire non. Non, Edward, je ne veux pas vous épouser, je suis désolée, mais c'est non. Il lui a fallu rassembler tout son courage pour prononcer ces quelques mots, puis pour se composer une mine indifférente quand elle a vu le visage de son compagnon accuser le coup. Sur ses traits, elle a pu lire la stupeur, le chagrin et l'orgueil froissé.

Prise en faute, Helena s'est sentie dans l'obligation d'adoucir son refus.

— Laissez-moi un peu de temps, j'ai besoin de faire mes preuves en Europe.

Edward n'a rien répondu. Il l'a regardée droit dans les yeux et elle s'est raidie à nouveau pour ne pas flancher. Par chance, il a paru comprendre. Puis tout de suite, il a enchaîné car ce n'est pas le genre d'homme qui vous laisse le dernier mot.

— Soit. Mais dans quelques mois, je vous rejoindrai.

De toute sa vie, Helena n'a jamais hésité quand il s'est agi d'avancer... Repousser le vieux Schmuel que ses parents lui destinaient, partir seule pour l'Australie, affronter ses oncles à Coleraine, vivre dans le bush, travailler pour survivre, ouvrir son salon... Mais ces actes dictés par la nécessité ou l'ambition ne lui ont jamais paru aussi difficiles que de dire non à Edward. Si l'amour est le point faible des femmes de tête, c'est assurément le sien. « Mon cœur a toujours été divisé en deux, entre les gens que j'aimais, d'un côté, et l'ambition qui me tenaillait, de l'autre[1]. »

Elle a donc fui, une fois de plus. Chez elle, c'est presque devenu une habitude : lorsqu'elle ne sait pas comment franchir un obstacle, elle préfère prendre la tangente. Tant pis pour les regrets, elle n'a pas le temps de remuer le passé. Désormais, Londres focalise toute son attention. Londres, dont Edward lui a longuement décrit les mœurs d'une aristocratie très refermée sur elle-même. Londres qui, avec ses deux millions et demi d'habitants, a la réputation d'être la capitale la plus joyeuse du monde mais où, selon les quartiers, la richesse la plus flamboyante le dispute à l'indigence la plus terrible.

Quand elle a débarqué, cette fois en immigrante et non plus en touriste, elle a voulu voir les endroits soigneusement évités la première fois qu'elle est venue, les lieux honteux que l'on cache comme un bouton hideux sur le visage d'une belle femme. Les hommes de peine dans les docks, les prostituées de White Chapel, les gamins dormant dans les rues de St. Giles et ses compatriotes juifs polonais et russes, entassés comme du bétail dans les slums de l'East End. L'odeur entêtante de la misère, pire que dans les plus pauvres recoins de Kazimierz ou les bas-fonds de Melbourne l'a saisie à la gorge. Elle a rebroussé chemin.

S'apitoyer sur une pauvreté qu'elle abomine n'est pas son genre. Les luttes politiques ne l'intéressent pas non plus. Pourtant Londres gronde de toutes parts. Le 21 juin 1908, quelques semaines après son arrivée, deux cent mille femmes en colère, menées par Emmeline Pankhurst et sa fille Christabel, les fondatrices de *L'Union féminine, sociale et politique*, ont manifesté dans Hyde Park pour exiger le droit de vote. L'année suivante, une jeune fille de vingt-cinq ans frappera au visage sir Winston Churchill, le ministre du Commerce.

— Sir, les femmes britanniques vous en feront voir d'autres.

La radicalisation du mouvement des suffragettes a entraîné une répression croissante de ses membres. Les militantes sont emprisonnées par dizaines. Pour protester contre l'arbitraire, elles se sont lancées dans d'interminables grèves de la faim.

Helena s'en soucie peu. L'indépendance des femmes l'intéresse, mais de la seule façon qui compte pour elle, en libérant leur apparence. C'est ainsi qu'elle entend rendre les Anglaises plus audacieuses. En vérité, elles commencent à l'être. Depuis que le roi Edouard VII a imposé son style en succédant à sa mère, la reine Victoria, la vie en Angleterre est un peu moins austère. Les mœurs se dépoussièrent.

On a vu éclore un peu partout des salons de massages, des cabines d'esthétique. Dans *The Queen,* la gazette lue par les aristocrates oisives, une chronique intitulée *La Toilette,* donne des conseils de beauté : « Les femmes qui ont des problèmes de peau peuvent nous écrire, sous pseudonyme, pour demander des conseils pratiques et strictement confidentiels. » Les journaux féminins dispensent des recettes, mais le résultat n'est pas garanti. Surtout, l'application de ces produits sur la peau se fait aux risques et périls des lectrices.

Un siècle et demi auparavant un projet de loi, qui a bien failli passer au Parlement, stipulait que « Toutes les femmes, quels que soient leur rang, profession ou situation, vierges, épouses ou veuves, qui ont séduit et conduit au mariage tout sujet de Sa Majesté en usant d'essences, maquillages, savons, fausses dents, perruques, rouge à joues, baleines, crinolines, chaussures à hauts talons, et hanches rembourrées, seront punies par la loi pour délit de sorcellerie[2] ». Ce texte semble relever de la préhistoire et pourtant, dans certains salons comme celui de madame Henning, dans South Molton Street, les ladies n'osent pas se montrer au grand jour. Etre vues là-bas serait presque aussi inconvenant qu'être surprises dans une maison de passe. Aussi la propriétaire a-t-elle fait aménager une porte dérobée, à l'arrière de la boutique, qui permet aux clientes les plus fortunées de ne pas se faire remarquer.

Rien ici n'est gagné d'avance. Mais personne non plus n'a autant de savoir-faire qu'Helena Rubinstein. Personne ne vend une crème aussi miraculeuse que *Valaze*. Personne, surtout, ne s'y entend comme elle en marketing et en vente. Elle est la première à avoir su capitaliser l'envie de beauté des femmes et l'enthousiasme des hommes pour cette envie[3]. Toutes ces certitudes l'empêchent de se démoraliser. C'est même ce qui la fait tenir certains soirs quand le cafard la reprend, entêtant comme ce *pip* australien, éprouvé aux temps les plus rudes de Coleraine. « Je suis la seule à avoir ce talent convoité par les femmes, cette habileté à créer la beauté et à la magnifier », se répète-t-elle comme pour mieux se convaincre.

Elle est aussi la seule à pouvoir ainsi s'encourager car qui d'autre autour d'elle pourrait lui insuffler de la force ? Edward est si loin. Jamais, sans doute, sauf aux temps maudits de Coleraine, elle n'a eu autant conscience de sa solitude. Pourtant, aujourd'hui ses atouts sont différents, elle a de l'argent, des salons, des brevets. En Australie, elle a réussi. Oui, mais tu n'es personne à Londres, lui souffle une petite voix, vite couverte par une autre qui lui martèle qu'elle va y arriver et que ce n'est qu'une question de jours. Alors elle s'oblige à penser aux projets qui l'aimantent, une technique qui a maintes fois fait ses preuves.

Les moindres détails du nouvel institut sont déjà gravés dans son esprit. Le choix du quartier est arrêté, ce sera Mayfair, Belgravia ou Parklane, les endroits les plus huppés de la ville, car l'argent attire l'argent. Elle a déjà en tête une de ces grandes maisons blanches et cossues, de style néopalladien, avec des colonnades en façade. L'agence immobilière lui en a déjà fait visiter des dizaines, mais il y a toujours un défaut.

Le soir, pour tromper sa solitude, elle va au théâtre. Cinq fois de suite, elle est allée applaudir Lilly Elsie dans

La Veuve Joyeuse. Au Duke of York's Theater, elle a découvert Isadora Duncan qui choque la bonne société en s'exhibant nue sous ses voiles. Elle est émerveillée par « son mélange entre la grâce d'un félin et les manières d'une lady. » Avec sa silhouette tout à fait nouvelle, à la Klimt, cuisses amincies, les longues jambes fines, le haut du corps étroit, la danseuse est pour elle le prototype de la femme affranchie.

Quelques années plus tard, elles se rencontrent à une réception donnée par Margot Asquith, la femme du Premier ministre. Isadora porte une de ces immenses écharpes qui, traînant par terre, signent son allure.

Helena s'en étonne.

— Est-ce que ce ne serait pas moins dangereux et tout aussi joli si votre voile était plus court ?

— Et le style, ma chère enfant ? répond Isadora, amusée par sa naïveté.

Les voiles qui intriguent tant Helena ont fait entrer la danseuse dans la légende. Vingt ans plus tard, ils vont se prendre dans les rayons de la roue d'une voiture de course et briser son cou gracile.

En rentrant chez elle, un soir de pluie, encore plus frigorifiée que d'ordinaire, Helena a bien failli renoncer. Blottie devant la cheminée, une tasse de thé brûlant à la main, elle a cru que Londres ne se laisserait pas gagner. Mais une bonne nuit de sommeil a eu raison de ses angoisses et, dès le lendemain, le soleil s'est mis à briller sur la ville. Ce même jour, comme par enchantement, l'agence immobilière lui a proposé la perle rare.

24, Grafton Street, Mayfair : voilà ce qu'on appelle une adresse. La maison de Robert Albert Talbot Gascoyne Cecil, troisième marquis de Salisbury, ancien Premier ministre de la reine Victoria, mort quelques années auparavant, vient d'être mise en location par ses héritiers pour 2 000 livres par an. Le loyer de cette élégante bâtisse de style géorgien est un peu trop élevé pour

Helena, mais comme toujours, elle mise sur sa bonne fortune pour le payer. Avoir pignon sur rue à Mayfair n'a pas de prix, elle le sait.

Délimité par Oxford Street, Park Lane, Regent Street et Piccadilly, le quartier tire son nom d'une foire annuelle qui s'y est tenue jusqu'en 1706. Quelques années plus tard, l'architecte Edward Shepherd y a construit un grand marché entouré de petites maisons. Puis la haute société, qui occupe désormais la place, a fait bâtir de grands immeubles victoriens.

A Mayfair, on est chez les heureux du monde. « C'est moins un quartier qu'une manière d'être, une façon d'envisager la vie, de savoir tenir son parapluie en main toute l'année, de ne pas reconnaître quelqu'un qui ne vous a été présenté que quatre ou cinq fois, d'avoir l'accent d'Oxford et de ne pas terminer ses phrases[4] ». Des nannies en tablier blanc poussent des landaus carrossés comme des calèches dans les parcs et les jardins, tandis que des valets de pied en livrée, plus snobs encore que leurs maîtres, promènent des chiens minuscules.

On se méfie des nouveaux riches, des Américains, de la politique, des Juifs, des Français, des commerçants, des pauvres évidemment. Les habitudes sont coulées dans le bronze, les rituels sont immuables. D'avril à mai, la gentry revenue de ses manoirs de campagne, donne des bals, des fêtes, des concerts privés et se presse aux courses et aux régates. C'est old fashioned, corseté, étriqué, élégant, insolent. Incontournable.

La maison de Lord Salisbury s'étend sur vingt-six pièces et quatre niveaux. Les deux premiers étages seront réservés à la boutique et à l'institut. Helena prévoit d'habiter le troisième. Le grenier abritera sa *cuisine*. Elle engage des architectes d'intérieur pour la rénovation mais se fie à son seul instinct en matière de décoration. Il n'est plus question de meubles en rotin ni de calicot pour les sièges. Elle opte pour du blanc, du crème, du rose, des couleurs neutres, des pastels, qui signent un univers féminin luxueux et sobre. Déterminée, elle exige ce qu'il y a de mieux.

Les travaux doivent prendre quelques semaines. Helena est consciente de jouer son va-tout. Londres peut la rejeter en un rien de temps.

— Ou me porter aux nues, décide-t-elle.

Vivre sans défi lui est décidément impossible. Comme elle ne tient jamais en place, elle laisse les travaux sous la surveillance des architectes et repart sur le continent. A Paris, elle s'enquiert des dernières trouvailles sur la peau, découvre de nouveaux traitements à l'électricité, refait sa garde-robe. A Vienne, elle persuade le Dr Emmie List qui lui a enseigné jadis l'art du peeling, de rejoindre son équipe.

A son retour, elle déborde d'énergie et d'idées pour inventer d'autres produits, des crèmes contre l'acné, des toniques, des astringents. Tous les jours elle visite le chantier où l'équipe a travaillé sans faiblir. L'ensemble lui paraît satisfaisant, conforme à ce qu'elle attendait.

— C'est très beau, chère amie. Bravo !

La voix lui semble familière. Elle interrompt sa conversation avec le menuisier et se retourne.

— Edward !

Dans un élan de hardiesse comme seuls les grands timides peuvent en avoir, elle se jette dans ses bras sans aucune gêne. Elle brûle de lui dire ce qu'elle a éprouvé pendant ces longues semaines où il lui a tellement manqué. Tout ce qu'elle a entrepris, découvert, initié, avait tellement moins de saveur sans lui. Mais elle est beaucoup trop pudique. Et puis elle ne possède pas les mots. Elle se contente d'enfouir son visage dans sa veste et retrouve cette odeur d'homme qui la fait chavirer, un mélange de lavande, de tabac et de cuir. Pour une fois, Edward demeure muet lui aussi. Il embrasse ses cheveux, caresse sa nuque. Quand elle relève la tête, leurs bouches se rejoignent.

« C'est donc ça, l'amour », se dit-elle.

A trente-six ans, elle a le courage d'un homme, l'autorité d'un chef et les naïvetés d'une vierge. Ils restent un moment enlacés, isolés du monde, bientôt interrompus par un toussotement. Ils ont oublié le menuisier.

— Et pour mes placards...

Edward donne son avis, Helena laisse faire. D'ailleurs, il a raison, les placards seront bien mieux au fond de la pièce. Elle le prend par la main et l'entraîne dans la maison qu'elle lui fait visiter sans dissimuler sa fierté.

— Qu'en pensez-vous ? dit-elle joyeusement lorsque de la fenêtre du troisième étage elle lui montre la vue, splendide, sur les toits de Londres.

— Magnifique. Ma chère, vous n'en finirez jamais de m'impressionner.

A-t-elle fait tout ce chemin pour entendre cette phrase ? Ce jour-là, il semble bien que oui.

Comment a-t-elle fait pour se passer de lui si longtemps ? Tout, pourtant, les oppose. Elle est réservée, peu sûre d'elle, sauf dans le travail, dure à la tâche. Il est extraverti, curieux, impulsif. Mais ils ont en commun ce même anticonformisme, cette même curiosité pour les êtres et les choses, ce même enthousiasme, ce même esprit visionnaire. Et puis Edward est le seul qui réussisse à lui faire oublier son entreprise. Comme à Melbourne, il l'entraîne dehors tous les soirs.

Londres bruisse alors de nouveautés, de talents, de culture. C'est l'époque de l'Entente Cordiale et de la grande Exposition franco-britannique où se presse toute l'aristocratie. Edward lui présente Somerset Maugham, monoclé et sanglé dans son smoking impeccable, George Bernard Shaw, reconnaissable à sa barbe rousse et à ses vêtements tricotés main qui viennent du luxueux Jaeger, Max Beerbohm, dandy et critique théâtral.

Là encore, il connaît tout le monde et surtout il semble tellement à son aise. Auprès de lui elle se sent comme une jeune oie provinciale. Edward s'amuse de ses complexes, il sait la rassurer comme personne.

— Vous n'avez rien à leur envier. Bientôt vous serez la reine, ici.

Ils croisent Rudyard Kipling, qui vient d'obtenir le prix Nobel de littérature, James Barrie dont la pièce, *Peter Pan*, a reçu le meilleur des accueils, et encore Jérôme K Jérôme et Virginia Stephen qui ne s'appelle pas encore Woolf – elle épousera Léonard trois ans plus tard – et sa sœur Vanessa Bell avec tout le groupe de Bloomsbury. L'élite intellectuelle et politique fréquente le Café Royal, devenu le quartier général du couple. Après le déjeuner qu'ils prennent souvent ensemble, Edward s'attarde à lire son journal ou à bavarder avec un ami, tandis qu' Helena file au salon. Le chantier a un peu de retard mais elle veut que ce soit parfait. Et puis Edward est là, et c'est tout ce qui compte.

Un soir d'orage, ils s'abritent sous le porche du restaurant en attendant leur fiacre. Blottie dans ses bras, elle prie pour que la pluie ne s'arrête pas. Edward William Titus choisit ce moment-là pour lui demander une nouvelle fois de l'épouser.

Ils se marient le 28 juillet 1908[5], à Londres, avec deux amis proches pour témoins. La cérémonie est très privée et très tendre. Le roi Edouard VII vient d'inaugurer les Jeux olympiques. De toute l'Europe, les gens affluent pour assister aux épreuves dans le stade construit à cette intention, aux environs de la ville. Tout à leur bonheur, les deux jeunes mariés n'y prêtent même pas attention. Pendant le déjeuner qui suit le mariage, au grill du Savoy, Helena flotte sur un petit nuage. Elle touche à peine à ses plats.

Monsieur et madame Edward Titus choisissent de passer leur lune de miel à Nice comme c'est alors à la mode. Ils descendent au Riviera Palace, où la reine Victoria avait ses habitudes. Avec ses constructions rococo, ses demeures extravagantes édifiées par les milliardaires, la ville demeure le symbole de la Belle Epoque. Les riches étrangers y viennent en villégiature, les Anglais se sont installés au Cimiez, tandis que les Russes se regroupent vers le Parc Impérial.

Le couple visite Cannes, Grasse, Monte-Carlo, dîne aux chandelles au Negresco et au Ruhl. Au casino, après quelques danses, Edward s'installe à la table de jeu. Helena se contente de le regarder et de se repaître du spectacle autour d'eux. Jouer de l'argent ne la tente pas, elle sait trop ce qu'il coûte d'en gagner. Mais les excès de la noblesse russe l'amusent. Son mari lui raconte mille anecdotes sur leurs folies, leur sens de la fête, leur façon insensée de miser leurs fortunes et de les perdre.

Chaque matin, le monde leur appartient.

— Toute cette beauté a été créée pour nous, ma chérie, ne cesse de répéter Edward.

Il lui montre la mer ourlée d'argent qui suit les méandres de la corniche, les villas tarabiscotées qui se dressent sur les falaises, les jardins croulant sous les bougainvillées, les palmiers courbés sous la caresse du mistral. Tout l'enivre, ses baisers, l'odeur de son cigare, celle du chèvrefeuille, lorsque la nuit tombe. Blottie contre lui dans le lit de la chambre d'hôtel, corps contre corps, peau contre peau, elle sent une drôle de boule qui monte et descend au creux de son plexus, quand elle se remémore leurs étreintes. Edward est un bon amant, gentil, tendre, et se montre patient même quand la pudeur d'Helena l'empêche de s'abandonner tout à fait.

Il lui a fait découvrir le plaisir. Après l'amour, Helena se sent la reine de l'univers. Parfois, elle se demande si un tel bonheur est mérité. Ne devra-t-elle pas payer encore ? Dans un élan d'optimisme, elle décide qu'elle le mérite, et surtout qu'elle fera tout pour le garder intact.

C'est compter sans les démons d'Edward et les siens. Un matin, elle sort plus tôt que son mari et comme il tarde à la rejoindre, elle descend de la voiture et entre à nouveau dans le hall de l'hôtel pour le presser un peu.

Pour leur dernier jour avant le retour à Londres, ils ont prévu de visiter l'arrière-pays.

Edward se trouve en grande conversation avec une très jolie rousse qu'Helena a déjà repérée la veille, à cause de sa peau superbe.

— Elle est ravissante, vous ne trouvez pas ? a-t-elle demandé à son mari.

— Qui ça ? Ah oui... Une demi-mondaine. Il y en a beaucoup qui chassent par ici.

Edward a regardé distraitement la jeune femme qui traverse la salle du restaurant, parée d'une aigrette de plumes et de diamants, plantée comme un drapeau sur sa chevelure flamboyante. Elle n'est certes pas passée inaperçue, mais si les regards des messieurs étaient appréciateurs, les dames se sont montrées plus circonspectes. Edward s'est retourné en souriant vers son épouse et a déposé un léger baiser au creux de son poignet.

— Ma chérie, je n'ai d'yeux que pour vous.

Ce matin, le traître ne laisse pas seulement son regard traîner sur les avantages de la rouquine. Il a pris sa petite main gantée dans la sienne et exécute un numéro de charme qu'Helena connaît bien, celui du paon prêt à faire la roue.

La femme s'esclaffe, renverse la tête en arrière. On ne voit plus que son aigrette qui s'agite. Et le sourire d'Edward, satisfait de l'effet produit. Au comble de la jalousie et de la rage, Helena fait demi-tour, s'engouffre dans la voiture et ordonne au chauffeur de conduire droit devant lui. Au bout de quelques minutes, elle lui fait signe de s'arrêter et descend, toujours en proie à l'agitation. La veille, elle a repéré dans la vitrine d'une bijouterie un collier de perles à un rang. Il ne lui faut pas plus de quelques secondes pour l'acheter, malgré son prix indécent. Elle sort en tremblant les billets de son sac, et demande qu'on attache le bijou à son cou.

Puis elle remonte dans la voiture, se fait déposer à la gare de Nice et prend le premier train pour Paris sans donner à Edward la moindre chance de s'expliquer. Sitôt réfugiée au Crillon, avec larmes et sans bagages, elle fait appeler le Riviera Palace. Au comble de l'inquiétude, Edward fume dans le hall, désespérant de la voir apparaître. Il est soulagé d'entendre sa voix au téléphone, il était sur le point de prévenir la police. Il n'a rien compris au drame qui s'est joué dans le cerveau de sa petite épouse.

— Cette femme ? Quoi cette femme ?

— Je vous ai vus, sanglote Helena.

Il finit par s'excuser. Elle regrette son geste insensé. Pardons, serments, mots d'amour. Il prend sur-le-champ le train pour Paris, la rejoint au Crillon et tout finit au champagne sur la terrasse de leur chambre, devant la place de la Concorde illuminée.

Helena garde le collier. C'est le premier de sa collection de bijoux « de dispute ». Chaque fois que son mari la trompe, elle prend le pli d'acheter des bijoux, très chers et très gros de préférence. L'argent ne guérit pas, ne console de rien, il aide juste à anesthésier les blessures. Helena aura souvent besoin de ce calmant.

Sa collection s'agrandit presque trop vite. Ses achats suivent une courbe immuable. Trahison d'Edward, sanglots et colère, compulsion chez Harry Winston ou chez Cartier. Depuis son plus jeune âge, Helena aime les joyaux à la folie, les diamants, les saphirs, les topazes et les émeraudes, les cornalines et les pierres de lune. Et puis les perles, évidemment, dont elle a contracté la passion depuis ce tout premier trésor, ce collier donné par sa grand-mère, quand elle était enfant, en Pologne. Elle a consacré son premier argent gagné à Collins Street, à l'achat de perles australiennes, mes « bonnes » perles, dit-elle souvent pour signifier qu'elles ne la trahiront jamais. Elle les mélange avec des perles marines, des perles noires ou grises, et s'en revêt comme d'une armure, dès qu'elle a besoin de se sentir bien.

Elle ne sait pas résister à l'attrait d'une pierre, pas plus qu'Edward à un joli visage. Il apprécie les femmes coquettes, cultivées, brillantes, mondaines, qui sont tout le contraire de son épouse. Obsédée par son travail, Helena n'est pas très policée, et même si elle apprend vite, elle doit une grande partie de son vernis culturel à son mari.

Ce dernier, qui éprouve une vraie affection pour elle, admire son intelligence, son énergie, son audace. Elle l'impressionne souvent, le surprend toujours. Il est heureux de fonder une famille avec elle. Mais son désir va s'éteindre vite. Financièrement il dépend d'elle, et cette situation contribue sans doute aussi à lui couper tout élan.

Sa désaffection du lit conjugal est la pire des souffrances pour elle. Pourtant, même dans les moments de détresse les plus intenses, quand les tourments de la jalousie sont si vifs qu'elle pense bien en mourir, elle ne songe pas sérieusement à le quitter. Elle pardonne, parce qu'elle croit – il le lui promet – qu'il finira par changer. Serments d'ivrogne.

Et puis, il lui revient toujours, elle reste donc la plus forte. Ou la plus faible, c'est selon. Elle apprend à ravaler sa fierté et sublime sa frustration dans la consommation de bijoux, de tableaux, de meubles, d'objets rares et précieux. Leur mariage va connaître des hauts et des bas, des disputes et des réconciliations, des périodes d'accalmie et d'autres de tempêtes, des retrouvailles et de longues séparations. Légalement, il tiendra cependant trente ans.

24, Grafton Street

Monsieur et madame Edward Titus rentrent à Londres pour inaugurer la « Maison de beauté Valaze ». Cette fois, Helena n'a pas pris elle-même les pinceaux pour tracer les lettres de l'enseigne, elle l'a commandée à un peintre professionnel. Elle a fait aussi installer le téléphone. *Mayfair 4611* : elle répète le numéro à l'envi, fière de cette acquisition moderne, et le fait graver, avec son adresse, sur des cartes de visite à son nom.

Le couple s'installe au troisième étage, au-dessus de l'institut de beauté. L'appartement est clair, vaste, meublé avec goût, agréable à vivre, parfait pour un jeune couple qui débute. Edward aménage une pièce en bureau afin d'y écrire tranquillement. Il continue à travailler sur les textes publicitaires et s'implique dans tous les rouages de l'entreprise.

Sa femme ne se montre pas ingrate envers lui. Lorsque, en avril 1909, elle crée officiellement sa compagnie anglaise, *Helena Rubinstein, Pty Ltd,* elle lui attribue 46 % des parts et en garde autant pour elle-même. Le reste va à sa sœur Ceska qui en devient directrice générale, et à deux de ses managers[1].

Le salon vient à peine d'ouvrir que déjà Edward la presse d'acheter de l'espace publicitaire dans les journaux. Ce n'est pas la bonne stratégie, lui rétorque-t-elle.

— Les clientes finiront par venir. Il nous suffit de nous montrer patients et de faire fonctionner le bouche-à-oreille. Attendons un peu.

Comme prévu, elles arrivent toutes, les unes après les autres, mues par une curiosité malsaine. Le Tout-Londres s'interroge sur l'identité d'Helena. On se perd en conjectures sur son accent bizarre, ses vêtements sophistiqués à la mode de Paris, ses bijoux portés avec ostentation. On brûle de constater les fautes de goût qu'elle a commises en rénovant la *mansion* si raffinée de Lord Salisbury. Ses handicaps sont de taille : elle est étrangère, roturière et juive. Les Anglais ne supportent l'exotisme que dans leurs colonies, et encore, à condition que les natifs restent à leur place.

Pourtant, on murmure que ses soins font des merveilles sur la peau. L'attrait de la nouveauté l'emporte alors sur le snobisme. Les ladies s'enhardissent. Mais dans leur monde, la curiosité n'est pas seulement un défaut majeur, c'est aussi le comble du vulgaire. Aussi, comme chez madame Henning, font-elles arrêter leurs équipages dans Bruton Lane, au coin de Grafton Street. Elles en sortent chapeautées, le visage recouvert d'une voilette pour dissimuler leurs traits, puis elles se dépêchent de grimper les marches du perron, en regardant à droite et à gauche pour vérifier que personne ne les suit.

A peine franchi le seuil, la déception l'emporte, du moins pour celles qui nourrissaient l'espoir de dénigrer. L'élégance des lieux coupe net les critiques. Le salon est simple mais raffiné, et ses couleurs qui vont du blanc au crème, avec çà et là une pointe de rose pâle, donnent une touche presque médicale à cette féminité tranquille.

Elles n'ont pas le temps de s'étonner que, telle une magicienne, Helena entre alors en scène par une porte dissimulée sous un rideau. Pour mieux impressionner ces femmes blasées, elle a revêtu une blouse de chimiste sur sa robe de taffetas. Elle les salue avec distance, la gentry n'apprécie pas la familiarité. Mais tout de suite, elle ins-

talle une atmosphère chaleureuse, presque complice,
avance un fauteuil, offre du thé, des biscuits, distribue sa
carte de visite, explique sa façon de travailler, ouvre les
pots de crème et les flacons de lotions, cite au passage
Lady Lamington et les dames de la haute société qu'elle
a côtoyées en Australie, embraye sur les médecins, les
dermatologues, les Spas...

— Mon approche de la beauté est scientifique, répète-
t-elle sans cesse, pour mieux convaincre son auditoire.

Son assurance impressionne, ses relations aussi. Quant
à son accent, c'est peu dire qu'il intrigue. Mais les ladies
ont changé de registre. L'étrangère qu'elles s'apprêtaient
à rejeter, faute de pedigree, est devenue une comtesse,
née à Vienne. Ou bien la fille d'un aristocrate russe.

Elle laisse courir les rumeurs.

Ce qui lui importe avant tout, ce sont les tarifs forfai-
taires. Dix guinées pour douze séances de soins du
visage, ou 2 000 livres pour un traitement hebdomadaire
à l'année, avec des massages corporels et des exercices
physiques. Ces femmes du monde, riches à millions, font
la grimace. N'est-ce pas hors de prix ?

— Et moi, je prétends que c'est donné ! Vous n'imaginez pas le nombre d'ingrédients rares qui composent mes
crèmes ! Je vais moi-même les chercher dans les coins les
plus reculés d'Europe.

Pour ménager ses effets elle se penche vers la cliente
en chuchotant et lui révèle sur le ton de la confidence
qu'elle a arraché le Dr Emma List à ses patientes de
Vienne pour soigner la peau des Londoniennes. Là-bas,
explique-t-elle, le Dr List est un médecin si réputé que
même la femme de ce monsieur Freud, le psychanalyste,
venait se faire soigner chez elle. Comme un bateleur sur
son estrade, Helena est prête à dire n'importe quoi pour
attirer sa clientèle.

Elle ne fait pas que parler. Elle offre des séances de
soins gratuites et des pots de crème *Valaze* surtout aux
plus titrées et aux plus influentes. C'est cette élite qu'il

lui faut avant tout cibler. Le conseil lui vient de son mari qui s'y connaît bien en snobisme. Une fois séduites, et elles le sont vite, elles payent. Au bout d'un an, Helena qui compte mille bonnes clientes dans ses fichiers, n'a plus besoin de se soucier de son loyer. Sa renommée a rapidement été établie par des guérisons spectaculaires...

Une jeune aristocrate que l'acné défigure au point qu'elle n'ose pas sortir sans sa voilette, compte parmi ses premières victoires. Pendant six mois, la lady revient chaque semaine, toujours nerveuse avant la séance. Les peelings mis au point par le Dr List et le masque à la Pommade Noire qu'Helena a inventé pour assécher les peaux grasses accomplissent des prodiges. Les boutons disparaissent, le visage retrouve sa fraîcheur. La cliente ne se montre pas ingrate. Bientôt, Helena voit défiler ses amies, toutes impressionnées par la réussite du traitement.

Quelque temps plus tard, la lady, partie s'installer aux Indes avec son mari, lui envoie ses nouvelles relations qui viennent en famille visiter l'Angleterre. Ces maharani se déplacent en groupes, accompagnées par leurs mères, leurs filles, leurs tantes, leurs cousines, leurs servantes. Un concentré d'Orient prend possession de la salle d'attente et des cabines de soin. Les parfums entêtants, les froissements de la soie, le cliquetis des bracelets, les dialectes chantants envahissent l'espace. Reconnaissantes, les princesses indiennes lui offrent des bijoux de prix, rubis, émeraudes, perles, topazes, chaque fois que Madame obtient des résultats sur leurs peaux abîmées par le soleil. Ce qui n'est pas pour lui déplaire.

La femme du vice-roi d'Irlande, une rombière acariâtre dont l'imposant menton s'orne de quelques poils disgracieux, demande à Helena si son médecin personnel peut inspecter l'établissement, afin d'en vérifier l'hygiène.

— Qu'il vienne, répond-elle aimablement.

Le satisfecit décerné par le praticien se montre plus efficace que n'importe quelle réclame. *The Queen* écrit :

« Il y a seulement quelques semaines que mademoiselle Rubinstein est parmi nous, dans la vieille maison de Lord Salisbury sur Grafton Street, et elle a déjà trouvé ses marques. Elle a cette qualité très appréciable qui est de vous inspirer confiance tout de suite. Elle a étudié de façon médicale tout ce qui concerne la peau, dans la capitale autrichienne, comme en Russie où elle a longtemps vécu[2]. »

Sans se lasser, Madame répète que la beauté doit tout à la science. Ses clientes ont besoin d'être à la fois informées et instruites. Dès leur première visite au salon, chacune bénéficie d'une consultation personnalisée, menée par un médecin et une esthéticienne, qui complètent leurs prescriptions par un régime alimentaire et une série d'exercices physiques. Chaque ordonnance est rédigée sur mesure, chaque soin est établi selon un rituel bien précis.

Sa réputation grandissant, il est temps à présent d'acheter des espaces publicitaires. Edward les rédige comme des articles ou des interviews et, pour compléter la mise en page, il fait ajouter par l'imprimeur des photographies de clientes satisfaites. Suivant la tradition établie par Helena, la plupart sont des actrices. Kate Cutler qui joue dans *Bellamy le Magnifique* lui a envoyé une lettre élogieuse dont Edward cite un extrait : « J'ai utilisé les produits *Valaze* avec les meilleurs résultats. » Lilly Elsie, May de Souza, Alice Crawford, toutes étoiles montantes ou confirmées de la scène anglaise, et Fanny Ward ou Edna May, comédiennes américaines en tournée à Londres font partie de la *dream team*.

Mûrement pensée par le couple, la stratégie se révèle payante. Madame commence alors à réfléchir à une gamme de maquillage, acte révolutionnaire s'il en est car l'usage des fards n'est toujours admis que sur les prostituées ou les actrices. Elle qui a pris l'habitude de fréquenter les coulisses des théâtres pour trouver de nouvelles recrues qui vantent ses produits en profite désormais pour apprendre l'art de l'artifice auprès des comédiennes. Gabrielle Ray, qui défend comme tant d'autres la marque Rubinstein, est passée maîtresse dans l'utilisation des poudres de couleur sur son visage. Avant de monter sur scène, elle frotte ses joues d'incarnat, ombre ses paupières de noir.

Ray enseigne volontiers tout son savoir à Helena qui anticipe déjà le moment où les aristocrates et les bourgeoises prendront l'habitude du fard. Mais elle sait aussi que les changements se feront lentement et qu'il ne faudra rien brusquer. En attendant, elle observe avec intérêt les frémissements de liberté, même chez ces Anglaises si prudes. Certaines femmes s'enhardissent à troquer leurs jupes longues contre des tenues conçues pour la bicyclette, l'équitation ou le golf. Quelques-unes portent ces culottes bouffantes, popularisées par une certaine Amelia Bloomer qui leur a donné son nom. D'autres osent timidement teinter leurs pommettes. On raconte que la reine Alexandra colore ses pommettes de rouge, mais seulement au moment de se coucher.

Margot Asquith, la femme du Premier ministre, « l'une des silhouettes les plus vivantes et les plus animées de la vie à Londres[3] » est devenue l'habituée du salon de Grafton Street. Elle accepte de laisser maquiller son visage à la beauté particulière, « un long nez très racé, un profil aigu, une bouche pincée mais toujours en mouvement, un port altier, des gestes rapides et capricieux[4] ». Helena lui montre comment utiliser les pigments pour mettre en valeur son ossature. L'audacieuse ose sortir en ville où tout le monde l'admire. Pour la maison de beauté *Valaze*, c'est encore une excellente publicité.

Les deux femmes sympathisent. Margot Asquith insiste pour inviter les Titus à ses réceptions fréquentées par le Tout-Londres, et surtout par des hôtes qui ne s'embarrassent pas de conventions. Ainsi, l'excentrique baronne Catherine d'Erlanger, rencontrée dans ce cercle,

qui devient d'abord sa cliente avant de se lier d'amitié
avec elle. On la surnomme Flame, à cause de sa chevelure d'un roux électrique. La baronne qui habite dans la
vieille demeure de Byron, à Piccadilly, devient le guide
d'Helena dans les méandres compliqués de la gentry.

Ensemble, elles parcourent les Puces et les antiquaires,
à la recherche de trésors. Flame d'Erlanger aime le « too
much », les décors surchargés mais son goût très sûr est
celui d'une aristocrate, elle ne se trompe jamais. Elle lui
apprend à aimer le baroque, les miroirs vénitiens, le style
rococo. Sous son influence, Helena apprend à mieux collectionner, la vaisselle, les meubles, le linge, les œuvres
d'art, tandis que son mari, bibliophile insatiable, entasse
les livres rares, les manuscrits précieux.

Pour les Anglais, le divertissement est un passe-temps
sérieux et Helena peut enfin s'amuser un peu. En un rien
de temps, elle se retrouve au centre de la vie sociale et
éprouve à la fois de la jubilation et de l'appréhension.
Dans ces soirées où artistes et aristocrates se retrouvent,
elle croise la bohème chic de l'époque et pénètre dans
un monde tel qu'elle n'aurait jamais osé l'imaginer à
Cracovie.

Mais, avec sa lucidité froide, elle ne se berce pas
d'illusions. Elle sait qu'on les invite dans les soirées où
l'hôtesse se pique de mélanges et ne craint pas de convier
les « trades people », les fournisseurs. Jamais Edward et
elle ne seront admis dans ces milieux fermés de Mayfair
ou Belgravia, où les conventions sociales dressent de hauts
murs infranchissables et où le vieil antisémitisme anglais
s'affiche sans détour. Pour se faire accepter, les relations
ne suffisent pas, il faut aussi beaucoup d'argent. Alors
Helena paye son ticket d'entrée dans le monde[5].

Priée à dîner, elle règle sans sourciller les notes des
traiteurs, des cavistes, des fleuristes. On ne se prive de
rien dans la gentry. Caviar, truffes, perdrix, huîtres, jam-
bons, poulets, galantines, homards, fruits exotiques,
l'addition atteint des sommets. Les ladies se retrouvent

débitrices et acceptent ses invitations en retour. Les journaux relatent dans leurs chroniques mondaines des anecdotes louangeuses ou sarcastiques sur le salon de l'exotique madame Rubinstein, son allure, son style, ses réceptions.

Chez elle, l'ambiance est informelle. Helena a découvert qu'elle adorait recevoir, et puisque la mode est à la bohème de luxe, elle décore ses tables avec une fantaisie recherchée en combinant les couleurs et les styles. Elle pose des opalines orange ou jaune sur des nappes vert anis, associe des laques japonaises avec des verres rouges en cristal de Bohème. Il n'y a qu'elle pour oser ces assortiments audacieux et surtout, pour les réussir. Souvent, elle embauche un cuisinier polonais qui prépare le bortsch, les pirochski, les soupes de légumes et les autres plats typiques de son pays. Ses hôtes s'en amusent, c'est tellement original, et puis ce menu rustique change des cailles et des ortolans.

A l'aise sur tous les sujets, Edward lance des conversations brillantes où l'esprit le dispute à l'érudition. Sa culture enchante les convives. Helena reste en retrait pendant ces joutes oratoires. Tapie sous l'hôtesse raffinée, se niche la petite Juive complexée qui ne maîtrise toujours pas bien les codes ni la langue. Ses silences ne l'empêchent pas de tout enregistrer.

Au cours d'une réception organisée par l'ambassade polonaise, on lui présente le pianiste Arthur Rubinstein. Helena se trouve en terrain connu. Enfin, un compatriote. En dehors de leur patronyme et de leur langue, ils se trouvent beaucoup de points communs. Mais ils ont beau chercher et remonter très loin dans leurs généalogies respectives, ils ne détectent pas la moindre trace de parenté. Elle lui demande de venir jouer chez elle. Les deux Rubinstein deviennent des amis. Arthur possède une philosophie de l'existence qu' Helena a faite sienne.

— Ma chère, le plus important dans la vie, c'est de comprendre pourquoi chacun de nous est sur terre. Le principal n'est pas de construire des ponts, de bâtir des immeubles ou de gagner beaucoup d'argent, mais d'inventer quelque chose de capital qui serve à l'humanité. Elle est absolument de son avis.

Les années londoniennes sont celles de l'innovation. Helena invente au moins six produits nouveaux, la *Valaze Snow Lotion*, la crème *Novena Cerate* pour le visage, la *Valaze Lip Lustre* pour les lèvres, le *Valaze Complexion Soap* pour nettoyer la peau... et la *Refining Lotion Valaze* pour lutter contre les points noirs. Les crée-t-elle toute seule ou se fie-t-elle au talent de ses chimistes ? Sans doute les deux à la fois. Désormais elle dispose d'une véritable équipe pour concrétiser ses intuitions. Elle suit l'élaboration du produit depuis sa conception jusqu'au conditionnement des pots ou des flacons, vérifie les commandes qui affluent désormais du monde entier car sa réputation a franchi les frontières.

A Londres, elle a fait venir une autre de ses sœurs. Célibataire, Manka possède « de l'énergie, de l'habileté et du charme ». A vingt-trois ans, elle devient l'un des nombreux rouages de cette « mafia polonaise[6] ». Helena lui apprend le métier, comme aux autres.

Souvent, après une réception, elle retourne travailler jusqu'à l'aube. Elle n'a pas besoin de beaucoup de sommeil. Puis elle se glisse dans son lit, sans bruit, pour ne pas réveiller Edward. Dans les affaires, le couple fonctionne toujours en équipe mais leur vie privée est moins au diapason. Trop de sorties, trop de jolies femmes disponibles, trop d'occasions d'adultères, auxquelles Edward a du mal à résister. Helena ne supporte aucune de ses incartades. Ils se disputent, se réconcilient aussitôt pour se quereller à nouveau. Il se réfugie dans ses livres, elle claque la porte et part en voyage.

En décembre 1908, elle retourne une fois encore en Australie, où elle retrouve sa sœur Ceska, qui s'occupe des salons de Sydney et de Melbourne. Elle a désormais pris l'habitude de ces longues traversées, qui sont pour elle des moments volés au travail. Au Grand Hôtel de Melbourne, les journalistes défilent les uns derrière les autres, c'est une performance comparable aux « press junket » des stars d'aujourd'hui. « Comment elle a conquis le monde » titre *The Mercury*[7], parmi d'autres. Là-bas, elle est devenue une héroïne nationale que les Australiens se sont appropriée avec fierté. Sans se faire prier, elle se laisse aller une fois de plus à son péché mignon, l'invention de sa légende.

A l'en croire, elle a étudié la philosophie, l'histoire, la littérature pour comprendre le fonctionnement du monde, ainsi que la chimie et l'anatomie, sous la houlette des plus hautes autorités médicales en Europe. Ce n'est pas faux, mais tout de même très exagéré. Pourtant elle feint la modestie : « Rien ne me plaît moins que de parler de moi-même. Mais laissez-moi vous dire à quel point je suis heureuse d'être revenue en Australie. » Comme tant d'autres, l'article, signé Dorothy C, est au-delà de l'élogieux. « Les lettres des femmes reconnaissantes affluent à Londres, venant du monde entier », note encore la journaliste.

De retour vers l'Europe, Helena s'arrête à Paris dont elle ne peut plus se passer. Quand elle réside à Londres, elle traverse le Channel une ou deux fois par mois, le plus souvent avec Edward qui s'approvisionne en manuscrits et éditions rares chez les libraires de la capitale française. Elle songe très sérieusement à s'y installer. Le Dr Berthelot, dont elle a déploré le récent décès, l'y avait vivement encouragée.

— Les Françaises sont des femmes pragmatiques qui adorent le luxe, vous pouvez satisfaire leurs deux penchants en créant votre salon à Paris.

Inlassablement, elle cherche le lieu idéal où s'installer. Et profite aussi de ses séjours pour commander des tenues chez les couturiers à la mode. S'habiller dans la haute couture est devenu une passion. Dans la journée, elle porte des tailleurs et réserve ses robes excentriques en soie brodée, incrustée de dentelles, pour le soir. Elle a quitté Worth pour son ancien assistant, Paul Poiret, qui a ouvert son salon de couture en 1903. A Paris, les femmes ne parlent que de lui. Influencées par l'orientalisme alors en vogue, ses collections sont un défilé perpétuel de kimonos, blouses ukrainiennes, tuniques grecques...

Ce Poiret a la taille courte, une barbe pointue de dieu Pan, une panse rebondie de bon vivant. Sa mise est excentrique mais toujours élégante. « Ses origines étaient humbles mais il avait le don de faire que chacune des femmes qui portaient ses toilettes, se sente à la fois belle et extravagante[8] ». Rêveur, idéaliste, visionnaire par-dessus tout, ce fils d'un marchand de draps du quartier des Halles a débuté en livrant des ombrelles. Avec les chutes de soie, il a créé des vêtements de poupées. Son coup de crayon est magistral. Doucet l'a engagé comme assistant au premier regard sur ses croquis.

Le moindre mérite de Paul Poiret a été de libérer les femmes de ces épouvantables corsets. « C'est au nom de la liberté que je préconisai leur chute et l'adoption du soutien-gorge qui depuis a fait fortune[9] ».

Inventeur du bas couleur chair et du porte-jarretelles pour le retenir, il a aussi révolutionné les couleurs. Au milieu de cette « bergerie » de nuances délavées et de pastels, il a jeté « quelques loups solides, les rouges, les verts, les violets, les bleu roi, qui firent chanter tout le reste ». Sous son influence, la mode est devenue un art. Lui-même vit au milieu d'artistes. Ses amis s'appellent Picabia, Derain, Vlaminck, Dufy, Paul Iribe. Il crée des décors de théâtre qui forgent sa réputation, fonde une école d'Art décoratif à laquelle il donne le prénom d'une de ses filles, Martine, habille Mistinguett, Isadora Duncan, et les grandes actrices de l'époque.

Les salons du maître, restaurés par Louis Süe, architecte en vogue, sont d'abord situés dans un hôtel particulier de l'avenue d'Antin, entouré d'un jardin où donnent tous les salons de réception. Dans l'entrée, le couturier a installé la monumentale statue d'une déesse asiatique. Dès l'ouverture, le Tout-Paris a défilé chez lui, tous les jours de cinq à sept, au point qu'il a dû limiter le spectacle de ses mannequins « onduleux comme des nymphes », aux seules clientes décidées à commander.

Sur un des côtés du jardin se détache la façade d'un deuxième hôtel particulier où le couturier a établi ses appartements. Poiret, qui veut créer chez lui un centre qui soit la capitale de l'esprit et du goût parisiens, y donne des fêtes inoubliables, « sans rivales dans les annales de la vie parisienne[10] ».

Helena ressent pour le couturier un double coup de foudre, à la fois comme cliente et comme amie. Elle va lui demeurer très longtemps fidèle, même après que Chanel l'aura détrôné. Elle ne manque pas de lui rendre visite chaque fois qu'elle vient à Paris, fait défiler son nouveau vestiaire, choisit quelques robes, puis enchaîne sur les derniers potins. Avec lui, elle peut parler des sujets qui la passionnent : la beauté, la mode, l'art, le mobilier, la peinture. Il a un avis intelligent sur tout. Comme elle, c'est un autodidacte, indiscipliné, curieux, attentif.

Sa culture lui vient de sa fréquentation assidue des musées et des monuments d'Europe, de ses amis peintres et musiciens, de ses voyages, de ses lectures, du théâtre et de ce goût inné qui le fait tout de suite aller vers le beau. En cela, ils se ressemblent : tous deux font leur miel de leurs rencontres, tous deux aiment le progrès, aller de l'avant, que « *ça bouge* ». Ils se comprennent et s'admirent mutuellement, elle l'écoute, l'imite, le copie. Poiret, même indirectement, va beaucoup l'influencer dans ses choix artistiques, la décoration de ses maisons, l'ordonnance de ses fêtes et de ses dîners.

Leur amitié a pourtant mal commencé. Helena s'est mise en colère quand on lui a présenté la première robe que le couturier a créée pour elle. Elle lui dit abruptement ce qu'elle en pense, ce qui le met en fureur à son tour. Poiret a libéré le buste, c'est vrai, mais il a entravé les jambes. « On se souvient des pleurs, des cris, des grincements de dents que causa cet ukase de la mode. Les femmes se plaignaient de ne plus pouvoir marcher ni monter en voiture[11]. »

— Comment voulez-vous qu'avec une taille aussi petite que la mienne, je puisse marcher dans une robe si étroite ?

Elle ne veut pas céder, lui non plus. Il argumente, elle rétorque, il finit par capituler. Il dessine pour cette cliente exigeante les toilettes les plus belles qu'elle ait jamais portées. Ses nouvelles tenues qui font sensation à Londres l'inscrivent aussitôt sur la liste des dix femmes les mieux habillées du monde. Elle va y figurer pendant des années.

Aux premiers mois de 1909, elle revient en Angleterre après l'un de ses séjours éclair à Paris. Ce qu'elle vient d'apprendre bouleverse tous ses plans. A trente-six ans passés, elle est enceinte de son premier enfant.

Riche et célèbre

S'attendait-elle à la réaction d'Edward ? Il faut croire que non. Il ne peut dissimuler la joie qu'il éprouve, quand, un peu nerveuse, à peine débarquée du train, elle lui jette la nouvelle au visage. Il se montre plus ému qu'elle ne l'aurait imaginé, la serre contre lui et la couvre de baisers, avec une fougue qu'elle ne lui connaissait plus. Il semble vraiment heureux de la nouvelle, comme si c'était la première fois qu'il allait devenir père. Helena sait-elle qu'il a déjà eu d'autres enfants aux Etats-Unis ? Lui a-t-il menti par omission et fait comme si son passé était mort ? Elle n'en a jamais soufflé mot et lui non plus, du reste...

Mais enfin, il se met en quatre pour son confort, l'installe presque de force sur une chauffeuse, dans le salon, dispose un coussin sous ses pieds, sonne pour qu'on lui apporte un thé, un châle, que l'on fasse du feu dans cette grande pièce à peine réchauffée par un pâle soleil printanier. Elle est loin de partager son enthousiasme. Sans s'apercevoir de ses réticences, il continue de divaguer sur l'enfant. Il espère un garçon. Mais une fille, ce sera très bien aussi, surtout si elle ressemble à sa mère. Et puis surtout, Helena devra se reposer.

— Du repos ? Et pourquoi donc ? Je ne suis pas malade, tempête l'intéressée, qui déteste être enceinte.

Les premiers mois sont un calvaire. Aux nausées s'ajoutent des vertiges matinaux, et une fatigue inhabituelle qui la cloue à son fauteuil, alors qu'elle voudrait tant continuer à galoper. Elle se demande à tout moment pourquoi ce drôle de corps étranger qui grandit dans le sien l'empêche d'être tout à fait elle-même. Mais il n'est pas question qu'elle avoue ses faiblesses. Ces fichus médecins, complices d'Edward, seraient bien capables de la forcer à s'allonger. Alors elle serre les dents, s'oblige à se lever, à aller travailler, alors qu'à l'intérieur d'elle-même, règne le chaos.

Cet enfant, elle n'en voulait pas. Du moins, pas tout de suite. D'abord son couple ne marche pas aussi bien qu'il le devrait. Son caractère et celui d'Edward ne sont pas compatibles, elle est bien obligée de se l'avouer. Les disputes commencent sans qu'elle comprenne toujours pourquoi, un mot, une intonation, le sourire qu'il dispense à une jolie femme, et c'est parti.

A l'office, les domestiques comptent les points. Le mot de séparation a même été évoqué, sans doute par Edward, ce qui a eu pour effet de la calmer dans l'instant. Elle n'imagine pas vivre séparée de lui, alors elle fait un effort, ils se réconcilient sur l'oreiller mais le lendemain, les querelles repartent de plus belle. Sa collection de bijoux y a beaucoup gagné, sans toutefois effacer le souvenir de scènes houleuses.

Pourtant, il semble que l'arrivée prochaine du bébé soit en train de changer la donne. Désormais Edward est aux petits soins pour Helena, qui se demande, mal à l'aise, comment feindre un bonheur qu'elle n'éprouve pas. Car cette naissance n'arrange pas ses projets professionnels. Lors de son séjour à Paris, elle a pris contact avec madame Chambaron, une esthéticienne russe mariée à un Français. Son salon de beauté, situé au 255, rue du Faubourg-Saint-Honoré, est à vendre.

En dépit de sa superficie réduite, la boutique lui plaît beaucoup. L'affaire est saine, les livres de comptes bien tenus. La décoration laisse à désirer mais le potentiel n'est pas négligeable, et puis l'emplacement est le meilleur de Paris. Le Faubourg Saint-Honoré est une adresse, comme l'est Grafton Street.

Cependant quelque chose l'intrigue.

— Pourquoi vendez-vous ? demande-t-elle à la Russe, une femme entre deux âges, aux cheveux tirés en chignon. Votre clientèle est acquise et vos produits ont du succès...

— Mon mari n'aime pas que je travaille, répond madame Chambaron en roulant les r au moins autant que son interlocutrice. Il m'a mis le marché en main : ce sera mon salon ou lui...

Helena hoche la tête. Heureusement, Edward ne lui impose pas ce choix. En l'épousant il lui a promis qu'il ne serait jamais un obstacle à son ambition, au contraire, il fera de son mieux pour l'aider à réussir. Elle l'entend encore prononcer ces paroles avec ce ton solennel qu'il prend lorsqu'il veut se montrer persuasif.

Edward ne ment pas toujours. Sur ce point au moins, il a dit vrai. Les hommes décidés à épauler la carrière de leurs épouses, à travailler à leurs côtés, ne se rencontrent pas souvent. Pour sa part, elle n'en connaît pas d'autre que lui dans leur entourage. De ce côté-là, au moins, elle reconnaît qu'elle a beaucoup de chance.

En attendant, la boutique du 255, rue du Faubourg-Saint-Honoré semble une excellente opportunité qu'elle ne doit pas laisser passer. Elle écrit à Kazimierz et demande à sa sœur Pauline, sa presque jumelle en âge, la plus coquette des huit filles Rubinstein, de venir la retrouver à Paris. Avec Manka, « un manager né et une démonstratrice enthousiaste », qui tient la boutique de Londres et Ceska qui veille sur ses intérêts en Australie, elle pourra accoucher l'esprit au repos. A condition de reprendre ses activités le plus vite possible. Edward émet un avis contraire, il voudrait qu'elle s'arrête au moins les premiers mois, mais Helena se fiche bien de ce qu'il pense.

Quelques semaines avant le terme, enceinte jusqu'aux yeux, elle retourne à Paris et signe le contrat de vente avec la vieille esthéticienne. Pour le même prix, elle obtient toutes ses formules. Madame Chambaron fabrique elle-même tous ses produits, à base de plantes. Certains sont pasteurisés pour leur garantir une meilleure conservation et surtout une meilleure hygiène. Helena ignore tout du procédé, mais elle va se l'approprier en un rien de temps.

Pauline, qui vient d'arriver à Paris, a eu à peine le temps de s'installer. Sa sœur lui donne une formation rapide et au bout de quelques jours elle lui confie la direction du salon, en regrettant de ne pas pouvoir le lancer comme elle l'avait d'abord planifié. Avant de rentrer à Londres, elle commande quelques robes-tuniques chez son ami Paul Poiret. Leurs formes amples conviennent à son corps déformé.

Le couturier a été invité par Margot Asquith pour présenter ses collections au 10, Downing Street, à Londres. La femme du Premier ministre qui raffole de ses toilettes a décidé d'organiser un défilé chez elle, auquel elle a convié toutes ses amies les plus élégantes. Helena Rubinstein a été sollicitée pour maquiller les modèles. L'après-midi est un triomphe, les clientes sont enchantées. Le Premier ministre se montre même un instant, avant de regagner son cabinet, l'air soucieux[1]. Le lendemain, les journalistes qui ont interviewé le couturier et les mannequins après le show, en feignant l'enthousiasme pour mieux recueillir leurs confidences, font paraître des papiers scandalisés.

Asquith le libre-échangiste est accusé d'avoir prêté ses salons à un étranger. Il a trahi la cause du commerce anglais. Le ministre subit une interpellation du Parlement, en même temps qu'il est rappelé à l'ordre par le parti libéral. La presse se déchaîne longtemps contre lui : comment peut-on faire appel à un couturier français, demandent les journalistes, alors que nous avons des talents nationaux comme Henry Creed et Charles Poynter ?

Helena aurait eu la réponse toute prête si les journalistes l'avaient interrogée. Quelle que soit leur silhouette, leur aurait-elle rétorqué, les femmes sont toujours avantagées par ce génie de Poiret. Mais personne ne lui demande rien. Du reste, le tapage a profité au couturier, il est désormais lancé à Londres.

A Roehampton Lane, à côté de Putney Heath, dans la banlieue résidentielle de Londres, se dresse une grande maison victorienne de vingt pièces, donnant sur un vaste parc exubérant planté à l'anglaise, avec des serres et des massifs de fleurs, une grande pelouse, des arbres sous lesquels il fait bon prendre le frais. La maison a appartenu au banquier J. Pierpont Morgan qui l'a baptisée *Solna*.

Les Titus ont le coup de foudre. Ils décident de s'y installer. Helena a fait aménager une bibliothèque, une salle de billard, un bureau pour Edward où il pourra travailler au calme, et demande une ligne de téléphone : *Putney 2285*[2]. La maison comprend des salles de réception, deux immenses dressing-rooms, l'un pour elle, l'autre pour la garde-robe de son mari, aussi fournie que la sienne, et encore assez de pièces pour leurs appartements privés.

Helena peut enfin laisser libre cours à sa passion pour la décoration. Elle se déchaîne dans le mélange des styles. On passe du Louis XII aux chinoiseries, du Chippendale à l'Empire. Les serres sont transformées en salons. L'une d'elles, baptisée la Chambre de Shéhérazade, en hommage à l'orientalisme à la mode des deux côtés du Channel, est dotée en son centre d'une fontaine où l'eau coule avec un joli bruit cristallin. Des sofas courent le long des murs, le sol est jonché de coussins, comme dans l'hôtel particulier de Paul Poiret. La nursery, agencée à la façon d'une cabine de bateau, est tapissée de blanc et de bleu. Helena est sûre qu'elle attend un garçon.

Roy Valentine Titus vient au monde le 12 décembre 1909. Sa mère a travaillé comme une forcenée jusqu'à la délivrance, et n'a accepté de s'arrêter que lorsque les médecins l'ont consignée dans sa chambre. Pendant ces neuf mois, autant dire un siècle, elle a trépigné, pesté, soupiré, compté les jours. Mais elle a bien été contrainte, comme n'importe quelle femme au monde, d'obéir à la nature.

Edward est comblé. Son fils lui ressemble, il ne cesse de le répéter en se penchant sur le berceau. Helena trouve le bébé laid, rougeaud et ridé, son sens aigu de l'esthétique l'emporte sur l'instinct maternel. Mais le bonheur de son mari est contagieux. Malgré elle ce petit bout d'homme dont les pleurs et les gazouillis envahissent la maison, finit par l'attendrir un peu. Edward repart à la charge : sa femme doit s'occuper de Roy, au moins les premiers mois. Dans un moment d'abandon, elle acquiesce. Depuis que le bébé est arrivé dans leur vie, son mari est redevenu très amoureux, elle ne veut pas le décevoir.

Mais incapable de tenir sa promesse, elle retourne au salon de Grafton Street, presque tout de suite. Passée maîtresse dans l'art du double discours, elle se voit comme une femme moderne, accomplie, capable de tout mener de front, son métier, son couple, sa maternité. C'est ce qu'elle raconte aux journalistes, c'est aussi ce qu'elle écrira à plusieurs reprises, dans son autobiographie. Cependant, rien n'est plus inexact, sa soif de réussite est plus forte que tout, et son métier, ou plutôt son ambition, prime sur le reste.

Comme dans les meilleures familles, Madame laisse donc Roy aux bons soins des nurses, n'oublie pas de l'embrasser le matin en partant, lui accorde un coup d'œil distrait en rentrant le soir, quand il dort. Au grand dam d'Edward, elle multiplie les aller-retour entre l'Angleterre et la France. Mais autant retenir une étoile filante.

Elle enrage d'avoir raté le lancement du Faubourg Saint-Honoré. Les clientes qui le fréquentent ne sont pas celles qu'elle espérait, ni assez riches, ni bien nées. La grande inondation de janvier 1910, qui a duré trois mois, a sans doute empêché leur venue. A Paris, tout le monde a circulé en barque autour des berges de la Seine. Ce n'était peut-être pas le bon moment pour penser aux soins de la peau.

Mais la crue n'est pas seule en cause. Le salon est trop petit, sa décoration laisse à désirer, elle l'a installée trop vite, et n'a pas fait de publicité. Alors, elle échafaude d'autres plans de bataille. A Saint-Cloud, dans la banlieue de Paris, elle fait construire une petite usine pour manufacturer les produits de beauté. En 1911, elle inaugure les locaux qui tiennent plus de la fabrique que du bâtiment industriel, mais c'est déjà un premier pas pour sortir de l'artisanat.

Cette même année, Helena retourne en Australie. Une fois de plus, Edward n'est pas d'accord. Il trouve que le voyage est bien long, et le bébé encore trop petit pour le priver si longtemps de sa mère. Mais elle résiste, s'entête et obtient gain de cause. Pour quelques semaines, elle pourra vivre comme elle l'entend, en oubliant les obligations de la maternité.

Comme toujours, la presse australienne honore son héroïne. « La grande Helena Rubinstein est de retour » peut-on lire dans les journaux. L'inspection de ses salons de Melbourne, de Sydney, de Wellington, la satisfait pleinement. Même à distance, ils sont remarquablement tenus. Elle ne peut que s'en féliciter et revient en Europe le cœur léger, en songeant à son nouvel objectif, la conquête de la France.

A Paris, les Ballets Russes électrisent la ville sous le choc, comme l'ont été Monte-Carlo et Bruxelles. Créée en 1907 à Saint-Pétersbourg par Serge Diaghilev, la troupe de danseurs a coupé rapidement les ponts avec le

Ballet Impérial auquel elle appartenait. Deux ans après sa création, forte de son succès en Russie, elle a entamé une tournée internationale. Lancée à grand bruit par Diaghilev qui sait, en bon impresario qu'il est aussi, que la communication est le nerf de la guerre, la première des *Danses Polovstiennes du prince Igor* a lieu au mois de mai 1909, au Châtelet. Le public applaudit à grands cris ce déferlement de couleurs sur une scène parisienne un peu triste, où le ballet n'a plus sa place depuis longtemps.

Dans la salle, Anna de Noailles, Reynaldo Hahn, Misia Sert, Jean Cocteau, envahissent le plateau pour approcher les danseurs. Marcel Proust parle d'une « efflorescence prodigieuse », Maurice Sachs d'une « drogue exquise qui se pratique en commun dans une atmosphère à la fois religieuse et légère[3] ». Dans l'intelligentsia et l'aristocratie, les « fans » des Ballets deviennent aussi fervents que ceux des rock stars dans les années soixante.

Invitée par la marquise de Ripon pour les fêtes du couronnement de George V, la troupe arrive à Londres en 1911. Comme dans les autres pays d'Europe, le public anglais prend une décharge de cent mille volts en pleine face. Edward veut être parmi les premiers à applaudir les danseurs et achète deux billets pour *Petrouchka*. Les bonds prodigieux de Nijinski – « la victoire de la respiration sur le poids », écrit Claudel – éblouissent Helena autant que la musique d'Igor Stravinsky. Par-dessus tout, elle est subjuguée par les costumes et les décors de Léon Bakst et d'Alexandre Benois.

Les combinaisons du pourpre et du magenta, de l'orange et du jaune, du noir et de l'or, fascinent les spectateurs. Debout dans le théâtre, ils ne se lassent pas de bisser tandis que d'autres, moins nombreux mais très choqués par la liberté des corps dénudés, crient leur indignation. L'année suivante, quand Nijinski remplacera Mikhaïl Fokine à la direction de *l'Après-Midi d'un faune* et du *Sacre du Printemps*, Paris sera à feu et à sang. La danseuse Ida Rubinstein, dont le nom, à cette époque, est bien plus connu que celui d'Helena, refusera de danser. Outré par la trop grande modernité de sa chorégraphie, qui lui apparaît comme une « danse de sauvages », le public du théâtre des Champs-Elysées sera au bord de déclencher une émeute.

Car personne ne reste indifférent devant cette extravagance, cette orgie de couleurs, que Helena apprécie par-dessus tout. Paul Poiret s'en inspire pour ses robes, Flame d'Erlanger pour la décoration de ses maisons. Pourquoi n'oserait-elle pas s'en servir à son tour ?

En sortant du théâtre, elle se fait conduire tout droit au salon de Grafton Street. A peine arrivée, elle fonce vers les fenêtres et arrache les rideaux de brocart blanc. Edward éclate de rire et l'imite. C'est dans ces moments de pure folie qu'il aime le plus son imprévisible épouse. Dès le lendemain, Helena ordonne de remplacer les tissus virginaux par des teintes vives, imitées des Ballets Russes. Désormais la flamboyance sera sa signature. Dans le monde entier, tous ses instituts et ses maisons seront décorés de coloris qui s'entrechoquent et éblouissent le regard.

Heureuse, Helena ? Si jamais le mot de bonheur a pu lui être accolé, c'est pendant cette brève période de sa vie. Edward et elle ne se disputent presque plus, comme si l'arrivée de Roy avait réussi à souder leur couple. Comme il est en adoration devant son fils, par mimétisme, elle s'est mise à l'aimer aussi. Dans ce climat apaisé, et malgré ses voyages incessants, elle tombe enceinte à nouveau. Horace Gustave Titus naît le 3 mai 1912, à Londres. Son prénom est la traduction anglaise de Hertzel. Helena, qui n'a que des nouvelles indirectes de son père, grâce aux lettres de Gitel et de ses sœurs, a tenu cependant à lui rendre cet hommage.

A la différence de son frère, Horace est un enfant de l'amour. Helena a pour lui un véritable coup de foudre.

Il restera toujours son préféré, le fils chéri auquel elle passe à peu près tout. D'ailleurs, c'est un bébé magnifique, joyeux et docile, qu'on a envie de cajoler. Avec lui, Helena a découvert le bonheur d'être mère et elle ne s'en prive pas.

En grandissant, Horace se révèle un enfant brillant, alors que Roy, l'aîné, demeure timide et réservé. Leur mère ne manque jamais de les opposer tous les deux, le bon fils et le mauvais, l'intelligent et le laborieux. En public, elle embarrasse ce pauvre Roy en lui demandant pourquoi il n'est pas aussi malin que son cadet, ce qui les terrifie tous les deux. Diviser pour mieux régner : depuis Machiavel, la tactique s'est toujours révélée payante. Dans l'entreprise, où elle joue ses employés les uns contre les autres, Madame l'applique avec profit. Cependant, personne ne l'a mise en garde sur les dégâts que de tels préceptes peuvent causer en matière d'éducation. Du reste, aurait-elle suivi de telles recommandations ?

Horace requiert donc toute son attention, jusqu'à ce que, à l'âge de six mois, une nurse le laisse tomber sur la tête. Il ne gardera pas de traces physiques de cet accident, mais chaque fois qu'il fera des siennes, et ce jusqu'à l'âge adulte, Helena expliquera ainsi le caractère lunatique de son fils.

— C'est ainsi, affirme-t-elle en soupirant, on n'y peut rien. Horace est « maboul ».

Les deux garçons sont à la fois choyés et délaissés par leur mère. Edward fait ce qu'il peut pour les assurer de sa présence, mais ce n'est sans doute pas suffisant. Toute leur vie, ils vont rechercher une chaleur, une attention, une affection, qu'Helena leur aura si mal dispensées. Elle n'a aucune idée de la psychologie enfantine, et les trimballe au gré de ses installations successives, à Londres, Paris, ou New York. Elle les entoure d'une nuée de baby-sitters et de précepteurs, les rappelle lorsqu'elle décide de profiter de leur présence, puis les renvoie à leurs jeux dès qu'ils ont cessé de l'amuser. Les garçons finissent par s'habituer à cette mère courant d'air, car on s'habitue à tout.

Cette fois encore, Edward qui ne renonce pas à tempérer son rythme infernal, lui a demandé de se reposer après la naissance d'Horace. Helena profite de ces quelques semaines d'inaction professionnelle pour redécorer *Solna*. Depuis peu, elle s'est entichée d'Elie Nadelman, un sculpteur polonais très prometteur, rencontré par hasard à une exposition de ses œuvres, dans une galerie de Bond Street. Originaire de Varsovie, Nadelman vit à Paris, après être brièvement passé par Munich. Il a exposé à la société des Artistes Indépendants et au salon d'Automne. Leo Stein, le marchand de tableaux américain, frère de l'écrivain Gertrude Stein, a repéré dès 1908 ses bronzes de femmes et ses dessins influencés par le cubisme. Enthousiaste, il a convaincu Picasso de venir le voir dans son atelier.

Nadelman est beau, aimable, et de surcroît très doué, mais il n'a pas beaucoup de succès à Londres et son exposition va être un fiasco. Helena achète sans se faire connaître tout le lot de ses sculptures. Elie Nadelman n'apprendra son geste que bien des années plus tard. Acquérir en quantité, presque en « gros », – « I'm used to buy in bulk », dit-elle souvent – est une habitude qu'elle a prise, au détriment parfois de la qualité des œuvres achetées... Mais elle ne s'est pas trompée sur le talent de l'artiste. Son influence sur l'art moderne va être très importante, alors qu'il ne sera pleinement reconnu qu'après sa mort, en 1946.

Tous deux se lient d'amitié. Pour *Solna*, elle lui commande des bas-reliefs de marbre qu'il gravera sur les murs des pièces de réception. Leur collaboration continuera longtemps, leurs noms seront indissociables : les œuvres du sculpteur vont être largement représentées dans les futurs salons de Paris et de New York.

L'art qui n'est pas encore « à la mode », comme il le deviendra après la guerre, est un prolongement de l'amour de Madame pour la beauté. « Etre entourée d'objets d'art est comme un équilibre au souci que je préconise tant de l'apparence extérieure. C'est de la santé de la vie intérieure qu'il s'agit cette fois[4]. », dit-elle. L'argent lui permet de satisfaire cette passion. Ses goûts formés en grande partie grâce aux conseils éclairés d'Edward, qui connaît tout sur tout, se tournent volontiers vers l'avant-garde.

Et puis elle a appris seule, tout comme son ami et mentor, Paul Poiret, en allant dans les musées, en visitant des expositions, en se rendant dans les ateliers des artistes, en écoutant les conversations, en lisant les journaux, en observant de son œil toujours inquisiteur les demeures où elle est invitée. Souvent aussi, elle s'entiche d'un guide qui l'aide à découvrir ce qu'elle ne connaît pas encore.

Chaque fois qu'elle se rend à Paris, elle visite les studios des peintres en renom, et ne rate jamais le salon d'Automne où exposent les talents qu'elle commence à apprécier, Matisse, Derain, Picabia, Modigliani. En 1908, elle demande à Jacques Helleu, le peintre de la haute société, de la portraiturer. Ce choix est sa façon de s'ancrer dans un milieu dont elle veut être de toutes ses forces. C'est aussi une façon de le clamer aux femmes qui fréquentent ses salons de beauté, où elle va exposer ses toiles les plus fameuses. Ce tableau signe son appartenance à ce monde. C'est également le premier d'une collection de portraits qui la représentent, et où Salvator Dalí, Marie Laurencin, Raoul Dufy ou Christian Bérard et une dizaine d'autres très grands peintres, vont figurer.

En art elle ne se montre jamais exclusive ni sectaire. Même le « mauvais goût[5] » l'intéresse, à condition qu'il y ait « du flair et de la croyance en la justesse de la chose ». Souvent, elle préfère les objets drôles, bizarres ou carrément laids, selon les critères en vigueur, s'ils possèdent de la force. Elle applique cette conception à la beauté : tout visage peut être beau, à condition qu'il ait un caractère. La mièvrerie, le conformisme, la banalité, sont ce qu'elle déteste par-dessus tout.

Parmi ses initiateurs, le peintre et sculpteur Jacob Epstein, un ami intime d'Edward, lui enseigne les tendances nouvelles et forme son œil aux arts premiers. A l'époque, Matisse, Derain et Vlaminck sont parmi les rares à s'y intéresser. Là encore, elle se montre précurseur, son intérêt pour la beauté ne se limite pas au « déjà vu ». Elle a appris à reconnaître le diamant sous l'art brut. Et puis son long séjour en Australie, où elle a eu l'occasion de voir – sans forcément les admirer, c'eût été trop avant-gardiste – les peintures aborigènes a sans doute contribué à éduquer son regard.

La plupart des ventes d'art primitif ont lieu à Paris. Epstein qui s'y rend moins fréquemment qu'elle, lui demande souvent d'enchérir à sa place. Il débarque à *Solna*, lui montre le catalogue de l'hôtel Drouot qui présente la vente, et lui fait admirer un masque Baoulé, une statuette Bambara. Elle apprend vite : bientôt les sculptures des différentes ethnies du Mali, du Congo, du Sénégal, n'ont plus de secrets pour elle. Quand l'œuvre dépasse le prix que Jacob Epstein est prêt à payer, Helena se l'offre.

C'est ainsi qu'elle acquiert, pièce par pièce, une collection remarquable qu'elle va accroître au fil des années. Ses amis s'en étonnent. Comment une femme qui a décidé de vouer sa vie à la beauté peut-elle s'entourer de figurines aussi laides ? Elle s'entête avec raison. Bientôt, l'art primitif sera à la mode, et peut-être même un peu trop. Gris, Modigliani, Picasso et d'autres vont s'en inspirer.

Quelque vingt ans plus tard, quand Jacob Epstein voit que la collection de son élève est arrivée à maturité, il s'exclame avec fierté :

— N'oubliez jamais que vous avez acheté tout cela grâce à moi !

Depuis la mort d'Edouard VII, en mai 1910, et l'avènement au trône de George V, Paris a pris la place de Londres comme reine des plaisirs et des fêtes. Pour conquérir la France, Helena a en tête de sérieux plans de bataille. Edward s'est laissé convaincre d'autant plus facilement qu'il rêve de monter là-bas une maison d'éditions. En art, comme en littérature, c'est décidément à Paris que tout se passe, entre Montparnasse et Montmartre, entre la rue Delambre et le Bateau-Lavoir, entre la Closerie et le Chat Noir. Helena l'aidera-t-elle à financer son rêve ? Elle accepte volontiers puisqu'il est d'accord pour la suivre.

C'est encore une qualité qu'elle reconnaît à son mari. Comme elle, Edward est un nomade, un citoyen du monde, habitué à se déplacer et à vivre là où les circonstances l'entraînent. Rien ne lui semble impossible. Avec enfants, nurses, livres, œuvres d'art et bagages, une véritable caravane, ils traversent définitivement la Manche.

En 1912, Helena Rubinstein a quarante ans, en paraît trente-cinq, et en avoue trente au mieux. En une décennie à peine, elle est devenue à la fois riche et célèbre. Sa trajectoire est unique : à Melbourne comme à Londres, par sa seule volonté et son intelligence, elle a réussi à pénétrer des milieux qui d'ordinaire sont fermés à ceux qui n'en font pas partie par la naissance ou la fortune.

Cette femme hors des normes du siècle mérite qu'on s'y attarde un instant. De jolie, Madame est devenue belle, sans avoir pour autant un physique à la mode. En la voyant, on songe à une Espagnole, une Levantine, une Italienne, une de ces beautés exotiques qui dissimulent sous leurs traits langoureux un tempérament forgé dans l'acier. Depuis Néron et Napoléon, on sait que les despotes sont souvent minuscules et elle ne fait pas mentir la règle. Du haut de ses cent quarante-sept centimètres, elle se montre dure, tyrannique, exigeante envers les autres autant qu'avec elle-même. Elle ne revient jamais en arrière, les souvenirs lui semblent une perte de temps. Le présent l'intéresse à peine, seul le futur compte à ses yeux.

En société elle s'exprime peu, suivant le conseil que sa mère lui a jadis donné à Kazimierz, elle préfère écouter. D'ailleurs elle est restée timide. Quand elle parle enfin, sa voix grave se perd dans les basses. Son terrible accent polonais et ce mélange de langues qu'elle pratique toutes, sans en connaître bien une seule, ajoutent à son charme. Au physique, Madame s'est forgé un style qui va demeurer unique. Un chignon auquel elle ne permettra jamais un seul cheveu blanc, dégage son grand front. Même quand l'usage en sera établi elle se maquillera peu, exception faite d'un rouge à lèvres vif qui rehausse la pâleur de son teint. Son goût en mode se résume à ces trois simples mots : « Only the best. »

Aussi sûrement que sa coiffure, ses accessoires sont sa signature. Et d'abord, et avant tout, les bijoux, surtout les grosses pièces qui embellissent toute femme qui les porte. « Parce que je suis petite, je trouve que ces accessoires mixés à mes vêtements me donnent une véritable identité. C'est très important pour une femme qui, comme moi, travaille aussi dur dans un monde régi par les hommes[6] ».

Elle applique sur elle-même les bons conseils qu'elle prodigue. « Plusieurs rangs de perles rehaussent le teint le plus cireux. Des boucles d'oreilles de la bonne forme et de la bonne couleur font briller les prunelles et donnent du caractère à un visage. Une belle bague, d'une forme originale, rend grâce à l'élégance d'une main[7]. Les bijoux sont les meilleurs amis des femmes », conclut-elle.

Helena ne sort jamais de chez elle sans porter un sac griffé, des chaussures assorties, des bas de soie, ni arborer des ongles vernis. Elle ne tolère pas non plus le laisser-aller chez les autres. Elle fait la leçon à toutes ses clientes, même les plus titrées, quand elle leur trouve une allure négligée.

Toujours en avance sur son temps, elle a compris que pour devenir une icône, il faut donner une vision immuable de soi et la propager à l'infini. Alors, elle se fait photographier sans cesse, en tous lieux, dans toutes les tenues. Dupliquez, dupliquez, il en restera toujours quelque chose.

Edward Titus l'a aidée à émerger, mais elle s'est aussi auto-inventée. En 1912, après avoir mis au monde ses deux enfants, Madame a enfin accouché d'elle-même.

À *nous deux, Paris !*

« Comparées aux Américaines, les Françaises sont des adultes », note Edith Wharton dans un de ses essais[1]. La romancière américaine qui passe ses hivers à Paris, dans son appartement du faubourg Saint-Germain, observe les mœurs de l'époque vues à l'aune de l'élite. « Vivre est un art, en France, et les femmes sont des artistes[2] ». Leur réputation de femmes libres va croissant, mais elles restent dépendantes de leurs maris. Dans les classes supérieures, la répartition des rôles est on ne peut plus classique : les hommes subviennent aux besoins familiaux tandis que leurs épouses s'occupent des enfants et du foyer. L'adultère est un délit, la prostitution un mal nécessaire.

A divers signes, cependant, elles commencent à s'affranchir. S'échappant du monde domestique où elles étaient confinées, elles tiennent des salons où elles tissent des réseaux sociaux, politiques, artistiques, littéraires, qui profiteront à leurs époux. Soutenues par les féministes, les jeunes bachelières forcent les portes des universités et deviennent professeurs, dactylographes, avocates. D'autres se battent pour être typographes ou cochères. En 1909, le port du pantalon n'est plus illicite, à condition qu'elles tiennent à la main les rênes d'un cheval ou un guidon de bicyclette. La grande Sarah Bernhardt s'offusque de l'engouement féminin pour la petite reine : « Toutes ces jeunes femmes, toutes ces jeunes filles qui s'en vont en dévorant l'espace, renoncent pour une part notable à la vie intérieure, à la vie de famille. »

Camille Claudel est une sculptrice reconnue, Jane Dieulafoy, écrivain, archéologue, préside le tout nouveau prix *Femina*, Judith Gautier est la première femme élue à l'Académie Goncourt, la Polonaise Marie Curie, compatriote d'Helena, la première scientifique à occuper une chaire en Sorbonne avant d'obtenir le prix Nobel de physique en 1903 puis celui de chimie, en 1911. Ce n'est qu'un début.

Et la séduction ? En ce domaine aussi, les Parisiennes sont en avance. Depuis le début du XIXe siècle, elles sont devenues un « type de civilisation[3] » qui, d'instinct, « sait être aérienne, assurée, focalisant la jalousie provinciale et rehaussant le miroitement d'une cité[4] ».

Helena, qui s'est installée à Paris, constate que la ville est le « laboratoire de la beauté ». Durant ses fréquents séjours dans la capitale, elle a pu apprécier le chic inimitable des marquises et des duchesses qui s'habillent chez Poiret ou Doucet et portent les chapeaux emplumés de Caroline Reboux, la reine des modistes. Elle les a vues parader sur les champs de courses, à Deauville ou à Enghien, vêtues de linon blanc et de robes « brodées au plumetis, travaillées d'entre-deux en valenciennes, qui étaient le cauchemar des femmes de chambre[5] ».

Les bourgeoises ne sont pas en reste sur ce terrain. En quelques années, la vente des cosmétiques a dépassé le simple cadre des instituts de beauté. Au tout début du siècle, quatre-vingt-dix millions de francs ont été consacrés aux parfums créés par Coty, Guerlain, Houbigant, Roger et Gallet, Bourjois, Caron[6]. Les grands magasins ont œuvré pour cet engouement. Quinze mille femmes y achètent chaque jour des eaux de toilette, des crèmes, des vêtements, des accessoires. Les midinettes, les vendeuses, les demoiselles des Postes, les institutrices, lectrices des journaux de mode, sensibles aux soins du visage, aux cheveux, aux parfums, consomment selon leurs moyens[7].

L'allure des Parisiennes doit beaucoup au baron Hausmann dont les travaux de canalisations ont fait couler l'eau courante dans les salles de bains et les cabinets de toilette, ces nouveaux sanctuaires de l'intime. L'hygiène n'a pas encore gagné la partie, les Françaises ne « sentent pas toujours la rose », selon le mot d'Eugène Schueller, un jeune chimiste inventeur d'une teinture de synthèse, et futur créateur de L'Oréal. Mais enfin, les progrès sont là.

A l'abri des regards, les coquettes peuvent se laver, se coiffer, se farder, vérifier leurs silhouettes grâce à l'invention du miroir en pied. « Il n'y a jamais trop de glaces dans un cabinet de toilette. Pour être belle, c'est un peu comme pour bien se porter, il faut bien se connaître. Et pour bien se connaître, il faut bien se voir[8] ».

Dès la fin du siècle précédent, les revues du *Moulin Rouge* ou du *Casino de Paris* ont banalisé le nu. Des concours de la « plus belle jambe », de la « plus belle nuque », des « plus beaux seins » ont été lancés. Dans les journaux, les magazines, les gravures de mode, les jolies femmes se montrent dévêtues. Est-ce, comme certains l'affirment, une volonté de s'affranchir des diktats de la bienséance ? Cette même année 1912, où Helena traverse la Manche, une pièce de Feydeau : *Mais ne t'promène donc pas toute nue* fait hurler de rire les amateurs de vaudeville.

Deux types de beautés coexistent. L'ancienne, avec sa taille étranglée, ses seins pulpeux, ses fesses rebondies, ses cuisses lippues, montre un érotisme classique. L'autre, celle que préconise Helena, est élégante, déliée, le buste élancé, le dos droit, les cuisses longues et minces.

Le bras de mer qui sépare l'Angleterre de la France est bien étroit, et pourtant entre les deux pays, les standards esthétiques sont à l'opposé. Les Anglaises ont des carnations délicates, sujettes aux rides et aux rougeurs.

Pendant ses années londoniennes Helena a imaginé et perfectionné pour elles des produits qui n'irritent pas, des crèmes hydratantes pour tous les moments de la journée, des lotions astringentes, des pommades soignantes.

A Paris c'est tout le contraire, les belles coquettes veulent à la fois s'occuper de leurs visages et s'affranchir des tabous. « Rien n'est plus opposé au désir innocent de plaire que l'usage des fards et des cosmétiques », pouvait-on lire en 1827 dans l'Encyclopédie Roret qui vulgarise les techniques[9]. Cette époque est bien révolue. Près d'un siècle plus tard, le maquillage attire les femmes, elles n'ont plus peur de ressembler à des prostituées ou à des actrices. Sa reconnaissance devient progressivement un droit et l'affirmation d'une autonomie balbutiante[10]. Quelques-unes osent sortir fardées, même dans la journée.

Madame qui déteste l'engouement pour les visages blafards, les yeux charbonneux, les lèvres sanglantes, trouve ces tentatives pitoyables. Elle veut « enseigner la modération » aux Parisiennes, mettre un terme au « massacre » et c'est à cette première tâche qu'elle va d'abord s'atteler. En attendant de trouver un logement plus approprié, qu'Edward va bientôt dénicher en plein cœur de Montparnasse, la famille s'est installée au-dessus du 255, rue du Faubourg-Saint-Honoré.

Dans l'arrière-boutique, Helena Rubinstein travaille des nuits entières avec les chimistes de son usine de Saint-Cloud. Elle allège les fonds de teint, incorpore des colorants et des pigments à ses poudres. Eternelle insatisfaite, elle ne sait pas se contenter de l'à-peu-près : elle recommence sans se lasser, épuise ceux qui travaillent avec elle. Elle finit par créer un rouge à joues crémeux, fabriqué avec de la cire de Perse, des huiles naturelles, et des pétales de rose de Bulgarie, puis une première poudre teintée et délicatement parfumée, pour matifier le visage.

Bon nombre de ses nouvelles découvertes sont dues à Paul Poiret. Les deux créateurs passent des heures à disserter, moitié en anglais, moitié en français, une langue que Madame a apprise sur le tas, sans toutefois la maîtriser encore. Leurs sujets de prédilection demeurent obsessionnels : la beauté des femmes et les moyens de l'améliorer. Le maître vient de lancer *Les Parfums de Rosine*, une ligne de fragrance de luxe, qu'il a baptisée ainsi en l'honneur d'une de ses filles.

— Heureusement, lui dit Helena en riant, que j'ai pensé avant vous à devenir esthéticienne. Qu'aurais-je fait sinon ? Des robes ? Mais là encore, vous êtes le meilleur.

Poiret sourit, flatté. L'homme-orchestre a tous les talents. Surtout, il ne se montre jamais avare de conseils.

« Le suprême de l'artifice, c'est l'apparence du naturel, lui répète-t-il. Mais un naturel sublime ».

Dans sa « Maison de beauté » dont elle a supprimé le nom *Valaze* au profit de Rubinstein, Helena enseigne aux Parisiennes à appliquer du rouge sur leurs pommettes pour donner une impression de bonne mine, puis à l'estomper du bout des doigts. Sur le nez, le cou, les épaules, elle conseille une poudre pastel. La bouche réclame une teinte plus vive, d'une nuance de framboise ou de myrtille. Elle farde d'ombre mauve les paupières, noircit les cils et les sourcils avec de la poudre d'antimoine, l'ancêtre du mascara.

Invention américaine, celui-ci verra le jour en 1913. Sa création, qui ressemble à un conte pour enfants, doit tout à l'amour fraternel et à la chimie. Mr. William, un savant américain, veut aider sa sœur Maybel à séduire l'homme dont elle est tombée amoureuse. Pour rendre ses cils plus épais, il concocte dans son laboratoire une mixture qui mélange la poussière de charbon et la vaseline. On ne sait pas si le galant fut conquis, mais l'invention du frère aimant fit sa fortune et, partant, celle de sa sœur. Le mascara *Maybelline,* la contraction de Maybel et de vaseline, d'abord vendu par correspondance, a remporté, jusqu'à aujourd'hui encore, le succès qu'on lui connaît. Un peu plus tard, Helena va en améliorer la technique.

En même temps qu'elle développe sa ligne de maquillage, Madame s'intéresse au conditionnement. Pour attirer une clientèle parisienne semblable à celle de Londres, l'emballage des produits doit être aussi raffiné que leur contenu. Elle passe des heures aux Puces ou chez les antiquaires pour dénicher des poudriers et des boîtiers joliment ornés qu'elle fait recopier. Plus tard, elle demandera à des artistes, Marie Laurencin, Raoul Dufy ou Salvador Dalí, de les lui dessiner. Elle prend aussi un soin infini à choisir le papier qui enveloppe les crèmes et les lotions, les sacs qui les transportent.

Dans sa conquête méthodique de Paris, rien n'est laissé au hasard. Pour parfaire ses connaissances scientifiques, elle a passé quelque temps dans le service de dermatologie de l'hôpital Saint-Louis, considéré comme l'un des meilleurs du pays, et peut-être du monde. La chirurgie esthétique qui balbutiait au tout début du siècle, a pris un peu d'essor. Les chirurgiens causent encore pourtant pas mal de dégâts. Surtout, ils sont loin d'associer la pratique de leur métier à l'amélioration du physique féminin.

La chirurgienne Susanne Noël, qu'Helena veut rencontrer, tient un discours un peu différent. Son parcours médical est rien moins qu'atypique. Née dans une famille de la bourgeoisie de Laon, elle a d'abord suivi des études de lettres classiques avant de se marier et de se consacrer à son foyer et à son fils. Devenue prématurément veuve, elle s'est remariée avec un dermatologue, le Dr André Noël. Pour se séparer de lui le moins possible, elle a entrepris des études de médecine. Brillante élève, elle a obtenu son internat avec la moyenne la plus élevée de sa promotion et a commencé à exercer en gynécologie et en obstétrique.

En 1912, Suzanne Noël rencontre une actrice américaine qui a subi une opération du visage à Chicago, après un accident de voiture. La jeune femme lui confie qu'elle paraît bien plus jeune depuis l'intervention. Passionnée par le récit de sa patiente, Suzanne Noël est aussi très impressionnée par le remodelage de son front. Elle décide de changer de voie et devient chirurgienne de la face. Elle développera sa pratique sur les grands blessés du visage de la guerre de 1914-1918, les Gueules Cassées. A cette époque va naître la chirurgie esthétique et maxillo-faciale, telle qu'on la pratique aujourd'hui.

A l'hôpital Saint-Louis, Susanne Noël a inventé une technique ambulatoire qui permet aux femmes qu'elle opère de retourner presque tout de suite à leurs activités. « Elles ont leurs opérations et elles n'en parlent pas[11] », explique-t-elle à Helena, qui saisit tout de suite le champ des possibles qui s'ouvre aux femmes.

— Mes toutes premières patientes, explique la chirurgienne qui abonde dans son sens, étaient des femmes désespérées. Puis sont venues ensuite d'autres clientes, motivées par l'amour de l'art et de la beauté.

Car il ne s'agit plus seulement de séduire les hommes. Les femmes ont aussi envie de se plaire...

Secondée par sa sœur Pauline désormais au fait du métier, Madame crée de nouveaux soins, et forme de jeunes professionnelles pour les dispenser. A présent, elle est prête pour cette clientèle aristocratique, à laquelle elle aspire. Quelques duchesses, deux ou trois comtesses, parmi celles qui se rendent aux soirées fastueuses organisées par Paul Poiret, seront du meilleur effet dans son carnet de rendez-vous.

Entre autres folies, Poiret a organisé le 24 juin 1911, dans son hôtel particulier du Faubourg Saint-Honoré, la

fête costumée de la « Mille et Deuxième Nuit », qu'il a
voulue inoubliable. Recréant les splendeurs de l'Orient,
il a imaginé les costumes des trois cents invités triés sur
le volet, et il a confié les décors à Dufy. Des patios où
jaillissent des fontaines sont tendus de vélums bleu et
or. Partout, des tentures, des tapis, des coussins multico-
lores, des lumières masquées dans les feuillages. Comme
dans un marché oriental, on a installé la baraque de la
pythonisse, celle du potier, celle du marchand de ouisti-
tis. L'épouse du couturier, qui joue le rôle de la favorite,
est enfermée dans une immense cage. Lui-même déguisé
en sultan, un fouet à manche d'ivoire battant l'air, est
entouré d'odalisques assises ou étendues sur des poufs et
des kilims, formant « un amas confus de soieries, de
bijoux, d'aigrettes, qui chatoient comme un vitrail sous
la lune[12] ».

Une autre fois, Poiret reconstitue une kermesse à la
cour de Versailles. La fête a lieu au pavillon du Butard
qu'il a loué dans les bois de Fausse-Reposes et réamé-
nagé à grands frais. Les costumes empruntent à la
mythologie de Louis XVI. Le couturier figure Jupiter, sa
barbe et ses cheveux sont bouclés d'or, il est drapé de
voile blanc et chaussé de cothurnes. Dans la nuit étoilée,
les invités boivent neuf cents bouteilles de champagne, au
son d'un orchestre de quarante musiciens qui jouent du
Lully. A quatre heures du matin, un souper de melons et
de langoustes est servi, tandis qu'Isadora Duncan improvise une danse sur une aria de Bach.

Poiret n'est pas le seul à imaginer des fêtes qui rivalisent en splendeur et en débauche de dépenses. Pour
qu'un bal soit réussi, on ne se contente plus du costume.
Il faut aussi la mise en scène, le décor, les figurants. Tout
doit contribuer à recréer, l'espace de quelques heures,
l'illusion d'un monde réinventé. A l'instar du couturier,
la comtesse de Chabrillan donne un bal Persan puis, plus
tard, une Nuit Blanche où les femmes viennent vêtues de
blanc et d'argent, et les hommes d'un habit noir. A son

tour, la princesse de Broglie organise un bal des Pierre-
ries, où ses invitées portent une robe de la couleur d'une
pierre précieuse[13].

Pour être de ces soirées, Helena a plus que jamais
besoin d'une introduction et surtout d'un guide. A Londres, chez Lady Ripon qui recevait en l'honneur des Ballets Russes, elle a croisé une légende vivante de la
mondanité, Misia Sert. Ce soir-là, les deux femmes ont
sympathisé.

— Revenez donc me voir lorsque vous vous installerez
à Paris, lui glisse la jeune femme en polonais. Je reçois
tous les jeudis.

Comme tous les réseaux d'expatriés, la filière polonaise est des plus actives. Misia, la plus Parisienne des
Polonaises, la plus Parisienne des Parisiennes tout court,
en est le centre. « Riante et bourrue, elle a conquis les
êtres les plus dissemblables ; elle a plu dans le monde et
dans la bohème ; elle s'est attaché des petites gens et des
princes[14] ». Ses trois mariages en ont fait successivement
Misia Natanson, Misia Edwards, puis à présent Misia
Sert. Mais on n'est pas un snob accompli à Paris, si on
ne l'appelle pas par son prénom.

Les deux femmes se revoient chez Poiret. Le coup de
foudre amical est doublé du plaisir de se retrouver entre
compatriotes. Pourtant, malgré une nationalité commune, on ne peut rencontrer deux femmes plus différentes. Si l'une vient d'un milieu juif, orthodoxe et
modeste, l'autre est une grande bourgeoise catholique.
Misia Sert est née Marie Sophie Godebska, en 1872, à
Saint-Pétersbourg, d'un père polonais, sculpteur à succès, Cyprien Godebski, et d'une mère belge, Sophie Servais, morte très jeune. Grand séducteur, son père s'est
remarié avec Matylda Natanson, une Juive polonaise
richissime, amie de l'actrice Modjeska que la mère
d'Helena prétendait connaître.

Matylda qui tenait un salon à Varsovie en a recréé un
autre à Paris. L'univers de Misia a toujours été composé

de cette bohème chic, intellectuelle et aristocratique, qu'elle n'a eu de cesse de recevoir à son tour. Douée en tout, pianiste accomplie, élève brillante de Fauré, elle a hésité à faire de la musique son métier. A la grande déception du maître, elle a épousé à dix-huit ans à peine Thaddée Natanson, le neveu de Matylda. Le couple réunit autour de lui les plus brillants esprits du temps, Stéphane Mallarmé, Paul Verlaine, Jules Renard, Tristan Bernard, Alfred Jarry, Paul Valéry, Paul Claudel, Guillaume Apollinaire... Tous collaborent à *La Revue Blanche* que Thaddée vient de fonder.

Chez eux, on croise Willy et Colette, Sarah Bernhardt qui joue *L'Aiglon* dans des costumes dessinés par Poiret, la grande Réjane, Eric Satie, Claude Debussy. Misia, décrite alors comme une « princesse primitive », est le charme, l'insouciance et la grâce incarnés. A la fois pilier et muse de ce milieu, elle est le modèle des peintres qui gravitent autour d'elle, Renoir, Bonnard, Vuillard, Toulouse-Lautrec, Vallotton qui en est fou amoureux.

En 1907, elle divorce de son mari ruiné, et épouse Alfred Edwards qui lui a fait une cour pressante. L'industriel milliardaire possède, entre autres, le Théâtre de Paris et le journal *Le Matin*. On le dit prêt à toutes les folies pour la satisfaire et de fait, il transforme sa femme en « petite fille la plus gâtée du monde[15] ». Il lui offre un appartement rue de Rivoli et un bateau ancré quai des Orfèvres. Misia est alors une femme richement entretenue, collectionneuse de bijoux hors de prix, qui vit « au milieu des artistes et des gens du monde ». Passionnée de mode, elle se lie d'amitié avec la débutante Coco Chanel, dont elle est à la fois la complice et la rivale.

Quand Edwards la quitte pour une actrice, le peintre catalan José Maria Sert devient son amant avant de l'épouser puis de la délaisser à son tour. C'est par lui que Misia fait la connaissance de Serguei Diaghilev dont elle est rapidement inséparable. Sa vie tourne alors autour des Ballets Russes, elle en est l'égérie, la mécène, et la plus ardente supportrice.

Misia est alors « une beauté à la voix prenante, aux manières enjôleuses[16] ». Avec sa façon déconcertante de lancer tout à trac ce qu'elle pense, « des vérités brutales sous des traits d'esprit[17] », elle est unique, tout le monde s'accorde à le dire. Elle prend tout naturellement « la riche Helena Rubinstein » sous son aile. Même si sa nature la pousse vers le travail plutôt que la mondanité, cette dernière sait, pour l'avoir éprouvé, qu'un bon réseau est la première condition du succès. Avec Misia comme marraine, elle ne peut rêver meilleure introduction. Cependant, l'opinion qu'elle a de sa nouvelle amie n'est pas toujours admirative...

— Misia ? Une toquée et une excentrique. Une *messhugeh*[18]...

C'est du moins ce qu'elle explique à son secrétaire, Patrick O'Higgins, cinquante ans plus tard. Elle ajoute que Misia a guidé l'oie blanche qu'elle était alors et lui a appris comment se comporter dans les méandres de la vie parisienne. Par l'intermédiaire de sa nouvelle amie, Helena rencontre tout ce que Paris compte d'artistes : la bande du Bateau-Lavoir, Braque, Juan Gris, Picasso, Modigliani (« un garçon gentil mais malpropre »), le Douanier Rousseau et Matisse, qui sera toujours son peintre préféré.

— C'est elle qui m'a donné l'idée de faire exécuter tous ces portraits de moi, dit-elle encore à O'Higgins. C'est bon pour la publicité, c'est un excellent investissement et ça garnit les murs vides[19] !

Avec Misia, elle court les magasins d'antiquités, les galeries, les ateliers, comme elle le faisait à Londres avec Flame d'Erlanger, et elle affine son goût. Elle achète sans cesse, en marchandant toujours. Misia l'encourage à recevoir tous les dimanches. Ainsi, lui explique-t-elle, elle établira sa clientèle et apprendra à mieux parler le français, ce qui lui donnera l'air moins timide en société. Helena est dubitative. Saura-t-elle naviguer dans ce monde si fermé, si empreint de codes et de préjugés, dont elle ne maîtrise pas les usages ? Misia insiste et pour mieux la convaincre, elle prend en main l'organisation de la première réception, du buffet à la liste des invités.

Ce dimanche-là, Helena se persuade qu'elle a fait un flop. Ses invités ont tous répondu présents, mais ils se conduisent de façon étrange. Les hommes ne parlent guère aux femmes ; ils se contentent de les regarder avec convoitise, ce qu'elle trouve parfaitement déplacé. Edward n'est pas d'accord. Il s'est tout de suite senti très à son aise parmi ces intellectuels et ces mondains. Misia, elle, éclate de rire lorsque Helena lui fait part de son étonnement. A Paris, lui dit-elle, tout ce qu'on demande à une brillante hôtesse, c'est d'avoir du bon vin et de la bonne chère en quantité et de réunir suffisamment de jolies femmes pour que les hommes puissent les regarder et parler d'elles.

Elle sait de quoi elle parle. Tous les invités de madame Rubinstein reviennent la semaine suivante. Pour de bonnes ou de mauvaises raisons, peut-être, mais enfin, ils sont là. Et Helena prend le pli de recevoir à Paris aussi bien qu'elle le faisait à Londres.

Elle est aussi reçue. Dans le salon de l'appartement du quai Voltaire qu'Edwards a laissé à Misia en la quittant, elle croise Marcel Proust, qui a prêté quelques traits de leur hôtesse à madame Verdurin. Elle racontera à son secrétaire[20], sa rencontre avec le grand homme. Dans son langage imagé, l'écrivain est devenu « Ce garçon qui dormait dans une chambre tapissée de liège et a écrit ce bouquin très connu que je n'ai jamais réussi à lire ». Sa mémoire défaillante des noms et des prénoms ne s'arrange pas en vieillissant.

Comme elle s'impatiente en répétant : « Ce Marcel quelque chose… », O'Higgins lui suggère : « Proust ? » Helena acquiesce, soulagée. Dans son souvenir, Proust

est un garçon à l'air insignifiant qui « sent la naphta-
line » et porte une pelisse de fourrure qui lui descend
jusqu'aux pieds. L'auteur de *La Recherche* pose à
Helena de nombreuses questions sur le maquillage. Les
mondaines mettent-elles du khôl ? Une duchesse
emploierait-elle du rouge ? Toujours timide, Helena a du
mal à lui répondre et brise net la conversation. Un demi-
siècle plus tard, elle le regrette amèrement.

— Comment aurais-je pu deviner qu'il allait devenir
tellement célèbre ? lance-t-elle tout à trac.

Les amies de Misia s'appellent la comtesse de Chevi-
gné, la comtesse Greffhule, elle aussi immortalisée par
Proust, la grande-duchesse Marie Pavlovna, la princesse de Broglie, la duchesse de Gramont, la princesse
de Polignac, Réjane, Cécile Sorel, Marguerite Moreno,
Marguerite Deval, Colette... Toutes deviennent des
clientes assidues du salon. Quelques mois après son
deuxième lancement, il marche aussi bien que celui de
Londres. Comme le veut la tendance, Helena a demandé
à André Groult de le redécorer dans un style Art Nouveau. Elégant et moderne, il est à présent comme elle
l'avait rêvé.

Sous les robes désormais floues, imaginées par Poiret,
sans le corset qui guindait les tissus et les corps, les rondeurs s'épanouissent. Madame a engagé Tilla, une mas-
seuse suédoise, pour travailler à l'élimination de la
graisse. Sur les conseils d'Edward, toujours inventif, elle
propose une consultation de beauté et une séance de
massage gratuite aux femmes les plus en vue.

La grande Colette accepte tout de suite. Elle aime
tant les soins corporels qu'elle ouvrira son propre salon
à Paris en 1932, sans toutefois remporter le succès de
Madame. Edward suggère à sa femme de faire venir un
journaliste pour recueillir les impressions de l'écrivain.
Toute la presse reprend ses commentaires qui dégagent,
comme toujours, un parfum de scandale. S'est-elle fait

masser nue ? Avec cette exhibitionniste tout est possible.

— Je ne me suis jamais sentie aussi bien… A présent, je suis prête à tout… même pour mon mari…

Après Willy, elle a épousé Henry de Jouvenel dont elle est très amoureuse. Le mot circule dans Paris. Si vite que le carnet de rendez-vous de Tilla est rempli en un rien de temps. La libertine a ajouté de sa belle voix rocailleuse :

— Le massage est un devoir sacré. Les Françaises se le doivent à elles-mêmes. Sinon comment pourraient-elles espérer garder un amant ?

Un peu plus tard, Helena explique à demi-mot aux journalistes, ce que sa célèbre cliente a voulu dire. Les massages suédois ne sont pas des massages ordinaires. On a offert à Colette de petits « extras » coquins, et pour être plus précis, un traitement « spécial » à l'aide d'un vibromasseur.

L'utilisation de l'engin est loin d'être singulière. D'ailleurs, il n'a pas encore de connotation érotique. Son usage remonte à l'Antiquité quand Galien a constaté que la frustration sexuelle entraînait de légers maux physiques. Pour les canaliser, il recommande vivement la masturbation. Ce à quoi s'emploient toujours médecins et sages-femmes dans un cadre strictement hygiénique.

Au XIXe siècle, l'électricité libère la main des soignants. La popularité du vibromasseur devient si forte qu'en 1900, une douzaine de modèles destinés aux patients des deux sexes sont présentés à l'Exposition Universelle. Les journaux, les catalogues en vantent un usage de plus en plus privé. Aux Etats-Unis, les réclames conseillent aux maris d'acheter l'un de ces appareils pour que leurs femmes puissent se relaxer. Le vibrateur est alors l'un des objets domestiques les plus courants, presque autant que le grille-pain électrique.

A partir de Freud et de ses pairs qui reconnaissent enfin l'existence d'une sexualité féminine, la morale réprouve désormais la stimulation vaginale en dehors des liens du mariage, et même à l'intérieur. Le vibromasseur disparaît des cabinets médicaux et de la vente par correspondance pour devenir un objet clandestin.

Helena en a observé l'usage fréquent dans les Spas. Y a-t-elle eu recours elle-même ? Sa pudibonderie est telle qu'elle n'y fera jamais allusion. Mais elle en acquiert quelques-uns qui sont, selon elle, le point d'orgue à des soins corporels réussis. D'ailleurs, comme Colette, les clientes en redemandent.

Pour sa part, elle préfère soigner ses propres frustrations en amassant tout ce que l'argent peut offrir, des bijoux, des tableaux, des objets. Elle éprouve un plaisir fou à courir les antiquaires, à visiter les ateliers, à s'enticher d'un artiste encore inconnu et à le lancer.

En moins de deux ans, elle a conquis Paris comme elle avait conquis Londres. Cent personnes, réparties dans ses cinq salons et son usine de Saint-Cloud, travaillent pour la marque. Elle a procuré un métier à trois de ses sœurs, à quelques cousines, et elle fait vivre sa famille en Pologne. A son grand désespoir, cependant, son couple n'en finit pas de sombrer, aussi belliqueux et déprimé que cette Europe qui se déchire aux frontières. Edward la délaisse, alors elle s'étourdit de travail. Le fossé se creuse jour après jour entre eux.

La guerre qui s'annonce donne à Helena l'opportunité de pratiquer une fois de plus l'art de la fuite qu'elle maîtrise désormais en virtuose. Cette fois, elle espère estomper ses ennuis conjugaux. Tout recommencer ailleurs, aux Etats-Unis, puisqu'elle y songe, donnera peut-être un nouvel élan à leur couple.

Le 28 juin 1914, l'archiduc François Ferdinand, héritier du trône d'Autriche-Hongrie, est assassiné à Sarajevo, une tragédie qui déclenche officiellement le conflit. Jaurès le pacifiste est tué à Paris le 31 juillet. Le 1er août, la France décrète la mobilisation générale. Une frénésie incroyable s'empare alors de la capitale qui fête avec une inconscience mêlée de frayeur contenue, le départ des soldats vers le front.

Le 3 août, les Allemands qui ont envahi le Luxembourg et lancé un ultimatum à la Belgique, déclarent la guerre à la France. Le 20, les troupes allemandes entrent dans Bruxelles. L'attaque de Paris semble imminente. En septembre, le premier avion allemand survole la capitale et lâche trois bombes. Les zeppelins font leur apparition dans le ciel, les sirènes se déclenchent à tout moment. Les riches fuient vers Bordeaux à l'instar du gouvernement qui décide de s'y replier en train avec le président Poincaré. Les premières hordes de fuyards en loques et terrifiés, affluent de Belgique.

Le Grand Palais et six écoles sont transformés en hôpitaux. Des centres d'accueil sont créés où se pressent un bon nombre de volontaires, parmi lesquels des femmes du monde reconverties en infirmières pour aider les réfugiés. Les cinémas et les restaurants ferment, les théâtres font relâche et les artistes – Braque, Léger, Derain, Kisling, Apollinaire – sont mobilisés.

Les automobiles et surtout les six cents taxis parisiens sont réquisitionnés pour l'imminente bataille de la Marne. On voit réapparaître les voitures à cheval. Une jeune couturière nommée Gabrielle Chanel, qui vient d'ouvrir une boutique à Deauville, propose une tenue de guerre aux dames de l'aristocratie qui ont « tout perdu[21] ». Elle consiste en une jupe droite ras du sol, une marinière, un chemisier, des souliers à talon bottier, un chapeau de paille sans garniture. Puis elle leur bricole des tenues d'infirmières avec ce qui reste dans les lingeries des grands hôtels.

A Paris, l'atmosphère est devenue sinistre. Même si les nouvelles ne filtrent guère, chacun pressent ce qui se passe sur le front. Misia décide de se rendre utile. Elle prend l'initiative de former un convoi d'ambulances avec les voitures de livraison prêtées par les grandes maisons de couture. Plaidant sa cause auprès du général Gallieni, elle obtient l'autorisation de porter secours aux blessés de L'Hay-les-Roses.

Sa Mercedes pilotée par Paul Iribe en tenue de scaphandrier, avec à son bord Jean Cocteau, José María Sert et Paul Poiret, prend la tête d'un convoi de treize ambulances. La campagne débute dans une gare incendiée où gisent des mourants. La caravane improvisée reprendra la route à plusieurs reprises. Chaque fois le spectacle des destructions, des morts et des soldats agonisant faute de soins, horrifie le groupe.

La vision de ces « splendides jeunes gens qui marchent vers la mort, à Verdun, et de leurs mères, de leurs veuves ou de leurs fiancées éplorées[22] », terrifie Helena. Elle veut se mettre à l'abri et sa famille avec elle. Par son mariage, elle est devenue américaine et ses deux enfants le sont aussi. La décision s'impose : les Titus doivent gagner New York. Au cours de nuits blanches qui l'ont épuisée, elle en a discuté avec Edward, et pesé le pour et le contre. S'ils partent, ils devront tout laisser en Europe, les salons, les maisons, les collections, les amis. Après de nombreuses discussions, et tout autant de disputes, ils décident qu'elle avancera seule, en éclaireur. Edward et les deux garçons la rejoindront un peu plus tard, avec leur mobilier et leurs bagages.

A l'automne 1914, Madame prend le train pour Calais, puis le ferry pour Douvres. Au terme d'un voyage éprouvant, où l'angoisse se mêle à sa terreur des bombes, elle parvient à Londres. Son premier réflexe est de récupérer de l'argent liquide chez son banquier. A Paris, toutes les banques ont fermé.

A Liverpool, elle embarque pour New York. Pour se rassurer, elle se répète que les siens vont bientôt la rejoindre. Grâce aux télécommunications modernes, le câble et le téléphone, elle trouvera le moyen de diriger ses affaires en Europe et en Australie, et de prendre des nouvelles de ses parents restés en Pologne. Depuis la déclaration de guerre, Hertzel et Gitel n'ont pas donné signe de vie, ce qui affecte leur fille aînée bien plus qu'elle ne veut se l'avouer. La famille reste pour elle une source d'inquiétudes sans fin.

La Beauté éclairant le monde

Debout sur le pont du *Baltic,* Helena Rubinstein se redresse, boutonne son manteau, ajuste son chapeau, vérifie que sa femme de chambre porte bien sa mallette de bijoux. Comme tous ceux qui découvrent New York en arrivant par la mer, elle a eu un choc en sortant de sa cabine et elle en reste encore éblouie. La tempête a soufflé pendant toute la traversée, mais à présent, le ciel vierge de nuages a la pureté d'un diamant bleu. Semblables à des forteresses de verre et d'acier, les gratte-ciel de Wall Street crèvent la brume et s'élancent vers le jour naissant. Leurs frontons gigantesques protègent la pointe de Manhattan qui s'avance dans l'eau, comme la proue d'un navire.

On entend les sirènes des paquebots qui accostent, le cri obsédant des mouettes au-dessus des flots, et déjà, les clameurs de la foule, le grincement des poulies, les bruits sourds des cargaisons qu'on décharge sur les docks. Avec une majesté tranquille, l'Amérique s'offre à elle dans le petit matin frais de ce mois d'octobre 1914.

Grisée d'air marin et d'espoir, Helena se fait la promesse de conquérir ce continent, bâti à sa mesure. Ce sera la quatrième fois qu'elle s'installe dans un endroit inconnu d'elle. L'enjeu est de taille, ce qui la stimule et l'effraye tout à la fois. Il ne s'agit pas seulement d'un nouveau pays, mais d'un marché naissant dont le budget dépasse mille fois celui de l'Europe. Edward lui a souvent répété qu'en Amérique, si tout était possible, jamais rien n'était acquis. L'erreur ne lui est pas permise, mais le challenge l'intéresse, sans parler de l'excitation de tout devoir recommencer une fois encore.

Elle se tourne vers la statue de la Liberté, dont elle pourrait reprendre le symbole à son compte en le détournant un peu. « La Beauté éclairant le monde » : le slogan est fait pour elle.

Les mille passagers qui voyagent sur le *Baltic* sont, dans leur majorité, des Américains qui rentrent se mettre à l'abri chez eux. La grosse vague des immigrants qui, jusqu'au commencement des hostilités en Europe, arrivaient en masse depuis Liverpool, Southampton, Hambourg ou Brême, semble s'être fluidifiée. Depuis 1870, près de seize millions de pauvres hères de toutes les nationalités – et parmi eux trois millions de Juifs – ont débarqué à Ellis Island, avec l'espoir de faire fortune dans le Nouveau Monde, ou du moins d'y trouver des conditions de vie moins difficiles que chez eux. Ils mettront plus d'une génération à se débarrasser de la misère qui leur colle aux semelles.

Dans les grandes villes, ils ont formé des communautés solidaires, qui se côtoient mais ne se mélangent pas. Qu'ils soient irlandais, italiens, chinois, allemands, les trois quarts d'entre eux vivent toujours dans la saleté et la promiscuité. Les Américains « de souche » et les immigrés de la première ou deuxième génération, xénophobes comme le deviennent souvent ceux qui ont peur pour leurs avantages péniblement acquis, considèrent que ce flot humain non contrôlé, ce *melting pot* qui a pourtant forgé l'âme du pays, est devenu un sérieux problème. Ils réclament des mesures pour le freiner. De fait, au milieu des années vingt, sous la pression des lobbys qui craignent pour l'économie fragile de l'après-guerre, le gouvernement va limiter l'immigration en créant des quotas.

Helena Rubinstein n'a rien à craindre. Américaine par son mariage, elle débarque avec un nom, un savoir-faire et beaucoup d'argent. Les douaniers se moquent bien de son passeport à la date de naissance falsifiée : ses vêtements, ses bijoux, ses bagages de luxe qui témoignent de sa fortune sont le plus éloquent des laissez-passer.

Mais aux Etats-Unis, une femme qui réussit est une espèce à la fois rare et mal perçue. Etre juive ajoute au handicap. Comme à Londres et à Paris, l'antisémitisme est fréquent et souvent virulent parmi les membres de l'élite blanche, anglo-saxonne et protestante mais aussi dans d'autres communautés, les Irlandais en tête. Edward, là aussi, l'a mise en garde, mais elle est habituée à ce rejet, il en faudrait plus pour la perturber. Elle ne changera pas son nom comme l'ont fait avant elle d'autres immigrants célèbres. Elle s'est faite avec lui, elle est connue à travers lui, elle entend demeurer fidèle à ses origines. Quant à son sexe, elle en a fait une force. Seule une femme peut inventer les bons produits et trouver les bons arguments pour embellir les autres femmes.

L'accueil qui l'attend n'est pas le premier motif d'une angoisse qui n'a cessé de l'étreindre depuis qu'elle a embarqué... Sur le *Baltic,* certains soirs, les vagues étaient plus hautes que des immeubles de cinq étages. Les passagers se sont souvenus avec anxiété du naufrage du *Titanic* survenu deux ans plus tôt, sur la ligne Southampton-New York. Tandis qu'au-dehors les éléments se déchaînaient, Helena, confinée dans sa cabine, ruminait. La guerre, l'exil, les ventes, les commandes, les matières premières, les bilans, les produits, les clientes, sa famille, ses collections. Dans quel état allait-elle tout retrouver en rentrant ? Elle a très mal dormi, surtout avec ce vent soufflant sans répit, qui accentuait sa migraine.

Au moment des adieux, Edward et elle se sont donné six mois pour se retrouver. A lui, la tâche de rassembler leur mobilier, leurs œuvres d'art et de s'occuper des deux garçons ; à elle la charge de trouver un appartement et un salon en ville. La division du travail n'est pas banale, mais leur couple est si peu conventionnel.

Son mari demeure le meilleur des conseillers, son aide est infiniment précieuse, ses avis toujours judicieux. Avec lui, les publicités atteignent leur cible, il a le mot juste, précis, il connaît la marque presque aussi bien qu'elle. Et puis c'est un bon père, affectueux et tendre. Mais c'est elle qui tient le gouvernail de l'affaire, c'est à elle que les décisions finales reviennent. Et c'est de son argent qu'il s'agit.

Sur ce plan-là, Edward est vraiment infernal. Il dépense beaucoup trop, surtout en livres et en vêtements. Il sait bien ce qu'il lui en coûte de travailler, ce qu'elle doit payer en frais, en impôts, en taxes, ce gaspillage contre lequel elle doit lutter sans répit, cette inattention de tous les instants qui finit par coûter si cher à une entreprise. Cependant, être dispendieux n'est pas le pire de ses défauts. Les femmes tournent autour de lui comme des guêpes autour d'un pot de miel. Il les séduirait toutes si elle n'ouvrait pas l'œil sans cesse. Volage il était, volage il est resté. Combien de disputes épuisantes, toujours accompagnées des mêmes reproches... ?

On ne peut pas réussir partout, a-t-elle conclu un matin, après une bonne crise de larmes. L'amour malheureux est sans doute son lot. *Oy vé*, les hommes. Entre son père trop faible et cet époux trop coureur, elle n'a jamais pu compter sur eux.

Au fond, peu lui importe qu'Edward ne soit pas un époux parfait. Sa famille est assez nombreuse pour la soutenir. Elle appellera ses sœurs à la rescousse, fera venir Manka auprès d'elle à New York, enverra Ceska à Londres avec son nouveau mari anglais. Elle trouvera bien une autre sœur ou une cousine à qui confier les salons en Australie. La petite Pauline restera à Paris tout le temps de la guerre. Chez les Rubinstein, ce n'est pas la parentèle qui manque, même si Helena ne s'entend pas très bien avec ses cadettes.

Et pourtant, malgré tous leurs désaccords, c'est toujours vers Edward qu'elle se tourne lorsqu'elle a besoin de conseils, ou tout simplement quand l'envie lui prend de s'épancher.

— Oh, mon cher, toutes ces Américaines font pitié. Si vous pouviez voir leurs pauvres nez bleus par le froid et leurs lèvres grisâtres qui ressortent de leurs visages blafards... Il était temps que j'arrive.

A New York, Helena s'est installée provisoirement à l'hôtel en attendant de trouver un appartement et un salon à son goût, et son premier coup de téléphone est pour son époux. La conversation est hachée, à cause de la distance, mais elle réussit à lui faire part de son impression mitigée.

Elle trouve les Américaines peu soignées. Pourtant aucune n'est indifférente à son aspect physique. Au contraire, elles semblent très concernées, en particulier les New-Yorkaises. L'idéal féminin est la *Gibson girl*, née sous le crayon du dessinateur Charles Dana Gibson. Toutes veulent ressembler à cette chic fille, saine et moqueuse, à l'aise dans la vie comme avec les hommes dont elle est à la fois partenaire et camarade. Grand-mère de la pin-up, aïeule de la Bimbo, la *Gibson Girl* est grande, élancée, coiffée d'un chignon volumineux. Son corset valorise ses formes généreuses : en Amérique, les femmes sont en retard de quelques modes sur l'Europe.

A l'instar de ses compatriotes, la *Gibson girl* ne se maquille pas. Selon un guide de savoir-vivre, les New-Yorkaises peuvent utiliser du rouge et de la poudre si elles déjeunent au restaurant, mais jamais au dîner. Le naturel. Voilà le maître mot. *Mangez bien, bougez bien, dormez bien, et vous serez belles,* dit en substance un article du *Denver Post* en 1899[1]. Les coquettes, résume le journaliste, ont découvert le secret de la jeunesse éternelle en pratiquant des régimes, de l'exercice, des bains de vapeur et des massages. Bon nombre d'Américaines suivent ce programme avant-gardiste, préconisé par les magazines. « *If you want beauty, think beauty* », « Si vous voulez de la beauté, pensez à la beauté ». Chaque femme peut être belle si elle le veut, c'est ce que croit Helena depuis toujours, mais elle préférerait cependant un peu plus de sophistication dans ce naturel revendiqué.

Très actives en Amérique, les féministes et leurs leaders, Lucrezia Mott, Elizabeth Cady, Charlotte Perkins Gillman, Inez Millholland, ne sont pas uniquement préoccupées par leurs luttes politiques. Rien de ce qui est féminin ne leur est indifférent. Ainsi remettent-elles en question l'image de la lady confinée chez elle, qui déteste son corps déformé par les maternités. A dire vrai, les questions autour du corps, de la sexualité, de l'avortement, de la contraception ou de la grossesse sont moins souvent abordées dans leurs réunions que celle des droits publics pour lesquels elles se battent avant tout... En 1869, le Wyoming a été le premier Etat qui a accordé, sous conditions, le droit de vote aux femmes. Il a été suivi par l'Utah et par l'Idaho. La pression des suffragettes y est pour beaucoup.

La manifestation du 6 mai 1912 a fait couler pas mal d'encre. Ce jour-là, à l'appel des syndicats et des associations féministes, vingt mille femmes toutes habillées de blanc, rejointes par cinq cents hommes, ont marché de la 59th Avenue jusqu'à Washington Square, pour réclamer une fois de plus le droit de vote. Fait nouveau, la plupart arboraient fièrement du rouge à lèvres. Ce geste tout aussi courageux que politique signifiait à la fois leur émancipation et leur volonté de rejeter les tabous.

Cette attitude décontractée, presque un manifeste, reste encore choquante. Edward Bok, l'éditeur du *Ladies Home journal*, n'a-t-il pas écrit que « les hommes continuent à voir le rouge comme une marque du sexe et du péché[2] » ? Pourtant les mœurs évoluent très vite. « La passion du maquillage s'est propagée des actrices de théâtre sur scène et à la ville, aux ladies dans leur intimité, et jusqu'aux employées et ouvrières », renchérit Elizabeth Reid, une spécialiste de la beauté[3].

En quelques années seulement, les Américaines vont passer du puritanisme à la libération. En bonne renifleuse de l'air du temps, Helena Rubinstein a tout de suite capté ces prises de position vers l'indépendance et l'affirmation de soi, que les plus hardies encouragent, et que le conflit mondial va amplifier. Elle va traduire en consommation ce que les femmes revendiquent en droits, à l'image d'un pays qui se plonge avec volupté dans une abondance rebaptisée Progrès. « Achetez Jell-O, Kelloggs, une voiture, une cuisinière à gaz, allez au cinéma », martèlent les publicités dans le *Woman's Home Companion*. Les cosmétiques ne sont pas en reste : « Achetez Hind's Honey, Almond Cream, Pond's Cold Cream, Woodbury facial soap ».

Quand elle prétend débarquer en pionnière dans un territoire qui ignore tout de la beauté, Helena exagère comme toujours. Il est vrai que les *self made women*, qui ne sont pas légion, dominent surtout dans la mode. Lane Bryant imagine des vêtements pour les femmes bien en chair ou enceintes, Hattie Carnegie invente le prêt-à-porter et Carrie Marcus a créé Neiman Marcus, le premier grand magasin de luxe, avec son frère et son mari, Herbert Neiman. Toutes les trois sont d'origine juive et les deux premières ont changé de nom.

Mais la beauté a ses adeptes, ses pratiques et ses prêtresses. Déjà en 1893, une journaliste du *Harper's Bazaar* a noté que dans le pays, la « culture de la beauté s'est énormément développée au cours des dernières années[4] ». A l'instar de ce qui se fait en Europe, la médecine commence à s'intéresser à l'amélioration des visages et des corps. Des dermatologues et des chirurgiens ouvrent des instituts, des écoles, où ils restructurent les visages.

Peelings électriques, injection de paraffine sous la peau pour gonfler les joues ou lisser les cernes sous les yeux, rhinoplastie, liftings, toutes ces techniques nouvelles ne sont pas exemptes de risques. Ces prétendus spécialistes n'ont eu qu'un vague entraînement en guise de formation ou bien ils apprennent sur le tas. Mais de plus en plus d'actrices font appel à eux, surtout pour les liftings du visage, très en vogue des deux côtés de l'Atlantique. La Française Sarah Bernhardt a été l'une des premières à montrer la voie.

Le marché des cosmétiques a donné d'excellentes perspectives aux toutes nouvelles carrières féminines. En 1914, trente-six mille salons de coiffure, vingt-cinq mille cabines de manucure et trente mille spécialistes en massages et soins de la peau ont éclos dans toute l'Amérique, surtout concentrés dans les grandes villes. A New York, le Risers Manucure Parlor, qui occupe plusieurs étages d'un immeuble, propose tous les soins imaginables pour le cuir chevelu, le visage et le corps avec des traitements électriques, des manucures, des pédicuries et des épilations.

De nombreuses femmes optent pour l'entreprenariat : l'investissement est minime, et le retour sur frais, excellent. Dès le début du siècle, des dizaines de marques de beauté ont ainsi fleuri, souvent concoctées dans une cuisine ou une arrière-boutique. Elles sont vendues localement, dans une ville, un quartier ou une communauté. Madame J. Walkers a fait imprimer sa bonne figure de Mamma noire sur ses pots vendus dans les drugstores et destinés aux Afro-Américaines.

A une plus grande échelle, d'autres visionnaires ont elles aussi investi le terrain. Au milieu du XIXe siècle,

Ellen Demorest est une des pionnières de cette industrie encore balbutiante. Harriet Hubbard Ayer, qui lui succède, invente une crème de soin baptisée *La Récamier*, qu'elle prétend avoir rapportée de Paris. Sa vie personnelle et son parcours professionnel ont été une succession de coups du sort et de triomphes. Elle est née Hubbard, à Chicago en 1849, a épousé Herbert Crawford Ayer à l'âge de seize ans, a eu trois enfants dont l'un est décédé de façon tragique dans l'incendie qui a dévasté Chicago en 1871.

Pendant des années un peu ennuyeuses en dépit de leur confort, Harriett s'est contentée d'être une riche épouse, une figure de la haute société de sa ville et une mécène férue d'art. Jusqu'au jour où sa route toute tracée a bifurqué. Lassée des incartades sexuelles de son époux et de son penchant pour la boisson, elle a demandé le divorce au bout de dix-huit ans de mariage, un scandale à une époque où une femme du monde ne prend pas l'initiative de la séparation. Ses trois enfants sous le bras, elle est partie pour New York, et a gagné sa vie en vendant des meubles dans un magasin d'antiquités, car son mari qui, entre-temps, avait fait faillite, ne pouvait pas lui allouer de pension.

Son divorce enfin obtenu, la courageuse Harriet emprunte de l'argent et crée sa société, la Recamier Manufactured Company, pour commercialiser sa fameuse crème. Elle raconte partout que madame Récamier, connue pour son charme et sa beauté, en aurait inventé la recette. Vrai ou faux, l'argument publicitaire porte ses fruits. Harriet Hubbard Ayer devient la première Américaine à faire fortune dans les cosmétiques. Apôtre farouche du naturel en vogue, elle déteste les odeurs fortes, le musc, le patchouli, la rose, et leur préfère le parfum délicat de la lavande que doivent, selon elle, porter les femmes raffinées.

Un de ses sponsors, James Seymour, a des vues sur elle. Pour se venger de ses rebuffades, il la fait interner en 1883, avec la complicité de l'ex-mari d'Harriet et de leur fille, mariée au propre fils de Seymour. Devant la cour, le financier avance qu'elle est trop instable pour diriger une entreprise. Mensongère, et surtout très misogyne, son accusation porte cependant ses fruits.

Quatorze mois plus tard, Harriet Hubbard Ayer est finalement libérée de l'asile grâce à l'intervention de ses avocats, mais elle en sort physiquement détruite. Au cours de cette détention arbitraire, elle est devenue une grosse femme à cheveux gris, abrutie par les médicaments. De cette horrible expérience, elle tire un récit : *Quatorze mois dans un asile d'aliénés* qui obtient un large succès public.

Elle continue de se battre pour récupérer son affaire, que Seymour s'était appropriée, ce qu'elle réussit à obtenir après bien des procès. Malheureusement, sa carrière d'entrepreneuse est terminée. Sans se laisser entamer, Harriet Hubbard Ayer se reconvertit dans le journalisme. Le *New York World* publie ses articles. Elle se fait surtout remarquer par une chronique de beauté que les lectrices apprécient et par un guide, le *Harriet Hubbard Ayer Beauty Book* qui devient un best-seller. Lorsqu'elle meurt, en 1903, d'une mauvaise grippe, sa fille Margaret, apprentie comédienne, reprend sa rubrique.

Quatre ans après sa mort, la Harriet Hubbard Ayer Corporation est créée par Vincent Benjamin Thomas, dont l'épouse, une actrice de théâtre, est une amie de Margaret Ayer. Après avoir racheté le nom et la licence, il est devenu le président de l'affaire. Thomas a eu du flair : aux Etats-Unis, l'industrie du cosmétique a commencé son essor. Pendant de nombreuses années encore, l'influence d'Harriet Hubbard Ayer va demeurer sensible auprès des femmes.

Helena ne la craint guère.

D'ailleurs, elle ne craint personne. A une exception près, cependant. Car en Amérique, une concurrente redoutable va lui tenir tête des années durant. *That Woman*, l'autre femme, comme elle l'appelle dans un mélange de dédain et de rage, s'appelle Elizabeth Arden, née Florence Nightingale Graham, au fin fond du Canada, dans l'Ontario. Cette blonde décolorée est son unique et véritable rivale, la seule personne capable de lui faire de l'ombre dans ce métier.

La réciproque est vraie. De toute sa vie professionnelle, Elizabeth Arden n'aura peur que de cette Polonaise qui a débarqué en conquérante dans son pays. Elle va la mépriser et la détester tout à la fois.

Il est difficile de trouver deux femmes plus différentes. Arden est fine, délicate, féminine jusqu'au bout de ses ongles laqués. Elle aime le rose et le doré, les chevaux, la vie au grand air, le golf, et personnifie l'idéal de la beauté *wasp* qui fréquente les country-clubs interdits aux Juifs. Pendant plus d'un demi-siècle, elle va peaufiner cette image patricienne aussi usurpée que l'ascendance grande-bourgeoise dont Helena se revendique. Mais adulée par l'élite new-yorkaise qui se reconnaît en elle, Arden n'entend pas céder un seul pouce de son terrain.

Pourtant, sur bien des points, elles se ressemblent aussi, à commencer par leurs complexions sans défauts qui sont leur meilleure publicité. Fieffées menteuses sur leurs origines, elles trichent pareillement sur leur âge et mettent un point d'honneur à se rajeunir. Nées au bas de l'échelle sociale (la mère d'Arden est infirmière et son père agriculteur), elles ont en commun un goût inné pour le luxe et la mise en scène, doublé d'un redoutable sens des affaires. Elles sont dures, autoritaires, tyranniques, audacieuses, trempées dans le même acier tranchant. Et toutes les deux sont des génies dans leur genre[5].

Elizabeth Arden a commencé à travailler comme infirmière, puis comme vendeuse. A New York, elle est devenue la secrétaire d'Eleonor Adair, une spécialiste de la beauté qui a ouvert des salons à Paris, rue Cambon, et à Londres sur Bond Street. Inventrice de massages faciaux et musculaires à l'électricité, Adair a commercialisé dans de petits coffrets les outils d'un traitement complet de beauté à suivre chez soi[6]. C'est auprès d'elle qu'Elizabeth Arden a appris les rudiments du métier, avant de se mettre à son compte. En 1909, elle a emprunté six cents dollars à ses proches et engagé un pharmacien qui a fabriqué, sur ses directives, une crème baptisée *Amoretta*. Sa première ligne de produits s'appelle *Vénitienne*. Il n'y a rien d'italien dans tout cela, mais plutôt un sens inné du marketing et surtout de l'emballage. Ses crèmes sont vendues dans des pots roses et dorés, délicatement décorés.

Arden ouvre tout de suite son premier salon sur la Cinquième Avenue en association avec une esthéticienne nommée Elizabeth Hubbard, sans rapport avec Harriett. Deux ans plus tard, les deux femmes se séparent. Florence Graham adopte alors le patronyme d'Elizabeth Arden, dont elle a emprunté le prénom à son ancienne associée, et le nom à un poème de Tennyson, « Enoch ». Elle garde le salon de la Cinquième Avenue, en ouvre deux autres, l'un à Washington et l'autre à Boston, épouse Thomas Lewis, un fabricant de soie qui pendant plus de vingt ans sera son directeur des ventes avant de diriger toute l'entreprise.

Encore un point commun avec Helena : toutes les deux ont fait de leurs maris leurs salariés, avec tous les problèmes que ce statut subalterne peut engendrer. « N'oubliez jamais une chose », rappelle fréquemment Elizabeth Arden à son mari, « ici, c'est moi le patron[7]. »

Comme Helena Rubinstein l'a fait en Europe en 1905, Elizabeth Arden a gagné Paris et Londres en 1912, pour constater ce qui se fait de mieux dans le domaine de la beauté. Sans doute a-t-elle visité les salons de sa rivale et sans doute aussi, connaît-elle sa puissance. Cela ne l'effraye guère : pour le moment, elle demeure la plus forte en Amérique.

A l'arrivée d'Helena Rubinstein, Elizabeth Arden règne sans conteste sur le marché de la beauté. Elle possède trois salons dont le signe distinctif est une lourde porte rouge. Stern Brothers et Bonwit Tellers, deux des grands magasins les plus fréquentés par les femmes élégantes, ont commencé à vendre sa ligne vénitienne. Ses réclames paraissent dans *Vogue* et dans d'autres journaux féminins. Elle a écrit un essai intitulé *La quête du beau* et s'est posée en spécialiste de la recherche de la jeunesse. Quand cela convient à la bonne marche de ses affaires, elle se place aussi du côté de la libération des femmes. Le 6 mai 1912, elle a participé à la marche des suffragettes. Elle a récupéré leur langage revendicatif : « Toute femme a le droit d'être belle. »

Il y a largement la place pour deux. Mais chacune veut être la première.

Le chemin de fer, qui joint une côte à l'autre depuis un demi-siècle déjà, permet de voyager sans risques. La réussite de toute conquête requérant la connaissance du terrain, Helena commence par visiter le pays en train. Ce premier voyage n'est pas de tout repos, on s'en doute, mais les Pullman sont confortables et leurs cabines très spacieuses invitent au repos.

Elle qui a l'habitude des grands espaces et des contrées sauvages est impressionnée parce qu'elle aperçoit des paysages à travers la vitre. Elle les trouve moins hostiles qu'en Australie, sans doute parce que ses conditions de voyage ont changé. Pendant ces quelques semaines, elle a le sentiment de visiter dix ou quinze pays différents. Des cités trépidantes de la côte Est aux grandes plaines à blé du Middle West, des panoramas montagneux du Colorado aux déserts du Texas et aux mesas de l'Arizona, elle observe tout, absorbe tout, comme à son habitude. Boston, Chicago, Saint-Louis, Houston, la fascinent par leur modernité, les gros bourgs placides situés de part et d'autre de la voie ferrée, la font penser à Coleraine. Partout où cela lui est utile, elle établit des contacts, laisse sa carte de visite, évalue les besoins et les manques. La pensée que tout ici est à faire lui donne tous les courages.

Mais d'abord il faut prendre New York.

A peine rentrée, elle se concentre sur cet objectif. Six mois après son arrivée aux Etats-Unis, elle ouvre son premier institut entre la 15ᵉ Rue et la 49ᵉ Avenue, dans l'un de ces *brownstones*, hauts de deux étages, flanqués d'un perron de pierre, qui font tout le charme et la particularité de la ville. A l'instar d'Elizabeth Arden dont le salon voisine avec les demeures new-yorkaises les plus prestigieuses, elle aurait aimé s'installer sur la Cinquième Avenue. Mais l'immeuble qu'elle a choisi est interdit aux Juifs. Elle n'a pas encore les moyens de riposter avec panache, comme elle le fera en 1939, quand pareille mésaventure lui arrivera à nouveau.

Pour cultiver son image de riche Européenne raffinée, elle s'est adressée à Paul Frankl, un architecte autrichien, fraîchement immigré, qui a étudié à Vienne et à Berlin. Frankl se trouvait au Japon quand la guerre a éclaté et plutôt que de retourner en Autriche, il a préféré mettre le cap vers les Etats-Unis pour attendre la fin du conflit. A New York, il a ouvert une petite agence d'architecture d'intérieur sur Park Avenue. Madame le rencontre par l'intermédiaire d'Elie Nadelman, dont elle a payé le billet pour l'Amérique.

En lui présentant Paul Frankl, Nadelman a une idée en tête. Il enrage d'imaginer que, pour décorer son salon, elle préfère les œuvres d'autres artistes aux siennes. Il veut lui forcer la main. « C'est facile, lui a rétorqué Frankl quand le sculpteur s'est ouvert à lui, il suffit de donner une forme ovale ou ronde aux pièces du salon, et de creuser des niches qui appellent des statues dans les murs[8] ».

Le budget, plus limité que ce que tous deux ont imaginé, ne permet pas de créer des pièces ovales, mais

Frankl fabrique des étagères et des espaces creux dans lesquels Madame peut installer les sculptures qu'elle a fini par commander à Elie Nadelman.

Aidé par Witold Gordon, un décorateur qui, lui aussi, arrive de Paris, Paul Frankl réalise un bon compromis entre les lignes avant-gardistes qu'Helena apprécie et le mobilier plus traditionnel, en acajou et bois de rose incrusté de fleurs stylisées, qui plaît à une clientèle peu encline aux changements. Une des cinq cabines de soins est tendue de chintz blanc et noir. Une autre est décorée selon la vogue orientaliste. Un papier peint aux motifs chinois tapisse les murs, des canapés dorés et des tables de laque noire meublent la pièce.

« Nous avons créé le premier "beauty parlor" important et moderne sur le sol américain[9] », se souviendra Frankl, des années plus tard. A New York, aucun salon de beauté ne ressemble à cet appartement « chic bourgeois », imaginé par Madame, excepté peut-être celui d'Elizabeth Arden qui l'a fait dans l'intention, mais certes pas dans le décor.

La collaboration entre Frankl et Rubinstein va durer une bonne quinzaine d'années, toujours avec le même bonheur, « un mariage parfait entre un architecte et son client, qui façonnent ensemble une nouvelle image de la beauté[10] ». Paul Frankl dessinera le mobilier de tous les salons américains tandis que Nadelman sculptera spécialement des statues néoclassiques, et particulièrement des torses et des têtes en marbre de Carrare. Witold Gordon s'occupera du graphisme, de l'emballage, et des codes couleurs.

De tous ses temples de la beauté, celui de New York est le plus raffiné, le plus abouti, pour pratiquer la religion de l'hygiène et des soins comme elle l'entend. Sa façon de bâtir un écrin moderniste pour le corps et le visage correspond à un courant novateur en Europe, qui inclut à la fois l'art, la mode, la décoration, le luxe et la beauté. Tous les sens doivent être satisfaits, s'épanouir dans une ambiance propice. Helena Rubinstein est la première à proposer une telle harmonie, dans un même lieu, aux femmes de la haute bourgeoisie américaine[11].

Le nouvel institut lui apporte une notoriété immédiate. Un article de *Vogue* décrit le salon comme « une combinaison idéale de plaisir pour les yeux et de confort pour le corps[12] ». Les journalistes tombent sous le charme de Madame. Elle est *so exotic, so glamorous...* Dans le même article de *Vogue*, on trouve ces lignes : « Madame est continentale et chic, habillée par Poiret. Elle est la fille d'un Russe et d'une Viennoise. Sa vie se lit comme un conte de fées. »

Et c'est bien ainsi qu'elle se perçoit : une étrangère qui apporte aux Américains un peu de son élégance parisienne avec ses toilettes, son goût pour l'art, son avant-gardisme, sa clientèle cosmopolite qui va des cours d'Europe aux plus grands artistes, et ce portrait peint par Helleu, accroché en bonne place dans son salon[13]. Les journaux parlent d'elle comme d'une « Beauty Queen » ou d'une « woman specialist », toujours « infatigable travailleuse ». Elle-même s'est baptisée : « La meilleure experte du monde en culture de la beauté. »

En avril 1915, un mois avant l'ouverture du salon, Edward est enfin arrivé avec les garçons. Helena était si occupée, d'abord par ses voyages, ensuite par les travaux, qu'elle n'a pas eu le temps de souffrir de l'éloignement ni de ressentir un sentiment de solitude. Mais sa famille lui a manqué, elle s'en rend compte en serrant ses trois hommes dans ses bras. Ses fils ont grandi, l'éloignement d'avec leur mère et sans doute ces six mois de guerre à Paris, ont donné à leurs regards une expression un peu trop grave pour des enfants si jeunes.

Edward semble très content de la revoir, mais tout de suite après les premières effusions, il donne d'effroyables nouvelles d'Europe. Helena est partagée entre la compassion pour leurs amis restés là-bas, et la satisfaction de se savoir à l'abri avec les siens.

— C'est une sale guerre, Helena, les hôpitaux sont bondés. Toutes vos amies de Londres et de Paris, ces aristocrates que vous avez connues si oisives, votre Misia en tête, sont devenues des infirmières bénévoles. Elles prennent leur tâche très à cœur. A Londres, *Solna* a été réquisitionné. On en a fait un hôpital. J'ai rapporté avec moi une grande partie de vos collections de tableaux et d'art africain, comme nous en étions convenus. Mais je n'ai pas pu tout prendre.

Helena encaisse le coup sans oser se plaindre. Elle sent qu'Edward est trés affecté sous un ton qu'il veut léger. Il continue de raconter :

— Paris est sinistre, vous vous en doutez. La plupart de nos relations, les peintres et les écrivains ont été mobilisés, Braque, Derain, Léger. Kisling s'est engagé à la Légion étrangère. Quant à Modigliani, il enrage d'avoir été réformé à cause de sa tuberculose. Picasso et Brancusi sont restés à Montparnasse. Ah, il y a quand même des potins amusants. Vous vous souvenez de cette jeune styliste timide et brune que nous avons croisée à plusieurs reprises chez Misia ? Oui, celle qui faisait ces jolis chapeaux de paille tout simples que vous avez achetés, cette Coco Chanel. Après Paris et Deauville, elle a ouvert une maison de couture à Biarritz. Ce qu'elle fait avec ses tissus de jersey est très minimaliste, assez masculin même, et très Europe en guerre. Nous sommes loin de la flamboyance de Poiret. Mais je pense que cela vous plaira beaucoup.

Au-dessus du salon de beauté, Helena a fait aménager un appartement, bien pratique pour elle qui travaille jour et nuit. En attendant de trouver mieux, sa famille s'y installe. Quelques semaines plus tard, Edward déniche un vaste appartement dans l'Upper West Side, où ils déménagent. Mais Helena déteste ce quartier, un peu trop « juif » à son goût. Quelques années plus tard, ils gagneront les abords de Central Park, ce qui correspond mieux à l'idée qu'elle se fait de son nouveau standing.

Edward s'est mis en tête d'acheter une maison de campagne. A force de recherches, il finit par trouver l'endroit rêvé. C'est un manoir Tudor, situé à Greenwich dans le Connecticut, à une heure à peine de New York, en voiture. A elle seule, l'adresse est un ravissement : *Old Indian Chase*. On accède à la maison baptisée « Tall Trees » par une allée de forsythias dorés. Trois jolis chemins ombragés mènent à un lac en contrebas.

La nature, dans ce coin verdoyant, ressemble à la Normandie vallonnée qu'Helena apprécie pour son calme et son climat. L'endroit est idéal pour les enfants qui habitent là-bas toute la semaine avec leur précepteur John O'Neal, tandis que leurs parents travaillent à New York. On n'a pas demandé leur avis à Roy et à Horace mais par chance, ils se trouvent tout de suite très heureux à Greenwich. Ils naviguent sur le lac, bâtissent des châteaux de sable sur la plage de Long Island Sound, apprennent à nager dans l'Océan, campent, jouent dans les bois. Ils s'entendent bien avec John qui leur sert à la fois de père et de mère, secondé par une escouade de baby-sitters, « les gentilles femmes », comme les surnomme Helena.

Une des rares photos de famille montre la mère et les fils sur la plage, pendant l'été 1918. Les deux garçons sont joyeux et sourient à l'objectif. Vêtue d'une robe de bain noire qui lui découvre les bras, coiffée d'un bonnet, Helena a pris la pose entre ses deux fils. Elle semble songeuse, bien loin des amusements des enfants. Sans doute pense-t-elle encore à ses affaires. Il n'existe pas beaucoup de documents où toute la famille est réunie. Les occasions sont peut-être trop rares.

Le charme confortable et sans prétention du manoir convient parfaitement à Helena. Elle s'y sent si bien qu'elle le gardera jusqu'à la fin de sa vie, alors même qu'elle n'y viendra avec régularité qu'après la guerre.

Elle l'a aménagé de façon rustique, toujours avec ce goût du mélange des styles et des époques, du toc et du vrai, du beau et du bizarre, mixant une collection de canards en bois avec des opalines précieuses, des meubles campagnards avec des tableaux de maîtres.

Le vendredi soir, Edward a beau la supplier d'aller retrouver les garçons, elle fait la sourde oreille. Elle n'a pas terminé son travail, plaide-t-elle, elle doit rester à New York, elle arrivera samedi matin, ou peut-être dans l'après-midi, après avoir fait un tour à l'usine de Long Island, déjà en construction. Deux tout petits jours, reprend-il, ce n'est pas grand-chose, tout de même. Au moins, faites-le pour vos fils, ils ont besoin de vous, ils ne vous ont pas vue de toute la semaine.

Helena négocie, coupe la poire en deux, obtient de travailler le samedi en échange du dimanche chômé. Elle essaye du mieux qu'elle le peut de ne rien faire ce jour-là. Elle se lève tôt, passe des coups de téléphone, rédige son courrier, va surprendre les enfants qui jouent avec leur précepteur. Mais ils sont bien trop occupés à construire une cabane dans le jardin pour lui accorder un moment d'attention. Rester inactive la rend nerveuse. Alors elle range les placards, trie des vêtements, change les meubles et les objets de place.

Après le déjeuner, Edward et Helena s'installent au jardin. Elle a promis de se reposer un peu, elle tiendra donc parole. L'été indien a rougi les érables et les chênes, la chaleur du mois de septembre est aussi intense qu'en été. Allongé dans une chaise longue, en bras de chemise, un canotier sur la tête, Edward s'absorbe dans la lecture d'une édition ancienne. De la forêt toute proche, on entend les rires fluets des enfants qui terminent leur cabane, et la voix mâle de leur précepteur.

Helena s'est assise dans un transat, à l'ombre d'un chêne. Sur une table basse, à ses pieds, sont disposés des journaux féminins, un pichet d'orangeade fraîche et deux verres.

L'été a été si chaud et le soleil si puissant qu'elle a tout de suite pensé à créer des crèmes protectrices pour le visage et pour le corps. Edward a écrit les textes publicitaires. Cela a été un véritable coup de génie de sa part, c'est la première fois qu'un fabricant de cosmétiques utilise la science pour cautionner ses produits de beauté. « Je peux éviter les problèmes causés par le soleil sur les peaux sensibles. Le soleil est composé de rayons de différentes couleurs parmi lesquels des ultraviolets (...) La nouvelle préparation de Madame fera barrage contre ces rayons et empêchera la formation de taches ou le brunissement de la peau (...) »

Voilà qui, d'emblée, lui a donné l'aval scientifique que personne d'autre ne possède dans son métier. Elle est satisfaite des mots employés, à ceci près qu'il faudrait peut-être affiner la tournure des phrases, se montrer plus précis et sans doute plus direct dans l'accroche. Elle se tourne à plusieurs reprises vers son mari pour en discuter, mais Edward s'est endormi, son livre sur ses genoux. Elle prend *Vogue*, le parcourt, le lâche à nouveau, ferme les paupières. Aussitôt les chiffres dansent devant ses yeux clos. Combien de clientes sont-elles venues cette semaine ? Combien de soins ? Et quel a été le chiffre d'affaires ? Puis son esprit s'échappe tout à fait. Elle est à Melbourne, à Londres, à Paris. Elle est ailleurs, dans toutes ces villes américaines où elle veut bientôt s'installer.

Elle pense alors à sa rivale, dont le seul nom excite sa fureur. A sa ligne principale, Elizabeth Arden a ajouté une série de produits astringents et de crèmes. Son développement semble frénétique : Ardena Orange Skin Food, Ardena Astringent Cream, Ardena Anti-Wrinkle Cream. En réponse, Helena a créé des produits de maquillage, un démaquillant, la « Crème pasteurisée », et son best-seller incontesté, la *Water Lily Cleansing Cream*, décrite comme « une crème rajeunissante de luxe ». Sa crème *Valaze* originale est devenue aux Etats-Unis « une rénovatrice des cellules de la peau ».

Le fonctionnement des deux concurrentes est parallèle. Quand les publicités que Madame fait paraître affirment qu'elle est « la plus grande spécialiste vivante de la beauté », celles d'Arden insistent sur le fait qu'elle « a consacré sa vie à étudier dans son domaine, en Amérique, à Paris, Londres et Berlin ». Quand Arden met au point des cours de gymnastique dans ses salons, Rubinstein en fait autant.

— We *never met*, nous ne nous sommes jamais rencontrées, réplique Helena d'un ton sec, lorsqu'on lui demande ce qu'elle pense de l'Autre...

In petto, elle est furieuse. A-t-on jamais vu plus goy que cette fausse blonde qui se fait photographier avec ses petits chiens et ses chevaux ? Sa clientèle lui ressemble ? Ce n'est pas une raison pour ne pas la lui disputer.

La médaille a son revers.

Helena et Edward s'éloignent chaque jour un peu plus. Elle s'absorbe dans ses affaires, il fréquente Greenwich Village dont la faune intellectuelle et artistique ressemble comme une jumelle à celle de Montparnasse. A certains égards, c'est souvent la même, car la guerre a expatrié nombre d'artistes parisiens. Duchamp, Matisse, Picabia en tête, s'y sont installés, attirés par la décontraction des lieux. Car le quartier se veut le spot des bohémiens chics, le lieu de rassemblement de l'avant-garde.

On y rencontre des poètes, des féministes, des écrivains engagés, des anarchistes. Tout ce que la ville compte de radicaux a émigré *downtown,* pour échapper à la froideur des gratte-ciel et au puritanisme ambiant, suivant l'exemple de Mark Twain, Henry James ou Edgar Poe à la fin du siècle précédent. Les villageois de Greenwich célèbrent l'amour libre, l'homosexualité, l'absence de tabous et de codes moraux, et condamnent l'ordre bourgeois. Ils vivent en communautés en tournant le dos à l'Eglise.

L'une des figures incontournables est Mabel Dodge, fille d'un banquier et divorcée d'un riche architecte. Au numéro 23 de la Cinquième Avenue, elle tient le salon le plus célèbre de toute l'histoire de l'Amérique. Tous les mercredis soir, elle mélange les clochards et les millionnaires, les artistes et les mondains, les philosophes et les réformateurs, Peggy Guggenheim et Emma Goldman, Leo Stein et Djuna Barnes, dans une ambiance de liberté sexuelle et de drogues illicites, marijuana et cocaïne en tête. Ses fêtes débridées se veulent à l'image de celles données sur la Rive gauche parisienne.

Adepte de l'amour libre, Mabel qui est l'archétype de la « New Woman », la nouvelle femme, multiplie les aventures avec les deux sexes. John Reed, le journaliste et militant communiste, figure dans la liste de ses amants. Son argent lui sert à financer *The Masses,* un journal littéraire d'extrême gauche, ainsi que de nombreuses associations féministes. Dans un autre journal, syndicaliste celui-là, elle tient une chronique qui popularise le freudisme. En 1916, elle part s'installer à Taos, au Nouveau-Mexique, avec son troisième mari, jugeant sans doute que le quartier est en train de changer. Rien de nouveau à cela. Depuis les débuts du Village, tous ses habitants répètent, et continueront plus d'un siècle encore à répéter : « Greenwich Village n'est plus ce qu'il était. »

Edward Titus se sent bien plus à l'aise au milieu des intellectuels que dans les salons de sa femme, même si les produits de beauté lui permettent de gagner sa vie. Au Lafayette, au Reggio, au Breevort, dans les cafés à la mode, il retrouve avec soulagement ses amis, Eugene O'Neill, Man Ray, Dada, Leo Stein, l'écrivain E. E Cummings qui s'engage avec Dos Passos et Hemingway quand l'Amérique entre en guerre.

Tout ce petit monde s'amuse follement à des plaisante-ries dignes de potaches. En janvier 1917, Marcel Duchamp, John Sloan et quatre autres « Villageois », tout à fait ivres, grimpent au sommet de l'arche de Washington Square et déclarent Greenwich Village « République Libre et Indépendante[14] », en lâchant des ballons sur la ville.

La vraie vie commence à quatre heures de l'après-midi. Souvent, Edward ne rentre qu'à l'aube. Ou bien il invite ses amis à la maison. Helena ne les aime pas tous, mais elle écoute les conversations avec la même stu-dieuse application qu'à Londres et à Paris. Et puis ces soirées sont excellentes pour sa promotion. Il suffit de convier quelques journalistes et le lendemain, toute la presse mentionne ses dîners où, grâce à Edward, la fine fleur des artistes fauchés et du capitalisme new-yorkais se mélange.

Incorrigible Edward. Il ne peut toujours pas s'empê-cher de la tromper. Il se déculpabilise à bon compte en arguant qu'il pâtit, tout comme les enfants, de ses absen-ces. Les « gentilles femmes » qui se succèdent dans la maison de campagne, sont jeunes et souvent ravissantes. Forcément, Edward succombe au charme de l'une d'elles, une Australienne avec laquelle il part pour Chicago, prendre quelques jours de bon temps.

Toujours aux aguets, cependant, lorsqu'il s'agit de son mari, Helena conçoit quelques soupçons de son absence et engage un détective privé pour le surveiller. Le rap-port est implacable : le couple illégitime s'est retrouvé dans le même hôtel, sous un faux nom. Blessée, elle hésite cependant à croire à cette nouvelle infidélité. Mais quand le détective exhibe photos et factures, la trompe-rie ne fait plus de doutes.

Helena est doublement accablée. Deux mois aupara-vant, dans cet hôtel de Chicago, elle s'est réconciliée avec Edward après une dispute encore plus violente que les précédentes. Ils ont passé une nuit d'amour comme cela ne leur était pas arrivé depuis longtemps. Apaisée, heureuse, elle s'est endormie dans ses bras. Ils allaient prendre un nouveau départ, a-t-elle cru dans sa naïveté.

La colère l'envahit une fois de plus. L'énorme collier de rubis qu'elle s'offre sur-le-champ ne réussit pas à la consoler. Cette fois, c'en est trop, elle ne doit pas se laisser humilier davantage. Il faut qu'ils se séparent. Pendant quelques jours, elle se tait tout en réfléchissant à la stratégie à adopter.

Edward lui annonce qu'il souhaite passer Noël avec elle et les enfants. Sa colère la reprend. Oubliant toute tactique, elle lui envoie le rapport du détective, par retour du courrier. Mortifié d'avoir été suivi et piégé, Edward se fâche et refuse désormais de lui parler.

Ce qui tombe bien, Helena n'a plus rien à lui dire. Elle demande la séparation de leurs biens et rachète sa part australienne. Magnanime, elle fait établir un arrangement financier sur le reste de ses avoirs.

Mais ils ne divorcent pas, du moins pas encore. Elle ne peut pas s'y résoudre et d'ailleurs lui non plus.

The Great Rubinstein Road Tour

La guerre qui fait toujours rage en Europe n'est pas le premier souci d'Helena Rubinstein. Etape par étape, elle poursuit son expansion américaine. Après New York, elle a ouvert ses salons à Boston, Philadelphie, San Francisco. Chaque fois, elle a engagé des équipes pour s'en occuper, tout en s'appliquant à structurer son affaire. L'élaboration, la fabrication et le conditionnement des produits ont lieu dans l'usine de Long Island enfin terminée. La stratégie de marketing se construit dans ses bureaux newyorkais. Jusqu'à la vente dans les instituts, chaque phase est soigneusement pensée. L'Amérique a fait d'elle la présidente d'une multinationale qui ne cesse de croître.

Aux Etats-Unis, il n'existe aucun contrôle légal de la publicité. Pour lancer un produit, il suffit d'avoir entre les mains une formule, des capitaux et de l'imagination[1]. La rigueur de Madame qui fait vérifier que les matières premières qu'elle utilise ne sont pas toxiques et contrôle les résultats obtenus, oblige la plupart de ses adversaires à l'imiter. La science dont elle est la première à se revendiquer est aussi un de ses atouts les plus importants. Pour asseoir cette image, elle pose en blouse blanche dans ses laboratoires, aux côtés de ses chimistes et martèle son concept : *La Science au service de la Beauté*. Désormais tous ses concurrents rivalisent de réclames pseudo-scientifiques et vont jusqu'à donner des preuves de leur efficacité. « Mes principes ont stimulé la concurrence et l'ont l'obligée à réviser ses méthodes. C'était me rendre justice en confondant les exploiteurs de la crédulité féminine », écrit-elle[2]. Mais tout cela ne lui suffit pas, elle veut encore s'étendre. Manka doit venir la rejoindre. Helena l'attend avec impatience. Ouvrir des salons dans chaque ville des Etats-Unis est une démarche trop risquée, trop onéreuse aussi. Elle va devoir adopter une tactique de vente différente.

Elle hésite cependant. Doit-elle déroger à sa règle d'or de ne jamais vendre ses produits en dehors de ses instituts de beauté ? Est-ce le moment de démocratiser sa marque ? Formées par ses soins, ses vendeuses démonstratrices sont les plus compétentes pour conseiller les clientes et vérifier que leurs achats correspondent à leurs besoins. Aucune de ses lignes, soins de la peau et des cheveux, maquillage, parfumerie, ne doit être utilisée au hasard. Lancer Helena Rubinstein sur le *mass market*, même haut de gamme, risquerait de la dévaloriser.

D'un autre côté, elle ne peut plus ignorer la demande des revendeurs. Les directeurs des grands magasins comme le City of Paris à San Francisco, le Marshall's Field à Chicago, ou le Bullock's à Los Angeles, insistent pour la compter parmi leurs fournisseurs. Dans les villes de moindre importance et les banlieues urbanisées, les pharmacies et les enseignes de beauté la réclament.

Les secrétaires, les standardistes, les infirmières, les épouses au foyer des cadres en col blanc qui émergent dans une société où la classe moyenne représente plus de cinq millions de personnes, veulent être traitées comme les riches, même si leurs revenus ne leur permettent pas d'accéder à des salons de beauté aussi luxueux que les siens. Une nouvelle classe d'oisives, avides de loisirs, a émergé. Elles occupent leurs journées à courir les magasins, les salons de massages, de coiffure, et les spectacles de théâtre en matinée. Les actives, les *urban career women*, ne sont pas en reste dans cette recherche avide de beauté et de plaisirs. Les unes et les autres réclament leur part de rêve.

La conquête de l'Amérique ne concerne plus seulement l'élite. Il faut désormais s'adresser au plus grand nombre. Madame, qui commence à le comprendre, s'en fera vite un devoir. Accepter les propositions des revendeurs ? Soit. Mais elle pose ses conditions. La formation des clientes à ses principes d'hygiène de vie est trop importante pour la négliger, c'est ce qui assurera la pérennité de sa marque, l'installera dans le futur. Tout le personnel doit être instruit en ce sens.

Elle ouvre une école de beauté à New York où les futures vendeuses, entraînées pendant six mois, pourront dispenser à leur tour leur savoir. L'apprentissage coûte de deux cent cinquante à cinq cents dollars, mais le diplôme est une aubaine pour un nombre appréciable de jeunes femmes désireuses d'exercer un emploi.

Helena Rubinstein n'invente pas la pratique d'esthéticienne qui existait déjà, mais donne un cadre, une structure, et sans doute une reconnaissance à ce qui sera désormais un vrai métier. « Dès mes débuts, j'avais rêvé d'une formation professionnelle sérieusement surveillée, d'une instruction spécialisée du personnel de la beauté, d'un apprentissage garanti par des certificats de maîtrise[3] ».

Afin de peaufiner chaque détail, cette perfectionniste veut vérifier elle-même les lieux où les magasins de détail sont implantés, leurs dimensions, leur clientèle, leur fiabilité. Les usages des milieux de la distribution pourraient lui permettre de passer par un grossiste pour vendre ses produits, mais cela ne la satisfait guère. Elle tient à rencontrer les dépositaires, et à rester en contact avec eux, afin de surveiller leurs rapports avec la clientèle particulière.

Pour s'occuper des enfants durant les mois où elle sera absente, Helena a fait appel à Edward avec qui elle s'est réconciliée fort à propos. Dès que Manka arrive à New York, au début de l'année 1917, après avoir traversé l'Europe en guerre, tout est prêt pour le grand départ. Les deux sœurs prennent le train, entraînant dans leur sillage femmes de chambre, démonstratrices, assistants et une multitude de bagages.

Ce « Great Rubinstein road tour » est aussi efficace qu'impressionnant. Voyageant par rail, ou par route quand le chemin de fer est inexistant, un jour à Atlanta, le lendemain à Kansas City, Helena et Manka se sentent comme deux actrices en tournée.

Leurs journées ne comptent jamais moins de dix-huit heures. Chaque soir, elles dorment dans un hôtel différent ou dans une cabine du Pullman, sans prendre le temps de défaire leurs valises. « Je crois n'avoir jamais autant travaillé dans ma vie, moi qui n'avais pourtant chômé à aucun instant », écrit Helena[4]. Manka, qui découvre les Etats-Unis comme sa sœur aînée l'avait fait deux ans auparavant, ne cesse de s'extasier sur les paysages aperçus par les fenêtres du wagon. Il y a des disputes, des fous rires, des colères, des crises de nerfs, de la fatigue, de la complicité aussi et toujours cette sensation d'être une pionnière, qui plaît tant à Helena.

Leur voyage est à la fois exaltant et épuisant, et surtout terriblement efficace. Ville après ville, les Rubinstein mettent en place leur maillage. La ligne *Valaze*, la plus basique, sera vendue par un réseau d'agents commerciaux dans les pharmacies des banlieues un peu chic. Les crèmes fleuron de la marque comme la *Water Lily Cleansing Cream* sont réservées aux boutiques haut de gamme et aux *departments stores* les plus prestigieux.

Pendant la journée, les sœurs Rubinstein présentent leurs soins de beauté et donnent des consultations privées aux clientes. Le soir venu, elles entraînent les vendeuses à devenir des démonstratrices qualifiées. Helena insiste pour que leurs patrons les envoient se former à l'école d'esthéticiennes de New York en finançant leurs cours. Elle-même fournit les uniformes et les présentoirs aux couleurs de la marque. Ces techniques de vente et de marketing sont révolutionnaires pour l'époque. Helena Rubinstein peut se vanter à juste titre de les avoir créées. « Ce métier de démonstratrice, aujourd'hui répandu dans le monde entier, est vraiment mon invention. J'en suis particulièrement fière[5] ».

Manka et elle mettent un point d'honneur à s'habiller avec autant d'élégance que des Parisiennes. Il faut en donner pour leur argent aux clientes et impressionner la presse qui suit leurs déplacements avec un intérêt particulier. A Boston, note le journal local, « Madame Rubinstein portait une robe rouge tomate et huit rangs de perles noires. Huit cents femmes étaient captivées par son cours sur la façon de soigner la peau et de se maquiller pour sortir. »

Son accent européen, son élégance française intriguent bien plus son public que tout ce qu'elle peut lui raconter. Au contraire des salons mondains où elle demeure taciturne, Helena parle sans cesse. Comme un prêcheur le ferait à ses ouailles, elle administre sans se lasser ses convictions profondes sur l'hygiène, le soin et l'hydratation de la peau, la gymnastique faciale, les régimes alimentaires, les massages, l'exercice physique. « La beauté n'est rien sans l'entretien du corps. », martèle-t-elle comme un credo. Son charisme captive, ses promesses semblent convaincantes.

Les femmes qui viennent à elle par curiosité et se montrent moqueuses ou sceptiques, croient encore, pour la plupart, aux vertus d'une simple *cold cream*. D'autres n'en connaissent même pas l'usage. Mais elles l'écoutent avec attention, se laissent aisément convaincre et repartent toujours avec un petit sac rempli de produits qui doivent les aider à conserver – ou à retrouver – leur jeunesse.

Outre leurs actifs réels ou supposés, ces précieux élixirs contiennent la part de ferveur que Madame Rubinstein y a mise. Leur efficacité est aussi fonction de la foi insufflée par leur créatrice.

Les vendredis soir, si elle n'est pas trop loin de New York, Helena reprend un train et parcourt des kilomètres pour passer vingt-quatre heures avec sa famille. Puis elle repart le dimanche en fin d'après-midi. « Aujourd'hui, j'ai bien conscience qu'une « week-end mother » n'est pas suffisante pour des enfants », avouera-t-elle à la fin de sa vie à la journaliste anglaise Jean Lorimer. « J'ai donné à mes fils tout le confort et l'argent qu'un être humain peut recevoir. Mais leur ai-je donné assez de moi-même ? Je ne le crois pas... J'aurais aimé vivre 300 ans pour tout mettre en ordre dans ma vie[6]. »

Initiée en Australie, améliorée en Europe, peaufinée aux Etats-Unis, la technique Rubinstein est infaillible. Quand Helena rentrera enfin à New York, au bout de quelques mois d'une tournée qui porte largement ses fruits, Manka prendra le relais. Pendant des années, elle continuera à parcourir le pays d'est en ouest et du nord au sud, pour former les revendeurs et leurs équipes. Dans les années trente, Mala, la fille de leur sœur Régina, la remplacera.

Elizabeth Arden a de quoi s'inquiéter. En deux ou trois ans, Madame va devenir une célébrité dans toute l'Amérique. Ses clientes ont désormais le choix : elles peuvent se procurer ses produits par correspondance ou les acheter dans les grands magasins et les officines des pharmaciens. Toutes raffolent du khôl oriental, utilisé depuis Cléopâtre et qu'elle a remis au goût du jour. Elles apprécient les couleurs subtiles de sa ligne de maquillage qu'elle décrit, filant la métaphore avec l'art qu'elle révère, comme des « chefs-d'œuvre de la cosmétique ».

Si elle continue de s'inspirer des comédiennes de théâtre, les stars de ce cinéma muet qui enthousiasme les Américains lui sont aussi une source d'idées précieuses.

tant pour le marketing que pour la création de nouveaux produits. Les rédactrices de mode interrogent Mary Pickford, Lilian Gish, ou Gloria Swanson sur leur façon de s'habiller ou leurs recettes de beauté. Les actrices font plus pour l'adoption du maquillage par les classes moyennes que n'importe quel mouvement féministe. Helena les engage les unes après les autres pour la promotion de sa marque.

Sex-symbol avant l'heure, Theda Bara qui joue et pose à moitié nue, suscite l'engouement particulier du public. A tort ou à raison, la star estime que son regard n'est pas mis en valeur par les caméras, comme il le mériterait. Elle s'adresse à Helena pour le valoriser. Inspirée par sa beauté, Madame crée la ligne *Vamp* tout exprès pour elle, en hommage à son rôle de vampire dans le film muet *The fool was there*.

L'effet produit est si spectaculaire que le mot *vamp* passe dans le langage commun. Tous les journaux en parlent. Les clientes réclament le même maquillage. « Mais, s'amuse Madame, le bruit fait autour de tout ça n'était rien à côté du scandale produit le jour où Theda Bara a exhibé ses ongles de pieds... peints en rouge[7] ! » Le chemin est encore long pour que les femmes puissent faire ce qui leur plaît de leur corps.

Au travail, l'exigeante Helena Rubinstein suscite à la fois amour et crainte. Elle exige de son personnel qu'il travaille aussi dur qu'elle et lui demande le meilleur. Ses salariés doivent être présents après les heures de bureau réglementaires, tard dans la nuit s'il le faut, rester tous les week-ends sur le qui-vive. Son caractère s'est durci, ses responsabilités grandissantes l'obligent à ne rien laisser passer. Sa personnalité, comme celle de tous les génies, présente de multiples facettes. Elle peut se montrer capricieuse, impulsive, tyrannique, mais aussi astucieuse, pleine d'humour et généreuse.

Elle-même ne s'écoute jamais, pourtant elle aurait bien quelques raisons de se plaindre. Elle souffre de migraines chroniques et de troubles de la circulation sanguine. A New York, elle attend la fin de la guerre pour pouvoir retrouver, à Wiesbaden, le docteur Kapp dont les lotions et les traitements savent si bien la soulager. La maladie l'exaspère cependant, pour elle c'est une perte de temps, surtout quand les autres en sont atteints. Quand une vendeuse, une secrétaire, une préparatrice doivent garder la chambre, elle leur téléphone sur-le-champ, malgré son horreur de gaspiller de l'argent en communications, et après avoir pris de leurs nouvelles, leur recommande de s'enduire le visage de crème hydratante « pour ne pas perdre de temps ».

Accorder une augmentation est sa hantise. Pour récompenser les « bons employés », elle leur donne parfois quelques primes de la main à la main. Mais elle préfère offrir des objets, tableaux, bijoux, ou meubles, souvent de second choix. Malgré tous ses défauts, son personnel la vénère. Son charisme est irrésistible, et puis, elle fait tant pour les femmes.

En novembre 1918, la guerre est enfin terminée. Helena est impatiente de rentrer en Europe mais d'abord, il lui faut mettre en ordre ses affaires américaines. Au début du printemps suivant, elle revient en France toute seule, laissant ses salons, son usine, la surveillance de son réseau de revendeurs aux mains de ses directeurs.

Un peu contre son gré, Edward passe l'été avec les enfants à Greenwich. Lui aussi se montre pressé de retourner en France. Paris lui manque, bon nombre de ses amis y sont déjà. Surtout, il souhaite prendre ses distances avec l'univers Rubinstein pour vivre de ses vraies passions, la lecture et l'écriture. Redevenir journaliste, ouvrir une librairie à Montparnasse et peut-être une maison d'éditions, sont les seuls rêves qui l'occupent.

Comme les belligérants, le couple a signé un armistice. Séparés de fait, Helena et Edward sont toujours ensemble, aux yeux du monde, et surtout des médias. Ils forment une famille unie, jusqu'à nouvel ordre.

Paris est une fête

La conférence de la Paix organisée par les pays vainqueurs se tient depuis de début de l'année 1919 au quai d'Orsay. Alors que les quatre grandes puissances redessinent la carte de l'Europe, Paris oscille entre la tristesse et l'euphorie. Helena ne reconnaît plus sa ville. Des soldats désœuvrés se traînent sur les boulevards, silhouettes hâves dans des uniformes tachés de sang et de boue. Au coin des artères les plus fréquentées, des civils amputés mendient quelques sous pour survivre. La capitale exhibe des blessures mal cicatrisées, vitraux de Notre-Dame remplacés par du papier jaune, cratères d'obus aux Tuileries, trottoirs veufs de leurs marronniers abattus pour se chauffer. On a manqué de tout, bois, charbon, lait, pain, gaz, et la pénurie se fait encore sentir[1].

La France fait, en pleurant, le bilan de ses pertes. Un million et demi de tués, quatre millions d'invalides, le prix à payer est trop lourd. Mais cette guerre est la *der des ders,* du moins tous l'espèrent. « C'est à croire que les rues ne désempliront plus jamais et que d'une aube à l'autre, d'un bout à l'autre de Paris, on verra se presser pendant des années ce monde joyeux, chatoyant, cordial et enthousiaste. », écrit Maurice Sachs après le défilé du 14 juillet qui suit l'armistice. Il ajoute : « Un pareil spectacle ne se reverra plus jamais parce qu'il n'y aura plus de guerre[2]. »

Ce jour-là, Paul Poiret renoue avec sa tradition festive et donne un grand bal pour célébrer la victoire. Bien d'autres suivront au cours de ces années d'après-guerre où l'on veut surtout s'amuser. Du faubourg Saint-Germain qui commence à entrouvrir ses lourdes portes cochères pour montrer aux mortels comment vivent les dieux – une démocratisation déplorée par les snobs – à Montparnasse qui s'épanouit, Paris mène la danse. Les ballets Suédois deviennent aussi courus que les ballets Russes. Les bals somptueux d'Etienne de Beaumont, les bals Bullier, les bals des Quat'zarts, ceux de la Maison Watteau, sont parmi les plus en vue.

Tout est prétexte à réjouissances, on ne compte plus les concerts, les revues à plumes et à paillettes, les orchestres qui swinguent. Le fond de l'air bruisse de notes plus douces aux oreilles que le son du canon. La batterie remplace les bombes, la trompette fait oublier le cri lancinant des sirènes d'alerte. Le jazz venu de la Nouvelle-Orléans rythme les nuits parisiennes. A la fin de l'année 1917, anticipant la mode, Jean Cocteau et Eric Satie ont organisé un concert au Vieux Colombier, *Rhapsodie nègre* de Francis Poulenc, jouée par des soldats noirs.

A la mélancolie sourde, au sentiment de culpabilité d'être vivant et entier, se superpose une frénésie sans égale. « Une explosion de forces vives emplit le monde », selon Fernand Léger. Nulle part cette exaltation des Années Folles n'est plus palpable que dans l'air parisien. Tout ce que la planète compte de talents et de sensibilité artistique semble s'y être donné rendez-vous, Gertrude Stein, Djuna Barnes, Ernest Hemingway, James Joyce, Picasso, Chagall, Pascin, Dos Passos, Sinclair Lewis, Kisling, Miró, Foujita, Man Ray, Marcoussis, Prokofiev, Stravinski, Brancusi, qui préfère jouer au golf plutôt que de fréquenter les cafés. Beaucoup étaient déjà installés dans la capitale avant la guerre.

Helena exulte, tout ce qui est nouveau l'enchante. Et Paris est un bouillonnement d'idées où, à peine lancées, toutes les inventions prennent corps. La radio, dont la tour Eiffel a diffusé les débuts balbutiants, le shaker, les pistes pour patins à roulettes, les dancings, le gramophone, la cinq-chevaux, première voiture populaire créée par André Citroën, le cinéma d'abord muet avec ses stars importées des Etats-Unis.

L'Amérique est à la mode, d'ailleurs, les Américains débarquent pour la deuxième fois. Les soldats qui ont combattu en France reviennent, séduits par la douceur de vivre, la nourriture, les jolies femmes, la légèreté de l'atmosphère sans tabous. Le dollar haut et le franc bas leur permettent de vivre royalement. Les riches ont suivi, Scott et Zelda Fitzgerald en tête.

L'alcool coule à flots, alors qu'aux Etats-Unis, la prohibition oblige à boire en cachette. Pour Samuel Putnam, écrivain et ami d'Edward Titus, l'histoire de cette génération n'est pas seulement celle de l'Europe mais « aussi une partie de la mémoire américaine, à la fois culturelle et sociale[3] ».

Si la capitale est le centre du monde, Montparnasse, « cette courte province de Paris qui amuse comme un voyage à l'étranger[4] », en est le nombril. Artistes et bohèmes, marchands et touristes attirés par la réputation des lieux, déambulent dans un quadrilatère sacré délimité par La Coupole, La Rotonde, Le Dôme, le Café du Parnasse, La Closerie des Lilas, Le Dingo, Le Jockey, Chez Rosalie. Le jazz, le fox-trot, le charleston, le one-step, rythment les nuits et les *dancings* où se mélangent les peintres et les cousettes, les aristocrates et les tapins. Les musiciens américains font partie intégrante du paysage parisien, comme les serveurs italiens et les chauffeurs de taxi russes.

Jean Cocteau, qui règne sur une coterie intellectuelle est le « Monsieur cent mille volts » de l'époque, aussi électrique qu'une rock star[5]. Tous les samedis l'écrivain

invite ses amis rue d'Anjou où il vit avec sa mère. Un
peu plus tard, la petite bande va au Gaya, un bar situé
rue Duphot, où joue le pianiste Jean Wiener, puis en
1921, elle s'installe au cabaret du Bœuf sur le toit, baptisé ainsi d'après un ballet pantomime donné par Cocteau, sur une partition de Darius Milhaud et des décors
de Raoul Dufy.

Des murs décorés des toiles de Picabia et des photographies de Man Ray, un grand piano à queue où Clé-
ment Doucet et Jean Wiener jouent du jazz accompagnés
par un orchestre nègre, une atmosphère électrique où les
oiseaux de nuit viennent se poser dès le crépuscule et ne
s'envolent jamais avant l'aube. Le Bœuf sur le toit est
the *place to be,* un lieu chaleureux, rythmé, exotique, où
l'on retrouve le public des ballets Russes. Duke Ellington, Louis Armstrong viennent y jouer.

Les jolies femmes côtoient des écrivains, des musiciens, des peintres, des publicitaires, des hommes d'affaires, des poètes. On s'y saoule autant de gloire que
d'alcool[6]. « Tout le monde rencontre tout le monde au
Bœuf », affirme Cocteau, promu maître de cérémonie,
au point qu'un journal belge a lancé la formule : « Un
cocktail, des Cocteau. » Misia, que Helena a revue assez
vite, lui a raconté tous les mouvements de ce Paris artistique, drôle et mondain, Dada, les surréalistes, les mots
d'esprit qui fusent à la vitesse de l'éclair, les nouvelles
amours et les ruptures. New York électrise Helena, c'est
certain, mais il n'y a qu'à Paris qu'on s'amuse autant.

Avant tout, c'est encore et toujours le travail qui la
motive et l'obsède. Sur le bateau qui l'a ramenée vers
l'Europe, elle a lu une annonce parue dans un journal
français datant de plusieurs semaines. Un local était à
vendre au 126, rue du Faubourg-Saint-Honoré, à quelques mètres de son salon de beauté. Elle songeait précisément à s'agrandir. Un câble à sa sœur Pauline lui a

permis d'en savoir davantage. En arrivant à Paris, le marché a été vite conclu.

Elle lance les travaux de modernisation sans attendre et demande à son vieil ami Paul Poiret de s'occuper de la décoration intérieure. Avec l'aide de son atelier Martine, le couturier imagine un écrin voluptueux, inspiré des ballets Russes pour la touche orientaliste, teinté de la modernité de l'époque. Le nouveau salon est une quintessence du style Art Déco, avec ses fauteuils club et ses poufs de velours inspirés de Chareau et de Ruhlmann. Helena expose ses tableaux, ses sculptures, ses statues nègres. Ses collections ont été éparpillées pendant son absence, mais grâce à son obstination, elle a pu en récupérer le plus grand nombre, parfois en les rachetant. « Mais ce fut un plaisir », note-t-elle.

En France, comme aux Etats-Unis, les femmes ont changé. La guerre leur a donné des responsabilités semblables à celles des hommes. Elles ont soigné les blessés, conduit les convois, dirigé les entreprises, remplacé les absents à l'usine, à la ferme. Comment rentrer sagement à la maison désormais ? Elles s'émancipent, grignotent chaque jour un peu plus de terrain. Les grands concours leur sont toujours interdits, les universités les accueillent avec parcimonie, mais un diplôme n'est plus un sujet d'étonnement, un emploi n'est plus un déshonneur. Même les épouses gagnent leur vie. Elles sont dactylos, institutrices, vendeuses, demoiselles des Postes, mais aussi doctoresses, avocates, professeures de facultés. Elles veulent tout : l'indépendance financière, l'égalité, la liberté, et la mise à mort des conventions et des tabous comme le prône la devise en vogue : « *C'est mal parce que c'est bien, c'est bien parce que c'est mal.* »

Elles sortent, fument, se maquillent, conduisent, affichent leur sexualité, se déguisent en hommes ou raccourcissent leurs jupes, se trémoussent dans les *night clubs* jusqu'à épuisement, dissertent sur leur *libido* et se réclament de Sigmund Freud, dont *L'introduction à la psychanalyse*, publiée en 1916 à Vienne, a marqué les esprits. Tout est sens dessus dessous, on se marie par amour, on s'autorise le flirt, la camaraderie avec les hommes, les divorcées ne sont plus au ban de la société, les courtisanes s'éclipsent du devant de la scène.

Les nouvelles icônes sont ces *flappers* américaines, sexy et aguicheuses, qui ont remplacé la *Gibson girl*. Leur nom vient de l'habitude qu'elles ont prise de défaire les boucles de leurs chaussures de pluie qui font *flip flap* quand elles marchent. Longues et maigres, toutes en jambes et en bras, elles démodent les courbes et les déliés du siècle précédent. Les mots « lignes », « droit », « simple », se bousculent dans les livres de mode[7].

L'apparence suit ce mouvement de fond. La femme moderne n'a plus de formes mais donne l'impression d'avoir grandi[8]. En dix ans, le poids idéal selon le *Jardin des Modes* et le tout nouveau *Vogue* français, est descendu de dix kilos. On traque le bourrelet, la cellulite. Pour rester minces, les coquettes se prêtent à toutes les tortures. Diététiciens, pilules, massages, chirurgie, cocaïne. C'est désormais la drogue à la mode, celle du « deux coups en un », qui coupe l'appétit et fait tenir des heures sur les pistes des dancings.

Les jeunes affranchies adoptent le mascara, le rouge à lèvres, le blush. Pour sortir, Arden, Rubinstein, Guerlain créent des réticules et des sacs à main dans le plus pur style Art Déco et des merveilles de poudriers ou de tubes de rouge qui ressemblent à des bijoux. Le maquillage devient l'emblème de ces effrontées qui se refont les yeux et se repeignent la bouche en public, à la fois par provocation et parce qu'un intense sentiment de liberté les anime. Le parfum est l'apanage des femmes émancipées. Chanel triomphe avec son numéro 5.

A New York, Helena a admiré un des premiers modèles de la couturière dans le *Harper's Bazaar*. Une robe-chemise, sans taille, sans ceinture, qui laisse apparaître le cou. Elle a salué l'audace de la tenue, décrite par la

rédactrice comme la *Chanel's charming dress*. Chanel est
en train de démoder Poiret et, avec lui, l'extravagance.
Elle impose le noir, les lignes pures, les silhouettes flui-
des, le jersey. Elle crée pour les femmes actives qui ont
besoin d'être à l'aise dans leur corps. Rue Cambon, les
clientes achètent de la minceur. Toutes copient les cheveux courts de Coco, sacrifiés dès 1917 sur l'autel de la
modernité. Pourquoi ? « Parce qu'ils m'embêtaient[9] ».
La vogue des petites têtes fait rage des deux côtés de
l'Atlantique. Scott Fitzgerald, portraitiste des flappers, a
écrit une nouvelle sur le phénomène : *Bernice bobs her
hair* « Bérénice a coupé ses cheveux ». Colette a beau
s'indigner dans une de ses chroniques publiées dans *Le
Matin* : « Cheveux, ô ! Doux cheveux féminins, voilà
qu'une mode imbécile vous bannit[10] », les salons de
coiffure ne désemplissent pas, une femme sur trois
réclame un crâne d'adolescent. Poiret est furieux devant
cette déferlante de petits garçons, « des télégraphistes
mal nourris ! », fulmine-t-il. Le couturier se trompe,
l'androgynie est une tendance lourde. Trois ans plus
tard, Victor Margueritte vend plus d'un million d'exemplaires de son roman, *La Garçonne,* devenu plus qu'un
style, un nom commun.

Depuis longtemps, Helena a anticipé la vague de ce
culte du corps, devenu désormais raz de marée. Dans
son institut parisien, elle a créé un cours de gymnastique.
A New York, elle engage le maître de ballet Mikhaïl
Mordkin pour enseigner la *Rubinstein Rythmique.*
   Les femmes s'adonnent au sport, tennis, golf, bicyclette, natation, pratiquent le plein air et se dénudent
comme Joséphine Baker dans la *Revue Nègre.* Au
cinéma, au théâtre, dans les magazines, sur les plages de
Deauville, du Touquet ou de Nice, elles montrent leurs
jambes, leurs seins, leurs fesses. Les premières naturistes
apparaissent. Chanel, encore elle, lance la vogue du
bronzage en se faisant photographier sur le yacht du duc

de Wellington puis un peu plus tard à Deauville, avec un visage hâlé. Le teint ambré devient un critère de beauté, de santé. Le Train Bleu emmène les élégantes sur la Côte d'Azur.

Helena qui éprouve toujours une réelle aversion pour le soleil, complète sa gamme de produits protecteurs contre les ultraviolets. Les soins corporels se développent, gommages, épilations, beauté des jambes et des pieds. Cela ne la surprend pas, ils sont depuis longtemps au programme de ses instituts de beauté.

Ces progrès ont leur revers : la culpabilité, toujours elle, qui ronge les femmes depuis la nuit des temps, se déplace désormais sur leurs silhouettes et leurs visages. « Etre belle dépend de votre seule volonté », martèlent les magazines féminins. La photographie de mode qui peu à peu se professionnalise et remplace les illustrations leur propose l'image d'une femme dont le corps lisse et sans défauts est retouché aux bons endroits, et dont les marques sur la peau sont gommées[11].

Helena Rubinstein a sa part de responsabilité dans cette quête de la perfection physique, elle qui ne cesse de leur faire la leçon. « Il faut toujours aider la nature », répète-t-elle. C'est aux femmes de sculpter leurs ventres, leurs cuisses, de tonifier leurs bras, de durcir leurs muscles par des massages et des régimes appropriés, et bien évidemment, de soigner leur peau. Puisque la société leur réclame d'être jeunes et avenantes, elles doivent faire des efforts, encore et toujours. La beauté est un sport de combat, il faut se battre pour la mériter.

Le veulent-elles au moins ? C'est une évidence. « Si vous pouvez m'en montrer une seule que ça n'intéresse pas, eh bien je suis désolée de vous le dire, mais elle a tort », assène Madame à Allison Gray, journaliste à *l'American Magazine,* dans une interview-fleuve[12]. Le culte de la jeunesse éternelle ne s'arrêtera pas de sitôt. Le pire pour un visage, c'est l'affaissement de l'ovale, le signe qu'une femme a vieilli. Dans l'entretien, Madame évoque longuement la chirurgie esthétique dont elle est une partisane convaincue. Une adepte aussi ? Ce n'est pas sûr. Elle a moins de courage et surtout moins de temps lorsqu'il s'agit de se soigner elle-même. Mais la transformation des visages la fascine toujours autant.

La guerre a fait progresser les techniques. Pour réparer les Gueules Cassées, les chirurgiens ont greffé de la peau sur les visages des grands brûlés, remplacé les os de la face par ceux de la hanche ou des membres inférieurs. Il y a souvent des ratés, parfois de la casse, mais n'empêche, les progrès sont immenses. La chirurgienne Suzanne Noël avec qui Helena est restée en contact, a soigné tant de blessés, souvent gravement défigurés, qu'elle se consacre désormais à la chirurgie plastique dont elle a peaufiné les méthodes. Elle pratique des liftings, des reconstructions de l'abdomen et des cuisses, opère des seins, des ventres, des nez, des mentons.

Plus féministe que jamais, elle pense que sa spécialité a un rôle à jouer dans l'émancipation des femmes et surtout qu'elle doit les conduire au bonheur. Ce qui n'est pas très éloigné de la propre opinion de Helena sur la beauté. « Au XXe siècle, l'amazone a remplacé l'odalisque. Les soins de beauté et les traitements en institut n'ont plus à satisfaire seulement la coquetterie mais, elles ont la nécessité vitale de faire face à un nouveau devoir social[13] ».

Aux Etats-Unis, le Dr Harold Gillies qui a opéré plus de deux mille blessés au visage lors de la bataille de la Somme, a publié un livre sur la chirurgie plastique du visage. Il se consacre désormais aux liftings très demandés là-bas. Les Américaines évoluées ne craignent plus de faire appel au bistouri, mais les Françaises hésitent encore. Elles détestent ce qui fait mal, préfèrent de loin la douceur.

A New York comme à Paris, on ne parle que de ce fameux Dr Voronoff, inventeur d'un sérum rajeunissant à base de glandes de singes. Le Dr Kapp l'a expérimenté à Vienne et à Berlin. Madame se vante d'en avoir étudié les propriétés avec eux. « J'en ai constaté moi-même les effets, explique-t-elle encore à Allison Gray, la journaliste de *l'American Magazine*[14]. Et je peux vous dire que ça marche ! Pas sur tout le monde, je vous l'accorde, il faudra encore d'autres essais mais c'est très efficace. Et puis les femmes le plébiscitent ! Quand les journaux ont parlé de cette découverte, j'ai reçu soixante mille lettres me demandant où on pouvait trouver ce sérum... »

Madame n'en démord pas. La beauté doit rester la grande affaire des femmes, et de toutes, sans exception, quels que soient leur âge et leur situation. Même lorsqu'elles sont heureusement mariées et qu'elles pensent que leurs époux les aiment « juste comme elles sont », elles se trompent ! Helena est toujours sévère avec ces paresseuses. Elle l'est tout autant avec celles qui dépensent des fortunes dans des toilettes somptueuses et négligent les précautions élémentaires pour soigner leurs visages. « Le pire est sans doute l'argent gaspillé en maquillage... Je ne suis pas contre un peu de rouge et de poudre. Mais la plupart des produits qu'elles s'appliquent avec générosité sont désastreux pour la beauté naturelle de leurs peaux. »

L'interview-fleuve de *l'American Magazine* aborde tous les cas de figure : les peaux sèches, les peaux grasses, l'acné, la nécessité de bien se débarrasser des impuretés avec une lotion, car l'eau et le savon ne sont pas suffisants. Madame réaffirme sa volonté de s'adresser au plus grand nombre, même si elle compte des comédiennes, des femmes du monde et des têtes couronnées parmi sa clientèle : « Pour moi il est aussi important d'aider un être humain à devenir beau que de sculpter une belle statue ou de peindre un beau portrait. Les œuvres d'art ne se rencontrent pas tous les jours dans la rue, elles ne s'assoient pas à table en face de vous... »

Chez les Titus, tout le monde est dispersé. Roy et Horace ont été mis en pension à côté de New York. Ils retrouvent leurs parents pendant les vacances scolaires, surtout leur père, car Edward tient à superviser leur éducation. La plupart du temps, cependant, ils restent à Greenwich aux bons soins de leur précepteur et d'une tribu de tantes, d'oncles, de cousins, de nannies et de baby-sitters. A neuf et douze ans, ce n'est pas la vie rêvée pour des enfants. Ils en souffrent certainement, mais ils n'ont pas le choix.

Une photo les montre avec leur mère devant la maison de Greenwich qu'elle a fait rénover par l'architecte moderniste Schindler, le décorateur de son salon de Los Angeles. Madame est vêtue d'une robe-tunique brodée, un modèle de Poiret, les garçons portent des chemises à manches retroussées et des pantalons blancs, leurs cheveux sont soigneusement peignés en arrière comme ceux des jeunes gens de bonne famille, à qui rien ne manque excepté peut-être un foyer chaleureux. Horace et elle sont étroitement enlacés, comme c'est souvent le cas lorsqu'ils posent ensemble. Roy est plus éloigné et plus distant, comme toujours. Ce seul cliché en dit plus que de longs discours sur les relations entre les garçons et leur mère...

Edward est revenu en France à l'été 1919, quelques mois après le retour de sa femme. Tout en continuant à travailler pour la marque, il collabore à la revue *This Quarter* publiée par le poète américain Ernest Walsh et sa compagne Ethel Moorhead, puis, dès 1922, à la *Transatlantic Review*, créée par Ford Maddox Fox, qui a pour assistant le jeune Ernest Hemingway.

Les relations des Titus sont toujours aussi chaotiques, leurs querelles restent les mêmes d'un côté ou de l'autre de l'Atlantique. Helena reproche à son mari ses infidélités et l'argent qu'elle lui donne, alors même qu'il demeure son salarié. Edward l'exhorte à moins travailler pour s'occuper de sa famille. Comme d'habitude, elle

n'en fait qu'à sa tête et poursuit son expansion en
Europe et aux Etats-Unis.

Sa vie se passe désormais entre les deux continents.
Après chaque ouverture de salon, elle séjourne quelques
semaines dans un de ses Spas préférés, en Suisse, en Allemagne, où elle tente de soigner ses migraines et ses troubles circulatoires. Ou bien cédant à sa passion des
voyages, elle prend un bateau vers un pays encore
inconnu. L'Orient a sa préférence. En 1921, elle part en
Tunisie avec le peintre Jean Lurçat, son mentor artistique du moment. Sur une photo, on la voit juchée sur un
chameau. Elle n'a pas l'air plus rassurée que sur sa monture australienne...

Mais elle reste obsédée par son mari dont elle demeure
très amoureuse. Sa jalousie ne s'est pas atténuée, loin de
là. Chaque femme qui l'approche est forcément une
rivale. Hélas pour elle, son agressivité, sa nervosité, ses
récriminations perpétuelles n'aident pas à la paix du
ménage. Malgré le mal qu'il se donne pour se détruire, le
couple reste cependant soudé. Elle veut investir à Paris et
achète, au 216, boulevard Raspail, un bel immeuble
moderne à la façade géométrique éclairée de grands
bow-windows. C'est Edward qui l'a trouvé, avec son
flair habituel. Doué d'une sûreté de goût infaillible, il
demeure le conseiller le plus précieux de sa femme. Il
sait reconnaître la qualité sous toutes ses formes et elle
respecte ce don.

Il l'aide à créer une holding qui acquiert des biens
immobiliers dans un marché en pleine expansion.
Comme il parle couramment le français, c'est lui qui discute avec les avocats, relit et avalise les contrats. Il lui
suggère d'aménager un théâtre et un cinéma, au rez-de-
chaussée de l'immeuble. Il a en tête d'y donner des réci-
tals de poésie et des pièces modernes. Il aimerait aussi
aménager des studios pour les louer à ses amis, et créer
ainsi une colonie d'artistes autour d'eux.

Le couple se réserve l'appartement en duplex du cinquième étage. L'architecte Bruno Elkuken et le peintre Louis Marcoussis qui sont chargés de la rénovation et de la décoration veulent en faire un concentré de style Art Déco. Tous les deux sont polonais : ce n'est pas la première fois qu'Helena emploie des compatriotes. Quoi qu'elle fasse, où qu'elle aille, son pays natal demeure toujours en arrière-plan dans son esprit.

Elle fait aussi l'acquisition du moulin de Breuil, à Combs-la-Ville, en Normandie, qui devient sa maison de campagne française, comme celle de Greenwich est son cottage américain... Elle achètera un peu plus tard l'immeuble du Jockey Club, la boîte de nuit située à l'angle de la rue Campagne-Première, où finissent tard dans la nuit artistes et modèles, écrivains et muses, autour de bouteilles de gin ou d'absinthe. Son propriétaire, Hilaire Hiler, ami d'Edward, est l'une des figures incontournables de Montparnasse.

Enfin, toujours sur les conseils de son mari, elle achète un immeuble au 52, rue du Faubourg-Saint-Honoré, où elle installera plus tard son troisième salon et ses bureaux.

Edward a fini par trouver ce qu'il cherchait pour lui-même. C'est un minuscule local situé au cœur du quartier, au 4, rue Delambre. Il en fait une librairie à l'enseigne ésotérique : At the Sign of the Black Mannikin. Le logo, dessiné par Witold Gordon, le directeur artistique de Rubinstein, représente une silhouette noire et androgyne qui, brandissant un livre d'une main et une épée de l'autre, se tient debout sur un serpent. La librairie vend des éditions rares, des manuscrits anciens, des dessins et des photos. La réputation de bibliophile d'Edward se répand. « Titus ne vend ses livres qu'à ceux qui les aiment encore plus que lui », explique l'un de ses amis journalistes. C'est Helena qui paye le crédit.

Le quartier ne manque pas d'amoureux des livres, de librairies et de maisons d'éditions. En 1919, la compatriote d'Edward, l'Américaine Sylvia Beach, a ouvert rue Dupuytren, Shakespeare and Company, une librairie de langue anglaise, qui est aussi une bibliothèque de prêt. Puis elle s'est installée au 12, rue de l'Odéon, en face de la librairie de son amie Adrienne Monnier, La Maison des Amis des Livres, fréquentée par le Tout-Paris littéraire qui a baptisé cette portion du quartier, l'Odéonie.

Ernest Hemingway, entre autres[15], a découvert le magasin de Sylvia Beach en arrivant à Paris avec sa jeune femme, Hadley. Il en repart toujours avec un stock de livres empruntés, même lorsqu'il n'a plus un sou pour manger. James Joyce s'y fait adresser son courrier depuis que Sylvia Beach a publié la première édition d'*Ulysse*, en 1922. Elle sera l'éditrice d'un seul livre, ce qui est un cas unique dans l'histoire de l'édition. « Je ne vois pas comment font les éditeurs qui publient plus d'un livre », écrit-elle à sa sœur Holly[16].

A l'instar de Sylvia Beach, de Caresse et Harry Crosby, qui fondent la Black Sun Press en 1927 et publient D.H. Lawrence, Ezra Pound ou Kay Boyle, Edward Titus décide de devenir éditeur lui aussi, d'autant que ses stocks de livres anciens commencent à s'épuiser. Il crée une petite maison d'éditions au sein de la librairie. L'imprimerie est située rue Delambre, quelques numéros plus loin. Il publie des traductions d'écrivains et de poètes cultes anglo-saxons, illustrées par Man Ray ou Jean Cocteau. Au cours de ses sept années d'existence, Black Mannikin va publier vingt-cinq titres, dans des éditions limitées. Les choix sont éclectiques, toujours pointus et courageux. Paul Valéry et Charles Baudelaire ont les honneurs de ses transcriptions anglaises.

Ce fin lettré traduit et fait traduire dans les deux langues. Il édite le roman de Ludwig Lewisohn, *Le Destin de Mr. Crump,* vendu par souscription. Tous les éditeurs américains l'ont refusé, hurlant à la provocation et au scandale. Consacré à l'enfer du couple, un sujet qu'Edward maîtrise à la perfection, le livre a été salué par Freud comme un « chef-d'œuvre incomparable ». L'argent ne rentre guère pourtant et sa femme fait la sourde oreille chaque fois qu'il lui en réclame.

En 1928, quand Edward décide de racheter le magazine *This Quarter*, à Ethel Moorhead qui pleure Alfred Walsh emporté deux ans auparavant par la tuberculose, Helena refuse de financer ce qu'elle appelle « une lubie », alors même qu'il veut publier Breton, Beckett, Hemingway, Lawrence...

— Vous n'aimez que mon compte en banque, lui assène-t-elle.

Mais enfin, elle paye. Il avale la pilule une fois de plus, même si celle-là est bien amère.

Edward a convaincu ses prestigieuses relations, Colette, Marie-Laure de Noailles, Louise de Vilmorin, d'écrire des textes pour la marque. Helena est moins éblouie que son époux par la fréquentation de ces icônes. Elle les invite à tour de rôle à déjeuner pour leur demander « de bonnes idées ». Louise de Vilmorin lui suggère d'appeler le parfum qu'elle veut créer, *Five o 'clock,* selon la mode du franglais qui sévit alors en France.

— Je lui ai donné quelques centaines de francs en échange, raconte ensuite Helena. La pauvre petite est tellement extravagante ! Toujours fauchée[17]...

Edward entend appliquer à sa revue les principes de marketing qu'il emploie pour promouvoir Helena Rubinstein. Il tient une chronique régulière, organise des prix littéraires décernés à de jeunes poètes américains ou anglais et incite les journaux à en parler. Il fait traduire Goethe, Rimbaud, Rilke, Herman Hesse, publie Natalie Barney, Gertrude Stein, D.H. Lawrence, Aldous Huxley, Paul Valéry, Ernest Hemingway, Samuel Beckett. Il s'associe avec Samuel Putnam, un auteur et traducteur américain qui travaille avec Sylvia Beach. Mais la mésentente arrive vite, Putnam trouve Titus prétentieux. Les deux hommes sont surtout en désaccord sur leurs goûts respectifs.

Edward a sans doute des défauts mais son amour de la littérature est réel et profond. Pourtant, il n'arrive pas à payer les artistes et continue à quémander de l'argent à sa femme. Helena ne comprend pas pourquoi il est tellement attiré par eux. « Je n'avais pas le temps de lire leurs livres. Pour moi c'étaient des *meshuggeh*, je devais toujours leur offrir leurs repas », confie-t-elle à son secrétaire Patrick O'Higgins[18].

Elle semble cependant très fière qu'Edward ait fait construire son « petit théâtre américain » dans l'immeuble du boulevard Raspail. Avec un certain humour, elle raconte que la police a dû intervenir car les voisins se plaignaient du bruit. Et puis certaines pièces étaient subversives. « Ce fut ma première rencontre avec la loi en tant que révolutionnaire[19] », se souvient-elle. La dernière aussi, sans aucun doute.

Des années plus tard, elle n'a toujours pas saisi ce que le gouvernement a bien pu trouver de dangereux à ces représentations innocentes. L'ensemble ne devait pas lui plaire, conclut-elle. Condamné à la fermeture, le théâtre est transformé en cinéma sous le nom de Studio Raspail. Edward y fait projeter les films de son ami Man Ray.

Comme sa femme, Edward veut tout, même s'il ne désire pas forcément les mêmes choses. Il voudrait concilier l'inconciliable, la bohème et le confort, la famille et la liberté, le salariat et le risque, la publicité et la littérature, l'avant-garde et la littérature classique, l'individualisme et le groupe. Inclassable, il s'est fait pas mal d'ennemis à Montparnasse, en particulier les lecteurs de *The Quarter* qui détestent les éditions luxueuses de ses livres et semblent oublier que personne ne lit leur magazine, à part eux. S'il avait eu personnellement les moyens, il aurait adoré être un mécène.

Edward William Titus est surtout un être de paradoxes. A mille lieues du poète maudit, son style est avant tout celui d'un dandy, et il le cultive avec soin, au propre comme au figuré. Toujours tiré à quatre épingles, avec monocle, cravate, canne et chapeau, il fréquente la crème de l'aristocratie et refuse de se mêler à la foule, pratique le snobisme en virtuose, fraye avec tous les génies vrais et faux qui traînent sur la Rive gauche. Cette vie désinvolte lui convient. Il ne supporte plus le luxe, les chauffeurs, le grand train que mène sa femme, même s'il est bien aise d'en profiter, et aspire à la tranquillité. Il voudrait se fondre dans Montparnasse, ses rues, ses cafés, ses librairies, comme un habitué du quartier.

Il reste pourtant aux yeux de beaucoup le mari de la « riche madame Rubinstein », ce qui le rend toujours suspect. D'ailleurs Helena l'embarrasse lorsque, bijoutée, maquillée, portant fourrures et chapeaux hors de prix, elle débarque avec voiture et chauffeur pour s'encanailler Rive gauche. Elle insiste pour l'accompagner au Dôme ou au Dingo, le quartier général des Américains de Paris. Là-bas, elle l'oblige à payer l'addition pour tout le monde, alors que l'usage en vigueur veut que chacun assume sa part. Edward est gêné de ce déséquilibre qui le transforme en intrus, lui qui voudrait tellement être considéré comme l'un des leurs.

Comme d'habitude, Helena agit en grande dame fortunée et généreuse, persuadée que c'est ce que l'on attend d'elle. En dépit d'un léger embonpoint qui s'installe, elle paraît plus jeune que ses cinquante-cinq ans. Elle a cependant atteint cet âge fragile où une femme doit admettre que sa beauté s'enfuit peu à peu, que le désir des hommes est fugace, et que pour durer, l'amour doit se transformer en relation complice. Parce qu'elle n'a pas eu son comptant de beaux souvenirs avec Titus, elle espère toujours ce qu'il se refuse à lui donner.

Cette attente vaine est son désespoir et son tourment. Par moments, leurs corps se rapprochent, mais de plus en plus rarement. Dès le lendemain, leurs disputes reprennent. Tous deux s'épanchent par écrit. Helena a conservé cette habitude de tout coucher sur le papier.

Ses lettres à Edward sont plaintives, sarcastiques ou sévères selon l'humeur du moment. Frustrée, insatisfaite par leur relation mais incapable de la transformer, elle compte les coups en épouse meurtrie, les rend avec ses armes souvent déloyales comme la rétention de son chéquier. Elle est puissance financière et ne manque jamais de le lui rappeler.

Edward est plus mesuré, plus lucide, souvent mélancolique. Dans ses moments de dépression, il lui envoie des poèmes où il regrette ses absences qui lui pèsent autant qu'à ses fils. « J'ai dîné seul à la maison, ce soir, la table était si froide et mon cœur si étrange[20]. »

Souvent aussi il se montre retors, et parfois même cruel. A l'humiliation de devoir demander sans cesse de l'argent, il répond par la culpabilisation ou le chantage affectif. Mais la litanie reste la même : ni avec toi, ni sans toi.

Pourtant, dans la version sucrée d'Helena par elle-même, tout n'est que bonheur et harmonie dans leur couple et dans leur vie mondaine. « Mon mari et moi nous nous voyons cinq ou six fois par an, nous sommes un couple moderne, explique-t-elle à une journaliste du *New Yorker*[21]. » L'honnêteté l'obligera à admettre par la suite que si les choses ont mal tourné entre eux, c'était précisément à cause de ses absences.

L'amie des artistes

« Du jour où l'on a été chez des gens que l'on ne connaissait pas, on s'est retrouvé à accepter l'invitation de grands fournisseurs mais fournisseurs quand même ; or avant la guerre on ne les saluait même pas. Mademoiselle Chanel a été la première couturière reçue[1]. » A Paris, n'en déplaise aux snobs, Coco Chanel est depuis longtemps une icône mondaine. Madame n'en est pas encore là. Mais elle aime recevoir chez elle.

Grâce à Edward, aux auteurs qu'il publie, aux jeunes artistes dont elle achète les tableaux, ses dîners, ses soirées sont courus autant que réussis. Ses convives apprécient sa chère, toujours généreuse, et son goût exquis pour les arts de la table. « J'avais différents services de porcelaine et je les mélangeais pour donner un effet visuel. Chaque table avait sa couleur que je déclinais en diverses nuances[2] », se souvient-elle.

Lors d'un voyage à Vienne, au début de leur mariage, Edward et elle ont commandé une argenterie dessinée par Joseph Hoffman pour la maison Fledermaus. Toutes les pièces sont gravées en leur milieu d'un T, l'initiale de Titus[3]. L'ensemble est bien plus qu'un service de table, c'est une véritable œuvre d'art que le couple en osmose parfaite – il guide, elle achète – a choisi pour ses réceptions. Bientôt l'élève dépassera le maître, elle n'aura plus besoin de lui pour affirmer son goût.

D.H. Lawrence et sa femme Frieda font partie du premier cercle des habitués de leurs soirées. Barbu, sec, fiévreux, l'écrivain se montre on ne peut plus réservé.

— Il ne voulait pas se mêler aux autres, tant il était timide, se souvient Madame. Il n'a commencé à me parler que lorsqu'il a compris que moi aussi je l'étais.

Timide, Helena ? Tout dépend de ses humeurs. Quand elle apprend que l'écrivain a publié une nouvelle intitulée *The Sun* dans la revue de son mari, elle trouve le courage de lui dire qu'elle n'est pas d'accord avec lui. Volubile, elle lui explique qu'il n'y a pas de pire ennemi pour les femmes que le soleil. Il dessèche la peau, la tache, la décolore, accélère la formation des rides. Lawrence semble bien ennuyé.

— Si j'avais su cela avant, soupire-t-il, j'aurais déchiré mon texte ou bien j'aurais écrit une diatribe contre ses méfaits[4].

L'écrivain est un petit homme « *distant, tranquille, rêveur* ». La première fois qu'elle le reçoit chez elle, son silence l'alarme. Son calme impressionne tout le monde. Un peu inquiète, elle lui demande s'il est souffrant.

— Non, madame. C'est le mal du pays.

Volubile, hâbleur, le jeune Ernest Hemingway a des avis sur tout. Helena le trouve beau et viril, avec son regard d'un noir profond, ses lèvres épaisses et ses cheveux bruns plantés haut sur le front. Il se montre parfois gamin en ne parlant que de lui, sur le sujet, il est intarissable, et de ses exploits avec les femmes – il est pourtant marié à l'exquise Hadley Richardson, la première de ses quatre épouses officielles. Mais il est « *impossible de ne pas l'aimer* », écrit-elle. Du moins dans la version officielle, celle de son autobiographie toujours très politiquement correcte. Les mots qu'elle emploiera avec Patrick O'Higgins pour décrire l'écrivain sont un peu différents[5] :

— Les femmes en raffolaient, moi pas. C'était une grande gueule qui se donnait en spectacle.

James Joyce apprécie les longues conversations qui tournent autour de la littérature. Il propose à son hôtesse de lui écrire des textes publicitaires. Il emploiera le style utilisé dans *Ulysse*. Les femmes seront si perplexes, ajoute-t-il, qu'elles se précipiteront pour acheter les produits Rubinstein.

Comme toujours, Helena donnera de lui une tout autre version à son secrétaire[6].

— Joyce ? Il ne sentait pas bon... Il avait une mauvaise vue et il mangeait comme un oiseau.

A ses dîners, on rencontre aussi Gabrielle Chanel qui peut être si dure, surtout contre les femmes. Son *Numéro 5* parfume d'ylang-ylang et de jasmin le sillage de toutes les Parisiennes. Helena, qui l'a rencontrée chez Misia Sert avant la guerre, aime porter ses créations. Des photos la montrent arborant des tailleurs noirs ou gris qui mêlent l'élégance au pratique, le rêve pour une femme active et fortunée.

Un jour, pendant une séance d'essayage, alors qu'elles se trouvent seules toutes les deux, Helena a osé demander à Coco pourquoi elle ne s'est jamais mariée, avec tous ces hommes qui l'ont adulée... Et ce duc de Westminster qui la vénérait...

— Quoi ? bondit Chanel. Je serais ainsi devenue la duchesse numéro 3 ? Pas question ! Je suis Mademoiselle et je le resterai... Comme vous serez toujours Madame. Ce sont nos seuls vrais titres.

La couturière a beaucoup pleuré son amant Boy Capel, décédé dans un accident de voiture un sinistre mois de décembre 1919. Depuis, elle a affiché ses liaisons avec le grand-duc Dimitri, qui est de onze ans son cadet, puis avec le poète Pierre Reverdy, le duc de Westminster et quelques autres.

Des années plus tard, quand les deux femmes ont atteint l'âge des souvenirs et des regrets, elles se revoient chez Diana Vreeland, qui n'est pas encore directrice du *Vogue* américain. Coco Chanel, qui revient de Hawaï, a

fait escale à New York. Diana Vreeland l'invite à dîner[7].
Au milieu du repas, la couturière demande à son hôtesse
d'appeler la « merveilleuse » Helena, une « splendeur de
Juive polonaise. »

Une splendeur ! Diana Vreeland s'exécute et téléphone
à Madame pour l'inviter après le dîner. C'est l'été. Chanel porte un tailleur blanc dont la jupe dissimule le
genou et un chemisier blanc en dentelles. Un gardénia
est coquettement posé sur ses cheveux courts. Helena est
vêtue d'un long manteau de soie rose vif coupé comme
une robe chinoise à col haut.

Elles s'isolent dans une chambre et y demeurent
debout, l'une en face de l'autre. Elles vont parler pendant des heures, oublieuses du lieu, de l'heure et de leur
hôtesse. De temps en temps, Diana Vreeland, inquiète,
(« J'ai cru qu'elles avaient conclu une sorte de pacte sui-
cidaire... ») ouvre la porte pour vérifier que tout va
bien, puis elle la referme sans bruit. Les deux femmes
n'ont pas bougé. Deux génies face à face. « Je n'avais
jamais été en présence de deux personnalités aussi fortes »,
se souvient Diana Vreeland, qui s'y connaît pourtant en
monstres sacrés.

« Même s'il y avait eu des hommes dans leur vie qui
les avaient aidées, elles ne devaient qu'à elles-mêmes leur
richesse », écrit-elle[8] en relatant la scène. Plus loin, elle
se demande si ces deux-là ont jamais été heureuses. Puis
elle conclut drôlement que le bonheur, « c'est bon pour
les vaches ». « Je pense qu'elles l'étaient, ajoute-t-elle,
quand elles gouvernaient, quand elles étaient au centre,
quand elles contrôlaient tout. Ces deux femmes
régnaient sur des empires. »

La conversation prend un tour intime. Les deux femmes évoquent les grands amours de leurs vies. Coco
lance alors à Helena un de ses fameux regards coulants
et acérés et lui demande si elle a jamais eu des amants.

— Je n'en ai jamais eu ni le temps ni le goût, répond
Helena, dépitée.

En haut : Helena Rubinstein dans sa jeunesse en Pologne. Née en 1872, elle était l'aînée de huit filles. Elle est au centre, sa mère, Augusta Rubinstein, est à droite. Trois de ses sœurs cadettes l'entourent.
A droite : sans doute dans les années 1905, lors de son premier séjour à Paris. Elle porte une tenue du couturier anglais Worth, « sa première robe du soir ». Toute sa vie elle s'est habillée chez les plus grands couturiers : Doucet, Poiret, Chanel, Balenciaga, Schiaparelli, Saint Laurent...

A gauche : Madame, dans les années 30. Sa passion pour les gros bijoux et les perles lui faisait mélanger les vraies parures et les fausses. En 1941, sa collection était évaluée à plus d'un million de dollars. « Les bijoux sont les meilleurs amis des femmes, ils ajoutent la juste note à la personnalité et à la féminité », écrivait-elle.

Au milieu : avec ses deux fils, Roy (à gauche) et Horace Titus, elle pose devant sa maison de campagne de Greenwich dans le Connecticut.

En bas : en 1920, entourée de deux de ses soeurs, à gauche Manka et à droite Stella.

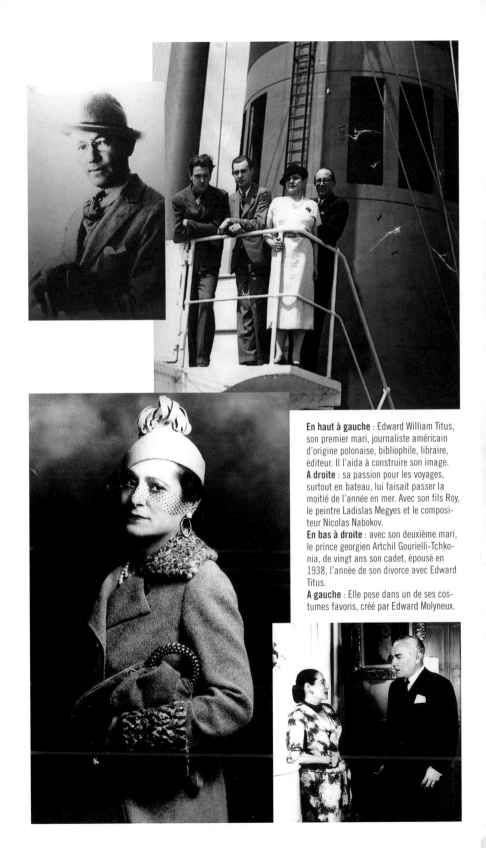

En haut à gauche : Edward William Titus, son premier mari, journaliste américain d'origine polonaise, bibliophile, libraire, éditeur. Il l'aida à construire son image.
A droite : sa passion pour les voyages, surtout en bateau, lui faisait passer la moitié de l'année en mer. Avec son fils Roy, le peintre Ladislas Megyes et le compositeur Nicolas Nabokov.
En bas à droite : avec son deuxième mari, le prince georgien Artchil Gourielli-Tchkonia, de vingt ans son cadet, épousé en 1938, l'année de son divorce avec Edward Titus.
A gauche : Elle pose dans un de ses costumes favoris, créé par Edward Molyneux.

A droite : avec sa nièce Mala Rubinstein Silson, fille de sa sœur Regina Kolin. Elle la fit venir à Paris pour lui apprendre le métier puis elle la nomma directrice du salon de New York. Toutes les deux vêtues de robes Chanel, elles posent avec deux masques de cérémonie provenant de la fameuse collection d'Art primitif que Helena Rubinstein commença dès 1908, sous l'impulsion du peintre Jacob Epstein.

Au centre : la fondatrice de la « Science de la Beauté » mettait au-dessus de tout l'hydratation du visage et l'hygiène de vie. Rigoureuse, elle recyclait régulièrement ses connaissances sur la peau auprès des plus grands scientifiques et concoctait et testait ses produits

dans les laboratoires de ses usines de Saint-Cloud, et de Long Island.

A droite : Valaze, sa première crème, due à un chimiste hongrois, fut baptisée en 1902, date de l'ouverture de son premier salon à Melbourne, en Australie.

En bas : en 1959, à 87 ans, invitée par le département d'Etat à représenter les cosmétiques américains à la foire de Moscou, elle apprend la beauté aux Russes.

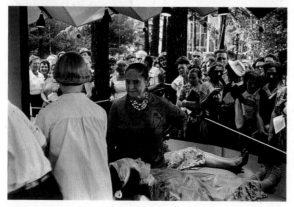

En haut à droite : elle a toujours confié la décoration de ses salons de beauté, à Paris, Londres, New York, aux plus grands designers et artistes de l'époque. Son troisième salon new-yorkais, situé au 715 th Fifth Avenue, ouvrit en 1936. L'architecte Harold Sterner fut chargé de la décoration. La fresque murale du couloir est signée Giorgio de Chirico, le tabouret, Jean Michel Frank. Au second étage **(au centre)**, les marbres sont d'Elie Nedelman, le tapis de Fernand Léger, les lampes de Jean-Michel Frank et les dessins de Modigliani.

En bas : la terrasse de son appartement du 24 quai de Béthune, à Paris dans l'île Saint-Louis acheté en 1934 à José Maria Sert, le mari de Misia Sert. En 1937, le prix Helena Rubinstein d'Art moderne fut remis au sculpteur Henri Laurens. Parmi les membres du jury, Henri Matisse, à côté d'Helena Rubinstein, Marie Cuttoli, Georges Braque, Paul Eluard, Fernand Léger, Louis Marcoussis.

En haut : Salvador Dali rencontré à New York en 1941 réalisa son portrait l'année suivante, en sphinx, ainsi qu'un tryptique mural pour la salle à manger de son triplex de Park Avenue.

Au centre : dans les années 50, avec Eleanor Roosevelt qu'elle aida dans sa lutte contre le cancer. Pendant la guerre, elle avait réalisé des kits de camouflage pour les soldats à la demande du président Franklin Roosevelt.

En bas : Tony Curtis était un adepte du salon de beauté masculin Gourielli inauguré au début des années 50, à l'emplacement de la Maison Gourielli ouverte dix ans plus tôt. Dès le début des années 40, elle y vendait ses produits de beauté qu'elle créa pour les hommes sous le nom de son second mari. Elle était trop en avance : le salon fermera un peu plus tard.

En haut : en 1955, avec Pablo Picasso qui refusera toujours de la peindre mais dessinera quarante croquis d'elle.
Au milieu : avec le peintre Kess Van Dongen, en 1958. Elle achetait beaucoup de toiles dans les ateliers d'artistes. « Je n'ai peut-être pas la qualité mais j'ai la quantité » disait-elle en évoquant son impressionnante collection de tableaux.
En bas : avec Elizabeth Taylor. Dès ses débuts en Australie, Helena Rubinstein maquillait les artistes et engageait les comédiennes à vanter ses produits dans ses réclames.

— Vous avez eu de la chance, rétorque Chanel du tac au tac.

Il est impossible de savoir si elle plaisante ou si elle est sérieuse. Helena hoche la tête sans répondre. L'entretien se conclut bientôt. Toutes les deux prennent congé de leur hôtesse, en la remerciant pour cette excellente soirée.

Beaucoup plus tard, Helena repense à la scène et à leur dialogue étrange.

« De la chance ? marmonne-t-elle pour elle-même. Je n'en suis pas si sûre.

A la fin de sa vie, Madame s'est souvent demandé si, avec moins de raideur de sa part, le cours des choses aurait été différent dans son couple. Elle n'a jamais trompé Edward, mais elle n'a jamais admis non plus le moindre petit écart. Aurait-elle dû être plus souple, moins intransigeante ? « A l'époque, il était le seul homme que j'aie jamais embrassé. Peut-être l'aurais-je mieux compris s'il en avait été autrement[9] ». Mais on ne se refait pas, et surtout pas elle.

L'art est plus que jamais présent dans sa vie. A Paris, elle chine aux Puces ou chez les antiquaires. Christian Dior, qui possède alors une petite galerie rue de la Boétie, la guide souvent dans ses choix. Entre eux s'est nouée une réelle amitié qui durera jusqu'à la mort de Madame. Quand Dior ouvre sa maison de couture, elle se tient au premier rang et le restera à chacun de ses défilés.

Elle achète toujours beaucoup, parfois trop, privilégiant toujours, comme elle en a l'habitude, la quantité à la qualité. Avant la guerre, elle a déjà acquis un nombre impressionnant de tableaux, des Sisley, des Degas, des Monet, et huit Renoir. A peine rentrée à Paris, sa compulsion la reprend. Son goût personnel la pousse toujours vers l'avant-garde. Au bout de quelques années, elle possède des œuvres de tous les peintres et sculpteurs qui comptent, Bonnard, Brancusi, Braque, Miró, Pascin, Kisling, Picasso, Helleu, Marie Laurencin, Modigliani, Maillol, Juan Gris, Van Dongen, Dufy, Léger, Picasso.

Elle se lie d'amitié avec les artistes, les invite chez elle, rencontre les marchands, les mécènes. Reçue chez Gertrude Stein, elle se souvient d'un appartement « rempli de tableaux accrochés partout, aux murs, aux portes, dans la cuisine et la salle de bains ». Malgré sa vie très occupée, elle se débrouille toujours pour se libérer une heure ou deux et se rend à Montparnasse ou à Montmartre, visiter les ateliers. Dans les galeries, elle commande tout ce qui lui plaît. Elle accroche les œuvres dans ses instituts de beauté, ce qui ne se fait guère.

Au début des années cinquante, Pierre Bergé, alors âgé de dix-neuf ans, rend souvent visite à son ami Bernard Buffet, dont l'atelier se trouve dans la cour du salon d'Helena Rubinstein, Faubourg Saint-Honoré. Dans la vitrine, il remarque une sculpture de Brancusi. Pour le jeune autodidacte qu'il est alors, c'est un double choc dont il se souvient encore.

— J'ai découvert Brancusi, dont j'ignorais jusqu'au nom et j'ai appris dans le même temps qu'on pouvait exposer une œuvre de cette qualité dans la vitrine d'un institut de beauté. Plus tard, quand Yves Saint Laurent a ouvert sa première boutique, rue du Faubourg-Saint-Honoré, à quelques mètres du salon d'Helena Rubinstein, nous avons mis dans la vitrine deux énormes vases de Dunant que nous venions d'acquérir[10]. Inconsciemment, j'ai sans doute été influencé par elle.

Helena ne sait pas résister à une belle œuvre. Au point qu'elle oublie souvent ce qu'elle a acheté. « J'ai tellement de tableaux, prétend-elle, que je ne sais plus où les accrocher ». Même avec autant de maisons... Parfois, elle les abandonne dans des placards. Patrick O'Higgins retrouve ainsi des quantités de tableaux d'une valeur inestimable, non répertoriés et vaguement assurés.

Un après-midi, à Greenwich, il est attiré par une grande toile de Max Ernst accrochée dans un couloir.

— Elle m'a coûté seulement deux cents dollars, lui révèle Madame.

Un autre jour, dans l'appartement de Park Avenue, à New York, tous deux font d'incroyables découvertes dans les armoires. O'Higgins exhibe sept dessins de Juan Gris fourrés dans un vieux carton à habits, un Picasso de l'époque cubiste et un ensemble de lithos de Matisse, l'artiste préféré d'Helena, qui servent à recouvrir des draps usés. Interloqué, O'Higgins l'interroge. Elle esquisse un vague geste de la main, hausse les épaules et rétorque qu'ils sont faux.

— Le lot fait partie de mes « petites erreurs ».

Pour une fois, elle se trompe : ce sont des originaux.

Madame invite chez elle tous les jeunes artistes qu'elle admire. Marc Chagall a des yeux qui pétillent et un paillasson blond en guise de chevelure. Après quelques verres de vin, il chante en russe ou se lance dans de longues histoires drôles en yiddish. Son esprit est si vif, son humour si mordant qu'Helena le convoque régulièrement. Ses soirées sont réussies grâce à lui.

Il arrive accompagné par Braque ou d'autres peintres de ses amis. C'est lui qui lui a présenté Louis Marcoussis. Ce dernier l'emmène visiter des ateliers de peintres, et devient l'un de ses meilleurs conseillers. Mais elle ne le suit pas toujours, rate ainsi quelques chefs-d'œuvre, ou bien achète des toiles de second ordre et même des faux. Ce qui ne l'empêche pas de rester fataliste. Chacune des pièces qu'elle possède a été achetée à un artiste dont elle se souvient avec affection. Leur valeur sentimentale est encore plus forte que leur valeur marchande. « Je les aime autant que mes Rouault ou mes Picasso », dit-elle.

Marcoussis se désole de ces égarements. Si elle l'avait plus souvent écouté, sa collection serait bien plus intéressante. Ainsi un Picasso qu'on lui a proposé à 6 000 francs mais qu'elle a refusé, en vaut dix fois plus quelques années plus tard. Elle en convient volontiers mais elle se fie surtout à son instinct. La spéculation n'est pas son but. « Chaque fois que j'ai acquis quelque chose croyant avoir fait une affaire, je me suis trompée, écrira-t-elle. Mais quand j'ai acheté parce que je connaissais l'artiste ou pour l'encourager parce que j'admirais son talent, j'ai toujours bien choisi[11] ».

Son favori reste Matisse. Parmi ses tableaux préférés figurent aussi *Les Baigneuses* de Renoir, *Automne* de Roger de la Fresnaye, *Un portrait de femme* de Van Dongen. Et une étude des *Demoiselles d'Avignon* de Picasso, offerte par une cliente dont elle a guéri le visage grêlé d'acné.

La jeune femme a laissé le dessin chez la concierge avec un mot agrafé au journal qui l'enveloppe : « Merci pour ma belle peau. »

Helena tente bien de la retrouver mais elle a disparu à jamais.

Sa passion des collections est devenue obsessionnelle. Mode et spéculation aidant, ses pièces d'art africain acquises grâce au flair de Jacob Epstein ont vu leurs prix flamber. Tout le monde veut en acheter désormais. A force d'acquérir de nouvelles statues, elle a appris peu à peu à aimer « leur intensité expressive ».

Charles Ratton, un marchand d'art parisien, lui a vendu la *Bangwa Queen,* une de ses pièces les plus belles, celle qu'elle préfère à toutes. La statuette camerounaise, qui date du milieu du siècle précédent, représente une princesse ou une prêtresse. Edward prête la statue à Man Ray qui en est fou. Il la photographie avec Ady, un ancien mannequin de Poiret. La collection de Madame est si célèbre que le directeur du *Met,* à New York, veut la racheter. Elle refuse mais elle n'en est pas moins flattée.

La décoration est pour elle intimement mêlée à l'art. Très tôt, elle a su ce qu'elle voulait. Pour ses salons comme pour ses maisons, elle a engagé les meilleurs. En 1913, au Salon des Artistes Décorateurs, elle a admiré les panneaux de laque de l'Irlandaise Eileen Gray qui a désormais pignon sur rue, au 140, rue du Faubourg-Saint-Honoré, à quelques mètres de son salon. Madame ne résiste pas à pousser la porte de sa galerie pour examiner un tapis ou un meuble. L'artiste est controversée mais Helena l'apprécie, tout comme le minuscule Jean-Michel Frank aux yeux de velours, adulé par Charles et Marie-Laure de Noailles, dont il a décoré ou plutôt « démeublé » l'hôtel particulier de la place des Etats-Unis. Située également Faubourg Saint-Honoré, sa boutique « Frank et Chanaux » ne désemplit pas. Helena Rubinstein fait partie des visiteurs qui vont voir l'artiste comme dans « un confessionnal ».

Frank déteste le superflu, le broché, les détails inutiles. Il préfère les pièces vides et claires, le minimalisme, la paille ivoire dont il tend les murs de son appartement. « Le jeune homme est charmant, dommage qu'il ait été cambriolé », dit Cocteau en sortant de chez lui[12]. Le décorateur travaille avec les ébénistes des Ateliers de la Ruche qui fabriquent les meubles de Chareau, de Ruhlmann ou d'André Groult que Helena achète ou fait copier pour meubler ses appartements et ses salons.

Tout aussi impressionnante que ses œuvres d'art, sa garde-robe comprend des vêtements signés Caroline Reboux, Elsa Schiaparelli dont elle est l'une des premières clientes, Molyneux, Poiret, Lanvin, Lucien Lelong. Elle accumule les accessoires, chapeaux, étoles, fourrures, ceintures et, bien sûr, les bijoux vrais et faux.

Il lui arrive pourtant de commettre des fautes de goût. Ainsi les pyjamas et les pantalons larges de Chanel, sublimes sur une silhouette longiligne, ne sont pas très seyants sur elle. Helena qui prône sans relâche la diète, l'exercice et les massages, n'applique pas ses règles d'airain, selon le célèbre proverbe qui veut que les cordonniers soient les plus mal chaussés.

— Avec tout ce que je travaille, se défend-elle, je ne peux pas me permettre de ne pas manger...

Elle se maquille toujours peu, mais n'oublie jamais de porter un rouge à lèvres foncé, et fait disparaître ses cheveux blancs grâce à une teinture noir corbeau, pas toujours bien appliquée. A près de soixante ans, elle refuse de vieillir. Du reste, son énergie l'en empêche.

Et la beauté devint une industrie

Voyager. « C'est le deuxième prénom de madame Rubinstein », affirme un article du *New York Post*[1]. C'est aussi l'un des passe-temps préférés d'Helena qui répète souvent que les semaines passées en mer, dans ces palaces flottants, « sont les seuls moments où elle peut se reposer. » Elle se fait photographier avant le départ, accoudée au bastingage d'un paquebot, ou sur le pont avant, accompagnée de ses fils, de son mari, ou de certains de ses amis, le compositeur Nicolas Nabokov, le designer hongrois Ladislas Medgyes qui a décoré quelques-uns de ses instituts de beauté américains.

Depuis sa première traversée qui a décidé du cours de son existence, le paquebot fait partie de l'univers Rubinstein au même titre que ses gros bijoux, son chignon serré, son accent polonais. A bord, elle se laisse aller à quelques distractions, cocktails, dîners, bridge. Ce jeu qu'elle pratique depuis l'Australie, est devenu le loisir à la mode. Ou bien, seule dans sa cabine de luxe, elle se livre à sa fièvre épistolaire, et à peine débarquée, elle envoie ses lettres à ses proches ou à ses managers. Mais surtout, elle s'offre des grasses matinées et de longues siestes, car dormir fait partie du voyage. En temps normal, ses nuits dépassent rarement cinq heures.

Les traversées transatlantiques ont sa préférence. Chaque fois que, du pont d'un navire, elle aperçoit la statue de la Liberté se profiler à l'horizon, elle retrouve la même excitation que lors de sa première arrivée. New York convient à son tempérament de battante. Ici, on ne prend pas les affaires à la légère, les gens ne perdent pas leur temps en vaines discussions, le business est un sport national. Depuis le début des années vingt, l'économie est en pleine expansion. La société de consommation a démarré en fanfare. Tout s'achète, tout s'invente, tout se jette, tout se remplace : radios, plastique, tissus synthétiques, frigos, briquets, automobiles, téléphones, Kleenex et Kotex, déodorants, crèmes dépilatoires... Ces nouvelles inventions sont *fun*.

D'ailleurs tout est fun en Amérique pendant ces « roaring twenties ». Même la prohibition qui n'empêche pas les gens de s'amuser, bien au contraire, malgré la crise économique qui a suivi la guerre. Le 18ᵉ amendement décrété par le Congrès, sur la double pression des lobbys de pasteurs qui veulent moraliser la société, et des mouvements féministes qui entendent lutter contre les violences conjugales, a interdit la vente des boissons alcoolisées. Mais il en faudrait plus pour que les Américains cessent de boire.

A New York, et dans le pays tout entier, des milliers de bars clandestins ou « *speakeasies* », dissimulent dans leurs caves des passages secrets pour s'enfuir au cas où la police organiserait une descente. La Mafia se développe, c'est l'époque des *Untouchables*, les *Incorruptibles*. Les batailles entre les hommes d'Al Capone et les agents du Trésor, menés par Elliot Ness à Chicago, font la une des journaux.

Dans les night-clubs, on danse avec insouciance le charleston et le fox-trot. On swingue sur Duke Ellington et Count Basie, on va applaudir *Rhapsody in Blue* de George Gershwin, et Fred et Adele Astaire à Broadway. A la radio, on écoute du jazz qui vient de la Nouvelle-Orléans. Al Jolson est la vedette du *Chanteur de jazz,* le premier grand film du cinéma parlant. Charlie Chaplin a fait rire et pleurer le public avec *le Kid*.

Clara Bow, la vedette du film *It*, est l'idole des jeunes filles qui copient ses cheveux frisés, ses sourcils dessinés en arc de cercle, sa bouche en forme de cœur, soulignée par un rouge à lèvres vif. Son talent est sans doute discutable, mais elle possède une vitalité, une exubérance et pour tout dire un magnétisme animal qui expliquent l'engouement pour sa personne. A sa suite, on voit apparaître les *it girls*, plus sexy que douées pour la comédie. Theda Bara et Louise Brooks ont elles aussi droit au titre. Les concours de beauté apparaissent, la première *Miss America* est élue en 1921.

La publicité, qui progresse à toute allure, génère des revenus stupéfiants et permet à la presse de se développer. Les cosmétiques tiennent le cinquième rang des annonces dans les médias, le deuxième dans *Town and Country*, *Harper's Bazaar* ou *Vogue*. En 1929, 20 % des pages ou des encarts publicitaires des journaux vantent des produits de beauté. Pond's, Arden, ou Rubinstein peuvent dépenser entre 20 000 et 60 000 dollars par mois pour assurer la promotion de leurs marques respectives. Le retour sur investissement est énorme : les magazines féminins créent les modes et les courants, et surtout, ils influencent les consommatrices[2].

Les Américaines qui consacrent en moyenne trois cents dollars par an pour se faire belles, peuvent choisir entre des centaines de poudres différentes et autant de variétés de rouges à lèvres. Au début des années trente, elles investissent près de 700 millions de dollars annuels dans les rayons de cosmétiques des grands magasins, dans les salons de coiffure et de massages et dans les instituts. La beauté qui est à la fois un plaisir, un besoin de séduire et l'affirmation de la liberté des femmes est en train de se positionner aussi comme un enjeu économique et financier. « Les femmes ont fait le lien entre l'utilisation des cosmétiques et l'émergence de leur propre modernité[3] ». Belles et rebelles, en somme.

L'industrialisation de la beauté est née, et avec elle, sa démocratisation. Même si elle n'est pas la seule responsable de ce changement radical, Helena Rubinstein y est pour beaucoup. Ses deux usines de Saint-Cloud et de Long Island produisent plus de soixante-dix lignes, dont les dernières en date sont des crèmes amincissantes pour le corps, les « *Reducing preparations* », lancées en 1923.

Sa rivale principale n'est pas en reste. Secondée par Thomas Lewis, son mari et manager, et par sa sœur Gladys qui dirige la branche française et le salon de Paris, Elizabeth Arden a posé ses jalons aux Etats-Unis et en Europe, et comme Madame, elle possède ses propres usines. En dehors de ses instituts luxueux, Arden est elle aussi représentée dans de prestigieux grands magasins comme Bonwit Teller, Macy's ou Neiman Marcus à New York et vend à Detroit, Washington, Philadelphie, San Francisco, Los Angeles. Sa gamme comprend soixante-quinze produits dont les best-sellers sont l'*Orange Skin Food* et la *Venetian Bleaching Cream*.

Les deux femmes doivent aussi compter avec des concurrents qui réclament leur part de cet alléchant gâteau : les Français René Coty, Guerlain, Roger et Gallet, Bourjois, qui ont percé aux Etats-Unis au début du siècle, ou les géants populaires comme Ponds. Sans parler des petites marques anciennes ou naissantes, portées par un marché en pleine expansion, les Carl Weeks, Noxema, Maybelline, Barbara Gould ou Max Factor.

La vraie compétition se joue cependant entre les deux femmes, au coude-à-coude dans la cour des grands. Elles n'en finissent pas de se détester et sont toujours à l'affût de ce que l'autre entreprend. Leurs méthodes de marketing se ressemblent. Elles invitent les consommatrices à leur écrire pour leur parler de leurs problèmes de peau et leur répondent personnellement en délivrant des conseils adaptés à chacune. Madame, qui étudie avec minutie tout le courrier qu'elle reçoit, sait reconnaître dans l'instant les moyens financiers de la cliente.

— Le papier à lettres est ordinaire, remarque-t-elle. Elle n'a pas d'argent. Je vais lui prescrire deux soins seulement, pas le traitement complet.

Car seule leur clientèle diffère : Elizabeth Arden continue de privilégier les riches tandis qu'Helena Rubinstein s'intéresse de plus en plus à la middle class. Il y a de quoi faire : dans les années vingt, un quart des Américaines de plus de seize ans travaillent.

Leur réussite est cependant une exception dans une industrie dominée par les hommes, qui en ont bien compris les enjeux économiques. L'ère de l'artisanat est bel et bien terminée. Les salons de beauté uniques et les petits labels créés par des femmes ont presque disparu au profit des grands magasins et des drugstores. Dorothy Gray, Edna Albert, Peggy Sage ou Kathleen Mary Quinlan qui ont connu leur heure de gloire, ont vendu leurs compagnies. Rares sont celles qui les dirigent encore

Dans un secteur inventé par des femmes et destiné aux femmes, la division du travail demeure sexuée de la façon la plus classique. Aux hommes, la propriété de l'entreprise, les postes de direction, d'encadrement, de décision. Aux femmes, toujours blanches et souvent diplômées, les emplois dans le marketing, la publicité, le journalisme, la beauté, la vente. Dans les agences de publicité les plus importantes, les stars féminines de la profession – car il y en a tout de même quelques-unes – planchent sur les campagnes nationales, tandis que les plus obscures, employées par les filiales locales, mettent leur matière grise au service des grands magasins et des petites firmes. Célèbres ou anonymes, elles sont les courroies de transmission entre les entrepreneurs et les clientes[4].

L'agence J. Walter Thompson, créée à la fin du siècle
précédent, a bâti sa réputation sur les femmes, clientes
comme rédactrices. Ces dernières ont été, ou demeurent,
des militantes politiques qui se sont battues avec les suffragettes pour le droit de vote. Leurs textes qui s'adres-
sent aux consommatrices sur un mode intimiste donnent
toujours le « point de vue de la femme ». C'est devenu une
règle d'or dans un métier dont les grands principes stipulent que « pour s'adresser aux femmes, on doit connaître
leurs habitudes, leurs façons de raisonner, leurs préjugés. »
Et aussi : « Les femmes ont leurs associations d'idées et
même leurs traditions dont les hommes sont complètement éloignés[5]. »

Ces rédactrices qui sont des femmes intelligentes, cultivées, politisées et plutôt en avance sur leur époque, ne
sont pas dupes du côté artificiel de leur prose. Pour
autant, elles ne remettent jamais en cause la façon, établie une fois pour toutes, de renvoyer les femmes aux
poncifs sur leur sexe. A force d'employer un même
vocabulaire codé, elles ont créé un langage commun,
intelligible même par celles qui n'ont pas les moyens de
fréquenter des salons aussi prestigieux que ceux d'Elizabeth Arden ou d'Helena Rubinstein. Ainsi toutes les
femmes peuvent-elles se tenir informées des dernières
tendances de la mode et de la beauté. Cette façon de
procéder, uniforme, nourrit les pires stéréotypes.

Madame, qui s'est toujours présentée comme une
entrepreneuse qui a réussi, partage cette opinion réduc-
trice. Elle pense que les femmes sont les seules à pouvoir
comprendre et traduire les désirs de leurs semblables, et,
pour illustrer ses propos, elle met en avant l'intérêt
qu'elles ont à embrasser les carrières de la beauté. C'est
toute l'ambition qu'elle leur souhaite.

Du reste, elle se fait un point d'honneur à employer
un personnel presque exclusivement féminin, dont elle se
sent très proche. Souvent, à l'heure du déjeuner, elle
invite les secrétaires de l'entreprise, ses « petites filles » à

apporter leur déjeuner dans son bureau pour leur faire tester les nouveaux produits...

Leur avis est important. Leurs réflexions, leurs suggestions, leurs critiques feront évoluer la marque. Madame les interroge et note ce qui leur plaît ou ce qu'elles rejettent.

Son soutien inconditionnel ne va pas jusqu'à nommer une direction féminine. Dans son entreprise, aucune femme n'est à la tête d'une usine, ni d'une équipe de marketing ni d'un département financier. Leur plus haut grade reste le management des salons. La division du travail reste calquée sur le schéma masculin en vigueur, tout simplement parce qu'elle se sent plus rassurée lorsqu'un homme est aux commandes.

Ce manque de confiance n'épargne pas ses sœurs, qu'elle fait souvent travailler en tandem avec un employé de la firme. L'apparente cohésion de la fratrie enchante cependant les journalistes. Madame ne se prive pas de communiquer sur le sujet car la saga des sœurs Rubinstein, toutes brunes, toutes jolies, toutes polonaises, plaît énormément.

Du reste, la *family dream team* continue de s'agrandir. Ceska est à Londres, Manka parcourt vaillamment les Etats-Unis, Stella, qui a fait ses classes à Chicago, va bientôt remplacer Pauline à Paris. Rosa est en Argentine, Erna s'est installée aux Etats-Unis. Seule Regina est restée à Cracovie avec son mari, Moïse Kolin. Bientôt trois de ses quatre enfants travailleront, eux aussi, pour leur illustre tante.

Helena fait venir de Pologne tous ceux qui le souhaitent. Elle paye leur billet, les loge, les encourage, les forme, les soutient financièrement et les emploie dans l'un ou l'autre de ses salons. Mais elle demeure seul maître à bord. Souveraine.

L'Impératrice de la beauté, comme l'a baptisée Jean Cocteau.

En 1928, elle déménage son salon de New York et s'installe au n° 8 de la 57ᵉ Rue Est, à la hauteur de la Cinquième Avenue. L'immeuble, qui a appartenu à Collis Huntington, le constructeur du *Southern Pacific Railways,* est majestueux, comme elle le souhaitait. Elle a visité des dizaines et des dizaines d'endroits mais aucun ne lui a plu. Après avoir vu celui-là, elle veut signer tout de suite. Pourquoi, lui demande l'agent immobilier, surpris, vous êtes-vous décidée si vite, après avoir refusé tant de fois ?

— J'aime l'escalier, répond-elle.

Elle adore se tenir debout sur la marche la plus élevée du salon pour dominer les lieux. De méchantes langues prétendent que ce goût des points culminants lui vient de la petitesse de sa taille. « C'est le plus bel escalier que j'ai jamais vu, rétorque-t-elle. A présent je me dois de rendre cet immeuble digne de sa beauté[6]. »

Elle garde l'escalier mais refait tout le reste. L'extérieur est rénové par l'architecte Benjamin Whinston et l'intérieur est confié à la patte de Paul Frankl, qui dessine une grande partie du mobilier, assisté par Donald Deskey, le designer à la mode.

Le sol est en lino, une innovation pour l'époque, et recouvert de tapis, achetés à la Maison Myrbor, à Paris. Certains sont dus aux croquis de Louis Marcoussis. Les appliques aux murs sont signées Ruhlmann, les dessins Fernand Léger. La rénovation d'un autre salon, celui de Chicago, reçoit aussi l'approbation des journalistes. Le magazine *Good Furniture* le décrit comme « L'exemple le plus abouti de l'art moderne en décoration, appliqué à un établissement commercial[7] ». Après l'ouverture, Madame a, comme souvent, une dépression nerveuse et doit aller se reposer dans un sanatorium. Elle attend toujours ce moment et le recherche. Ces semaines de repos « post partum » font partie de son emploi du temps.

Les rapports de Madame avec la presse restent au beau fixe. *Time* décrit une visite à l'usine de Long Island destinée « aux sceptiques qui ne croient pas à la composition naturelle de ses produits ». Là-bas, explique le journaliste, on peut observer à perte de vue des rangées de nénuphars à demi éclos, dont on attend la plénitude pour introduire leur essence dans la fabrication des crèmes, poudres et rouges à lèvres. Des centaines de tubes, remplis de concombres, voisinent avec d'innombrables bottes de persil italien, de caisses d'œufs, de beurre, de crèmes, de cageots de pamplemousses, et d'une variété d'autres fruits et légumes. « Madame Rubinstein est fière à juste titre de ses produits, remarqués pour leurs qualités actives, qui font frissonner la peau de plaisir[8] ».

En 1928, elle obtient la consécration du *New Yorker*[9] : quatre pages, signées Jo Swerling, sont consacrées à la gloire de « La femme qui n'avait pas de pays ». Pour les besoins de l'interview, elle a revêtu tous ses plus beaux bijoux. « It's "gude" for publicity », dit-elle, « dans son étrange dialecte, un mélange d'anglais, de polonais, de français et d'allemand ».

L'article raconte sa success story : « L'entreprise emploie trois mille personnes tout autour du monde, sans compter ceux engagés par les cinq mille agents qui travaillent pour elle. Il y a des villes d'Amérique avec un distributeur Rubinstein alors même qu'il n'y a pas d'agence Ford. »

Ses petites manies sont passées au crible, les longues lettres manuscrites dont elle bombarde la plupart de ses employés chaque jour, écrites au dos des menus pour éviter le gaspillage, ou cette étrange amnésie qui la frappe lorsqu'elle doit se souvenir des noms de famille. Certains font depuis des années partie de son équipe, mais elle continue de les surnommer « Le gros » ou « La sourde » ou « Nez crochu ». D'aucuns pensent que ce léger handicap n'est qu'une feinte pour déstabiliser son interlocuteur, car elle demeure d'une imbattable précision sur les détails les plus minuscules. Elle remarque le moindre objet déplacé dans un salon.

Le journaliste rend compte avec amusement de ses défauts et de ses qualités, parfois contradictoires. Madame est un paradoxe vivant et affiche à la fois une frugalité qui confine à l'avarice, et une extravagance qui va plus loin que la prodigalité. « Elle peut ne rien acheter pendant un an, porter le même chapeau, puis soudain dépenser des sommes folles pendant trois jours consécutifs de shopping acharné. Dans ses gardes-robes de Paris et de Londres, nombreuses sont les tenues qu'elle ne porte jamais ».

Ses voyages sont longuement décrits. « Elle passe un quart de l'année à parcourir le monde en voiture, train, paquebots, accompagnée de sa femme de chambre française et de son cuisinier allemand qui la connaissent mieux que quiconque, sans doute mieux que son propre mari. » Ce qui, vu la fréquence de leurs relations, n'est pas très difficile... « Titus est connu en Europe comme l'un des premiers traducteurs de la poésie française, polonaise ou italienne en anglais. Ses manuscrits de Poe et de Whitman font l'envie des collectionneurs[9] ».

Avec son art consommé de la promotion, Helena met sa vie en scène. En matière de communication, tout est calculé, ses mensonges habilement tournés, son image affinée avec soin. Elle se fait toujours photographier ou peindre chez elle, vêtue avec élégance, couverte de ses plus belles parures, entourée des objets qui témoignent de son goût très affirmé. D'autres portraits la montrent dans ses instituts de beauté et dans ses usines, revêtue d'une blouse blanche. Les artistes ont ordre de tricher, de rendre sa stature plus svelte, son visage toujours plus jeune. Elle ordonne des retouches.

Une photo prise par Cecil Beaton, où elle pose devant une statue classique en marbre blanc d'Elie Nadelman, montre ainsi l'avant et l'après, le visage tel qu'il a été fixé par l'objectif, et les corrections annotées ou soulignées à l'encre noire, qu'elle a elle-même demandées : ajouter des cheveux, remodeler l'épaule, enlever des rides sur les bras et le visage. Le résultat est évidemment spectaculaire. Elle gagne ainsi dix ans, sans chirurgie, ni massages électriques, ni peelings.

Magie de la technique...

Le pot de crème contre le pot de fer

Henry, Emmanuel et Meyer Lehman sont trois frères, trois associés, trois *self made men* immigrés dont l'Amérique s'est fait une spécialité. Issus d'une famille juive allemande dont la prospérité provient du négoce de leur père Abraham Lehman, un marchand de bestiaux, ils sont partis, l'un après l'autre, chercher fortune au-delà des mers. Ils auraient pu se contenter de faire fructifier l'affaire paternelle mais, au milieu du XIXe siècle, la très catholique principauté de Bavière a édicté des lois contre les Juifs. Un seul des enfants mâles d'une même famille a le droit de se marier et de travailler à l'endroit où il est né. Les autres doivent partir. Aussi, laissant leur frère aîné Seligman reprendre le flambeau, les trois garçons vont-ils tenter leur chance en Amérique, comme un grand nombre de jeunes Européens le font en ce temps-là.

Henry, le plus âgé des trois, a vingt et un ans en 1844, quand, le premier, il s'embarque pour le Nouveau Monde. Dans le Sud, la culture du coton sur laquelle s'échinent les esclaves noirs est florissante. On peut gagner beaucoup d'argent en commerçant avec les planteurs. En Alabama, une nombreuse parentèle a précédé le jeune Henry et, comme c'est l'usage entre immigrants, on s'entraide. Un cousin lui fait crédit sur un stock de denrées destinées aux fermiers. Henry devient marchand ambulant.

Pour beaucoup d'ambitieux, ce métier dur, ingrat, où il faut trimer sans compter sa peine ni ses heures, conduire son chariot rempli de marchandises sur les plus petits sentiers, l'été sous un climat torride, l'hiver en essuyant pluies, neiges et bourrasques, est le meilleur des apprentissages, le « Harvard du self made man[1] ».

Au bout d'un an, profitant du « boom » du coton, Henry Lehman a remboursé ses dettes et gagné un peu d'argent frais. Il ouvre un bazar à Montgomery, un gros bourg d'Alabama qui rejoint Atlanta par la voie ferrée et La Nouvelle-Orléans par le fleuve. Dans cette boutique, fréquentée principalement par les planteurs, il vend un peu de tout, des conserves, des vêtements, des ustensiles de cuisine. Il travaille sans se plaindre et habite au-dessus du magasin, pour ne pas avoir à payer de loyer.

Son cadet, Emmanuel, débarque trois ans plus tard, en 1847. Il faut encore un an de labeur acharné aux deux frères avant d'ouvrir un nouveau magasin plus vaste que le précédent, à l'enseigne de « H. Lehman & Bros », qui propose la même marchandise, mais à grande échelle cette fois, des graines aux chemises, de l'engrais aux chaussures. Les fermiers, souvent à court d'argent, ont l'habitude de troquer leurs ballots de coton contre des vivres et des semences.

Quand Mayer les rejoint, en 1850, le magasin de Montgomery change de nom et devient « Lehman Brothers ». Les trois frères continuent à troquer mais à présent ils prêtent aussi de l'argent aux planteurs et ils étendent leurs activités à l'immobilier. A la mort d'Henry, emporté par la fièvre jaune en 1855, Mayer et Emmanuel continuent dans la voie des finances. Tous deux se complètent à merveille. Le plus jeune, le plus aventurier aussi, sait gagner l'argent tandis que l'autre, plus mesuré, s'assure qu'ils ne le perdent pas. Bientôt ils se spécialisent dans la vente du coton. En 1858, ils décident d'ouvrir une succursale à New York. Après la guerre de Sécession, ils rapatrient toutes leurs affaires dans la ville, où se trouve la bourse la plus importante du pays.

Cotée dès 1887, leur société a désormais des ramifications en Europe et au Japon. Au début du XXᵉ siècle, Lehman Brothers est non seulement la plus grosse entreprise spécialisée dans le coton -et reconnue comme telle, mais elle vend aussi des matières premières, du sucre, du grain, du café, du pétrole.

Quand Mayer meurt, en 1897, dix ans avant son frère Emmanuel, la firme passe entre les mains de la deuxième génération des Lehman : Meyer. H et Philip, les fils d'Henry et d'Emmanuel, et puis Sigmund, Arthur et Herbert, ceux de Mayer. Jusqu'en 1924, même en étant un descendant direct, nul ne peut travailler dans l'affaire s'il ne s'appelle pas Lehman. Ce qui exclut les descendants de leurs sœurs et de leurs filles.

Lehman Brothers devient alors une banque d'investissements. Les cousins placent des fonds dans les premiers *departments stores*, Sears, Macy's, Woolworth, dans les cigarettes Philip Morris, dans des fabriques de tissus et de vêtements. Pendant un temps ils sont partenaires de Goldman Sachs, avant d'en devenir les rivaux. Presque toutes les affaires où ils décident d'investir leur argent appartiennent à des Juifs. En s'installant à New York, les frères Lehman se sont tout de suite heurtés à l'antisémitisme qui règne dans la haute bourgeoisie *wasp*, alors que leur origine européenne leur avait réservé le meilleur des accueils en Alabama. En les renvoyant à leur judaïté, malgré leur richesse devenue considérable, les Américains de la bonne société qui s'évertuent à dresser des barrières entre les Juifs et eux, vont les faire déchanter[2].

Puisqu'on ne les reçoit pas dans le monde, ils se regroupent entre eux, comme le font bien d'autres familles juives aisées. Le sentiment commun à toutes est la nécessité de créer ses propres cercles, associations, country-clubs, plutôt que de tenter de pénétrer des lieux où ils ne sont pas désirés.[3] Leurs enfants sont élevés dans le siècle – les garçons font leurs études dans les universités les plus prestigieuses de l'Ivy League – mais tous les Lehman, garçons et filles, épousent des coreligionnaires. Grands philanthropes par devoir et par principe, ils dirigent leurs actions de charité et leurs dons vers la communauté juive. Ils fondent l'hôpital Montefiore dans le Bronx, financent celui du Mount Sinaï, et font partie, entre autres, du conseil d'administration de la grande synagogue de New York, le temple Emanuel situé sur la Cinquième Avenue.

Les hommes de Lehman ne connaissent rien à la beauté féminine. Leur univers de travail est on ne peut plus masculin. Mais ils ont des femmes, des sœurs, des filles, des nièces, qui utilisent des produits de beauté et surtout ils ont du flair. En businessmen avisés, ils ont ouvert les yeux sur l'ampleur qu'a pris le marché des cosmétiques et sur les profits qu'il est possible d'en tirer.

Ils se sont renseignés. Dans le milieu, tout désigne Helena Rubinstein comme une marque saine, qui rapporte beaucoup d'argent. Ils ont étudié ses bilans. L'année précédente, le chiffre d'affaires brut a été de 2 millions de dollars et le bénéfice de 960 000 dollars[4]. L'entreprise a été créée par une Juive d'origine polonaise, elle correspond en tous points à leurs critères. Il n'y a pas d'hésitation possible : il faut l'acheter, la coter en bourse, et inonder le marché des produits Rubinstein tout en gardant son image glamour.

Leurs avocats n'y croient guère mais les Lehman ne se démontent pas. Ils font une offre et ils attendent. Madame aime l'argent, elle l'a toujours aimé. Comment pourrait-elle résister à une telle somme, surtout lorsqu'elle lui est proposée en cash ? Les Lehman n'ont pas lésiné : ils lui offrent 7 300 000 dollars de l'époque, c'est-à-dire 80 millions d'euros d'aujourd'hui. Madame a déjà reçu des offres de rachat mais jamais d'un montant aussi important. On raconte que trois ans auparavant, le représentant d'une firme française lui a fait une offre, à Paris, pour racheter son entreprise. La somme offerte était énorme. Elle a refusé, d'une pirouette. « Nous ne pouvons pas faire l'affaire, vous pensez en francs et moi en livres[5] ».

Mais avec les Lehman, on ne joue pas dans la même cour. Il y a là de quoi réfléchir. D'ailleurs, c'est tout réfléchi. Elle accepte. Après tout, elle ne vendra que l'entreprise américaine, c'est-à-dire 75 % de ses parts. Elle va conserver ses usines ainsi que les affaires européennes et australiennes. Les Lehman, qui s'engagent à ne licencier personne, lui demandent de continuer à représenter la marque. Son rôle est défini par contrat : elle gardera le titre honorifique de présidente, se montrera dans les galas de bienfaisance et les soirées mondaines et continuera aussi à créer ses produits. En contrepartie, elle les laissera diriger l'affaire à leur guise.

Le 11 décembre 1928, elle conclut la vente, dont elle a réussi à garder le secret, avec ses hommes d'affaires. Elle était riche. Elle devient milliardaire.

— Je n'ai pas vendu de gaieté de cœur mais ma vie privée compte avant tout, déclare-t-elle à la presse. Je souhaite retourner en France et vivre auprès de mon époux qui y réside.

C'est ce qu'elle affirme aussi dans son autobiographie. « J'ai vendu pour sauver mon mariage. Il n'y avait pas d'autre alternative. Ce fut un véritable sacrifice car mes affaires ont toujours signifié plus pour moi que de l'argent ». C'est tout à son honneur et c'est même très touchant.

Mais est-ce vraiment toute la vérité ? Edward joue peut-être un rôle dans sa décision mais il n'est probablement pas le seul. D'ailleurs, elle ne l'a pas encore mis au courant. Si elle attend le moment propice pour lui avouer la vente, c'est qu'elle n'est pas certaine que la nouvelle lui plaira. Pour tout dire, elle ne se fait plus beaucoup d'illusions sur leur couple. La dernière fois qu'elle est revenue à Paris, ils ont entériné leur séparation de corps.

Entre eux, le jeu du chat et de la souris continue de plus belle. Il réclame de l'argent pour la maison d'éditions, elle refuse de lui en donner. Il tempête, réclame, elle demeure inflexible. Ou bien lorsqu'elle a réussi à le mettre en colère, elle sort l'argent au compte-gouttes. Ils s'écrivent toujours mais leurs lettres sont désormais amères. « M'aider profiterait à ta renommée autant qu'à la mienne », lui dit-il. « Qu'ai-je à faire de ta gloire ? répond-elle abruptement. J'ai toujours été ton instrument et à travers moi, tu as réussi pas mal de choses ». « Tu n'as pas besoin de m'insulter, reprend-il, et tu refuses de jouer le jeu. Il n'est pas nécessaire de coucher ensemble pour être ensemble[6] ».

C'est son point de vue, cynique et masculin. Ce n'est pas celui d'Helena. Leurs querelles s'enveniment. Edward est furieux quand il découvre que sa femme a chargé Paul Ostotowicz, le mari de sa sœur Stella, désormais à la tête de l'institut de beauté parisien, de s'occuper de ses affaires immobilières. Le beau-frère qui pense que son heure de gloire est arrivée – gérer les affaires de la riche Helena est une promotion sociale – lui demande des comptes sur le crédit de la librairie de la rue Delambre. Edward se sent trahi, humilié, et ne comprend pas que sa femme laisse faire.

Nouvel échange de lettres, nouveaux malentendus. Chacun se trouve victimisé par l'autre. Helena se plaint d'avoir toujours beaucoup travaillé pour assurer le bien-être de sa famille, sans en tirer la considération qu'elle estime devoir mériter. Elle n'a eu que les responsabilités et le travail, alors que son époux s'est réservé la meilleure part. « Tu te retournes vers moi chaque fois que tu as besoin d'aide et tu cours ailleurs rechercher ton plaisir[7] ». Il lui répond en l'accusant de l'humilier toujours. Le dialogue de sourds ne s'arrange guère.

Horace, étudiant à Cambridge, a alors un accident de voiture, le premier d'une longue série. Les relations entre Helena et ses enfants sont toujours aussi complexes, autant sinon plus que celles qu'elle entretient avec leur père. Elle donne, puis elle reprend. Ce qui ne l'empêche pas de se montrer possessive et inquiète, surtout lorsqu'il s'agit de son fils cadet.

Edward et elle s'accordent une trêve pour prendre des nouvelles de leur fils et lui montrer leur inquiétude. Mais le répit est de courte durée. Edward envoie un nouvel obus. « La seule compensation que je peux trouver à cet accident est que pour la première fois, sous ta propre signature, tu me reconnais un certain droit à la paternité[8]... »

Il ignore encore que sa femme a cédé son entreprise américaine. Elle n'ose pas le lui dire. Il apprend la nouvelle d'abord par la rumeur, ensuite par la presse, car le secret a été vite éventé. Blessé par ce silence, il lui adresse d'amers reproches. Ils se fâchent une fois de plus. Il passe Noël tout seul à Paris cependant qu'elle part en Australie avec ses fils.

Ses affaires s'arrangent, pourtant. En quelques mois, il a monté quelques beaux coups d'édition qui lui rapportent de l'argent et une notoriété accrue. Ainsi, en 1929, l'année où il rachète *This Quarter* il publie le roman de D. H. Lawrence, *L'Amant de Lady Chatterley*, une reprise de l'édition originale éditée à Florence l'année précédente. Edward Titus sait qu'il prend des risques car le livre a fait scandale. Sylvia Beach en a refusé la publication, le jugeant par trop érotique. Elle ne veut pas se lancer dans ce genre de littérature, s'occuper de James Joyce lui suffit amplement. Alors elle a mis en relation l'auteur et l'éditeur.

C'est une réussite. « Il y a de longues années qu'aucun livre n'a eu le succès de *L'Amant de Lady Chatterley*. Ma parole, on ne parle que de ça[9]... » Le succès aide à éponger les dettes de Black Mannikin. Tuberculeux,

Lawrence ne pourra pas en profiter. Il meurt l'année suivante dans le Sud de la France, où il est parti se reposer avec Frieda, son épouse. Edward Titus est l'un des rares à assister à son enterrement.

Un autre best-seller s'annonce et celui-là est phénoménal. Edward publie les *Mémoires de Kiki de Montparnasse* en anglais, un an après leur parution en France. Préfacé par Hemingway et traduit par Samuel Putnam, le livre est illustré par Man Ray, alors l'amant de Kiki.

Née Alice Prin, de père inconnu, grandie dans le ruisseau, Kiki est la gaieté, la gouaille et la drôlerie mêmes et l'une des figures favorites de ce Montparnasse bohème. Effrontée, jolie comme un cœur, le teint pâle et le cheveu noir corbeau, elle gagne sa vie comme modèle. Avant de devenir célèbre, elle a été boulangère et tapin. Puis elle a débarqué à Montparnasse où Soutine, qui aime les jolies femmes, l'a tout de suite repérée. Elle a perdu sa virginité avec un peintre polonais, Maurice Mendjizky, a posé pour ses amis, Kisling et Foujita. Ce dernier a peint un *Nu Couché* de Kiki et l'a envoyé au salon d'Automne. La toile a obtenu un triomphe auprès des critiques et du public. Kiki a posé aussi pour Modigliani et Derain. Dans le quartier, elle est une icône.

Au faîte de sa renommée, Edward se réconcilie avec Helena. Bonne joueuse, elle se montre sincèrement heureuse de la réussite de son mari et lui écrit de New York pour le féliciter.

Aux Etats-Unis, la bourse est le dernier jeu à la mode. Les femmes spéculent autant que les hommes. Quand les Lehman Brothers, ainsi qu'ils l'ont décidé, ont porté la compagnie Rubinstein sur le marché boursier, elles ont acheté 80 % des actions. Par un étrange paradoxe, semblable à celui que connaissent nombre de petites entreprises de beauté qui ont cédé leur capital, Helena Rubinstein qui a été créée et développée par une femme, qui repose sur une expertise et une expérience de femme, dont le personnel est presque entièrement féminin, et dont le capital est en majorité possédé par des femmes, est à présent dirigée par des banquiers qui ignorent tout du métier.

Les Lehman ont voulu concilier glamour et mass market, sans comprendre que les deux sont incompatibles. Pour ce faire, ils ont inondé le marché de produits à bas prix. Au début, Madame, qui pourtant s'est toujours méfiée de la distribution de masse, a été vaguement séduite par leur idée. Mais elle a vite compris que c'était impossible. Les femmes ne veulent pas obtenir à bon marché ce qu'elles peuvent acheter très cher. Et les riches refusent d'utiliser les mêmes marques que les pauvres.

Il faut choisir entre les deux stratégies, or les Lehman n'en ont pas la capacité. Ils connaissent par cœur les cours de la bourse, mais ignorent tout des besoins d'une clientèle féminine et surtout de son ambivalence. La vie de ces hommes gris se déroule en noir et blanc, entre leurs colonnes de chiffres et leurs courbes statistiques, entre l'austérité de Wall Street et celle de leurs demeures patriciennes. Que savent-ils de la couleur, de la légèreté, de la part non chiffrable du rêve ?

Un autre problème les tracasse : comment se débarrasser d'Helena, qui commence à leur compliquer l'existence ? Malgré le contrat qu'elle a signé, avec toutes ces clauses qui stipulent qu'elle ne doit pas se mêler de la vente, elle n'entend pas rester silencieuse, ni surtout inactive. Brader ses produits dans des épiceries et des drugstores signifie, à terme, détruire la marque. Elle ne l'accepte pas.

Cette entreprise, c'est son enfant, sa chose. Pendant trente ans, pour réussir, elle a travaillé dur, souvent au détriment de sa vie personnelle. Tous ces efforts pour quoi ? Pour que ces *idlers*, ces idiots, détruisent l'œuvre d'une vie en cinq minutes et vendent ses produits n'importe où, à n'importe qui, entre des petits pois et des lessives ? Elle en trépigne de rage, jusqu'à s'en rendre malade.

Sa colère est attisée par les lettres indignées que lui envoient les gérants des grands magasins et les propriétaires des parfumeries qui la distribuent. Tous se plaignent de la façon dont ces hommes d'affaires dévaluent les produits Rubinstein. Dans ces conditions, ils refusent de poursuivre leur collaboration.

Helena bombarde les Lehman de missives comminatoires qu'ils jettent au panier sans les lire. Ses agents de change lui fournissent alors la liste des actionnaires femmes. Elle écrit personnellement à chacune d'entre elles. Dans ses lettres, elle dénonce les méthodes de management des nouveaux propriétaires et leur conseille de leur écrire pour se plaindre. Les Lehman reçoivent des lettres de toutes parts. Ils ne sont pas au bout de leurs peines. Madame a bien l'intention de récupérer son affaire en rachetant les actions, une par une s'il le faut.

Elle écrit, téléphone, se sent prête à parcourir les Etats-Unis d'est en ouest et du nord au sud, pour reconstituer son stock.

Le krach du 24 octobre 1929 est demeuré dans l'histoire et les mémoires comme « le jeudi noir ». Ce jour-là, la bulle spéculative commencée en 1927 à la bourse de New York et amplifiée par la hausse d'achats d'actions à crédit, éclate subitement.

La croissance de l'industrie qui a porté toute la décennie montre des signes d'essoufflement. Les capitaux vont désormais vers Wall Street au lieu d'être investis dans l'économie réelle. Dans ce circuit infernal, le cours des actions monte plus vite que les profits des entreprises qui augmentent plus que la production, et plus que les salaires aussi. Entre mars et septembre le taux des actions progresse de 120 %. Tout le monde conseille de vendre. Ce qui se produit de façon massive, le 24 octobre.

C'est la panique à Wall Street et dans toutes les places financières du monde qui s'effondrent les unes après les autres comme des dominos. Aux Etats-Unis, la valeur virtuelle des titres perd soixante douze milliards de dollars. Parmi les grands perdants figurent J. P. Morgan, les Vanderbilt, les Rockefeller. Les actions de General Motors, Us Steel, General Electric, Goldman Sachs s'effondrent, celles de Lehman Brothers aussi et avec elles, celles d'Helena Rubinstein qui passent de 70 dollars à 20 dollars.

Pour Madame, c'est une catastrophe. Elle essaie tant bien que mal de faire bonne figure mais cela lui est très difficile. Douloureusement atteinte dans ce qu'elle a de plus précieux, elle en perd le sommeil, d'autant que rien ne va dans sa vie, ni sa santé, ni ses relations avec son mari. Cependant, on le sait, elle n'est jamais meilleure que dans l'adversité. Au cours d'une de ses nombreuses nuits d'insomnie, elle forge un plan. Ses actions ont encore baissé : prompte à réagir, elle donne l'ordre à ses agents de change de racheter tout ce qu'ils peuvent. Les petits porteurs sont bien heureux de récupérer un peu d'argent en les revendant avant qu'elles ne perdent toute leur valeur.

Redevenue actionnaire majoritaire, en partie grâce à l'argent liquide des Lehman, Madame se trouve en position de force face à eux. Elle les oblige à lui revendre le reste du capital. Le rachat total lui coûte un million et demi de dollars, autant dire une peccadille par rapport à ce qu'elle va gagner dans l'affaire : elle empoche net cinq millions huit cent mille dollars de bénéfices. Bingo. Les Lehman doivent s'incliner. Fous de rage, ils racontent partout que madame Rubinstein est « financièrement illettrée ».

En réalité, Madame est un génie. Les Lehman Brothers, ces *mensch* des affaires, auraient dû se méfier de cette petite entrepreneuse qu'ils ont sous-estimée, trop confiants dans leur force et trop sûrs de leur masculinité.

C'est la première fois que leur piédestal est ébranlé. Et par une femme encore. On comprend qu'ils se sentent humiliés. Quatre-vingts ans plus tard, cette fable renouvelée du pot de crème contre le pot de fer demeure jubilatoire.

D'aucuns l'accusent, après coup, d'avoir perpétré un « délit d'initié ». Les Lehman ont-ils fait courir ce bruit pour se venger ? Il est difficile de croire que Madame ait eu vent d'un krach boursier qui a surpris la planète entière. Disons plutôt qu'elle a eu de l'intuition, et surtout de la chance, cette insolente chance qui l'a toujours accompagnée.

C'est souvent sur un coup de poker du destin que se bâtissent les fortunes. En deux ans, Madame est devenue l'une des femmes les plus riches d'Amérique.

Pendant tout le temps de ces longues transactions, elle a bien pensé échouer. Elle a eu peur de ne pas réussir à racheter suffisamment d'actions pour mettre les Lehman au pied du mur. Elle n'aurait jamais pu supporter une défaite. Comme tout doit rester secret, elle se tourne vers la seule personne au monde qui peut la rassurer.

Edward.

La réponse est tout autre que celle qu'elle imaginait. « Ma chère, ce n'est que de l'argent. La vie passe vite. Tu as deux fils magnifiques dont tu ne profites pas, un mari qui t'aime sincèrement malgré ses torts. Je te souhaite de gagner, mais si tu perds, ce n'est pas si grave. Ce qui compte c'est notre famille[10] ».

L'heure du choix a sonné. Deux possibilités s'offrent à elle : le travail ou la famille. D'un côté, elle est fatiguée de mener cette vie de nomade, elle l'a maintes fois écrit à son mari. Elle souhaite se poser et vivre dans un seul endroit à la fois, au lieu de passer comme un météore dans toutes ces maisons sublimes, décorées à grands frais, qu'elle habite à peine. Elle aspire à une vie rangée nécessaire à son équilibre, elle en a plus qu'assez de

« pique-niquer ». D'ailleurs personne ne comprend ce qui la fait courir ainsi, à commencer par ses fils.

Elle tranche vite, cependant. « Je suis née pour travailler », a-t-elle souvent répété. Aujourd'hui, plus que jamais, cette antienne se vérifie. Là où elle a failli tout perdre, il lui faut tout reconstruire. Elle met le cap sur les Etats-Unis, au grand dam d'Edward qui a naïvement pensé qu'elle resterait à Paris pour s'installer avec lui, dans le duplex du boulevard Raspail.

Lui aussi a besoin de stabilité. Il ne supporte plus ce climat de guerre permanente, ces disputes, ces coups bas, ces humiliations, ces mesquineries réciproques. Il n'en peut plus de devoir lui réclamer sans cesse de l'argent, rêve de liens apaisés, sans pour autant lui proposer l'amour charnel. Il rêve d'un compagnonnage bienveillant et complice. Mais Helena refuse cette relation-là avec lui. Il est la seule passion de sa vie, elle ne veut pas se contenter de miettes.

Leur couple connaîtra encore quelques soubresauts, comme un moribond à qui la vie offre de rares moments de répit avant la fin annoncée.

Quant à Madame, elle ravale son chagrin, et repart pour New York, où elle est impatiente de retrouver ses affaires.

Le deuil éclatant du bonheur

Sous les fenêtres de son bureau situé sur la 57e Rue, presque à l'angle de la Cinquième Avenue, au-dessus de l'institut de beauté, Helena entend monter la clameur en vagues de plus en plus fortes. La foule de manifestants qui grossit à chaque minute proteste contre les licenciements, la faim, la vie chère. La colère de ces trente-cinq mille personnes défilant dans les rues de New York est palpable jusque dans l'atmosphère feutrée du salon, dans les cabines de soins, autour des tables de massages, où tout ne devrait être que volupté et quiétude.

La Grande Dépression a frappé l'Amérique et le monde au plus profond, même les clientes privilégiées ne peuvent l'ignorer. Ce maelström financier qui a enrichi Helena Rubinstein, et lui a permis de ne pas licencier, est devenu une crise économique sans précédent qui a laissé des milliers d'entrepreneurs et de salariés sur le pavé.

Le paysage urbain a changé. La misère qui s'est faufilée jusque dans les beaux quartiers laisse dans toute la ville un goût mélangé d'amertume et de désespoir... Des files interminables de chômeurs patientent devant la soupe populaire, des sans-abri dorment sur des cartons, à même le bitume, des femmes avec des bébés encore au sein, le visage creusé par la fatigue et la honte, quémandent quelques sous pour survivre. On ne compte plus les fermetures de banques, les magasins en faillite, les

familles entières jetées à la rue, les suicides. Les ménagères au foyer dont les maris ont perdu leurs emplois cherchent n'importe quel petit job pour faire bouillir la
marmite. On les accuse de voler le travail des hommes.
Certaines vont jusqu'à ôter leurs alliances : l'embauche
des femmes mariées est encore prohibée dans vingt-six
Etats américains.

Dans un pays dévasté, Helena reste l'une des femmes
les plus fortunées et les plus en vue. Elle a tout, la réussite, l'argent, les honneurs. Tout sauf l'amour. C'est peu
dire qu'Edward lui manque. Alors elle s'agite, redouble
de travail, exhorte son équipe à en faire plus, encore
plus, toujours plus.

— Secouez-vous ! Soyez imaginatifs ! La concurrence
nous écrase ! Les femmes n'ont pas un budget extensi-
ble ! Il faut les attirer à nous grâce à la publicité, prendre
jusqu'au dernier nickel dans leurs poches, imaginer de
nouveaux emballages, redécorer nos stands dans les
grands magasins. Allons, qu'est-ce que vous attendez !
Bougez, voyons !

Parce qu'il n'existe rien de mieux que l'action pour la
stimuler, elle se lance à nouveau dans un grand tour des
Etats-Unis pour assurer la promotion de son premier
livre, *The Art of Feminine Beauty*. Elle en a confié l'écriture à un *ghost writer*, à un nègre, mais toutes les idées
viennent d'elle. Les deux premiers chapitres sont consacrés au récit de sa vie. Elle l'enjolive de son mieux, surtout dans les années polonaises et les premiers temps en
Australie. C'est ainsi que mensonges et omissions sont
gravés dans le marbre.

L'essentiel du livre traite de beauté. Sur ce terrain-là,
Madame ne triche pas. Elle se trouve dans son élément,
et par-dessus tout, elle est visionnaire. « Je suis sûre
qu'un jour une femme de cinquante ans pourra facilement passer pour une femme de trente ans et une femme
de soixante-dix ans prétendre être dans l'âge d'une
vigoureuse maturité ».

Au fil des chapitres, elle recommande les gommages, les bains aux huiles essentielles qui ne doivent jamais être trop chauds, les frictions du cuir chevelu, les soins attentifs du cou, des mains, des pieds, la protection redoublée contre le soleil qui « fait prendre cinq ans. » Ses conseils sont empreints de bon sens. « Il faut vingt minutes d'exercices par jour, porter des gants chaque fois qu'on est dehors, nourrir son visage avec une bonne crème[1] ».

En ces temps difficiles, les femmes ont plus que jamais besoin de frivolité. Elles achètent le livre, le lisent, l'offrent, le rachètent. Helena donne des interviews un peu partout. En septembre 1930, elle est à Boston, avec secrétaires, publicistes, et des tonnes de bagages, comme si elle partait pour deux ans. Elle n'a jamais su voyager léger, du reste pour quoi faire ? Elle doit se changer plusieurs fois par jour si elle veut impressionner la presse.

Sous la plume de la journaliste Grace Davidson, le *Boston Post* lui consacre un long article. La photo qui l'illustre montre Madame, divinement habillée par Poiret. Elle arbore plusieurs rangs de perles noires autour de son cou replet.

— A combien se monte votre fortune ? demande la journaliste.

— 20 millions de dollars, répond Helena du tac au tac.

Elle a donné le premier chiffre qui lui passait par la tête. Vrai ou faux, cela n'a aucune importance. Plus elle étalera sa fortune et plus on la respectera. Fidèle à son habitude, elle brode, elle en rajoute. Elle décrit Edward sous les traits d'un éditeur et d'un marchand d'art millionnaire et fait le compte de leurs propriétés : manoir à Mayfair, appartement à Paris, maison de campagne à Greenwich. Pour la beauté du geste, elle ajoute un château à Vienne et une villa en Italie. Qui aura jamais la curiosité de vérifier ? On ne prête qu'aux riches, Helena aurait pu inventer cet axiome.

— Quel est selon vous le premier devoir des femmes ? questionne encore Grace Davidson.

— Rester jeunes ! Nous devons toutes pouvoir vivre des vies aventureuses, voyager, travailler dur, gagner de l'argent et le dépenser, avoir des enfants et aimer passionnément.

Sur ces derniers points, elle n'a pas tout à fait rempli son contrat. Elle ne s'occupe guère plus qu'avant de ses enfants, devenus des jeunes gens. Quant à la passion...

Une dernière tentative de réconciliation avec Edward a lieu à Paris, quelque temps après son tour promotionnel. Venu la chercher au Havre, il a la surprise de la voir débarquer accompagnée de sa femme de chambre et de cette nouvelle meilleure amie, la journaliste Grace Davidson, qu'elle ne quitte quasiment plus depuis l'audience retentissante de l'article du *Boston Post*.

Helena, qui ne souhaite qu'une seule chose au monde, reprendre les relations avec son époux, a paniqué au dernier moment à l'idée de se retrouver en tête à tête avec lui. La stratégie, sa seconde nature dans les affaires, l'abandonne toujours dès qu'il s'agit d'Edward. Elle agit à l'inverse de ce qu'il faut faire pour le reconquérir. Ou peut-être croit-elle que tout effort est désormais inutile ?

Alors elle a convaincu la jeune et timide Grace de l'accompagner et elle lui a offert son billet. Trop poli ou trop malin pour faire la moindre réflexion devant une journaliste, Edward ne décoche pas un mot pendant tout le voyage en voiture jusqu'à Paris. C'est peu dire qu'il fait la tête.

Lui non plus n'a pas envie de divorcer. Coureur, cavaleur, cruel parfois pour asseoir sa supériorité de mâle devant une femme qui financièrement l'écrase, il est tout cela à la fois. Mais il garde dans un coin de sa tête le rêve d'une famille unie. Puis, une séparation n'arrangerait pas ses finances, même s'il lui faut supplier pour chaque centime que sa femme lui alloue.

Miss Davidson dîne avec le couple à La Coupole et reste en sa compagnie pour le dernier verre au Select. Dès le lendemain matin, elle les honore à nouveau de sa présence. Elle n'a pas compris son rôle, mi-potiche, mi-chandelle, et trouve que ces rencontres sont « étranges » et « tendues[2] », tout en reconnaissant un charme fou à Edward.

Le seul moment où Helena paraît se décontracter pendant ces quelques jours, c'est au cours d'une soirée mondaine où les Titus sont invités. Elle y retrouve le sculpteur Constantin Brancusi à qui elle vient d'acheter une de ses pièces maîtresses, *La Négresse blanche*. Ils restent longtemps ensemble à discuter. Brancusi lui fait force compliments. Madame retrouve enfin le sourire.

Elle connaît le sculpteur depuis un bon moment déjà. Ils sont contemporains. Casimir Brancusi, qui est né en Roumanie en 1876, est arrivé à Paris au début du XXᵉ siècle pour étudier aux Beaux-Arts. Helena apprécie ses sculptures en marbre ou en bronze qui tendent vers l'art abstrait. Elle lui en a déjà acheté une qui appartient à la série des *Oiseaux dans l'espace*. Tous les deux partagent la même passion pour les arts primitifs. Ils parlent de New York où l'artiste est allé en 1926 : il voulait ériger une Colonne sans fin au milieu de Central Park.

— C'est toujours mieux que ces va-nu-pieds, ces *schnorrers* que Edward adore fréquenter ! glisse-t-elle à Grace, interloquée[3].

Madame n'est pas toujours facile à comprendre.

Elle revient fréquemment à Paris, toute seule et toujours déprimée. Chaque fois, le fossé entre Edward et elle semble se creuser davantage. Vulnérable parce que triste, entourée pour son malheur d'une cohorte de courtisans et de cancaneurs, Helena croit tout ce qui se répand sur le compte de son époux...

— Comment ? lui susurre sa compatriote, la comtesse Tamara de Lempicka, à qui elle vient d'acheter une toile, vous ne connaissez pas l'actuelle maîtresse de votre mari ?

Paris est cruel. L'artiste polonaise veut parler d'Anaïs Nin. La jeune femme qui vit alors à Louveciennes, avec son premier mari, le banquier Hugh Parker Guiler, a contacté Edward car elle a l'intention d'écrire un livre sur D. H. Lawrence qu'elle admire. Elle cherche un éditeur. Edward a lu quelques pages de son essai, *An Unprofessional Study* et l'a encouragée à poursuivre.

Ont-ils une aventure ? Helena ne peut pas le prouver. Mais une fois qu'elle s'est mis cette idée en tête, elle s'y accroche. Elle accuse son mari de la tromper avec « cette lesbienne allemande ». L'erreur serait comique si Helena n'était pas si en colère : née à Neuilly-sur-Seine, Anaïs Nin a des origines française, cubaine et danoise par sa mère... Madame menace son mari du divorce et pour de bon, cette fois.

Edward a beau nier, elle ne le croit pas, elle ne le croit plus, elle ne veut plus le croire. Pour se venger, elle lui retire la gérance de sa holding immobilière et la donne à son beau-frère Paul, le mari de sa sœur Stella. Joli coup, les deux hommes se détestent, Edward pourrait tuer ce fat. Pire encore, elle ordonne de détruire le Jockey Club, le cabaret favori de son mari à Paris, pour y faire construire un immeuble de rapport. Edward a du mal à encaisser ce dernier coup. D'ailleurs il ne s'en vante guère auprès de ses amis de Montparnasse.

Leurs relations se détériorent un peu plus. Edward édite Anaïs Nin, l'année suivante. Ce sera la dernière publication du Black Mannikin. Helena a décidé de divorcer pour de bon – ce qu'elle fera en 1938 – et surtout de ne plus entretenir Edward, et avec lui sa maison d'éditions et sa revue.

Elle ne veut plus habiter boulevard Raspail malgré la décoration très réussie de l'appartement dans le style Art

Déco qu'elle affectionne. C'est éblouissant, sans être tapageur. Elle en donne la jouissance à sa sœur Stella et à son mari. Les travaux des autres studios qu'Edward rêvait d'aménager pour réunir une colonie d'artistes autour d'eux, ne sont pas terminés. Qu'importe. On les louera tels quels, d'autant qu'il ne s'entend pas avec Bruno Elkulken qui a la charge de les aménager.

Jojo Sert, l'ex-mari de Misia, propose alors à Madame d'acheter un immeuble qui lui appartient. Il s'agit de l'hôtel de Vesselin, situé au 24, quai de Béthune, dans l'île Saint-Louis. Misia a joué les intermédiaires. Les avocats se chargent des négociations qui s'annoncent bien longues pour déloger les occupants. De fait, il faudra presque trois ans.

Fin d'une époque, fin d'un cycle : désormais les Titus se voient de moins en moins.

— Leur mariage a cassé uniquement à cause de l'argent, expliquera, dans les années cinquante, à Patrick O'Higgins, Eugénie Metz, l'employée de maison. Avec son mari Gaston, elle tient à l'année l'appartement que Madame a fait aménager pour elle-même au dernier étage du quai de Béthune. Le couple est entré au service des Titus au début des années vingt, pour s'occuper des enfants.

Patrick O'Higgins vient alors d'être engagé comme secrétaire par Madame et il ne connaît pas toute son histoire. Lors de sa première visite à Paris avec sa patronne, Eugénie a démêlé pour lui les relations compliquées qui unissaient ses maîtres.

— Madame vous donnera d'autres explications, ajoute Eugénie, elle vous dira que Monsieur avait des maîtresses. C'était vrai, mais que pouvait-il faire d'autre ? Elle ne lui accordait pas une minute. Dieu sait comment elle a trouvé le temps d'avoir deux fils[4] !

Désespérée par l'échec patent de son couple, Helena reprend ses voyages. A Vienne, elle est terrassée par une

crise d'appendicite. L'opération est suivie d'une hystérec-
tomie. Elle passe une longue période de convalescence à
Londres, chez Ceska. Là-bas, elle apprend deux nouvelles qui l'enfoncent un peu plus. Son père meurt à Cracovie au milieu de l'année 1931. Madame, qui déteste les
enterrements, envoie ses sœurs y assister à sa place. Une
semaine plus tard, leur mère décède à son tour. Gitel n'a
pas survécu à son mari.

Terrassée par un remords dont elle n'a pas imaginé la
puissance, Helena sombre dans la dépression. Alitée et
seule, au comble du désespoir, elle se laisse aller à la
culpabilité et à la nostalgie, deux sentiments qui d'habitude ne l'encombrent guère. Des images enfouies reviennent la hanter. Elle pense à Kazimierz, à Melbourne, à
Londres, aux jours heureux avec Edward. Elle s'en veut
de n'avoir jamais revu ses parents. Toute à sa peine, elle
oublie les griefs qu'elle nourrissait envers eux.

D'ailleurs, elle oublie tout, sa rage, sa rancune, les
tromperies répétées d'Edward, elle oublie aussi qui elle
est, ce qu'elle a entrepris, réussi, et combien son nom,
dans tous les coins du globe, est synonyme de beauté, de
glamour, de richesse. Brisée, anéantie, elle n'est plus
qu'un petit tas de chagrin, couché entre des draps de
satin. Cela lui ressemble si peu que tout le monde
s'inquiète, sa famille, ses employés, ses médecins. Elle
réclame ses fils auprès d'elle et les prend à témoin.

— Je n'ai jamais pu être tranquille une semaine entière
avec votre père. Aucune femme au monde n'a souffert
autant que moi !

On lui prescrit le repos, les montagnes suisses. Elle
obtempère, sans trop rechigner. Elle se connaît, sait
quand son corps et son esprit ont besoin de s'arrêter. Là-
bas, elle recouvre peu à peu ses forces et retourne à
Paris. Ses disputes avec son mari recommencent de plus
belle, signe que sa santé est bien revenue. Elle rentre
alors à New York et reprend vaillamment le travail.
Tout de suite, elle engage un nouveau directeur des ven-

tes, Harry Johnston, car elle a entendu parler de ses capacités de gestionnaire. Elle lui offre un énorme salaire pour restructurer l'entreprise.

— Plus on travaille, plus on est heureux, moins on a de temps pour penser à des bêtises ! répète-t-elle.

De cela, elle a toujours été convaincue mais elle se répète cette phrase en boucle, comme un mantra. Elle s'étourdit de projets pour chasser Edward de son esprit. L'argent des Lehman, toujours bienvenu, lui permet de rénover l'immeuble acquis en 1927 au 52, rue du Faubourg-Saint-Honoré. Elle veut y regrouper ses bureaux et son salon de beauté.

Elle décide aussi un nouvel aménagement du salon de Grafton Street, à Londres. Toujours à l'avant-garde dès qu'il s'agit d'embaucher de jeunes talents, elle fait appel à un architecte très controversé, Erno Goldfinger et à son associé, Andras Szivessy. Quelques années aupara vant, Edward et elle leur ont commandé des plans pour la rénovation du boulevard Raspail et de la librairie de la rue Delambre, ainsi que des esquisses d'un mobilier de verre pour le salon de beauté de Paris. Finalement, seul celui de Grafton Street portera la signature des deux créateurs[5].

Juif hongrois, Goldfinger, qui a étudié en Suisse puis aux Beaux-Arts à Paris, a deux idées fixes. Il pense que l'intérieur du salon doit contraster avec sa façade géorgienne classique et que son aménagement doit résolument tourner le dos au style Art Déco dont tout le monde use et abuse. Après beaucoup d'hésitations de la part d'Helena qui n'aime pas beaucoup le premier projet qu'il lui présente, et qui oppose parfois des refus catégoriques devant ce qu'elle juge carrément laid ou grotesque – ainsi, les enseignes lumineuses sur la façade auxquelles il tient particulièrement – la rénovation voit enfin le jour. Le résultat est hybride mais spectaculaire. Les murs sont entièrement tapissés de miroirs noirs et métallisés, les tapis rayés de gris.

Helena déteste, c'est trop moderne, même pour elle, et trop excentrique aussi. Elle refuse de payer les honoraires de Goldfinger. Ils se disputent mais plus tard, il reconnaîtra ses mérites. « Madame Rubinstein est une femme intéressante qui m'a invité à dîner au Ritz et m'a préparé des repas dans son appartement au-dessus du salon de Grafton Street[6] », écrit-il. Malgré les réticences d'Helena, le salon connaît un vif succès dès son ouverture. La réputation de Goldfinger grandit, et partant, la renommée de Madame qui, explique la presse, excelle aussi bien « dans la décoration d'intérieur que d'extérieur ».

A Paris, la crise a sonné le glas de Montparnasse. Les Américains, du moins les artistes, sont trop fauchés pour y demeurer. Aussi s'en retournent-ils chez eux. Ernest Hemingway s'installe à Key West. Sylvia Beach, restée rue de l'Odéon, tente de maintenir sa librairie à flot. Pour la soutenir, ses amis lancent une souscription à laquelle Helena est conviée. Elle donne quelques dollars.

Les touristes se précipitent en masse dans les lieux consacrés, essayant d'apercevoir Scott Fitzgerald au Select, Pascin à la Rotonde ou Kiki vendant ses dessins à la criée. Le business remplace l'authentique, Montparnasse perd son âme.

L'année 1932 voit aussi la parution du dernier numéro de *This Quarter*, consacré au surréalisme. Dans son éditorial, Edward Titus raconte l'histoire et l'influence de ce mouvement qu'il a vu naître et dont il connaît bien tous les protagonistes. Salvador Dalí, Paul Eluard, Max Ernst, René Crevel, Tristan Tzara, Samuel Beckett, Duchamp et Max Ernst en sont les contributeurs. André Breton est rédacteur en chef de ce numéro spécial qui signe la fin d'une époque.

Edward met la clé sous la porte du 4, rue Delambre, et déménage à Cagnes-sur-Mer où une colonie d'artistes vient de s'établir. Il emporte avec lui sa légendaire bibliothèque. Il continue toujours de quémander de l'argent à sa femme qui cède ou pas, selon son humeur.

Elle pourrait cependant accéder à toutes ses demandes, même déraisonnables. Sa fortune est considérable et il y a largement contribué.

La vie de famille

Au cours des mois qui ont suivi sa rupture avec Edward, Helena aurait aimé trouver un peu de réconfort auprès de ses fils. A l'évidence, elle ne récolte que ce qu'elle a semé, car aucun des deux ne répond à ses attentes. Sans doute souffrent-ils de la séparation de leurs parents. Horace, qui s'entend bien avec son père, va souvent le voir à Cagnes. Roy s'éloigne d'Edward, sans pour cela se rapprocher de sa mère.

Des deux, il est resté le plus faible et le plus docile. Diplômé d'Oxford, en Angleterre, après avoir étudié à Princeton, il a ensuite intégré Harvard. Malgré ces universités prestigieuses où ses notes ont été quelconques, il n'aime pas beaucoup les études entreprises pour faire plaisir à ses parents et surtout à sa mère. Il aurait préféré gagner sa vie dans la musique, un art où il excelle, comme son frère.

Depuis sa naissance, Roy a toujours fait de son mieux pour gagner un sourire, une approbation, un signe qui montre que *Mother*, comme Horace et lui appellent leur mère, s'intéresse à lui, mais il échoue la plupart du temps. Il semble qu'il la déçoive sans cesse. Elle ne supporte rien de ce qu'il entreprend, il ne correspond pas à ses attentes. Leurs rapports sont tendus, souvent difficiles. Il la craint et la fuit tout en quémandant son soutien, redoute ses colères et son mépris. De son côté, elle ne se montre pas tendre.

Ce n'est pas un manque d'amour, loin de là. Ses enfants comptent beaucoup pour elle et elle peut se montrer affectueuse avec eux. A la fin de sa vie, à l'heure attendue des bilans, elle exprimera souvent des regrets de ne pas leur avoir consacré assez de temps. En réalité, elle ne sait pas les aimer ou, plus exactement, elle ne sait pas aimer tout court. Son histoire avec Edward a pâti de cette inaptitude. Sa relation avec ses fils ne sera pas meilleure.

Roy souffre de leur premier rendez-vous manqué, le jour de sa naissance. Elle l'a ignoré car il contrecarrait ses projets. Par la suite, elle a tenté de se rattraper, l'a couvert de cadeaux et d'argent, l'a fait vivre dans le confort et le luxe, lui a donné, comme à son frère cadet, la meilleure des éducations possibles. Depuis son plus jeune âge, Roy n'a manqué de rien, sauf de l'essentiel, du regard bienveillant et surtout encourageant de sa mère. Il s'est forgé sans elle. Il a tenté d'en prendre son parti même s'il n'est jamais facile d'être le fils qu'on rejette.

Roy aura toujours du mal à trouver son équilibre. Dans l'entreprise où il est employé comme tous les autres membres de la famille, il se tient soigneusement à l'écart. Sa vie privée va être un échec. Il se marie trois fois, a une fille unique, Helena, née en 1958. Il se résigne à être malheureux jusqu'à sa rencontre avec Niuta Grodzius, une Américaine née en Lituanie, que le décès de ses maris successifs, Benno Slesin et Bernard Miller, a laissée seule avec deux enfants adolescents, Louis et Susan. Niuta sera pour lui la mère qu'il n'a pas eue, l'infirmière et la consolatrice, celle qui saura panser ses blessures et l'aider à se confronter à son addiction à l'alcool.

Après leur mariage, le quatrième pour lui, en 1960, Roy va s'installer dans l'appartement de sa femme, situé sur Park Avenue, en emportant avec lui deux valises.

— Il ne possédait rien, se souvient Susan Slesin, la fille de Niuta, qui a consacré un très bel ouvrage à la vision artistique d'Helena Rubinstein, *Over the top*[1]. Roy ne voulait rien devoir à sa mère.

Plus rebelle que son aîné, plus instable aussi, Horace a laissé tomber Cambridge après son accident de voiture. Il veut être un artiste, peindre, écrire, ou les deux.

— Comme son père et son grand-père, il préfère les livres aux livres de comptes ! se plaint Helena.

Horace s'obstine. Sans doute a-t-il reçu, en prime, le caractère têtu de sa mère. A l'âge de vingt ans, il a publié une nouvelle dans une revue anglaise et a reçu trois guinées de salaire. Edward se montre fier de ce fils si peu conformiste qui, à l'évidence, se destine à suivre ses traces. Mais *Mother* fait la fine bouche.

Cet engouement familial pour la littérature l'exaspère, elle ne supporte pas que Horace ait hérité lui aussi de la malédiction des rêveurs. Elle voudrait à tout prix l'enrôler, avec son frère, dans « le business ». Pendant les vacances scolaires, elle les oblige à faire des stages dans l'usine de Long Island. Après sa première année à Oxford, Roy a passé deux mois au salon de Grafton Street.

Horace plie devant les diktats maternels mais seulement quand il n'a rien de mieux à faire, ou s'il se trouve dans une situation financière périlleuse et qu'il a absolument besoin d'argent pour s'en sortir. Déstructuré mais brillant, il accumule les bêtises sans doute pour se faire remarquer de sa mère, dettes de jeu, faillites, accidents de voiture. Elle lui passe tout, il recommence de plus belle. Il décide de devenir peintre, part pour Tahiti, en revient au bout de quelques mois, s'inscrit dans une école d'art, abandonne comme toujours.

Au début des années trente, il épouse Evelyn Schmitka, une jeune femme tendre et insouciante, née à Woodstock. Avec son sens inné des surnoms, Helena l'a baptisée « la fille du boucher », le métier de son père. Horace aura deux enfants avec elle, une fille, Toby, et un garçon, Barry. Il divorcera très peu de temps après la naissance du second. Les petits-enfants d'Helena ont peu de souvenirs de leur grand-mère, qu'ils voient somme toute assez rarement, même si elle en parle dans son autobiographie comme si elle les côtoyait tous les jours[2].

Au fond, Helena regrette de ne pas avoir eu de fille à qui transmettre son métier. Ses sœurs sont ce qu'elles sont, à la fois présentes et tenues à distance. Elle les rudoie et elles tâchent de lui résister à leur manière, sans toujours bien y parvenir car tout en admirant et en craignant leur aînée, elles la jalousent aussi ce qui complique leurs rapports. Ils ne s'amélioreront pas avec l'âge. Ainsi un violent conflit, parmi d'autres, va opposer Helena et Manka. Fatiguée de parcourir l'Amérique pour porter la bonne parole aux revendeurs, cette dernière a décidé de quitter l'entreprise en revendant ses parts.

Sa sœur se met en colère, et la traite d'ingrate. Mais Manka tient bon et se retire peu à peu. Madame cherche à la remplacer par un membre de la famille, c'est toujours ainsi qu'elle a procédé, en structurant son affaire un peu comme une « mafia polonaise » selon le mot désobligeant d'Elizabeth Arden. La comparaison sera reprise plus tard par Boris Forter, le manager qu'elle engagera en 1937 pour tenir son salon de Londres. Forter va plus loin et parle, lui, d'une « famille mafieuse inférieure[3] ». Mais pour diverses raisons, son ressentiment personnel est fort envers Madame.

A Cracovie, vit toujours Regina Rubinstein, la dernière des sœurs restée en Pologne. Regina a eu quatre enfants, Jacques, Oscar, Rachel et Mala. Cette dernière est depuis son plus jeune âge fascinée par la réussite de sa tante, qui fait partie de la légende familiale. Toute son enfance a été bercée par les récits de sa prodigieuse histoire.

Vers l'âge de douze ans, Mala, qui développe une acné récalcitrante, écrit à Helena. Cette dernière lui prodigue des conseils par courrier. Leur correspondance se poursuit après la guérison de la jeune fille, qui mène une vie heureuse à Cracovie, entourée de ses parents et de ses amis et n'imagine pas quitter la Pologne. Quand elle pense à son avenir, elle se voit mère de famille nombreuse ou poète et pourquoi pas les deux. Douée en tout, elle a déjà publié plusieurs essais littéraires dans le journal de son lycée.

Madame continue régulièrement à prendre de ses nouvelles. Dans ses lettres, Mala raconte ses études, son apprentissage du tennis, que sa tante encourage de loin. Au cours de ses nombreux voyages, Helena n'oublie jamais d'envoyer des cartes postales à sa nièce qui rêve devant tous les pays qu'elle a traversés.

— Ses photographies décoraient les murs de notre maison de Cracovie, raconte Mala. Je m'émerveillais de sa vie glamour. Elle était mon héroïne[4]. Malgré sa vie si pleine, elle gardait du temps pour prendre de nos nouvelles.

Quand la jeune fille termine ses études, Helena l'invite à Paris. Le premier réflexe de Mala est de courir s'acheter des vêtements neufs pour lui faire honneur. Ce départ de Cracovie, elle le sait, Helena l'a déjà effectué des années auparavant. C'est une autre des légendes qui courent sur son compte. Désormais chacun se targue d'avoir financé pour partie son billet sur le bateau... Mais le voyage a beau être plus facile pour elle qu'il ne l'a été pour sa tante, il lui semble ressentir à plus de quarante années de distance, le même mélange d'excitation et de peur.

De l'avis général, Mala Kolin est la plus jolie et surtout la plus distinguée des femmes de la famille. Une masse de cheveux bruns et épais entoure son visage fin, son sourire épanoui et ses yeux qui pétillent charment tous ceux qui l'approchent. Et puis elle est gentille, attentive, toujours à l'écoute. Fière de sa jeune nièce, Helena prend la peine de lui consacrer du temps, ce qu'elle n'a jamais fait avec ses fils. Elle lui fait découvrir les musées, les galeries, l'emmène dans les ateliers de Braque et de Van Dongen, aux Folies Bergère pour admirer Joséphine Baker, au cinéma où Raimu triomphe dans le *Marius* de Marcel Pagnol. Elle l'invite à dîner au Ritz, au Café de la Paix et, traversant la Seine, à la Coupole où traînent encore quelques peintres. Mala est éblouie par cette vie dont elle pressentait la richesse et l'attrait.

A son retour, Cracovie lui paraît étriquée, provinciale. Elle s'ennuie et ne pense qu'à repartir. Madame vient de recruter ses deux frères. Oscar, l'aîné, comme chimiste en chef dans l'usine de Saint-Cloud, et Jacques, pour superviser celle de Toronto. Elle propose à Mala de l'embaucher aussi.

Au début des années trente, la jeune femme qui débarque à Paris, cette fois pour y vivre, est pleine d'espoir à l'idée de commencer une nouvelle existence auprès d'une tante qu'elle adule. Elle ne s'attend certes pas à travailler autant. « Deux personnes cohabitaient en une seule, écrira-t-elle. En privé, ma tante Helena, affectueuse et attentionnée, et au travail, madame Rubinstein qui n'avait rien à voir avec la première[5] ».

Helena commence sans tarder son éducation. Au lieu de la vie parisienne palpitante qu'elle rêvait de mener, la jeune fille est missionnée à Vienne et à Berlin pendant six mois. Là-bas, elle étudie la dermatologie, les traitements faciaux, et en particulier les massages. En rentrant, sa formation est encore succincte mais au moins sait-elle à présent en quoi consiste le métier.

Elle travaille d'abord au salon du Faubourg Saint-Honoré, puis à l'usine, dans les bureaux, et dans les autres boutiques où les produits Rubinstein sont vendus. Il n'y a plus ni loisirs, ni week-ends, ni sorties. Madame est inflexible, le métier doit rentrer. « Le prix à payer fut difficile mais les leçons que j'en retirais me marquèrent à jamais[6] ».

Helena l'envoie poursuivre ses classes, en tant que représentante des produits Rubinstein, dans les coins les plus reculés de France.

— Si tu veux apprendre, lui dit-elle, il n'y a qu'un mot magique entre tous. Ecoute...

C'est à peu de chose près la leçon de Gitel qu'elle vient à son tour de lui transmettre.

— J'ai écouté, se souvient Mala. Je n'ai fait que ça.

Dans les villes et les villages de la France profonde, les femmes qui ne connaissent pas grand-chose aux cosmétiques – la publicité n'est pas encore passée par là – se montrent sceptiques sur son enseignement. Les convaincre est un challenge. Mala a compris combien l'approche personnalisée est nécessaire. Il faut apprendre de chacune ce qu'elle désire en « écoutant », comme le lui a conseillé sa tante.

La jeune femme qui parle couramment cinq langues est ensuite envoyée en Suisse, puis en Allemagne, et dans toutes les usines Rubinstein en Europe. Elle apprend à enseigner les techniques de massages faciaux et de manipulation des muscles, les soins à donner à la peau, les relations étroites entre les régimes et l'exercice physique. Enfin, elle prend du galon : elle est nommée directrice du salon de Paris. A la demande de sa tante, elle change son nom de Kolin pour celui de Rubinstein.

Sévère avec sa nièce, Helena ne lui permet pas le moindre petit écart. Au cours d'une soirée donnée à l'ambassade d'Angleterre, Mala se lance dans une discussion animée avec un diplomate. La conversation n'est pas le moindre de ses atouts. Son interlocuteur semble sous le charme jusqu'au moment où Helena fonce littéralement sur sa nièce. Elle prend le temps de lui murmurer au passage, avant de poursuivre sa route vers l'autre bout de la pièce, tel un char d'assaut partant au combat :

— Fais semblant d'être un peu plus stupide !

Mala a beau essayer, elle ne sait pas paraître « stupide ». Quand son travail est terminé, elle nage, joue au tennis, sculpte, écrit de la poésie, lit Colette, Virginia Woolf. Avec son nouveau cercle d'amis parisiens, elle fréquente avec assiduité les musées et les galeries, va au théâtre voir les pièces de Giraudoux et de Pagnol.

Sa vie à Paris lui plaît, elle n'en imagine pas de plus accomplie, d'autant qu'elle a fait la connaissance de son cousin Victor, le fils de John Silberfeld, l'oncle de Melbourne qui avait émigré à Anvers. Victor a changé son nom en Silson. Les deux jeunes gens s'apprécient, se revoient, tombent amoureux.

Helena choisit alors ce moment pour expédier sa nièce aux Etats-Unis. Mala est déchirée à l'idée de tout quitter, mais elle n'a pas vraiment le choix. Comment dire non à sa terrible tante ? « Mon sens de l'aventure l'emporta », écrira-t-elle, très langue de bois.

Au mois de janvier 1934, Mala, tout juste la trentaine, débarque à New York. Comme Helena avant elle, elle est éblouie par l'arrivée en bateau. Recouverte de neige, la ville lui rappelle Cracovie. On lui a retenu une chambre au Pierre. Et tous les matins, de sa fenêtre, elle peut admirer les blanches pelouses de Central Park. Elle aimerait bien rester, mais elle doit prendre la relève de Manka et voyager, comme elle, à travers tout le pays. Helena la rejoint bientôt et l'accompagne un moment, pour ce premier contact « coast to coast ».

Dans toute l'Amérique, les gens travaillent jour et nuit pour tenter de se relever de la crise. L'argent se fait rare, chaque dépense est calculée avec minutie. En dehors des grandes villes, les femmes sont très isolées, elles n'ont aucune idée du monde qui les entoure. La télévision n'existe pas encore, seuls la radio et quelques magazines les relient à l'extérieur. Mala s'adresse à des fermières qui ne connaissent que l'eau et le savon noir, à des ménagères au foyer qui utilisent une *cold-cream*, à des bourgeoises pour qui le maquillage est du dernier mauvais goût, à des jeunes employées, avides de nouveautés. Là encore, il faut initier chacune à la culture de la beauté en parlant un langage intelligible par toutes. « Dans certains endroits, se souvient Mala, je me sentais comme un oiseau rare regardé par les jumelles des ornithologues les plus curieux[7]. »

Malgré cette somme de travail énorme et ces horaires toujours décalés, elle s'habitue à la vie américaine. Son amoureux vient la rejoindre, car Helena l'a embauché. Ils réussissent à se voir et même à se marier en dépit de leurs emplois du temps qui ne concordent pas toujours. Mais tout de suite après la cérémonie, Mala part seule en voyage de noces. Elle ne peut faire autrement car elle se trouve au beau milieu d'une tournée de démonstration. Elle accolera Silson, le nom de son époux, au sien, mais restera à jamais Mala Rubinstein.

Au bout de deux années interminables mais essentielles à sa connaissance du métier, elle obtient la direction du nouveau salon de New York. Madame peut être enfin satisfaite de son élève, devenue tout aussi perfectionniste qu'elle l'est. « Ne perdez jamais de vue, écrit-elle à l'intention des femmes, maintenant et pour toujours, que lorsque c'est de votre apparence qu'il s'agit, "bien" n'est jamais assez bien. Mieux doit être votre but et ne vous estimez satisfaites que lorsque vous aurez atteint votre "meilleur"[8]. »

Entre les deux femmes s'est créée une relation intense. Même si Helena n'en a jamais rien dit, officiellement, Mala, qui lui est très dévouée, est réellement son héritière de cœur et d'esprit. Elle n'a pas son pareil dans l'enseignement de la beauté. « Même avec la main qui tremble, dit-elle, une femme saura toujours se maquiller. »

Madame est aux petits soins pour Mala.

— Tu travailles trop, lui dit-elle souvent, viens à Greenwich avec moi te reposer.

Mala, qui a sa vie, ses amis, et surtout son mari, l'accompagne un samedi soir dans la maison du Connecticut. Mais dès sept heures le dimanche matin, Helena tambourine à sa porte.

— Mala, tu dors encore ? Comment est-ce possible ? Réveille-toi, j'ai eu une idée...

Et pourtant, elle a beau l'adorer, elle ne la félicite jamais. Dans sa bouche, les compliments sont rares et Mala, malgré tous ses talents, ne fait pas exception à la règle. Le plus grand hommage que sa tante lui ait rendu est cette unique phrase :

— Mala, je ne m'ennuie jamais avec toi.

Un autre jour, à la fin d'une démonstration, Helena va vers elle et lui dit abruptement :

— Tu m'apprends beaucoup, tu sais.

Ce n'est que vers la fin de sa vie que Madame baisse la garde. Deux jours avant sa mort, répondant à l'interview d'un journaliste, elle lui glisse :

— Demandez à Mala, elle en sait plus que moi sur tout.

Mala, qui assiste à l'entretien, s'inquiète. Cette gentille phrase n'est pas banale dans la bouche de sa tante. En rentrant à la maison, elle fait part à son mari d'un mauvais pressentiment.

— Quelque chose ne va pas, c'est la première fois qu'elle me complimente[9].

Rester jeune !

Les femmes sont-elles devenues folles ? Elles teignent leurs cheveux en blond platine comme Jean Harlow, copient les crans de Marlène Dietrich, la coupe lisse de Greta Garbo, calquent leurs silhouettes sur l'allure androgyne de Katharine Hepburn. Toutes ces stars triomphent sur les écrans du cinéma parlant. *Glamour,* d'un côté, et *naturel* de l'autre, sont les deux facettes d'une même industrie dont le mot d'ordre est « vendre à tout prix ».

Ce qui tombe plutôt mal : pour lutter contre la récession, l'administration Roosevelt a décidé de taxer les produits de luxe. Les millions d'Américaines qui achètent du rouge à lèvres, de la poudre, du vernis à ongles, sont furieuses. Les économistes inventent la *lipstick theory,* dont Elizabeth Arden a, la première, énoncé le théorème. En temps de crise, la consommation de produits de beauté est en hausse, car les femmes qui ne peuvent pas s'offrir une nouvelle robe reportent leur frénésie de consommation sur un tube de rouge à lèvres. Les consommatrices ne veulent pas renoncer à la séduction. Simplement leurs plaisirs se font moins voyants, plus modestes.

A l'heure du déjeuner, chez Macy's ou chez Saks, on peut voir des grappes de jeunes femmes qui prennent d'assaut les stands du rez-de-chaussée, consacrés aux

soins de beauté et au maquillage. Elles avalent un sand-
wich ou une salade en vitesse, profitent de leur pause
pour essayer les poudres et les mascaras. Avant de sortir,
elles ont épluché leurs magazines, surtout les pages
beauté qui édictent les règles du bon et du mauvais goût.
« Il est amusant de se farder les yeux le soir mais cela
reste inacceptable pendant la journée », ou encore « Les
moins de dix-huit ans sont priées de s'abstenir de tout
maquillage[1]. »

Les articles regorgent de ces diktats que toutes se sentent obligées de suivre pour rester dans la tendance. La
publicité abuse du langage psy, désormais à la mode. On
évoque les névroses, l'estime de soi, le complexe d'infério-
rité ou le subconscient, pour vendre la moindre crème, le
plus petit bâton de rouge. Un massage facial ne donne pas
seulement une jolie peau mais « un nouveau point de vue
sur l'existence[2] ».

Toujours très atteinte par sa rupture avec Edward,
Helena réfléchit aux moyens de « bâtir une forteresse
contre le temps ». Dans les années 1910, déjà, elle avait
lancé une première crème *Valaze* aux hormones. Soucieuse d'aller plus loin, de frapper plus fort encore, elle
investit de l'argent dans la recherche.

Elle n'est pas la première à y avoir pensé. Gayelord
Hauser en est depuis longtemps un fervent partisan pour
les femmes arrivées « à la seconde moitié de leur vie »,
comme il les baptise pudiquement. Le nutritionniste
d'origine allemande a émigré au début du siècle aux
Etats-Unis, où il est devenu la coqueluche des stars de
Hollywood toujours en quête d'un nouveau régime. A
l'évidence, il évoque là les femmes ménopausées, pour
lesquelles il n'existe aucun marché spécifique, et dont on
parle à mots couverts comme si elles étaient des pestifé-
rées. De son côté, Elizabeth Arden cherche elle aussi la
bonne formule. Elle a le courage de tester ses nombreux
essais sur son visage. Le résultat ne se fait pas attendre,

sa peau se couvre de boutons, ce qui fait jubiler Madame quand elle l'apprend.

Après de longs mois de tâtonnements, Helena lance la crème *Hormone Twin Youthifier* qu'il faut appliquer de jour comme de nuit, pour renouveler et rajeunir les cellules de la peau. Au cours des années suivantes, elle va imaginer d'autres produits aux hormones destinés au visage, au cou, à la gorge, aux mains. Pour chacune de ces crèmes, trois ans de mise au point sont nécessaires. La plus célèbre sera l'*Ultraféminine*, le premier produit de beauté approuvé par la Food and Drug Administration, ce qui est une véritable victoire.

Car le lancement d'une crème sur le marché américain est devenu bien moins aisé qu'autrefois. La Food and Drug Administration surveille tout désormais, même les cosmétiques qu'elle avait jusque-là négligés. C'est la conséquence de l'expansion du marché. Des associations se créent pour lutter contre les promesses fallacieuses des annonceurs et des publicitaires, ou les dangers de certains produits. Une teinture pour cils a défiguré quelques utilisatrices et l'une d'elles en a perdu la vue. Désormais les clientes font l'objet de toutes les vigilances.

L'American Medical Association réunit une commission pour examiner les termes à bannir... Certaines expressions, comme *allergy free* ne peuvent plus être employées sans preuves. Les fabricants doivent apposer la liste de leurs composants sur les emballages ou la proposer, sur simple demande des clientes. Soutenu par Eleanor Roosevelt, un collectif de consommateurs crée un lobby pour changer la loi. Au début, pas plus Helena Rubinstein qu'Elizabeth Arden n'y prêtent attention, mais elles ont tort.

Ces groupes qui se démènent dans tous les sens pour se faire entendre des politiques et du public vont parvenir à leurs fins. Il faudra cependant attendre 1938, pour qu'une loi soit enfin votée, mais sous la pression des lobbys, son contenu est largement édulcoré. Le FDA donne une définition des cosmétiques, mais il ne pourra les réguler qu'une fois lancés sur le marché.

Cependant, les règles sur la publicité sont devenues un peu plus strictes. Surtout, les fabricants sont contraints de changer un certain nombre d'appellations. Chanel, Yardley, Bourjois, Elizabeth Arden, Helena Rubinstein feront les frais de la nouvelle loi. Rien ne prouve, énonce le FDA, que la *Youthifier Cream* puisse retarder les méfaits de l'âge. Déjà, il a fallu débaptiser la crème historique, la *Valaze Skin Food* car pour l'organisme gouvernemental, « nourriture pour la peau » ne veut rien dire non plus.

Pour l'aider à redéfinir sa politique de marketing, Helena a engagé Sara Fox, fraîchement diplômée de l'université. La jeune femme, qui devient vite son bras droit, se montre très douée pour baptiser les nouveaux produits.

— What to do ? demande Helena, découragée par la décision de l'administration.

C'est son expression favorite quand elle ne sait plus comment agir. Prompte à répliquer, Sara Fox propose de l'appeler *Wake Up cream*. Helena reprend l'idée à son compte. « *Clever* » (brillant), commente-t-elle simplement. Des trouvailles telles que celle-là lui permettent de contourner les difficultés qu'elle rencontre.

En même temps que Sara Fox, Helena a engagé Harold Weill qu'elle appelle « le jeune avocat », ainsi que Jérome Levander, rebaptisé « le comptable ». Tous les matins, elle les convoque très tôt chez elle, puis elle passe une demi-heure au téléphone avec ses agents de change pour surveiller le cours de ses actions. Les Lehman lui ont donné le virus de la Bourse. En 1936, elle a recapitalisé son entreprise et en reste majoritaire avec 52 % des actions.

L'année suivante, elle engage Boris Kougoulsky, qui a changé son nom en Forter en arrivant aux Etats-Unis. Kougoulsky-Forter est un Juif russe issu de la riche bourgeoisie moscovite, un ancien officier de l'armée blanche aussi. Après avoir émigré à Paris, ce personnage haut en couleurs, au fort caractère, intelligent, hâbleur, décontracté, sûr de lui, a embarqué pour New York où il a exercé de nombreux métiers. Il a été, entre autres, directeur général chez Germaine Monteil. Quand il est licencié, Helena le convoque et va droit au but[3].

— J'ai entendu parler de vous par Germaine Monteil. Cherchez-vous un emploi ?

— Oui, acquiesce-t-il, pas du tout démonté par ses manières autoritaires.

— Je viens de trouver la bonne personne pour le travail que je vous destinais. A propos, je n'aime pas votre cravate.

La nuance bleue très française de sa cravate, choisie avec soin pour l'entretien, lui plaît beaucoup. Bel homme, soucieux de sa personne, il porte des costumes immaculés, dîne au Ritz, part skier l'hiver à Saint-Moritz, et prendre le soleil à Cannes, l'été. Boris a toujours vécu au-dessus de ses moyens, il a terriblement besoin du poste.

Il reste donc imperturbable et la laisse poursuivre.

— Mais j'ai une autre idée... Je vais vous envoyer en Angleterre. Il n'y a personne là-bas et le business est florissant.

Elle ment, comme toujours. Sa sœur Ceska dirige le salon et les affaires de Londres. Quand Boris Forter y débarque, avec sa femme Marisa et leur fils adolescent, il doit faire preuve de toute la diplomatie dont il dispose pour s'entendre avec Ceska qui n'est pas décidée à lâcher le moindre morceau de pouvoir. Forter découvre aussi que le chiffre d'affaires de 200 000 livres par an sur lequel Madame lui a promis un intéressement de 2 % est loin d'être exact. En 1937, les ventes atteignent à peine 48 000 livres par an[4].

Il est en colère, mais il n'a pas le choix. Alors, il met sur pied un plan d'attaque pour résister. Il lui faut quelques semaines pour gagner la confiance de Ceska, qui tombe sans doute amoureuse de lui. Bien décidé à conserver le train de vie indispensable qui lui permettra de continuer à paraître dans ce milieu de la beauté fréquenté par des riches et des snobs, tout en faisant vivre sa femme et son fils, il va tricher sur les comptes.

Il persuade Ceska de s'associer à ses combines en lui remettant les trois quarts de ses gains frauduleux. Boris Forter prétendra même dans un entretien avec son fils Christian Wolmar, à la fin de sa vie, que Madame avait fini par être au courant de ses combines : ne pas déclarer de l'argent reçu cash, revendre au prix fort des marchandises de second choix, falsifier les factures et les comptes. Et qu'elle fermait les yeux sur leurs petites affaires, car elle aussi y gagnait[5]. Ce qui n'a, malgré ses allégations, jamais été prouvé.

Pour Helena, la vie continue, sans Edward, d'un continent à l'autre. En son absence, ses maisons sont tenues comme si elle allait y débarquer dans l'heure. Quand elle y habite, pour quelques jours ou pour quelques mois, les rituels demeurent immuables. Elle se fait livrer des fleurs fraîches tous les jours, épluche les livres de comptes, surveille tout ce qui entre ou sort de ses cuisines, même les sandwiches de ses réceptions. Sa réputation d'hôtesse est établie à Paris, Londres et New York.

Elle fait de son mieux pour que ses soirées, très courues, où elle mêle le lancement de ses produits avec les obligations de la mondanité, soient les plus chaleureuses possibles.

— L'imagination, c'est le secret d'une party réussie, dit-elle.

Ainsi donne-t-elle ses fameux dîners roses, où tout, de l'entrée au dessert, est de la même nuance qui va du saumon au framboise en passant par l'orange pâle des écrevisses et le fuchsia d'une botte de radis. Ou bien, elle lance le jeu des chaises musicales. Entre deux plats, les hommes doivent changer de place pour éviter aux femmes de s'ennuyer. Elle convie ses hôtes à des « harem parties » dont le décor et les toilettes évoquent les fastes de l'Orient. Elle a emprunté l'idée à son ami Poiret.

— Quand Madame reçoit, raconte le magazine américain *Mademoiselle*[6], elle le fait avec autant de plaisir et de chaleur qu'une simple femme au foyer servant à ses invités un gâteau maison au gingembre. Quand elle vous tend d'une façon adorable un plateau de canapés au cresson, vous ne pouvez que vous sentir flatté.

L'article de *Mademoiselle* est au moins le millionième à décrire la vie de Madame sous tous ses aspects. C'est à croire que les lectrices du monde entier ne se lassent jamais de découvrir les moindres secrets de leur icône.

« Elle doit traverser l'Atlantique au moins huit fois par an, pour vérifier que ses milliers d'employés sont à leurs postes. Le fait qu'autant de monde dépende d'elle l'effraie et l'oblige à rester attelée à sa tâche. Certains sont à son service depuis le début[7]. »

Le magazine passe cependant sous silence ses défauts, sa dureté, son exigence envers ses employés, ses mensonges, tout ce qui rend si difficile, voire impossible le travail sous ses ordres. La journaliste ne veut voir en elle qu'une femme qui a su rester simple malgré tout son argent. Ce qui n'est pas non plus inexact. Helena Rubinstein possède maintes facettes. Elle se dit bien trop occupée pour profiter des traitements de beauté qu'offrent ses instituts. En réalité, elle qui prône sans cesse l'exercice physique et les massages, ne pratique jamais aucun sport et déteste se faire palper. Mais elle respecte sa peau et la soigne. Elle se maquille toute seule, dans sa salle de bains, à la lumière naturelle, n'oublie jamais d'appliquer ses crèmes ni son fond de teint avant de sortir de chez elle.

Elle est surtout préoccupée par ses relations avec les journalistes. Ceux-ci apprécient ses « petits cadeaux », ses manières brusques qui les enchantent, la gloire qui l'auréole depuis sa « victoire » sur les Lehman Brothers. Sa réussite phénoménale impressionne d'autant plus qu'elle a toujours une bonne histoire à leur raconter, un nouveau produit révolutionnaire à leur présenter, qui va rendre l'article plus amusant pour le lecteur.

Madame est très liée avec Janet Flanner, en poste à Paris pour le *New Yorker* qui va signer pendant près de trente ans d'admirables chroniques sur sa vie dans la capitale. Mais ses magazines de prédilection, aux Etats-Unis, restent *Vogue* et *Harper's Bazaar*. Edna Chase, la rédactrice en chef du premier, y est entrée au début du siècle puis elle s'est fait remarquer par Condé Nast quand il l'a racheté et va rester à sa tête jusqu'en 1952. Elle est plus proche cependant d'Elizabeth Arden que d'Helena Rubinstein, bien que les deux femmes aient, au moins une fois par an, les honneurs des reportages publiés dans son magazine.

La véritable amie de Madame, dans ce petit monde de la presse féminine, est Carmel Snow, qui après des débuts à *Vogue*, a rejoint le *Harper's Bazaar*. Son gabarit fin et léger ne l'empêche pas d'être une boule d'énergie pure, dont l'esprit rapide veut tout connaître des dernières tendances de la mode, à New York comme à Paris, et les décortique à la vitesse de l'éclair. Quand elle arrive dans la capitale française pour les collections, elle rend insignifiantes les autres journalistes de mode.

Carmel Snow qui se targue d'avoir créé un magazine pour des femmes « élégantes avec un esprit élégant », travaille avec tous les grands artistes de l'époque. Elle a encouragé Cocteau, Truman Capote, Cecil Beaton, Christian Bérard et Man Ray qui ont signé les premières photos de mannequins à la plage pour *Vogue,* Cristobal Balenciaga et Christian Dior à leurs débuts.

Son talent de tête chercheuse est infaillible pour repérer le danseur, l'écrivain, le talent en devenir, et en parler avant qu'il devienne célèbre. Elle engage Diana Vreeland comme rédactrice en chef de la mode, après l'avoir aperçue, dansant au milieu d'une pièce noire de monde ; embauche son directeur artistique, Alexis Brodovitch, après un simple coup d'œil à ses dessins. Madame, qui écorche tous les noms, l'appelle affectueusement « Caramel ».

A Paris, la correspondante du *Bazaar* est Marie-Louise Bousquet dont Helena devient aussi très proche. Vive, rapide, ponctuant ses phrases d'un humour cinglant, Bousquet est une figure du Tout-Paris. Confidente de tous ceux qui ont besoin de ses lumières, elle offre en quelques phrases appui, chaleur, conseils. Pendant de très nombreuses années, elle tient un salon dans son appartement qui donne sur la place du Palais-Bourbon, où les artistes, les écrivains, les acteurs, les musiciens, se mêlent aux mondains. Mariée à Jacques Bousquet, un homme de lettres désargenté, souffrant d'une arthrite chronique qui la cloue littéralement à son fauteuil, elle n'en est pas moins par son charme, son esprit, sa vivacité, l'hôtesse la plus courue de cette société parisienne qui s'étourdit en fêtes et en plaisirs.

Si l'atmosphère est sombre pour les classes moyennes qui souffrent de la crise, les Parisiennes de la haute société rivalisent d'intelligence, de culture et d'élégance. Les égéries sont Marie-Laure de Noailles, patronne des arts et des lettres, la princesse Nathalie Paley, épouse du couturier Lelong et grand amour de Cocteau, qui éblouit et fascine tous ceux qui l'approchent par sa silhouette de liane blonde, et Baba de Faucigny Lucinge, qui lance les modes. Ces trois inséparables sont de toutes les mondanités. Avec d'autres femmes en vue, elles forment le groupe « des dames de *Vogue* » sans cesse photographiées par le magazine, qui ne se lasse pas de les faire poser dans les costumes qu'elles arborent dans les innombrables bals des années trente, plus fastueux les uns que les autres. La fête de printemps d'Etienne de Beaumont, la fête orientale de Daisy Fellowes, le bal des Valses de Nicky de Gunzburg, le bal d'Alice au Pays des Merveilles, où la journaliste Elsa Maxwell et Christian Bérard apparaissent ensemble, habillés en Humpty et Dumpty.

Madame continue à être fidèle à Chanel et à Poiret et adopte Schiaparelli dès que la belle Italienne apparaît dans le monde de la couture. Schiap a commencé à fabriquer des sweaters ornés de dessins, de motifs africains, d'ancres marines. Ont suivi des jerseys squelettes en trompe-l'œil et des étoffes imprimées de langoustes. En 1934, elle s'est installée au 21, place Vendôme, et a présidé à la naissance du « prêt-à-porter ». Léonor Fini a dessiné la bouteille de son parfum, *Shocking*, en s'inspirant des courbes de Mae West.

Très influencée par les surréalistes, Schiap travaille avec Christian Bérard, Kies, Van Dongen, Salvador Dalí. Cocteau dessine des phrases poétiques pour les broderies de ses robes du soir. Louis Aragon et Elsa Triolet conçoivent pour elle un collier en cachets d'aspirine. Toutes les stars américaines et françaises, de Katharine Hepburn à Merle Oberon, de Michèle Morgan à Simone Simon, fréquentent sa maison de couture.

Elsa Schiaparelli invente le concept de la *jolie laide* qui met l'accent sur la discordance des traits plutôt que sur leur harmonie, sur une attitude plus distinguée que gracieuse. Helena, qui privilégie la beauté vivante, fluctuante, et affirme qu'aucun visage, même le plus disgracieux, n'en manque, est d'accord.

— N'importe quelle femme intelligente peut être au moins attirante, répète-t-elle souvent. Le degré dépend ensuite d'elle.

Le couturier anglais Edward Molyneux a également les faveurs de Madame, ainsi que Madeleine Vionnet dont elle suit avec intérêt les robes sublimes, coupées en trois dimensions. Madame découvre aussi Cristobal Balenciaga qui va rester l'un de ses couturiers favoris. Espagnol à la voix douce, aux cheveux et yeux d'un noir profond, qui font paraître son beau visage encore plus pâle, il est le fils très doué d'un pêcheur de la côte basque.

Il ouvre sa première maison en 1919 à San Sebastien puis quinze ans plus tard à Madrid et à Barcelone. La guerre civile l'exile en France et le 10 de l'avenue George-V devient son adresse à Paris, connue de toutes les femmes raffinées. Elles raffolent de ses tenues qui les embellissent sans les travestir. Avec son flair habituel, Carmel Snow le découvre. Son succès est presque immédiat. Madame achète par dizaines ses robes-tuniques brodées dans lesquelles elle prend souvent la pose pour les photographes.

Plus que jamais, elle admire la mode parisienne qui a renoué avec le corset, revenu sous forme de gaine pour maintenir le ventre plat. Au milieu des années trente, on ne montre plus ses genoux. La *hemline théory* est devenue le pendant de la *lipstick theory* : quand l'économie est en crise, les ourlets rallongent. Dans la journée, les femmes portent des tailleurs ou des petites robes qui arrivent au mollet et, en soirée, des robes longues et moulantes, souvent décolletées dans le dos. Les formes féminines sont réhabilitées, le classicisme aussi. Finies les tenues frivoles, l'allure de petit garçon plébiscitée dans les années vingt.

Au milieu de la décennie, les championnes de tennis comme Suzanne Lenglen et surtout les congés payés font évoluer cette nouvelle tendance un peu stricte. Les shorts apparaissent, on montre à nouveau des jambes impeccables. La tendance est au grand air, au nu, à la gymnastique. La bonne mine est obligatoire, tout comme le bronzage à l'année. Helena Rubinstein lance dès 1932 les bains de lumière pour faire monter la mélanine. En 1936, l'année des congés payés en France, elle invente la crème *Côte d'Azur*, le premier autobronzant qui résiste à l'eau.

L'accent est mis sur les accessoires, bijoux vrais et de fantaisie, broderies, ornements, et surtout sur les chapeaux, toques, coiffes et chapeaux-cloches, dont Helena possède toute une panoplie. Tous ses vêtements sont soigneusement classés. Ceux qui datent d'avant 1914, ses robes, ses fourrures, ses trotteurs, le fond de sa garde-robe, en somme, se trouvent à New York. Elle possède des centaines de paires de chaussures aux mesures de ses pieds minuscules et autant achetées en magasin, pour tous les jours.

Ses bijoux, vrais et faux, sont jetés en vrac dans de vieilles boîtes en carton qui viennent de chez Bergdorf Goodman. Elle les dissimule dans ses tiroirs, sous ses vêtements ou sous son lit. Sara Fox qui observe depuis un certain temps la façon désinvolte qu'elle a de fourrager dans ces boîtes pour en sortir, au hasard, les diamants, topazes ou rubis, qu'elle portera dans la journée, lui fait remarquer que ce n'est pas une façon très sûre de les ranger.

Madame secoue la tête en signe d'impuissance, certains détails pratiques la dépassent. Mais Sara Fox revient à la charge avec un coffre qui ferme à clé, muni de tiroirs, où elle range tous les bijoux par couleur, par formes, et surtout par ordre alphabétique, le D, pour Diamonds, et le R, pour Ruby... Madame est enchantée et adopte ce système.

Mais elle se lasse vite de classer ses bijoux, et puis elle ne se souvient jamais de la combinaison inscrite à l'intérieur d'un tiroir, dans un placard fermé à clef situé dans sa salle de bains, où elle a placé son coffre.

Dans son entourage, personne ne se risque derrière elle lorsqu'elle ouvre son armoire qui contient au bas mot plus d'un million de dollars en pierres et en perles.

L'odeur de la poudre

Cette énorme porte rouge qui la nargue rend Madame furieuse, comme un taureau qui voit s'agiter un chiffon écarlate devant ses naseaux. Elizabeth Arden vient d'ouvrir un institut de beauté luxueux sur la Cinquième Avenue, au coin de la 55ᵉ Rue. Un portier galonné en garde l'entrée comme dans tous les immeubles les plus résidentiels de l'Upper East Side. Dans le hall trône une immense toile de Georgia O' Keefe, l'artiste américaine préférée d'Arden.

Chaque fois qu'Helena passe en voiture devant ce salon, elle se met en colère. Elle n'a jamais pénétré à l'intérieur mais de bonnes âmes le lui ont décrit par le menu, et puis les journaux qui raffolent autant de Miss Arden que de Madame lui ont consacré de nombreux articles. Elle a vu des photos dans *Vogue* ou *Fortune*, connaît par cœur la couleur des rideaux et des fauteuils du salon de gymnastique taillés dans un satin vert et rose, les murs vert jade, les lustres de cristal, les meubles qui décorent les cinq étages. « Ce chic » a écrit *Fortune*, « imprègne l'atmosphère raréfiée et les angles pastel du salon[1] ». Son propre institut ne supporte plus la confrontation.

Madame fulmine d'autant plus que le magazine s'est livré à une comparaison entre les deux rivales et qu'elle n'en tire pas avantage. La clientèle d'Arden appartient à l'élite du bon goût et de la richesse, les débutantes et les héritiers lui accordent leur pratique. A l'opposé, les salons de Rubinstein, qui a longtemps été la première sur le terrain, « ne sont plus aussi chics qu'ils l'ont été bien que son business soit probablement resté le plus énorme de sa catégorie[2] ».

Enfonçant le clou, *Life* a écrit que « Elizabeth Arden est la seule épine dans le pied de Madame[3]. » Dieu que ces deux-là se détestent, tout en étant condamnées à vivre presque côte à côte. Elles fréquentent les mêmes soirées, assistent aux mêmes premières, dînent dans les mêmes restaurants. Elles lancent à quelques jours d'intervalle les mêmes produits, composés des mêmes ingrédients, nouent des amitiés avec les mêmes journalistes et s'ignorent avec la même superbe, quand elles se rencontrent par hasard, tout en s'observant du coin de l'œil.

Comme l'a proclamé *Fortune*, Arden a cependant une image un peu plus « chic » qu'elle cultive avec soin. Ses chevaux adorés, « ses petits chéris », lui vaudront bientôt la création d'un de ses plus grands best-sellers, la miraculeuse Crème de Huit Heures, initialement destinée à soigner leurs articulations. Elle a ouvert une ferme de santé baptisée Maine Chance, du nom d'un de ses meilleurs trotteurs, où elle initie les clientes qui y séjournent – et qui payent le prix fort – au sport et à la diététique. Enfin, ses produits sont réputés pour le raffinement de leur conditionnement et de leurs emballages.

— Les femmes achètent Rubinstein pour elles-mêmes et Arden pour faire des cadeaux, note Madame tout en ne sachant pas s'il faut le déplorer ou s'en réjouir.

C'est sans doute la deuxième hypothèse : ses propres marges restent les plus importantes puisqu'elle ne se ruine pas en packaging... Elle se console comme elle le peut, et ajoute aussi : « Avec ses emballages et mes produits, nous aurions pu régner sur le monde. » Leur rivalité, connue de tous, n'est pas toujours commentée de façon saine. Dans le même article de *Fortune*, le journaliste franchit la ligne des critiques acceptables. Il se gausse de l'apparence « enveloppée » de Madame, de son teint « basané » et de son addiction aux vêtements « exotiques ». Edward fait également les frais de ces commentaires douteux qui le décrivent comme un « bouquiniste », vendant de vieux livres, installé le long des quais parisiens[4]. Pourquoi pas Shylock, tant qu'on y est ? Tant de mépris ainsi étalé dénote un antisémitisme toujours latent dans les milieux comme il faut de New York[5].

Madame ne fait pas attention. C'est avant tout la porte rouge qui l'énerve. Pourtant, le principe du salon de beauté est dépassé, elle le sait, il est réservé à l'élite. La plupart de ses clientes, issues des classes moyennes, préfèrent désormais acheter leurs produits au détail. Aux Etats-Unis, tous ses instituts perdent de l'argent. Mais pour conserver son image de marque, une belle adresse est indispensable et elle se doit de surpasser « L'Autre ». Et puis, son étoile de riche étrangère a un peu pâli. Il n'y a rien là de tangible mais elle le sent vibrer dans l'air du temps. La mode parisienne, l'art parisien, les marchands parisiens, en résumé tout ce qui vient de Paris est soudain devenu « corrupteur ».

Selon certains, le courant moderniste représenté par les couturiers et les artistes français a « féminisé » l'art européen alors que l'art américain, lui, est resté « viril[6] ». Ce ne sont que des élucubrations aux relents nauséabonds qui trouveront d'autres échos, quelques années plus tard, en Allemagne, mais n'empêche. La crise a recentré les Américains sur des valeurs réactionnaires et xénophobes. Les salons Rubinstein, richement décorés, symboles d'une modernité cosmopolite, sont à la fois démodés et contestés.

Il lui faut réagir. A son tour, elle achète un immeuble au numéro 715 de la Cinquième Avenue. L'architecte Harold Sterner s'occupe des travaux de la façade où elle fait graver son nom en lettres minuscules, s'inspirant de la typographie utilisée par l'écrivain e. e. cummings, l'ami d'Edward. C'est un hommage discret à son mari.

Son retour sur le devant de la scène américaine de la beauté va être grandiose. Décoré dans un style baroque par Ladislas Medgyes et Martine Kane, le salon est avant tout une excellente machine publicitaire. Mais c'est aussi un bijou d'architecture et de décoration moderniste. Ses trois étages dépassent en splendeur et en raffinement tout ce qu'elle a déjà fait construire.

Les murs recouverts de papier peint bleu métal accueillent des toiles de Chirico, des dessins de Modigliani, des muraux de Pallavicini. Des œuvres de Nadelman et de Malvina Hoffman, une jeune sculptrice américaine, voisinent avec des meubles de Jean-Michel Frank et des tapis de Miró. Madame a fait installer quelques-unes de ses plus belles pièces africaines dans des vitrines, une bonne partie de sa collection de maisons de poupées ainsi que son portrait par Paul Tchelitchew, que l'artiste a recouvert de sequins, et celui peint par Marie Laurencin encensé par les critiques d'art américains.

Au deuxième étage, la bibliothèque contient des livres rares traitant tous de la beauté. Les bureaux de l'entreprise sont installés au quatrième. C'est le plus somptueux de tous ses salons, le plus luxueux, le plus abouti et sans doute le plus américain puisqu'elle s'est adressée à quelques artistes appréciés à New York. Les journaux ne peuvent le décrire sans lui accoler le mot « *swank* » qui signifie « épate ».

En cerise sur le gâteau, Helena inaugure son fameux « *Day of beauty* ». « Venez passer une journée de beauté, proclament les affiches publicitaires. Tous nos experts en soins s'occuperont de vous ». Et ils sont nombreux en effet, les kinés, les masseuses, les diététiciens, les médecins, les coiffeurs, les maquilleurs, les esthéticiennes, les manucures qui s'affairent sans relâche à malaxer, sculpter, masser, crémer, pétrir. La femme qui arrive le matin à huit heures, est livrée jusqu'au soir aux mains de cette armée du bien-être, qui peut transformer en sirène n'importe quelle matrone de banlieue.

La cliente subit d'abord un interrogatoire serré, poids, taille, maladies, habitudes alimentaires, rituels de soins. C'est ainsi qu'on lui établit le programme sur mesure de cette journée inoubliable. Suivent ensuite la gymnastique faciale sous la direction d'un spécialiste viennois, les massages, le bain au lait ou aux herbes, le gommage du corps, son crémage avec la nouvelle *Body Firming Lotion*, les traitements électrotoniques, certains à la « paraffine atomisée » pour la circulation du sang et la suppression de la cellulite, les douches d'huile raffermissante, les bains de lumière pour le hâle. Et le fin du fin des innovations de Madame, la fameuse table *San O Thermo*, qui fait fondre la graisse superflue tout en rajeunissant les cellules de la peau.

Après un déjeuner diététique au restaurant, composé de légumes, de poissons grillés, de fruits frais, le parcours de la combattante reprend l'après-midi avec des soins du visage, un massage du cuir chevelu, une coupe de cheveux à la dernière mode de Paris, une manucure et une pédicurie dans le boudoir aux bas-reliefs de marbre signés Malvina Hoffman. Enfin vient la leçon de maquillage, dans une ambiance simulant la lumière du jour.

Ce luxe a un prix : entre 35 et 150 dollars. Mais les clientes sont enchantées, elles en ont eu pour leur argent. Certaines réclament cependant un petit supplément d'âme. Elles se penchent vers l'hôtesse très élégante qui les accompagne à la caisse en portant leurs emplettes.

— Dites, chuchotent-elles, il paraît que Madame Rubinstein fait fabriquer une crème réservée à son seul usage.

La jeune femme incline gravement la tête.

— C'est exact. Si Madame Rubinstein ne la commercialise pas c'est que son coût est trop élevé. Cela la gêne de vendre une crème à ce prix-là.

— Ça m'est égal ! Je suis prête à payer. On m'a assuré qu'elle était formidable.

— En ce cas, si vous insistez...

Et la cliente repart, comblée, avec une crème à cinquante dollars.

Décidément, Madame ne sera jamais tranquille. A peine le salon installé à grand renfort de publicité, d'autres ennemis qu'Arden sont apparus dans le paysage, bien décidés à obtenir eux aussi leur part du gâteau. Ainsi, ce Charles Revson, le créateur de Revlon, dont l'appétit de puissance n'a d'égal que les mauvaises manières. Madame qui affiche le plus profond mépris pour lui, l'appelle *That man* ou encore *That nail man*.

Son histoire est semblable à des milliers d'autres, celles des immigrants européens et juifs qui ont bâti une grande partie de l'Amérique. Il est né en 1906, à Montréal, au Québec, bien qu'il ait toujours prétendu avoir vu le jour à Boston, plus élégante à ses yeux. Il a été élevé à Manchester dans le New Hampshire où sa famille, mélange de Juifs russes, lithuaniens, austrohongrois et allemands, s'est installée après sa naissance.

Ses parents qui sont tous les deux ouvriers – son père travaille dans une usine de cigarettes – élèvent avec difficultés leurs trois fils. La mère meurt jeune et les oncles et tantes s'occupent alors des garçons. Charles Revson qui a fait des études secondaires se met tout de suite à travailler après l'école. Il est d'abord vendeur de vêtements, puis il prend du galon dans une petite firme de cosmétiques. Le jour où sa direction lui refuse une promotion, il claque la porte, bien décidé à réussir tout seul. Avec son frère Martin, et un chimiste, Charles Lachman, il monte une petite affaire de produits de beauté à New York avec seulement 300 dollars de fonds. A vingt-cinq ans, il débute en fanfare en lançant un rouge à lèvres et surtout une gamme de vernis à ongles dont la longévité ravit ses clientes.

Diana Vreeland lui en a procuré, indirectement, la formule[7]. Invitée à Venise par Flame d'Erlanger, la *socialite* qui n'est pas encore directrice de *Vogue*, a retrouvé là-bas un groupe de mondains talentueux dont le décorateur Christian Bérard, venu avec l'un de ses amis, manucure de profession. Ce Perrera a fait de sa passion, son métier : il est fou des mains des jolies femmes, comme d'autres sont fétichistes de leurs pieds.

Une de ses clientes est la milliardaire Barbara Hutton, qui a « les plus jolies mains du monde », et dont il peut parler des heures durant. Il officie avec des instruments en or que lui a offerts Ena, la reine d'Espagne. Et surtout, il utilise un vernis qui sèche instantanément en laissant les ongles aussi durs que de la pierre. Christian Bérard n'aime rien tant que de regarder Perrera laquer les ongles des femmes, comme un artiste peindrait un tableau.

Perrera donne deux bouteilles de son vernis magique à Diana Vreeland qui les emporte à New York. Mais les flacons se terminent et Vreeland en est si désolée que sa jeune manucure lui propose de le faire étudier et recopier par son boy-friend. Diana Vreeland accepte volontiers. Par curiosité, elle s'enquiert de son nom.

— Charles Revson, répond la jeune fille, en toute innocence.

Revson possède déjà une grande palette de couleurs mais ses vernis mettent longtemps à sécher et s'écaillent tout de suite. Il recopie le vernis miracle de Perrera et devient ainsi « le roi du vernis à ongles »[8]. En 1935, il fait paraître une publicité dans le *New Yorker*, où une jeune New-Yorkaise de la meilleure société montre ses jolies mains fines, manucurées de rouge par ses soins. L'argent dépensé pour cette publicité représente son budget de campagne annuel. Il a très vite compris comment attirer les foules.

Max Factor et Germaine Monteil se sont à leur tour positionnés sur le marché. Le premier, depuis un bon moment déjà, a jeté son dévolu sur l'industrie du cinéma. C'est lui qui, dès les débuts du muet, a maquillé les stars à l'écran et à la ville dans son salon de beauté d'Hollywood Boulevard. Il a aussi inventé le terme *make up,* pour désigner le maquillage. Jean Harlow, Claudette Colbert, Bette Davis, Joan Crawford, Judy Garland comptent parmi les clientes les plus assidues de cet immigré juif polonais, dont le vrai nom est Maximilian Faktorowizc. Quand il meurt, en 1938, ses fils, ses frères et ses petits-fils reprennent le flambeau et ils ne cessent d'innover.

La Française Germaine Monteil, émigrée aux Etats-Unis dans les années vingt, a d'abord commencé sa carrière comme styliste de mode avant d'ouvrir, en 1936, sa propre firme de cosmétiques et de parfums... Elizabeth Arden et Helena Rubinstein ne redoutent ni les uns ni les autres, assurées qu'elles sont de leur prééminence. Elles ne pensent qu'à se tirer dans les pattes au lieu de faire front contre l'ennemi commun.

Mais les petits nouveaux ont les dents longues. Dans cette guéguerre de la beauté, où flotte une odeur de poudre de riz, tous les coups bas sont permis.

En riposte à l'ouverture du salon d'Helena Rubinstein, qui dépasse en faste tout ce que l'on peut imaginer, Elizabeth Arden débauche Harry Johnston, le directeur général de sa rivale, en lui offrant un contrat faramineux. Non content de quitter Madame, le traître a entraîné avec lui onze membres de l'équipe.

What to do ? C'est bien là le problème. Cette fois, Helena est désorientée. Fatiguée aussi de ferrailler sans cesse pour rester la meilleure. Le désespoir l'assaille car l'attaque de son adversaire de toujours l'a déstabilisée et elle ne sait plus comment se reprendre. Pour l'empêcher de sombrer une fois de plus, les médecins lui conseillent un séjour à Zurich, à la clinique Bircher Benner.

Ce n'est pas un endroit ordinaire, comme ceux où Helena a pris l'habitude de se reposer quand la dépression la guette à force de travail et de nuits sans sommeil. Sa particularité est le régime mis au point par le Dr Bircher Benner. Des années avant tout le monde, il a inventé le concept de « *health food* ». Il nourrit ses patients de produits bio avant la lettre, sans adjonction de pesticides ni de produits chimiques. « Là-bas, dit-elle, j'ai rencontré des centaines d'hommes et de femmes, envoyés par leurs médecins, qui mangeaient des racines et des légumes, des noisettes et des céréales complètes, sous l'œil attentif du Dr Bircher Benner[9]. »

Ce dernier met Helena au régime « matière vivante » : du müesli, des fruits et légumes crus et du repos. En deux mois, elle retrouve sa forme et perd quelques kilos. Suffisamment pour que, de retour à New York, tout le monde lui trouve le teint frais, la silhouette fluide. Ses amis lui jurent qu'elle a rajeuni et lui demandent son secret.

Madame se sent surtout pleine d'énergie, prête à se lancer à nouveau dans la bataille. Elle affiche les menus du médecin suisse au restaurant de son salon de la Cinquième Avenue. Les clientes affluent. Trop sans doute car Madame, peu familière du métier de restauratrice, engloutit des sommes folles dans l'aventure. Ses prix sont trop bas, elle doit se résoudre à fermer.

Elle n'a pas tout perdu, cependant. Fidèle aux principes du régime Bircher Benner, elle publie *Food for beauty*, un traité de diététique où elle donne des recettes de plats allégés, de sauces sans matières grasses, et établit des menus hypocaloriques, à base de racines, de légumes crus ou secs, de graines, de céréales. « Vous vous demandez, écrit-elle, pourquoi une femme qui s'intéresse à la beauté de la peau publie un livre sur les régimes ? Parce que je crois fermement que la nourriture est tout aussi importante pour la peau que des soins ou une crème[10]. » Le livre lui rapporte beaucoup d'argent, ce qui la console un peu de ses pertes.

Pour sa part, elle a vite retrouvé le régime saumon, bagel cream cheese, ailes de poulet, qu'elle affectionne. Et le poids qui va avec. Elle est trop nerveuse, trop impatiente, trop affamée pour suivre les bons conseils qu'elle ne cesse de dispenser aux autres.

Infatigable, elle multiplie les chantiers. Après la rénovation du 52, rue du Faubourg-Saint-Honoré, elle peut enfin s'occuper de l'hôtel particulier du 24, quai de Béthune dont tous les occupants sont enfin partis. Les inondations répétées de la Seine ont miné les fondations de cet immeuble de cinq étages construit en 1641 par Le Vau, l'architecte de Louis XIV. C'est du moins ce qu'elle prétend, devant les protestations des riverains et des journaux, après sa démolition. Elle n'a gardé que l'impressionnant portail en bois sculpté par Le Hongre.

— Je l'ai acheté pour le prix d'une chanson, mais il m'en a coûté un opéra pour le rénover, dit-elle souvent. Ça m'a pris quelques années et pas mal de l'argent des Lehman Brothers.

Misia Sert lui a présenté Louis Süe, l'architecte qui a refait l'hôtel d'Aguesseau, acheté par Poiret. Madame lui donne carte blanche. La commission des sites accepte son projet de rénovation réalisé avec un ingénieur des Ponts et Chaussées.

Süe reprend la distribution classique des hôtels parisiens et aménage les appartements privés d'Helena au dernier étage, sur trois corps de bâtiments. Une passerelle en verre relie deux d'entre eux. Dans la monumentale cage d'escalier un bronze de Brancusi *L'Oiseau dans l'Espace* est posé devant une fenêtre qui donne sur l'église de Saint-Louis-en-l'Ile. C'est le premier building moderne dans cette partie de Paris qui privilégie d'ordinaire la facture classique. Il a été et reste très controversé, mais pourtant son style ne jure pas avec les autres façades historiques.

Sur le toit, la gigantesque terrasse où trois cents personnes peuvent tenir à l'aise accueille des vasques, d'innombrables arbres et plantes en pots et une fontaine à étages « plus grande qu'une piscine de Hollywood ». Madame ne se lasse pas du panorama qui englobe la tour Eiffel, le dôme du Sacré-Cœur, les flèches de Notre-Dame.

— J'ai la vue la plus enchanteresse de Paris, répète-t-elle.

Elle possède aussi l'un des appartements les plus étonnants de la capitale. Louis Marcoussis travaille avec Louis Süe : elle les a mandatés tous les deux pour acheter des meubles. Mais elle tient à superviser elle-même la décoration intérieure.

Il n'y a pas deux pièces semblables dans ce capharnaüm de luxe où l'on retrouve la quintessence de l'art et du mobilier, comme dans un parcours accéléré de l'histoire du style. C'est à la fois « too much » – l'expression favorite d'Helena, celle qui la caractérise le mieux aussi – et harmonieux.

Dans le hall Napoléon III, envahi par des statues grecques antiques, trône une toile de Roger de la Fresnaye et un portrait d'Helena peint par Christian Bérard. C'est une de ses toiles préférées : elle la représente avec Horace enfant. Tous deux sont vêtus de clair, elle porte une robe blanche à smocks, avec un châle posé sur ses épaules, et entoure son fils de ses bras. C'est un portrait tendre, où Bérard a juste capté l'amour d'une mère pour son enfant, faisant fi de la personnalité publique de son modèle. D'autres portraits d'elle, signés Dufy, Von Pantz, Edward Lintott, ont rejoint sa collection.

Chacune des pièces ouvre sur l'autre, ce qui donne l'impression d'un gigantesque espace. Le grand salon avec sa forme en rotonde, ses murs rehaussés de colonnes doriques en marbre, ses fenêtres donnant sur la Seine est la pièce la plus spectaculaire. La couleur dominante est le vert émeraude, les chaises sont d'époque Louis XVI et les tables de style Régence. Sur les murs, Louis Marcoussis a peint un énorme panneau où il a repris les nuances des tapisseries de Picasso et de Miró. La bibliothèque, le salon, le hall, abondent en chefs-d'œuvre africains et océaniens. Dans la salle à manger, le papier peint provient des ateliers lyonnais, les meubles sont signés Biedermeier. Aux murs sont accrochés des Modigliani, des Picasso. Les meubles Charles X de sa chambre à coucher, de loin sa pièce favorite, ont appartenu à la princesse Mathilde. Le lit, les fauteuils, sont recouverts de satin doré, brodé de perles. Helena les a rachetés à Misia.

— De tous mes appartements, c'est mon préféré, dit-elle, le lieu où je me sens le mieux au monde.

Louis Süe obtient le prix de la meilleure construction en 1937 en raison des innovations techniques de l'immeuble : un ascenseur intérieur, un chauffage au plafond. Les journaux ont pourtant moqué « le charmant pied-à-terre de cinquante pièces de Madame Rubinstein que monsieur Süe avait rempli de baignoires en or, de téléphones en platine, et d'innombrables Picasso de toutes les époques et de toutes les tailles. » C'est un peu exagéré, mais pas tout à fait cependant : si on ne trouve pas d'or dans les salles de bains, en revanche, beaucoup d'argent a été investi dans l'entreprise.

Quand l'appartement est terminé, Helena commande à la photographe Dora Maar, la muse et la maîtresse de Pablo Picasso, une série de photos des pièces de la maison et cinq portraits d'elle-même.

Madame travaille des années durant à la décoration du quai de Béthune et effectue souvent des changements ou des améliorations. Son goût pour l'accumulation ne connaît aucune limite. « On s'étonne que j'aie trouvé le temps de réunir d'importantes et précieuses collections, explique-t-elle. On s'étonne aussi que j'aie cherché et fait rechercher toute ma vie des objets et des tableaux, tantôt d'une primitive candeur, tantôt d'un accès difficile, que j'aie installé et décoré des maisons où je n'avais guère le loisir de séjourner. Ce lien m'apparaît évident : c'est la force du sens esthétique au service du bonheur.[11] »

Sa réputation d'amatrice d'art est si établie – « une Hearst à l'échelle féminine » – qu'en 1935, le Moma l'invite à montrer ses statuettes nègres. En 1930, elle en avait acquis à nouveau « un plein wagon » acheté à un collectionneur juif allemand sans le sou, qui s'était arrangé pour fuir son pays. Dix-sept de ses plus belles pièces sont exposées à New York avec celles d'Henri Matisse, Paul Guillaume. Soixante-cinq collectionneurs ont sorti leurs trésors pour la plus grande exposition d'Art Primitif qui n'a jamais eu lieu aux Etats-Unis.

La mode a atteint toutes les couches de la société. « Aujourd'hui, note avec ironie le magazine *Time*[12], un masque africain ou deux sont aussi indispensables dans l'appartement d'un jeune homme moderne féru de parisianisme, que des pyjamas d'intérieur et une bouteille de porto. » Madame fait ensuite le tour du pays avec ses chefs-d'œuvre et donne des conférences pour expliquer sa passion.

Marie Cuttoli est devenue l'une de ses conseillères attitrées en art, comme l'ont été avant elle Edward Titus, Jacob Epstein, Misia Sert ou Louis Marcoussis. Cette grande collectionneuse vit rue de Babylone dans un appartement-musée, que Yves Saint Laurent rachètera ensuite. Elle a remis la tapisserie au goût du jour et elle a demandé aux plus grands artistes de l'époque, Picasso, Léger, Le Corbusier et Jean Lurçat de lui dessiner des modèles originaux qu'elle vend dans sa boutique parisienne, Myrbor. Fidèle à ses habitudes, Helena lui en achète des quantités.

Aux beaux jours, la terrasse est prétexte à de très nombreuses soirées où se côtoie le Tout-Paris. En 1938, Madame crée un prix d'art moderne avec Marie Cuttoli.

Le premier lauréat est le sculpteur cubiste Henri Laurens, à qui les deux femmes remettent avec solennité un chèque de 25 000 francs.

Une photo immortalise l'événement : les membres du jury, Henri Matisse, Georges Braque, Fernand Léger, Louis Marcoussis, Paul Eluard, Jean Cassou posent autour de Marie et d'Helena. Le prix ne sera pas reconduit l'année suivante à cause de la guerre. Mais entretemps, la terrasse accueillera encore quelques brillantes soirées, comme Madame aime à en donner.

Princesse Gourielli

Peut-on vivre sans un homme à ses côtés ? Madame en a pris le pli, malgré elle. Pour tromper sa solitude, elle applique ses recettes les plus confirmées : elle s'étourdit de travail encore plus que de coutume, elle voyage, et elle s'adonne au bridge avec passion. A Paris, les parties ont lieu chez la comtesse Marie-Blanche de Polignac, la fille de Jeanne Lanvin, une personnalité aussi mondaine que sa mère est réservée. La comtesse reçoit régulièrement chez elle, rue Barbey-de-Jouy dans le septième arrondissement, et mélange ses invités célèbres avec des aristocrates russes, émigrés en France après la Révolution d'octobre, qui gagnent leur vie en louant leurs talents de bridgeurs à l'élite parisienne.

Ce soir de 1935, le partenaire d'Helena est un beau quadragénaire, grand, mince, avec un visage aux traits typiquement slaves, pommettes hautes et yeux étirés. Le prince Artchil Gourielli-Tchkonia est un bon vivant, blagueur, chaleureux, et très décontracté. Elle passe un excellent moment avec lui. Aussi acharné qu'elle à gagner, il la fait rire tout au long de la partie. Il y a longtemps qu'elle ne s'est pas autant amusée. Elle rit même lorsqu'il ose la taquiner sur ses travers de mauvaise joueuse et sa colère quand elle a perdu quelques francs.

A-t-il vraiment le sang bleu ? Quelle importance ! Quiconque possède quelques moutons en Géorgie peut être appelé prince à Paris. Les émigrés russes prétendument nobles y sont nombreux, presque autant, du reste, que leurs compatriotes chauffeurs de taxis...

Le prince connaît bien le pays, pour y avoir passé sa jeunesse. Ensuite, il a intégré l'Académie militaire à Moscou, puis il s'est battu à Riga pendant la Révolution. Son père était un fameux critique littéraire et la lignée Gourielli remonte au XIIIᵉ siècle. Vrai ou faux, son titre impressionne Helena qui se verrait bien en princesse. Elle n'a pourtant pas l'intention de se remarier.

— A quoi un mari pourrait-il bien me servir ? demande-t-elle quand ses amis abordent le sujet.

Elle oublie de leur préciser qu'elle est tombée amoureuse du prince.

— C'est toujours utile, ne serait-ce que pour appeler un taxi, répond l'un des membres du petit groupe qui l'entoure et qui la presse de refaire sa vie.

Helena, qui doit rester quelques semaines à Paris, s'arrange pour jouer souvent au bridge. Comme par hasard, le prince est chaque fois son partenaire. Puis elle organise elle-même une partie, quai de Béthune. Et elle invite Artchil.

Elle lui fait visiter son appartement avec cérémonie, lui montre les collections d'arts africain et océanien, les antiquités grecques, les bronzes de Brancusi, les miroirs vénitiens, le grand salon avec ses colonnes doriques et ses tapisseries d'Aubusson, l'escalier créé par Louis Süe dont la rampe en fer forgé s'enroule autour de barreaux circulaires, le salon de musique avec l'immense piano à queue, les tableaux de Bonnard, les meubles et le tapis Napoléon III achetés chez Madeleine Castaing.

Que ce trop-plein de faste l'éblouisse ou l'incommode, Artchil n'en dit rien. Son aristocratique éducation le pousse à se montrer discret. Helena l'entraîne sur la terrasse pour lui faire admirer la vue sur Paris. Le ciel est dégagé, la lune les enveloppe d'un halo bienveillant. Elle se sent bien avec cet homme, son cadet de vingt-trois ans, certes, mais tellement plus rassurant qu'Edward. Et surtout tellement plus amusant. A tout moment, Artchil fait preuve d'un sens de l'humour imparable qui la détend.

Avec lui, il n'y a pas d'efforts à faire pour paraître cultivée, il n'est pas besoin non plus de se creuser la cervelle pour trouver un sujet de conversation intelligent. Tout semble fluide, naturel, facile. Il prend l'existence du bon côté, avec cette légèreté charmante des bons vivants pour qui chaque jour doit être une fête. Helena a désespérément besoin de se sentir pousser des ailes. Il y a trop de contraintes, trop de pesanteur dans sa vie quotidienne.

— Helena, dit Artchil soudain grave, alors qu'il a plaisanté toute la soirée. Me ferez-vous l'honneur de dîner avec moi demain soir ?

— Demain soir ? Impossible ! Je repars pour New York...

Artchil lui prend la main et la garde dans la sienne. Il le fait avec simplicité et gentillesse, sans rien y mettre de plus qu'une affectueuse complicité. Helena lui est reconnaissante de ne pas lui jouer le grand jeu. Le contact de leurs peaux est bien agréable, cependant. C'est donc à cela que peut aussi servir un homme, un mari ? A se sentir encore un peu une femme ? Même à son âge ?

— Quel est votre restaurant favori là-bas ? poursuit Artchil, imperturbable.

— Le Colony.

C'est le spot new-yorkais des *rich and famous*, l'endroit où il faut être vu. Elle y a sa table et ses habitudes.

— C'est noté. Prenons rendez-vous dès à présent. Je vous appelle.

Artchil sourit comme s'il était en train de lui jouer un bon tour. Pendant quelques secondes Helena se demande si c'est le cas. Mais il se ressaisit en voyant son visage interrogatif. A plus de soixante ans, elle affiche un regard de petite fille éperdue qui cherche des gages de confiance. Quand ils se disent adieu, il effleure sa paume de ses lèvres. Elle ne peut s'empêcher de tressaillir tout en se traitant intérieurement d'idiote.

A peine arrivée à New York, elle est de nouveau happée par le tourbillon des affaires et de la mondanité. Elle l'oublie. Pas assez toutefois : son cœur bat plus fort quand sa secrétaire lui demande, un matin, si elle accepte de prendre une communication, de la part d'un prince...

— Helena ? C'est Artchil. Vous n'avez pas oublié notre rendez-vous, j'espère ? Je suis à New York. J'ai réservé une table au Colony pour ce soir.

Il lui demande de l'épouser dans les règles de l'art. A l'ancienne.

Pour se laisser le temps de répondre, elle exige des preuves de son lignage. Il lui apporte l'Almanach du Gotha, où il a fait insérer une page consacrée à sa famille, donnant toutes les indications sur sa généalogie. Elle est rassurée : même fauché, Artchil est noble. Et qu'importe son portefeuille vide, elle a largement de l'argent pour deux...

Ils se voient beaucoup pendant les trois années qui suivent leur rencontre, jouent au bridge, voyagent. Elle a ainsi le temps de l'étudier. Jamais il ne la déçoit, au contraire. C'est le compagnon idéal pour une femme comme elle. Il connaît la terre entière, les riches, les puissants, les titrés, les stars d'Hollywood. Partout il est reçu avec le même enthousiasme. Leurs carnets d'adresses mêlés constituent le plus formidable réseau de jet-setters de l'époque.

Ils se marient trois ans après leur rencontre, en juin 1938, à Baltimore. Et le 14 juillet suivant, ils donnent une grande fête quai de Béthune pour célébrer leurs noces. Helena et Artchil ont invité tout ce qui compte à Paris. La réception est somptueuse, comme toujours.

Enchantée de devenir la princesse Gourielli-Tchkonia, elle exige désormais qu'on l'appelle ainsi, car le titre la détend et lui fait oublier sa vie de femme d'affaires. Et puis il impressionne tout le monde, à Paris comme à New York, et surtout, il fait enrager la très snob Elizabeth Arden, ce qui, par ricochet, la fait jubiler.

Artchil a quarante-trois ans, Helena soixante-six. Mais elle possède autant d'énergie qu'une quadragénaire. Ils vont former un couple heureux, construit sur une amitié et une estime réciproques. « C'était un homme simple, qui avait les goûts, les manières et l'humeur d'un paysan auquel la bonne fortune a souri[1] », écrit Patrick O'Higgins.

Le couple qui a adopté un gentleman's agreement fait tout de suite chambre à part. S'il a des aventures de son côté, Artchil est toujours très discret et se montre respectueux de sa femme :

— Helena est une très riche et très habile maîtresse de maison juive, dit-il.

Souvent, au cours de dîners, elle le reprend avec gentillesse mais fermeté.

— Artchie, ne buvez pas trop, Artchie, ne dites pas de bêtises !

Toute la famille Rubinstein a adopté le nouveau venu comme un de leurs membres à part entière. « C'était toujours tellement plus amusant quand il était présent dans les réunions de famille », se souvient Diane Moss, la fille de Oscar Kolin, la petite-nièce de Madame[3]. « Il était très beau, avec ses cheveux argentés, son fume-cigarette noir. Il portait une chevalière gravée à ses armes. »

Le consensus est si rare qu'il faut le souligner : chez les Rubinstein, tout le monde est à couteaux tirés. Horace ne supporte pas son frère Roy, ni Oscar Kolin son cousin, le frère de Mala. Roy ne s'entend pas avec son père, Edward. Helena qui adore Oscar et Mala, joue ses fils contre son neveu dans l'entreprise. Elle s'entend aussi très moyennement avec ses sœurs. Contrairement à toute attente, Roy et Horace, tombés sous le charme d'Artchil, approuvent le mariage de leur mère. D'autant que le bonheur l'adoucit un peu.

Le couple entreprend un voyage de noces, en bateau, autour du monde. Sara Fox, chargée de la publicité et de la presse, les accompagne. Madame ne veut perdre aucune occasion de promotion.

Elle tient par-dessus tout à faire visiter l'Australie à son nouveau mari. Elle lui montre les maisons de beauté de Melbourne et de Sydney et l'emmène dans quelques-uns des lieux qu'elle a fréquentés. Pas tous cependant : elle passe sous silence les débuts dans Elizabeth Street et ses années de galère à Coleraine.

Le *Smith Weekly* publie une grande interview du couple : « Le Prince et la pas-si-pauvre[3]. » Deux journalistes sont mandatés tout exprès par la rédaction. « Nous les avons rencontrés dans leur suite d'hôtel à Sydney et nous avons été reçus, non dans un boudoir, mais dans une pièce où l'on entend le cliquetis d'une machine à écrire, qui se mêle aux voix d'une chargée de publicité et d'une secrétaire et au va-et-vient de télégraphistes. C'est le bureau temporaire de la Grande Femme d'Affaires. »

Les Australiens ne sont pas peu fiers de leur héroïne. Surtout lorsque Madame donne les chiffres : partie d'une simple crème à quelques pence, la firme Rubinstein fait travailler 3 000 employés dans le monde entier, en majorité des femmes, et annonce un chiffre d'affaires de 2 millions de dollars.

« Mais l'argent ne m'intéresse pas », dit-elle. Ce qui n'est pas le moindre de ses paradoxes, notent les journalistes. Ainsi, malgré la centaine de produits Rubinstein répertoriés, Madame n'utilise qu'une seule crème de jour, ce qui est « bien suffisant ». Artchil, perçu comme « timide » par leurs interlocuteurs, est selon elle un « homme coquet », qui emploie certains de ses produits pour lui-même.

— C'est chose courante, explique-t-elle. Beaucoup d'hommes un peu « spéciaux », achètent mes rouges à lèvres et mes poudres.

Artchil se contente de crèmes hydratantes. Aussi calme que son épouse se montre agitée, il aimerait bien qu'elle prenne sa retraite. Artchil est l'homme du « Carpe diem », un jouisseur, un épicurien.

— Nous pourrions acheter un ranch en Australie, élever des chevaux, rêve-t-il à haute voix devant les deux journalistes.

— Certainement pas ! réplique vivement Helena. C'est vrai que j'ai déjà travaillé trois cents ans. Mais j'en ai encore au moins pour trois cents autres années...

Avant de débarquer en Australie, Helena et Artchil ont séjourné à Los Angeles. En quelques jours, Madame a participé à quatre émissions de radio, donné une fête pour deux cents personnes et a même pris le temps de visiter les studios à Hollywood. De retour aux Etats-Unis, le couple s'accorde une nouvelle escale en Californie. Madame donne de nouvelles interviews à la presse. Intarissable sur son sujet favori, l'étude du climat sous toutes les latitudes et son influence sur la beauté des femmes, elle se lance dans de savantes comparaisons[4]. « Les New-Yorkaises pensent qu'elles ont des peaux sèches ! Ce n'est rien comparé à celles des Australiennes, émaciées par le soleil brûlant et le vent qui dessèche et sape leur vitalité. Elles ont besoin de masques et de bains d'huiles de soins. Les New-Yorkaises souffrent du chauffage à vapeur dans les appartements. Personnellement je refuse de l'allumer dans ma chambre ! A Hollywood le climat n'est pas trop mauvais, mais les femmes doivent se protéger du soleil. De mon point de vue, les Anglaises bénéficient du meilleur climat. »

Cette « lady bourrée d'énergie » a aussi son mot à dire sur les stars en vogue : Colette Colbert se maquille très bien les yeux, Norma Shearer a une très jolie peau et Barbara Stanwyck un ovale ravissant. D'ailleurs, elle a une opinion sur tout.

Madame est rentrée comblée de son voyage de noces. Quand ses équipes la croisent dans les couloirs de ses bureaux new-yorkais, elle ne lance aucune de ses réflexions habituelles, mi-aigres mi-sarcastiques, sur les tenues, le maintien, le maquillage, les coiffures des employées. Elle ne se met pas non plus en colère. Elle se contente de sourire. Artchil l'aurait-il à ce point transformée ?

Mais cette tranquillité n'est pas seulement l'œuvre du Prince. Elle mijote une vengeance en silence. L'année précédente, Elizabeth Arden lui a « volé » son manager et avec lui, onze membres de son équipe. A force de réfléchir, Madame a trouvé la riposte. Sa rivale a divorcé cinq ans auparavant de son mari, Tommy Lewis, qui était aussi le directeur général de l'entreprise. Quand le couple s'est séparé, elle a fait inclure par les avocats dans le jugement, une clause de non-concurrence pour empêcher Lewis de travailler dans les cosmétiques pendant quelques années. Mais en 1939, il se retrouve libre de tout engagement envers son ex-épouse.

Madame, qui guettait ce moment, l'embauche à un salaire élevé, 50 000 dollars par an. La colère d'Arden vaut largement l'investissement, d'autant qu'elle a d'autres motifs de rage : elle a renvoyé Henry Johnston, l'ex-manager de Rubinstein, qui ne la satisfaisait plus. Quatre ans plus tard, elle aura sa petite revanche sur Madame en épousant elle aussi un prince russe.

Helena n'en a cure, ses affaires sont on ne peut plus florissantes. A la foire de New York, au cours d'un ballet nautique intitulé *l'AquaScade*, elle a présenté le premier mascara résistant à l'eau, dont l'invention est due à l'ingéniosité de ses équipes viennoises. Commercialisé l'année suivante, il deviendra un des best-sellers de la marque.

Son remariage avec Artchil a coïncidé à peu de semaines près avec celui d'Edward, tombé amoureux d'Erica de Meuronurech, une jeune Suissesse âgée de vingt ans. Il a quarante-huit ans de plus qu'elle. Il l'a rencontrée chez son ami Jacob Epstein, à Londres. Ravissante blonde aux yeux bleu Delft, héritière d'une lignée de banquiers bernois, ce qui ne gâte rien, la jeune fille vient d'arriver dans la capitale anglaise pour y commencer des études. Ses parents l'ont laissée partir seule à condition qu'elle soit hébergée chez le consul de Suisse et son épouse dont ils espèrent qu'ils serviront de chaperon à leur fille.

Le lendemain de son arrivée, le diplomate demande à Erica de l'accompagner chez Jacob Epstein, pour remplacer sa femme qui est souffrante. Le peintre reçoit du beau monde ce jour-là, notamment Winston Churchill, dont il a entrepris le portrait et qui arrive très en retard, quand tout le monde est déjà à table[5].

Erica est placée entre Edward et Horace Titus. Le premier a enfin obtenu son divorce en février 1938. Le second, qui n'a que vingt-six ans, est lui aussi divorcé et père de deux jeunes enfants. La logique aurait voulu qu'Erica et lui se plaisent. Mais elle n'a d'yeux et d'oreilles que pour Edward dont la conversation et l'érudition la transportent. Le coup de foudre est réciproque.

Edward entreprend le voyage jusqu'à Berne où réside la famille de Meuronurech. Selon l'intéressée, ses parents acceptent sans broncher que leur fille épouse un homme qui pourrait être son grand-père...

— Edward Titus était un gentleman qui les avait très favorablement impressionnés[6].

Sans doute les Meuronurech aident-ils le ménage à vivre. Edward est déjà installé à Cagnes-sur-Mer et Erica le suit. Elle s'entend bien avec les garçons, tous deux plus âgés qu'elle, surtout avec Horace, le plus proche de son père. Le couple n'aura pas d'enfants. Edward se trouve probablement trop âgé pour se lancer à nouveau dans l'aventure de la paternité.

Deux ans avant sa mort, en 1951, toujours aussi peu conformiste, il pousse Erica à divorcer et à se remarier avec George Friedman, un de leurs amis proches, plus assorti en âge. Sans doute veut-il la mettre à l'abri. Erica aura sur le tard une fille unique, Barbara, née au milieu des années cinquante.

A Paris, la saison mondaine de l'année 1939 est l'une des plus fécondes de la décennie en bals, en soirées, en cocktails, en garden-parties, l'une des plus gaies aussi. Les rumeurs de guerre n'empêchent pas la haute société de s'amuser, c'est même le contraire, comme si tout ce beau monde avait le sentiment de danser sur un volcan. La mode est riche, brillante, d'une séduction et d'un faste « qui rappellent les outrances de la cour de France alors même que grondait la Révolution de 1789[7] ».

Le Tout-Paris ne sait plus où donner de la fête. Le bal de la forêt du dessinateur André Durst, dans sa maison de campagne de Mortefontaine, est le plus acclamé. Chaque invité s'est déguisé en hôte de la forêt, plantes, bêtes, satyres ou druides : Laure de Gramont est grimée en léopard, Christian Bérard en lion. Chanel déguisée en elle-même invite à danser Schiaparelli, bel arbre surréaliste. On assiste à un moment de panique quand, poussée involontairement ou pas par sa cavalière vers des chandeliers allumés, la couturière italienne prend feu. Les danseurs étouffent les flammes avec des jets de water-soda. L'anecdote fait le tour de la ville, pendant une semaine, on ne parle que de l'incident et du bal.

En mars, Helena donne une soirée quai de Béthune en l'honneur d'Henri Sauguet, auteur d'un livret d'opéra tiré de *la Chartreuse de Parme* de Stendhal. Elle a demandé à l'écrivain Madeleine Le Chevrel « l'une des personnes les plus sensées de Paris et qui réunit de ce fait des gens fort intelligents et sensibles », selon le mot de

Maurice Sachs, de se charger des invitations. « Tout ce que Paris compte de duchesses mélomanes, d'académiciens salonnards et de vedettes de la scène et de l'écran, se réunit pour partager une hécatombe de poulardes de Bresse, de canetons rouennais, et de poussins nouveau-nés que des laquais blasonnés sur toutes les coutures apportaient dans des plats d'or et de vermeil[8] », raconte le journaliste Pierre Laurier.

La comtesse de Polignac et la duchesse d'Harcourt, la princesse Baba de Faucigny-Lucinge et la marquise de la Moussaye, la duchesse d'Ayen, Jean Cocteau, Natalie Paley, Daisy Fellowes, Arletty, François Mauriac, Jacqueline Delubac, le comte de Beaumont, Eric Satie, Christian Bérard et bien d'autres, se promènent sur les terrasses, admirent les fresques des salles de bains et les miroirs du jardin d'hiver. « Qui entre, qui sort, n'a pas d'importance, du moment que le service est bien fait[9] », clame Artchil, à qui veut bien l'entendre.

Entre réceptions, voyages et travail acharné, Helena a trouvé le temps d'acheter un superbe appartement à New York, au 895, Park Avenue, tout près de son salon de beauté. Elle engage Donald Deskey, le designer des *beautiful people* de New York pour le décorer.

Il applique un style minimaliste, sans fioritures, dans une dominante de jaune, de vert et de blanc. Des rideaux de cellophane couvrent les fenêtres et les murs du deuxième étage créant ainsi des reflets chatoyants. Les bronzes de Nadelman et les tableaux de l'Ecole de Paris y trouvent naturellement leur place. Un peu plus tard, Helena, lasse du chic radical et sans concessions de Deskey, demande à Louis Süe d'y ajouter un peu de flamboyance. L'appartement prend alors une allure baroque, plus conforme à ses goûts. A côté du mobilier épuré de Jean Michel Frank, Süe ajoute des draperies roses, des miroirs vénitiens, des statues nègres.

Helena y fait aménager une suite privée pour Artchil. Le Prince se lève rarement avant midi. Il passe l'après-midi à planifier des parties de bridge et des dîners gourmands. Helena qui travaille tard le soir préfère passer ses soirées à la maison plutôt que de sortir si elle n'y est pas obligée.

— Ça ne vous gêne pas ? lui demande une de ses amies.

— Pas du tout ! Avec Artchil, j'ai tous les avantages du mariage. Il est mondain, certes, mais il comprend tout à fait que je ne veuille pas toujours l'être. Et quand il rentre, il me tient au courant de tous les potins.

Elle ajoute que son mari l'aide dans ses affaires en lui donnant de précieux conseils. L'écoute-t-elle toujours ? En réalité son rôle auprès d'elle est avant tout de la détendre. Quand il remarque sa fatigue, il mentionne comme par hasard qu'il a entendu parler d'un marchand d'art qui vend une intéressante collection de porcelaines ou de meubles anciens. Ou bien il lui raconte une rencontre avec un jeune artiste prometteur. Elle ne résiste pas à retourner avec lui dans la galerie, ou l'atelier. Ces moments, précieux, renforcent leurs liens.

Ils décident de se planifier une vie agréable, six mois à New York et à Greenwich et six mois à Paris, au moulin de Combs-la-Ville, même si Helena travaille trop au goût de son mari qui place l'art de vivre au-dessus de tout.

Le couple est à Paris quand l'Allemagne envahit la Pologne, le 1er septembre 1939. Le 3, la guerre est déclarée. Pendant tout l'été, la tension est montée. Les Français ont attendu l'offensive, à la fois anxieux et incrédules. « Les Allemands n'oseraient pas attaquer l'armée française, la meilleure du monde », se sont-ils répété, en essayant de se convaincre. Dès l'annonce de la déclaration, tous les taxis et les bus ont été réquisitionnés pour transporter les troupes. Les rues sont noires de soldats mobilisés ; certains portent leurs vieux uniformes datant de la guerre précédente.

A la mi-septembre, Paris s'est vidé de toute sa population mâle au-dessous de soixante ans. « Il était impossible de trouver un médecin, un dentiste, un boucher, un avocat. C'était un exode masculin de masse[10]. » Dix millions de personnes se pressent vers le sud, en une fuite désordonnée qui jette hommes, femmes, enfants, animaux, véhicules à moteur et charrettes à bras sur les routes de France.

Puis la vie reprend son cours normal après la mobilisation, à quelques exceptions près. Le black-out est décrété le soir. Les rues, vidées de leurs voitures, se remplissent de citadins qui pédalent à toute allure. Schiaparelli dessine des vêtements pour les cyclistes, des vestes de camouflage, avec de grandes poches, de longues jupes drapées, accompagnées de bloomers à porter dessous. Elle part pour New York où elle demeurera jusqu'à la fin de la guerre. Molyneux et Piguet créent des costumes pour les raids aériens. Madame Grès imagine une collection subversive en bleu, blanc et rouge, Chanel ferme sa maison de couture et ne la rouvrira qu'en 1954.

S'habiller devient un véritable parcours du combattant. La haute couture, les ateliers de confection sont menacés, les textiles rationnés tout comme les chaussures. Les femmes ont recours à des trésors d'invention et d'astuces pour rester séduisantes. Bientôt, leur beauté, leur chic, leur allure, seront un défi à l'occupant. Dans une France en guerre, la mode devient une réaction de survie, une forme de résistance, un pied de nez à l'adversité.

Comme en 1914, les femmes du monde s'engagent. La plupart deviennent aides-infirmières. D'autres sont requises pour conduire les bus, les taxis, les rames de métro, et les camions qui évacuent les populations. Les théâtres sont fermés, le bal Tabarin est transformé en soupe populaire pour les acteurs nécessiteux. Une autre soupe, pour les intellectuels, est organisée par mesdames

Giraudoux et Bourdet, la comtesse de Polignac et Marie-Louise Bousquet.

Les Parisiens continuent cependant de s'amuser.

A Noël, toute la société chic qui n'a pas fui la capitale se rend à Megève. Bettina Ballard, correspondante du *Vogue* américain à Paris, décrit ce moment surréaliste dans les pages de son magazine[11]. Au retour, le mot *ennuyeux* est sur toutes les lèvres. Dans un article du *Figaro* paru en janvier 1940, Roland Dorgelès lance l'expression « drôle de guerre ». C'est une nouvelle forme de conflit, où rien ne se passe, chacun des belligérants est campé sur ses positions de part et d'autre de la ligne Maginot.

Helena et Artchil s'en vont au tout dernier moment, en mai 1940, quand les Allemands, après leur percée victorieuse, arrivent aux portes de Paris. Ils ont pris deux allers simples pour New York sur *l'USS Manhattan*. Helena n'a pas voulu envisager que pour la seconde fois dans sa vie, la guerre serait déclarée entre la France et l'Allemagne, et qu'elle serait obligée de fuir à nouveau. Elle a cru à l'impossible, et n'est partie que lorsqu'il est devenu évident qu'elle ne pouvait plus agir autrement.

Cependant elle avait préparé ses arrières. Depuis quelques années, l'accession au pouvoir de Hitler en Allemagne, les mesures anti-juives, la nuit de Cristal, n'avaient pas cessé de l'inquiéter. Avant même que la Pologne ne soit envahie, elle a voulu mettre les siens à l'abri, en Argentine, à Londres, à New York. Certains, pour leur malheur, sont restés à Cracovie. Elle a aussi rapatrié par bateau un grand nombre de ses œuvres d'art. Mais la plus grosse partie de ses collections est restée en France.

Les Gourielli laissent derrière eux l'appartement du quai de Béthune, le moulin de Combs-la-Ville et toutes les propriétés acquises à Paris, dont Helena a donné la jouissance à ses avocats pour éviter leur confiscation. Le quai de Béthune est réquisitionné par la Gestapo. Helena a cru pouvoir échapper à cette occupation en louant son appartement à la comtesse Johanna de Knech. Mais six mois plus tard, celle-ci se rend à New York, rencontre par hasard Charles Revson et en tombe amoureuse. Ils se marient très vite. On comprend que Madame n'ait pas voulu lui renouveler le bail[12].

La guerre vue de New York

La princesse Gourielli-Tchkonia ouvre les yeux. Elle commence par s'étirer, puis elle vérifie l'heure à la pendulette posée sur sa table de chevet – 6 heures 30, comme tous les matins – et s'assoit en calant son dos contre les oreillers. Alors, telle une soubrette de comédie, une femme de chambre apparaît, portant un plateau d'argent sur lequel trône un demi-pamplemousse. Elle le pose sur les draps de satin crème, et murmure « Bonjour Princesse », avant de tirer les lourds rideaux qui obscurcissent la pièce.

Le soleil de ce mois de juillet 1941 qui entre par les fenêtres éclaire les tapis anciens, les murs chargés de tableaux de l'imposante chambre à coucher de sa maison de campagne. La princesse Gourielli engloutit son fruit en quelques bouchées, lit son courrier, parcourt en diagonale le *New York Times*, épluche avec soin la rubrique des mondanités et les cours de la Bourse. La femme de chambre revient avec un petit déjeuner un peu plus conséquent, une tasse de café noir et un toast de pain complet grillé.

Cette frugalité imposée déçoit Madame, qui semble oublier qu'elle compose elle-même ses menus. Mais hélas, être sobre lui est une nécessité, pas un choix. En deux semaines de déjeuners et de dîners professionnels ou mondains, elle a repris les quelques kilos si difficilement perdus au cours d'un énième séjour à Zurich, dans la clinique du Dr Bircher-Benner, où elle a été astreinte, comme c'est l'usage, à une diète draconienne composée de racines, de légumes crus et de müesli.

Son livre *Food for Beauty* continue de se vendre. Les lectrices apprécient ses conseils diététiques et les recettes de cuisine allégées qu'elle a mises au point. Mais elle-même a toujours faim, et puis elle a remarqué qu'il lui était de plus en plus difficile de maigrir à son âge. Impitoyable envers les autres femmes, elle est laxiste avec elle-même. Dans quelques jours, lassée de devoir se priver, elle abandonnera sans doute son régime, pour en reprendre un autre plus tard.

Après avoir avalé sa tartine jusqu'à la dernière miette, la princesse se lève, passe un peignoir de soie ivoire sur son déshabillé assorti et pénètre dans la salle de bains dont les étagères débordent de produits et de flacons. Les grands miroirs vénitiens lui renvoient son image. Elle se glisse dans la baignoire qui déborde de mousse *Apple Blossom,* un produit dérivé de son dernier parfum. Immergée dans les bulles tièdes, elle réfléchit à sa journée.

Les réunions vont s'enchaîner toutes les heures : conditionnement, marketing, visite à l'usine de Long Island, discussions avec les chimistes, retour au bureau, réunions à nouveau, câbles en Australie, en Argentine, à Boris Forter à Londres. Depuis l'arrivée de ce dernier en Angleterre, quatre ans auparavant, le chiffre d'affaires a été multiplié par deux, mais malheureusement, la guerre a mis un frein à cette expansion. Comme l'ont fait de nombreux pays, le gouvernement anglais a réquisitionné tous les stocks de métal pour fournir les usines d'armement, ce qui rend difficile la fabrication de tubes de rouge à lèvres. Il a fallu réfléchir aux produits de substitution, remplacer le métal par du bois, et par des emballages de papier ou, selon la méthode ancienne qui a fait ses preuves, conditionner le rouge dans des petits pots.

Par ailleurs, le gouvernement a instauré une politique de quotas qui limite la vente des produits, ce qui a fait rétrograder le chiffre d'affaires. Pour contourner les restrictions, Boris a eu l'idée géniale de racheter les quotas des entreprises détruites ou fermées, ainsi que leurs stocks d'emballages, car il y a aussi pénurie de papier et de cartons. Mais les choses ont failli mal tourner : Boris a été déféré en justice pour une sombre histoire de quotas falsifiés. Grâce à son bagout qui a amusé le juge, il a fort heureusement été acquitté mais cela a coûté plus de trois mille livres ! Boris assure qu'il se débrouille mais à l'évidence, la situation le stresse. Et les bombardements incessants sur Londres n'aident pas à le calmer.

Heureusement, il a eu la présence d'esprit d'envoyer Ceska aux Etats-Unis, en lui faisant prendre le *Washington,* le dernier bateau à avoir quitté l'Angleterre juste après le début des hostilités. Veuve depuis peu et dépressive, elle n'aurait jamais pu supporter cette ambiance de guerre[1]. A présent, elle vit à New York où elle traîne son mal de vivre, mais au moins se trouve-t-elle en sécurité...

Dans l'eau mousseuse, Madame sent son estomac gargouiller, elle se rend compte qu'elle a encore faim. Elle attrape la sonnette avec vigueur, appuie dessus avec force, et demande à la femme de chambre, qui apparaît en un clin d'œil, de lui apporter un petit pain beurré avec du miel, et au passage d'éteindre les lampes inutilement allumées.

Tout le monde gaspille si aisément aujourd'hui... Quand elle est à Greenwich et qu'elle a un peu de temps, le samedi, la princesse fait son marché elle-même. Et toujours au moment de la fermeture, quand les commerçants commencent à remballer, c'est plus commode ainsi pour marchander.

Les gens disent qu'elle est avare parce qu'elle trouve tout « trop cher ! » Ils se gaussent de ses manières de paysanne : dans les dîners, elle ne supporte pas que les convives ne terminent pas leurs assiettes. Elle ne se gêne pas pour les aider. Et ignore les rumeurs avec superbe. Qu'ils en rient ! Ils ne savent rien de la pauvreté. Elle, si. Pour rien au monde elle ne voudrait la connaître à nouveau, même si la situation risque peu de se reproduire. Comme tous les matins, elle emportera au bureau son habituel *lunch bag*, son petit sac de papier brun que la cuisinière aura garni d'ailes de poulet rôti et d'une pomme. Ira-t-elle à la réception donnée par les Rockefeller au profit de leur Fondation qui aide les exilés européens ? Artchil s'y rendra, c'est certain. Le cher homme ne rate jamais une occasion de se divertir. A l'heure qu'il est, il doit dormir à poings fermés dans sa chambre de leur appartement de New York. Il est sans doute rentré tard la veille. Helena a préféré gagner « Tall Trees », sa maison de Greenwich, directement après sa visite à l'usine. Cet endroit la ressource, elle aime le jardin, les bois qui l'entourent, même si elle a rarement l'occasion de profiter de la nature.

Toujours pensive, elle sort de son bain, se sèche avec une serviette marquée d'un E et d'un T, les initiales d'Edward – il lui en reste encore des dizaines, toutes neuves, ainsi que des blouses brodées HRT, qu'elle porte encore – passe sur son corps une crème hydratante puis un nuage de poudre *Apple Blossom* et étudie son visage dans un miroir argenté, frappé aux armes du prince Gourielli.

A près de soixante-dix ans, les années n'ont pas été trop cruelles avec elle. Artchil a beau être son cadet de près d'un quart de siècle, elle n'a certainement pas l'air d'être sa mère. Le cher homme fait plus vieux que son âge, parce qu'il boit trop. Elle ne cesse de lui conseiller la modération mais ces Russes, ces Polonais, ces Géorgiens sont tous pareils, intoxiqués par l'alcool qui abîme les dents et la peau. Les hommes pourraient être tellement plus beaux s'ils s'en donnaient seulement la peine.

D'ailleurs cela lui a soufflé l'idée de se pencher sérieusement sur les soins de beauté au masculin, ce qui n'a jamais été fait auparavant. Au cours d'une réunion de marketing, Thomas Lewis, l'ex-mari d'Elizabeth Arden, lui a suggéré de créer une ligne de cosmétiques au masculin. Elle a bien fait de l'embaucher celui-là, même si son salaire est exorbitant.

Avec son flair habituel, Madame, qui y avait déjà vaguement pensé, a tout de suite fait sienne l'idée de Lewis. Elle a remarqué que les femmes achetaient souvent deux pots de crème hydratante à la fois, le second étant destiné à leurs époux. Le marché des produits de beauté pour hommes est encore en friche, c'est à elle de le faire prospérer. Puis, réfléchissant comme d'habitude à la vitesse du son, elle est allée encore plus loin et elle a imaginé de créer une boutique pour vendre ces produits. L'aménagement de la *Gourielli Apothecary*, située sur la 53ᵉ Rue, au coin de l'immeuble Rubinstein, est du reste presque terminé.

Ses équipes travaillent sur les emballages d'un gris raffiné, ornés du blason Gourielli. Les crèmes seront conditionnées dans des pots à l'ancienne, comme ceux qu'on trouvait au début du siècle dans les échoppes des apothicaires. C'est peut-être un hommage qu'elle a voulu rendre au vieil Henderson de Standford. Madame a d'ailleurs engagé un pharmacien qui prodiguera ses conseils aux clients et à leurs épouses : elles aussi auront leurs produits Gourielli.

Horace, qui a créé sa propre agence de publicité mais travaille principalement pour la marque, a trouvé le concept tellement génial qu'il bombarde quotidiennement sa mère de notes concernant le marketing. Horace est souvent enthousiaste, ce qui est un bon point, mais il est aussi tellement fatigant... Il n'y a qu'Artchil qui n'ait pas l'air emballé à l'idée de devoir travailler : si elle a créé cette affaire, c'est aussi pour qu'il s'occupe, au lieu de passer ses journées à ne rien faire de constructif.

Six cent quarante et un produits Rubinstein sont distribués dans les salons de beauté et les points de vente du monde entier. Le chiffre est vertigineux. Du point de vue de Madame, il y en a trop, beaucoup trop. Elle-même ne se sert pas de la moitié du quart. Désormais, elle force un peu plus sur le maquillage : un fond de teint *Aquacade*, une poudre *Town and Country*, du mascara noir waterproof, de l'ombre à paupières bleu-vert, du rouge à lèvres, qui lui sert aussi de blush.

Elle se dirige vers son dressing, de dimensions moins imposantes que ceux de New York et de Paris mais bourré à craquer cependant de toilettes coûteuses. Après une inspection rapide, elle se décide pour un modèle brodé de Schiaparelli et sonne la femme de chambre pour qu'elle l'aide à s'habiller. Chaussée d'escarpins à talons vertigineux, elle fouille derrière une pile de vêtements et extirpe une cassette remplie de bijoux. Ses pièces les plus précieuses se trouvent à New York, mais elle en garde quelques-unes à Greenwich.

Elle choisit un collier d'émeraudes qui a appartenu à l'impératrice Catherine de Russie, de grosses boucles d'oreilles en diamant, un bracelet de perles et une paire de lourdes bagues où étincellent des rubis, c'est le cadeau d'un maharadjah empli de gratitude pour des soins apportés à sa femme, au début des années vingt.

Ainsi parée, la princesse attrape le pain beurré au miel posé dans une assiette, se dépêche de l'avaler et sort. Postée sur le perron, entre les deux chevaux de carrousel qui gardent le porche de la maison, elle guette la vieille Pierce Arrow, conduite par son jardinier, le mari de sa femme de chambre. Elle s'y engouffre prestement. Cinquante minutes plus tard, la voiture la dépose devant son immeuble de la Cinquième Avenue, un petit building blanc et sobre. Le doorman lui ouvre la porte et la salue en souriant. La princesse lui sourit en retour et pénètre d'un pas martial dans le hall[2].

Cette matinée de l'été 1941 est très habituelle dans la vie de Madame. La journée se déroule sans surprise : du travail, du travail et encore du travail. La semaine est entrecoupée de sorties, de cocktails, de vernissages, de dîners mondains ou de charité qui aident les Européens en guerre ou les soldats sur le front. Elle supervise, ordonne, récrimine, répond aux questions des journalistes, se fait photographier chez elle. *Life* vient de lui consacrer un *close up* de sept pages.

A bien des signes, on sent que les Etats-Unis se préparent au conflit. Le portrait qui orne la couverture de ce même numéro de *Life,* paru le 21 juillet, est celui du commandant en chef des forces armées britanniques à Singapour. Entre un reportage sur la meilleure façon d'étaler sa crème à bronzer sur la plage, des photos de Fiorello La Guardia, le maire de New York, assistant à un match de base-ball avec son fils et l'article sur Madame, le magazine traite en abondance du front européen. Ainsi ces photos atroces de bébés anglais brûlés par les bombardements de la Blitzkrieg, ou cette enquête très détaillée sur l'occupation de l'Islande par la flotte américaine en prévision de combats imminents.

Quelques mois plus tard, le 7 décembre 1941, les Japonais vont attaquer par surprise la flotte américaine basée à Pearl Harbour, dans l'archipel d'Hawaï, provoquant dès le lendemain l'annonce par le président Roosevelt de l'entrée de son pays dans le conflit mondial.

Les nouvelles d'Europe lui coupent tout entrain, à commencer par celles qui arrivent, par bribes, de Pologne. Hertzel et Gitel Rubinstein ont eu la chance de mourir avant l'invasion de leur pays par les Allemands. La plupart des membres des familles Rubinstein et Silberfeld ont réussi à émigrer en Australie, en Europe ou aux Etats-Unis. Mais toutes les semaines Madame reçoit des lettres de parents, d'amis, de relations, coincés au cœur de la tourmente, en Pologne ou ailleurs, qui la supplient de les aider à émigrer.

A Cracovie, habitent toujours Régina, la sœur d'Helena, et Moïse Kolin, son mari. Helena n'a pas revu sa sœur cadette depuis bien longtemps. Mais elles ont toujours maintenu un contact épistolaire, et Mala lui donne souvent des nouvelles. A présent, il est difficile de comprendre ce qui se passe. Tout ce qu'elle sait, c'est qu'il reste encore là-bas quelques oncles et tantes et des cousins germains. Helena ne les connaît pas tous. Certains étaient des enfants quand elle est partie, d'autres n'étaient pas nés. Mais la famille est sacrée à ses yeux et son sort la préoccupe. Elle en parle souvent avec Mala qui ne dort plus à force de penser à ses parents.

Heureusement, Henry, le frère aîné de Mala, est à l'abri à Toronto, avec sa famille. Oscar, son autre frère, se trouve toujours en France. Capturé par les Allemands alors qu'il se battait avec l'armée française à Dunkerque, il a réussi à s'échapper et a rejoint la Résistance. A présent, il est quelque part dans le maquis. Sa femme et ses deux filles, Jacqueline et Diane, d'abord réfugiées dans le Sud de la France, viennent d'arriver à New York saines et sauves. Helena les a aidées à trouver un appartement. Du reste, elle tente d'aider tous les Juifs polonais qui ont réussi à gagner New York, malgré les difficultés pour obtenir les visas, en leur procurant emplois et logements.

L'armée allemande a occupé Cracovie la première semaine de septembre 1939. Les persécutions contre les Juifs qui ont commencé tout de suite, se sont intensifiées quand les Allemands ont baptisé la ville capitale du Gouvernement général de Pologne. En mai 1940, une partie des soixante mille habitants juifs a été expulsée dans la campagne. Un an plus tard, quinze mille d'entre eux sont toujours dans les murs et cinq mille réfugiés les ont rejoints.

Un ghetto a été créé dans le sud de la ville, à Podgorze, où Edward Titus est né. Près de vingt mille personnes sont enfermées derrière une enceinte de barbelés qui, à certains endroits, laisse place à un haut mur en pierre. Les nazis ont installé là plusieurs usines et contraint les Juifs au travail. A l'extérieur de l'enceinte, d'autres usines et quelques chantiers emploient cette main-d'œuvre esclavagisée.

Depuis 1924, la politique américaine d'accueil des immigrés est de plus en plus restrictive. Roosevelt, soucieux d'une opinion peu favorable aux Juifs, refuse d'en augmenter les quotas. Il n'y a pas grand-chose à tenter, sauf prier tous les dieux du ciel pour que la guerre s'arrête au plus vite. Ce qui n'est pas à l'ordre du jour. Les nouvelles ne sont pas bonnes du côté des Alliés. Les Allemands ont pris l'avantage, aidés par les autres membres de l'axe tripartite, l'Italie et le Japon. A Londres, le salon de Grafton Street a été en partie détruit lors d'un bombardement. Boris Forter a eu la chance d'en réchapper. Il a pu sauver les archives, les machines à écrire, un bon nombre de produits de beauté et a rapatrié le tout dans un petit immeuble qu' Helena possède dans Berkeley Square.

Pour tromper son angoisse et parce qu'elle ne peut plus voyager ailleurs, Helena a entrepris une croisière en Amérique latine, en décembre 1940. Artchil l'a accompagnée, ainsi que Sara Fox, la directrice du marketing. Comme d'habitude, elle s'est livrée à un shopping effréné. Au Mexique, Diego Rivera et Frida Kahlo l'ont initiée à l'Art primitif. Elle s'est liée d'amitié avec le couple et lui a acheté des tableaux. Elle a aussi commencé une collection de portraits d'enfants. Elle a tellement aimé le Mexique et ses peintres, qu'elle va se débrouiller pour y retourner souvent, au moins une fois par an.

A Buenos Aires, où elle possède déjà un salon, elle a acquis tout un immeuble ; à Rio, elle a ouvert un nouvel institut. En Argentine, elle a acheté des bijoux, des objets précieux, et des dizaines de gamelles en argent utilisées par les gauchos. En rentrant à New York, elle les a fait copier et les a mises en vente dans ses salons. Le bénéfice est allé à la Croix-Rouge polonaise qu'elle soutient activement ainsi que bon nombre d'œuvres de charité.

Ainsi a-t-elle profité de l'ouverture de la boutique Gourielli pour organiser une exposition de deux semaines consacrée à des artistes peintres américains et mexicains, au profit de l'effort de guerre de la Chine. Le soir de l'inauguration, elle a donné une réception en l'honneur de madame Tchang Kaï-Chek.

Au printemps de l'année 1942, le deuxième étage du salon de la Cinquième Avenue est transformé en galerie, *The Helena Rubinstein New Art Center,* dont les bénéfices vont à la Croix-Rouge. Pour 25 cents, les visiteurs peuvent admirer un survol historique de peintures et sculptures modernistes, certaines appartenant à Madame et d'autres empruntées à la galerie de Peggy Guggenheim. « Evidemment, organiser une exposition à but charitable dans l'espace du salon a aussi l'avantage d'y attirer des consommateurs potentiels[3]. » Encore et toujours son sens du marketing lié à son amour de l'art.

Edward et Erica Titus ont débarqué à New York en juillet 1940, un peu après le retour d'Helena et Artchil. Tout de suite, Edward a fréquenté le milieu des intellectuels et des artistes européens très nombreux à avoir traversé l'Atlantique.

En mars 1941, un navire de la Compagnie des Transports Maritimes, le *Capitaine Paul Lemerle* a levé l'ancre à Marseille, avec trois cent cinquante passagers à son bord. Parmi eux, se trouvaient André Breton, sa femme et leur fille Aube, Claude Lévi-Strauss, et Victor Serge, le compagnon de Lénine. Breton et sa famille se sont installés dans le Village où l'écrivain a reconstitué son groupe surréaliste. Max Ernst, évadé du camp des Milles, est arrivé quatre mois plus tard avec Peggy Guggenheim, et son ex-mari, Laurence Vail.

Pendant ces années de guerre, New York est devenue la nouvelle capitale des arts et des lettres françaises.

Antoine de Saint-Exupéry, André Maurois côtoient Jules Romains et Aimé Césaire, Denis de Rougemont, Pierre Lazareff, responsable du bureau français de *Voice of America* et son épouse Hélène, journaliste au *Harper's Bazaar* et au *New York Times*.

Le 3 mars 1942, une exposition, *Artistes en Exil*, réunit Breton, Chagall, Ernst, Léger, Masson, Matta, Mondrian, Tanguy, Ozenfant, et Zadkine. Marcel Duchamp, arrivé un peu plus tard, expose en octobre de la même année, dans la nouvelle galerie que Peggy Guggenheim a inaugurée au sommet d'un immeuble de la 52ᵉ Rue. La soirée est donnée au profit de la Croix-Rouge. Les Gourielli-Tchkonia y croisent sans doute les Titus mais Helena et Edward n'ont plus grand-chose à se dire.

Madame vient de rencontrer Salvador Dalí, une autre figure de la nouvelle bohème new-yorkaise. C'était un ami de Titus, à Paris. Lancé par le galeriste Julien Lévy qui a exposé ses *Montres Molles* à New York dans les années trente, le peintre est revenu en 1941 comme à peu près tout le monde. Deux ans plus tard, il peint deux portraits des Gourielli. L'un représente Helena qui s'avance, telle une figure de proue, au milieu de rochers surplombant une mer émeraude ; l'autre Artchil, habillé en officier russe. Mais ce deuxième tableau est nettement moins réussi. Dalí prétend cependant que le tableau représentant Helena a lancé sa carrière. Helena les a accrochés dans son nouvel appartement situé au 625, Park Avenue, au coin de la 69ᵉ Rue.

Depuis longtemps, elle souhaitait déménager. Elle a fini par trouver un endroit à sa mesure, un triplex de trente-six pièces, à quelques rues de l'immeuble Rubinstein. « Je suis tombée amoureuse d'un château dans les airs », écrit-elle à son fils Roy.

Un peu avant la signature du bail, l'agent immobilier l'a appelée, au comble de la confusion.

— Madame Rubinstein, je suis vraiment désolé mais les copropriétaires sont formels. Ils ne veulent pas de Juifs dans l'immeuble.

Helena n'est pas naïve. Depuis son premier séjour aux Etats-Unis, en 1915, elle a constaté que l'antisémitisme faisait des ravages en Amérique, surtout dans les classes les plus huppées de la bourgeoisie blanche. Déjà, à l'époque, elle n'avait pas pu installer son premier salon dans l'immeuble sur lequel elle avait jeté son dévolu car les propriétaires refusaient de vendre à des Juifs. Mais elle n'était pas encore assez puissante pour leur tenir tête et elle avait été contrainte de se replier ailleurs.

Madame n'ignore pas que certains quartiers résidentiels sont tacitement ou explicitement interdits aux Juifs, ainsi que des collèges, des universités privées, de nombreux country-clubs huppés les refusent aussi. A Atlantic City, une plage est réservée aux Blancs, la seconde aux Juifs et la troisième aux Afro-Américains. Certains ne se gênent pas pour afficher leurs opinions extrémistes : ainsi l'aviateur Charles Lindbergh, qui a passé son temps en Allemagne avant-guerre et qui, en allié inconditionnel du régime nazi, répète à longueur de temps sur les ondes et dans les journaux que les Juifs font courir un danger aux Etats-Unis en raison de leur puissante influence dans les médias, à Hollywood et sur le gouvernement.

Henry Ford, tycoon de l'automobile, est un antisémite maladif lui aussi, qui a été décoré par le gouvernement allemand de l'ordre nazi de l'Aigle. Depuis la fin de la Première Guerre mondiale, Ford vomit des horreurs sur les Juifs, dans ses discours et ses écrits, au point que, menacé de boycott, en 1927, il a été obligé de formuler des excuses. Ce qui ne l'a pas empêché de recommencer. De fait, depuis le début de la guerre, en Europe, l'antisémitisme américain s'est accru dans toutes les couches de la société[4]...

Madame s'est toujours tenue éloignée de toutes ces polémiques. Malgré un nom de famille qui clignote comme un warning, et qu'elle a refusé dès ses débuts de modifier, elle ne se sent pas particulièrement juive. Depuis son départ de Kazimierz, son antipathie pour les juifs orthodoxes n'a pas diminué. Elle déteste tout ce qui fait « too Jewish ». La religion l'ennuie, elle ne se rend dans une synagogue que lorsqu'elle y est obligée, pour un mariage ou une bar-mitsva par exemple. Elle ne mange pas casher, ne fréquente pas particulièrement la communauté, donne aux œuvres juives à égalité avec les autres. Hormis sa famille, son avocat et quelques cadres, on compte peu de Juifs parmi ses 3 000 employés.

Mais sous cet affront qui l'atteint de plein fouet, Helena se met en colère. Elle n'est pas arrivée à son âge pour entendre des insanités pareilles.

— Pas de Juifs ? Faites une offre, j'achète l'immeuble.

Un château dans les airs

Madame est devenue la propriétaire du 625, Park Avenue, une des adresses les plus chic de New York. De la terrasse qui fait le tour de l'appartement, la vue sur Manhattan coupe le souffle. Elle a engagé l'architecte Max Weschler avec qui elle s'entend à merveille car il est toujours partant pour exécuter ses idées les plus folles, et a décoré le triplex avec son audace habituelle, mêlant l'opulence, le raffinement et l'anticonformisme.

On pénètre dans l'appartement par l'étage du milieu et l'on se retrouve aussitôt dans une immense pièce de réception, de la taille d'une galerie, pavée de marbre blanc et noir. Là, est rassemblée la plus grande partie des sculptures d'Elie Nadelman, qui voisinent avec ses collections de toiles de maîtres dont elle a pu rapatrier une grande partie de France.

Les styles se juxtaposent comme au 24, quai de Béthune. Le salon moderniste français est meublé de canapés, de sofas, et de fauteuils de soie et de velours dont les nuances vont du pourpre au magenta. Dans la salle à manger baroque, aux dominantes de blanc et de doré, on retrouve, entre autres pièces inestimables, une partie de sa collection d'Art premier. Le café est servi dans la dreamroom, où l'on joue aussi au bridge. De dimensions plus réduites que les autres, c'est la pièce préférée de Madame : le mobilier vénitien et le tryptique mural signé Salvador Dalí en font une œuvre d'art à part entière.

Au premier niveau se trouvent les six chambres à coucher dont la sienne. Tout en acrylique transparent, le mobilier est spectaculaire et sera souvent photographié, surtout le lit fluorescent, en lucite. Elle l'a trouvé en chinant aux Puces. Partout, des tapisseries de Rouault voisinent avec d'immenses statues tribales d'Océanie, des vases d'opaline avec des miroirs ouvragés. Des tableaux par dizaines, signés Braque, Picasso, Miró, Chagall, Derain, Modigliani, Matisse, couvrent les murs. Un critique les a baptisés : « les œuvres les moins importantes des peintres les plus importants des XIXe et XXe siècles ». Enfin, au dernier étage, elle a fait aménager une salle de bal et une grande pièce pour installer ses maisons de poupées.

Pour soutenir l'effort de guerre, Helena a entrepris de cultiver des légumes sur la terrasse. Elle a baptisé ce petit carré « *The Farm in the sky* ». En 1942, elle donne une garden-party mémorable, au profit de l'*United State Crop Corps,* une organisation de fermiers auxiliaires et volontaires en Angleterre. Le *New Yorker* s'en fait l'écho[1]. Parmi les boissons, on sert un jus de légumes d'une étrange couleur verte, dont Madame a concocté la recette, mais ses hôtes, dont Salvador Dalí, préfèrent nettement le scotch soda.

Au moment de partir, les deux journalistes du *New Yorker* jettent un dernier coup d'œil à leur hôtesse, qui se tient debout, seule devant une table où est posée une assiette qui contient quatre racines de pommes de terre abritées sous une cloche de verre. « Son visage était impénétrable et nous nous sommes demandé si elle s'amusait ou pas. »

Qu'elle s'amuse n'est pas la question. Les réceptions mondaines font partie de ses obligations. Les Gourielli donnent des soirées très courues, où se presse le Tout-New York. Quelques jours avant la date fixée, Madame envoie aux journaux la liste de ses hôtes.

« Ce soir, madame Rubinstein recevra à dîner le baron et la baronne de Gunzbourg, madame Carmel Snow, madame Marie-Louise Bousquet, le baron Kurt von Pantz, le duc de Verdura, monsieur de Brunhoff, madame Elsa Maxwell, monsieur et madame Pierre Lazareff, monsieur et madame Cole Porter... »

Certes, ce n'est pas l'impressionnant *Almanach du Gotha* que l'on peut inviter à Paris, mais Helena se targue de pouvoir réunir à New York un nombre respectable de ces titres de noblesse dont elle a toujours raffolé, et qu'elle mélange, comme dans toute party réussie, avec des artistes, des écrivains, des journalistes et des mondains. Ses hôtes sont très flattés d'être reçus au « Rubinstein Hilton ». Tout le monde en parle dans Manhattan.

Le monde des riches est féroce, ironique et cinglant, mais c'est le sien et celui de son mari. Plus encore qu'Helena, Artchil aime ce qui brille, ce qui a de l'éclat, les diamants comme les esprits. Empêché de se rendre à Paris, le couple va souvent à Los Angeles. Une partie de la café-society de New York s'est déplacée là-bas. Les soirées sont amusantes : on y croise Stravinsky et Aldous Huxley et Flame d'Erlanger que Helena a connue des siècles auparavant à Londres, avec Edward. La baronne est restée excentrique. Ses deux night-clubs, sur Sunset Trip, ne désemplissent pas. Elle reçoit ses clients, tous des amis, en robe du soir, comme une diva.

Là-bas, la guerre semble encore plus lointaine, même si les mauvaises nouvelles arrivent du théâtre des opérations dans le Pacifique. Helena fréquente les stars, Gloria Swanson, Joan Crawford, Bette Davis, qui sont considérées comme les plus belles femmes du monde. Elle leur donne des conseils de beauté, travaille sur une ligne de maquillage spécialement conçue pour la pellicule couleur.

La plus impressionnante de toutes est sans aucun doute Garbo, qu'ils ont rencontrée à plusieurs reprises, et encore récemment à une partie donnée par un grand producteur, sur les hauteurs de Hollywood, dans une de ces villas somptueuses dont les nababs du cinéma ont le secret. Ce soir-là, l'actrice était, comme à son habitude, sublime, mystérieuse, intouchable. Elle n'a pas prononcé un mot de toute la soirée, elle s'est contentée de rester immobile sur un canapé, et de recevoir d'un hochement de tête les compliments de ses admirateurs.

Assise en face d'elle, sur un canapé jumeau, Helena est demeurée silencieuse elle aussi. Aucune des deux icônes, celle de l'écran et celle de la beauté, n'a proféré plus de deux phrases de toute la soirée.

A l'occasion de *l'Opération Torch,* en Afrique du Nord, le gouvernement a commandé à Madame des produits pour les soldats qui se battent dans le désert. Leurs peaux brûlées par le soleil ont besoin d'être réhydratées et soignées, leurs visages nécessitent un camouflage. Helena et Mala ont imaginé des kits qui leur sont destinés. Washington en a acheté soixante mille. Tous portent la mention HR Inc. sur l'emballage. La commande est venue à point pour remonter les finances de l'entreprise, bien malmenées par une économie tournée vers le conflit.

Helena Rubinstein a été reçue à la Maison-Blanche. En sa présence, le président Roosevelt a raconté une anecdote qui l'a vivement intéressée. C'est l'histoire d'une Anglaise qu'on a retirée des bombardements sur un brancard. Avant même qu'on lui ait administré un calmant, elle a supplié les ambulanciers de lui donner son rouge à lèvres qui se trouve dans son sac.

— Le maquillage est très important pour le moral des femmes qui travaillent dans l'industrie. Il faut les encourager à porter du rouge, a conclu le Président.

Il a dit la même chose à Elizabeth Arden, au même endroit mais pas au même moment. Chacune se croit dépositaire des volontés de Roosevelt et chacune s'efforce de redoubler d'efforts pour inventer et produire. On raconte qu'en Allemagne, quand Hitler a voulu bannir le maquillage, les femmes ont tout simplement refusé de travailler.

La pénurie de métal ne facilite pas la tâche. Seul Charles Revson avait pensé à en stocker. Cet homme ! Les femmes l'adorent mais Helena le déteste autant qu'elle déteste Arden. Elle est bien obligée d'admettre cependant qu'il faut toujours le contrer. Là où les deux rivales se montrent timorées, il joue la provocation. Elles s'affichent romantiques, il s'appuie sur les sex-symbols : « Vous pouvez être une bombe sexuelle ! » tonitruent ses affiches.

Il inonde le marché de couleurs violentes. Sa palette est infinie et il en invente de nouvelles tous les jours. Le marché est un monstre insatiable, pense Madame qui a été obligée de réduire un certain nombre de dépenses, surtout dans la publicité. Elle n'a pas augmenté non plus ses employés ce qui lui a valu une grève, à la fin de l'année 1941, dans l'usine de Long Island. Elle n'aurait même pas pu imaginer cela possible, le mot n'existe pas dans son vocabulaire courant. Au tout début, elle a refusé de recevoir les syndicats, mais devant la détermination des employés, elle a bien été obligée de plier et a dû se résoudre à augmenter deux cents salaires.

Chaque jour, il lui faut faire face, réfléchir, innover et puis se demander sans cesse :

— Que veulent les femmes ?

C'est la question préférée des publicitaires et des couturiers, des parfumeurs, des modistes, des créateurs, des chausseurs, des fourreurs, des esthéticiennes, de toute cette gigantesque industrie au service de la beauté. La réponse est simple : en ces temps difficiles, les femmes ont avant tout soif de menus plaisirs, de distractions et de séduction. Malgré leurs moyens restreints, elles dépensent 517 millions de dollars en produits de beauté.

Après *Apple Blossom,* Helena a voulu créer une autre senteur, moins florale, plus subtile. Un beau jour de printemps, cinq cents petits paniers d'osier attachés par leur anse à des ballons bleus et roses, sont envoyés dans les cieux du haut de l'immeuble du grand magasin Bonwit Tellers. A l'intérieur, on trouve un flacon de parfum, *Heaven Sent,* dont le design s'inspire d'une bouteille que Madame a achetée au Mexique. Une petite carte l'accompagne avec ces mots : « Out of the blue for you », « Un don du ciel pour vous. » Les Américaines en raffolent.

Parmi les stars d'Hollywood, Greta Garbo et Jean Harlow sont toujours au sommet. Mais Katharine Hepburn, ses chemises retroussées, ses pantalons larges et ses souliers plats, et surtout Rosalind Russell avec ses costumes d'homme et sa voix profonde et grave, sont les nouvelles idoles des ouvrières qui ont remplacé leurs maris, leurs fils, leurs frères, partis au combat.

Une chanson populaire a mis en scène *Rosie the Riveter*, ouvrière dans l'industrie d'armement. Avec ses cheveux bien coiffés sous son petit fichu rouge à pois blancs, ses lèvres peintes et ses ongles vernis, Rosie incarne la sauvegarde de la féminité au cœur d'une activité virile. « WE CAN DO IT » proclament les affiches où elle parade en salopette, son biceps gonflé comme celui de Popeye.

Les Américaines ne sont plus des « voleuses d'emplois »... En l'espace de quatre ans, six millions d'entre elles travaillent comme le leur dicte leur devoir de patriotes. Le gouvernement a décidé que leurs salaires seraient égaux à ceux des hommes et les syndicats en ont soutenu le principe. Ce n'est pas du féminisme, il ne faut pas rêver, mais les uns et les autres craignent qu'avec des payes trop basses, les patrons les préfèrent aux hommes après la guerre. Au début du conflit, 95 % d'entre elles ont décidé de s'arrêter de travailler quand leurs hommes reviendront du front. A l'arrêt des hostilités, 80 % voudront continuer. Il y aura évidemment un conflit d'intérêt entre les aspirations masculines et féminines : au lieu d'encourager les femmes à s'émanciper, la société tout entière n'aura de cesse de les renvoyer dans leurs foyers.

En Europe, la vie est devenue de plus en plus dure et les femmes peinent à rester coquettes. Helena n'aime pas ce que Boris lui raconte de Londres. Les produits de beauté se revendent très cher au marché noir. Un guide qui explique comment les fabriquer soi-même vient de paraître. Les Anglaises s'y essayent sans trop de conviction.

A Paris, le salon du Faubourg Saint-Honoré a été réquisitionné. Les magazines féminins ont du mal à subsister. L'édition française de *Vogue* a disparu. Son directeur, Michel de Brunhoff, s'est réfugié dans le Sud-Ouest de la France avec sa famille. *Marie Claire* se maintient tant bien que mal, *Le Petit Echo de la Mode* aussi. Quelques maisons de couture sont restées ouvertes, Lucien Lelong, madame Grès et Balenciaga. Pour survivre, elles doivent se livrer à un subtil marchandage avec les Allemands.

On manque de tout, textile, maquillage, chaussures, mais l'ingéniosité défie toutes les privations. Les femmes ont appris à défaire leurs vieux vêtements pour en créer de nouveaux, à teindre leurs jambes pour imiter les bas, à porter des semelles de bois. Leurs cheveux sont bouclés, souvent mis en plis, leurs sourcils très épilés, leurs lèvres toujours rouge vif, comme un pied de nez au malheur. Au cinéma, Arletty, Gaby Morlay, Edwige Feuillère, Josette Day, Madeleine Sologne, Madeleine Robinson affichent leurs visages purs, presque opalescents, comme si les horreurs de la guerre n'avaient aucune prise sur leur beauté.

Dès l'entrée de l'Amérique dans le conflit mondial, Roy a voulu s'engager. Sa connaissance parfaite de plusieurs langues européennes, dont le français qu'il parle couramment, a joué sur son affectation aux services secrets, l'Office of Strategic Services. De Washington où il est en poste, il écrit à sa mère de longues lettres plaintives. Jaloux de tout et de tous, il la sollicite sans cesse, lui demande de l'argent, veut lui emprunter sa voiture durant ses permissions, l'entreprend longuement pour qu'elle lui achète une maison. Par-dessus tout, il se plaint de la mauvaise ambiance qui règne dans l'entreprise.

Oscar Kolin a finalement réussi à embarquer pour les Etats-Unis, où sa famille était déjà à l'abri, et il a repris son poste de direction dans l'entreprise. Roy ne comprend pas pourquoi le salaire de son cousin est si élevé. Ses lettres, couvertes d'une écriture enfantine et adressées « Mother dear », sont toutes écrites sur le même ton. « Gardez votre sens de l'humour », conclut-il cependant, sans doute pour tenter d'atténuer l'effet de ses récriminations.

Dans ses réponses, Helena choisit d'attiser le feu qui couve toujours entre les membres de sa famille. Elle vante les qualités d'Oscar et en profite pour comparer une fois de plus les deux frères. Horace ne lui demande jamais un sou, dit-elle. Il a payé sa maison tout seul. Après avoir sermonné Roy en valorisant son cadet, elle joint un chèque à sa lettre[2]. Humilié une fois de plus, Roy noie sa colère dans l'alcool. Ce qu'il fait de plus en plus souvent.

Au contraire de son cousin et de son frère, Horace n'a pas pu s'engager. D'une santé fragile depuis l'enfance, il a été réformé. Tout comme Roy, Horace déteste Oscar, et reproche à sa mère de le favoriser. La vérité est que Oscar Kolin est un charmeur qui, aux notes, lettres et autres mémos dont ses cousins bombardent Madame, préfère les longs tête-à-tête avec elle pour discuter des ventes et du marketing.

Sans Roy, Horace se sent très isolé dans l'entreprise, d'autant qu'Helena qui se rend souvent au Mexique le laisse face à face avec Oscar... Dans une lettre qu'il adresse à sa mère, Horace compare leur famille à celle de la pièce de Lilian Hellman, *Little Foxes*, qui a triomphé à Broadway, et est devenue un film à succès. Toutes les deux, prétend-il, se déchirent par avidité. Un psy aurait sans doute fait son miel des relations tendues entre la mère et les fils. Les deux frères ont d'ailleurs eu leur comptant de divans, sans réussir à dompter les démons de leur enfance. Au-dessus de leurs têtes plane le fantôme d'Hertzel le faible et l'image d'Edward qui « touche à tout sans rien approfondir », selon le jugement d'Helena, qu'elle applique aussi à Horace. Il est heureux qu'elle n'ait pas eu de fils avec Artchil.

Mais d'autres chagrins, beaucoup plus graves, viennent endeuiller la famille. La sœur d'Helena, Régina Kolin et son époux, Moïse Kolin, ont été assassinés à Auschwitz en 1942. Un an plus tard, le ghetto de Cracovie est détruit. Des milliers de femmes, d'hommes et d'enfants juifs sont déportés, les uns à Auschwitz et Birkenau, et les autres à Plaszow, dans le sud de la ville.

On connaît désormais l'existence des camps d'extermination même si beaucoup ont du mal à y croire, ou plutôt à accepter de penser l'impensable. Aux Etats-Unis, personne n'est préparé à entendre le récit de telles ignominies, pas plus l'administration que les représentants de la communauté juive, qui cependant font pression pour faire réagir le Président. Pour Roosevelt, le principal objectif demeure l'écrasement de l'armée allemande. La Chambre des représentants refuse de voter une loi moins restrictive sur l'immigration, qui permettrait aux juifs de se réfugier sur le sol américain. Même si une petite partie de l'opinion s'en indigne, la plupart des citoyens affichent une attitude au mieux passive. Un afflux massif de Juifs sur le sol américain ne serait pas le

bienvenu, y compris pour les Juifs eux-mêmes qui craignent une recrudescence de l'antisémitisme si leurs coreligionnaires étaient autorisés, en masse, à immigrer[3].

En novembre 1943, Franklin Delano Roosevelt est réélu
à une courte majorité. Il faudra attendre encore quelques
interminables mois pour que les Etats-Unis créent enfin
un bureau d'aide aux réfugiés.

En 1944, Winston Churchill, qui est prêt à bombarder
les voies ferrées allemandes, consulte Washington. Le
projet est bloqué sans parvenir à Roosevelt, une asser-
tion qui sera contestée par la suite.

En janvier 1945, les derniers prisonniers de Plaszow
sont envoyés à Auschwitz pour être évacués à l'ouest.
Les Allemands tentent de supprimer la trace des crimes
commis dans le camp par Amon Goeth et sa clique, et
ordonnent d'ouvrir les fosses communes afin que les
cadavres en soient exhumés et brûlés.

La guerre se termine. Les Américains, les Anglais, les
Soviétiques découvrent les charniers abominables et les
conditions de détention inhumaines. Des milliers de survivants, juifs pour le plus grand nombre, sortis des
camps d'extermination, errent tels des fantômes déchar-
nés sur les routes de l'Europe de l'Est. Des millions de
familles cherchent leurs disparus et pleurent leurs morts,
comme Helena pleure les siens : sa sœur, son beau-frère,
des oncles, des tantes, des cousins. Le Kazimierz de son
enfance est mort, vidé de ses habitants juifs, disparus à
jamais.

La fille d'un de ses oncles paternels, Gizèle – Giza –
Goldberg a perdu elle aussi son mari et son fils. Sa fille,
Lilith, dite Litka, âgée de seize ans à peine, a réussi à traverser la guerre en se cachant en Pologne puis en Hongrie. L'adolescente doit sa survie à son intelligence et à
son sens aigu de l'adaptation. Pendant toute la guerre,
grâce à sa mère qui avait falsifié leur identité, elle s'est
fait passer pour une Polonaise catholique et ne s'est

jamais démontée même dans les pires moments. La mère et la fille se sont retrouvées à la fin de la guerre.

De Cracovie, Giza écrit à Helena pour lui demander de l'aide. Elles n'ont plus rien, ni maison, ni argent, ni famille. Madame paye leurs billets d'avion pour Paris et les loge dans un petit appartement qu'elle possède. Litka qui aime les études, aurait bien voulu passer son bac.

— Le bac ? Pourquoi faire ? Moi, je n'ai jamais eu mon bac ! s'exclame Madame.

Cette simple phrase, échappée de ses lèvres par inadvertance, démonte la légende d'une Helena Rubinstein qui aurait commencé à étudier la médecine à l'université de Cracovie. Elle a d'autres projets pour ses cousines qu'elle engage dans son salon de Paris.

A quatre-vingt-cinq ans, dans son appartement du quinzième arrondissement, Litka Goldberg-Fasse égrène ses souvenirs, au milieu de ses meubles anciens et de ses tableaux qui proviennent tous du quai de Béthune. Elle les a rachetés à la mort d'Helena. De ces trente ans où elle a travaillé dans le salon du Faubourg Saint-Honoré, il ne lui reste que de bons souvenirs. Ce fut pour elle une vraie fierté.

Litka arbore une peau superbe et presque sans rides. Selon les bons préceptes Rubinstein, elle n'a jamais cessé d'en prendre soin. Nostalgique, elle évoque avec admiration et tendresse la femme qui lui a sauvé la vie.

— Ma mère racontait que son propre père, mon grand-père, avait mis de l'argent dans la cagnotte familiale pour payer le passage de Madame en Australie. Elle était autoritaire, c'est vrai. Personne n'osait la contredire, et bien souvent elle nous faisait peur. Son travail passait avant tout. Mais elle était généreuse et attentive aux autres. Elle nous aimait particulièrement, ma mère et moi. Grâce à elle, nous n'avons jamais manqué de rien[4].

Reconstruire encore une fois

En ce mois de septembre 1945, Helena arrive à Paris dans la matinée, rompue de fatigue par son voyage chaotique. La traversée de l'Atlantique sur le *Liberty*, un navire utilisé pour le transport de troupes, n'a ressemblé en rien aux voyages luxueux d'avant-guerre. Le billet obtenu à l'arraché, en payant une fortune, lui a donné droit à une minuscule cabine qu'elle a dû se résoudre à partager avec cinq autres femmes. Artchie n'a pas pu l'accompagner, il était trop difficile de se procurer un autre billet, même en y mettant le prix. Mais il lui a promis de la rejoindre dès que possible.

Helena n'est pas seulement épuisée, elle est rongée par l'angoisse. Elle aurait bien eu besoin de la présence rassurante du Prince, de son sourire, de sa chaleur, de son humour aussi. Tout ce qu'elle a vu depuis Le Havre à travers les vitres de la voiture louée à grands frais, car l'essence est rare, lui a, de son propre aveu, brisé le cœur. Cette France, qu'elle a quittée cinq ans auparavant, n'est plus que ruines et désolation. L'état de l'appartement du quai de Béthune, où elle s'est fait déposer tout de suite, décuple son chagrin. Ce qu'elle découvre la choque infiniment. C'est pire que ce qu'on lui a raconté, et ce qu'elle a imaginé depuis New York.

— Comment des êtres humains, des adultes, ont-ils pu se comporter ainsi ? ne cesse-t-elle de répéter à voix haute, en courant d'un endroit à l'autre pour constater les dégâts.

L'appartement a été pillé et souillé avec méthode, comme si l'occupant avait pris un plaisir aussi méticuleux que malsain à le saccager. Nombre de ses pièces de mobilier : une commode de nacre, des fauteuils Napoléon III, des vases, des porcelaines, ont disparu. Les traces foncées sur les papiers peints attestent des tableaux manquants. Des meubles sont endommagés, ici un dossier brisé, là des brûlures de cigarettes sur un buffet en marqueterie, plus loin des fauteuils dont le velours fragile est lacéré de part en part, au point que le crin et les ressorts surgissent. Une table à jeu Louis XVI a été transportée sur la terrasse et laissée dehors sous le soleil et les intempéries pendant plusieurs saisons. Les tapisseries d'Aubusson sont parsemées de centaines d'impacts de balles, les murs de l'entrée sont criblés de trous, une antique statue d'Aphrodite a servi de cible aux balles des soldats. Ce qui choque le plus Helena, c'est d'apprendre que les nazis ont passé des meubles par la fenêtre, juste avant de quitter l'endroit, dans un acte final et insensé de destruction.

Plus tard, quand la vie à Paris aura repris son cours normal, elle demandera à Louis Süe chargé de la restauration du penthouse, de conserver les dégradations du hall afin qu'elles lui rappellent toujours l'ignominie de l'occupant. En attendant, il est possible de camper dans un confort tout à fait acceptable. Les Allemands ont laissé les draps, les couvertures, les oreillers. Après s'être accordé un peu de repos, Madame fait le bilan de ses pertes françaises.

L'usine de Saint-Cloud est détruite et toutes les formules des crèmes et des lotions ont été volées. Le moulin de Combs-la-Ville a été consciencieusement démoli, ses éviers et ses sanitaires ont été réduits en miettes, sans doute au marteau. On sent que l'ennemi a mis tout son cœur à casser. Les comptes en banque ont été confisqués, l'argent a disparu. Les archives ont été jetées à la poubelle. Mais les possessions matérielles ne comptent pas, au regard des lourdes pertes humaines que tous ont à déplorer autour d'elle : 170 000 soldats tués, 280 000 prisonniers déportés dont 75 000 Juifs, parmi lesquels de nombreux enfants, 150 000 civils fusillés ou morts dans les bombardements.

Pendant les premières semaines qui suivent son retour, elle court de toutes parts, cherche à retrouver les amis, les relations, les employés d'avant-guerre. Elle retourne maintes fois à la Préfecture de police pour obtenir des informations, des adresses, tenter de comprendre, par recoupements, ce que les uns et les autres sont devenus.

Certains sont morts, comme Louis Marcoussis, dont la disparition l'accable. D'autres ont tout perdu. Emmanuel Ameisen, le directeur des ventes, le propre neveu d'Edward Titus, vient de rentrer chez lui, épuisé, amaigri, mais vivant. En 1940, il a été fait prisonnier par les Allemands et expédié dans un camp en Poméranie où il est resté jusqu'à l'arrivée du général Patton dans les derniers mois de la guerre.

Un peu plus tard, il épousera Janina Schanz, une parente éloignée de Madame : la jeune femme a été déportée avec ses parents à Plaszow, puis envoyée à Auschwitz, tandis que son père partait pour Mathausen d'où il ne reviendra pas, et sa mère à Skarzyko. Elle a survécu à la « marche de la mort » infligée par les SS pour fuir les Russes et a été libérée par l'Armée rouge. Elle rencontre Emmanuel Ameisen à Paris où le reste de la famille Schanz s'est réfugié. Madame va les aider de son mieux[1].

Helena revoit avec joie son personnel du quai de Béthune, Gaston, Eugénie et Marguerite, et les reprend à son service. Le penthouse devient à la fois un point de ralliement et une cantine. Elle essaie de se procurer tant bien que mal les vivres pour nourrir tous ceux qui défilent, en quête de chaleur et de réconfort.

Un an après la Libération, la situation demeure incertaine à Paris. Les tickets de rationnement ont toujours cours pour se nourrir et se vêtir. Les citadins passent des heures interminables dans les files d'attente, cependant que les riches continuent de s'approvisionner au marché noir. Dans la plupart des quartiers, l'électricité est coupée à certaines heures, le gaz et l'eau également. Le charbon manque pour se chauffer et faire rouler les trains, ainsi que l'essence, pour les voitures et les taxis. Les Parisiens marchent ou se déplacent à vélo et en métro quand il fonctionne.

Pourtant les gens se montrent patients, « plus polis pendant ces temps troublés qu'ils ne l'étaient pendant la prospérité[2] », note Janet Flanner, la correspondante du *New Yorker*, qui tient, jour après jour, sous le pseudonyme de Genêt, son journal de l'immédiate après-guerre.

Le petit miracle dans tout cela, c'est que le téléphone n'est pas coupé. Malgré sa méfiance pour l'engin, Helena converse avec Artchil qui poursuit à Hollywood sa vie souriante de mondain jet-setter, et avec son fils Horace, à New York. Elle fait venir ce dernier à Paris dès que les liaisons transatlantiques reprennent de façon plus régulière, à la fois pour tenter de se rapprocher de lui et parce qu'elle se sent malgré tout un peu seule.

Elle aurait pu repartir tout de suite aux Etats-Unis, retrouver un confort que sa fortune et ses soixante-douze ans révolus rendent bien légitime. Personne ne lui en aurait tenu rigueur. Au sein de son état-major, d'autres qu'elle sont bien placés pour retrousser leurs manches et tenter de sauver ce qui peut l'être encore, Oscar Kolin en tête. Mais elle déteste déléguer. Puis, son âme de pionnière lui dicte de rester. Elle entend tout rebâtir toute seule, comme les autres fois. L'idée ne l'effraie pas, au contraire, elle l'exalte. Elle veut montrer à tous que la bataille vaut la peine d'être gagnée.

Dans le combat, elle se sent vivante, comme ce Paris dont le pouls bat encore, malgré les restrictions et la pénurie, malgré les magasins et les restaurants encore fermés. Dans l'ordre des priorités, il lui faut d'abord récupérer ses possessions. Faute d'archives à présenter, elle doit prouver son identité et se contraindre à d'interminables entretiens avec les autorités, qu'elle passe avec plus ou moins de patience.

Dès qu'elle retrouve son salon de beauté, que les Allemands ont dû fermer en raison de la pénurie de marchandises, elle s'occupe d'y remettre de l'ordre puis de donner du travail à ses employés. Du moins à ceux qui sont encore en vie et qui veulent bien revenir.

Tous les matins, elle quitte le quai de Béthune et se rend à pied rue du Faubourg-Saint-Honoré, accompagnée par Horace. La route est un peu longue mais l'exercice excellent, explique-t-elle à Artchie qui, de loin, s'inquiète pour sa santé. Et puis la promenade est si belle, c'est l'une des plus agréables de la capitale. Marcher au bord de la Seine, passer d'un pont à l'autre jusqu'au Louvre, bifurquer pour prendre la rue de Rivoli, longer le jardin des Tuileries, tourner à droite place de la Concorde en direction de la rue Royale, gagner enfin le Faubourg, est un plaisir dont elle ne se lasse pas.

Helena est heureuse à Paris.

Même meurtrie, même ralentie, même manquant de tout, la ville lui procure un bien-être que New York est bien incapable de lui donner. Horace et elle bavardent tout au long du chemin. C'est un tableau familial attendrissant que cette mère et ce fils marchant de concert, elle minuscule et carrée, enveloppée dans ses fourrures et coiffée d'un chapeau melon, réglant son pas volontaire sur les enjambées de ce grand gaillard barbu qui tente de lui prendre le bras puis renonce devant son raidissement imperceptible. Elle n'a jamais supporté qu'on la touche.

Mais à ses côtés, elle semble s'adoucir, au moins pour quelques minutes. Sans doute est-ce l'air de Paris, le soleil d'hiver qui irise l'eau noire de la Seine en mille petites perles de couleurs, la perception aiguë de la chance qu'elle a d'être en vie, et son fils avec elle, alors que tant d'autres ont péri.

Et pourtant les chagrins, les rancœurs, les colères, les non-dits, tout ce cortège de douleurs et d'incompréhensions qui depuis toujours les poursuivent n'a pas cessé d'empoisonner leurs rapports. Pour le moment, l'entente entre eux est cordiale, occupés qu'ils sont tous deux à reconstruire. Il n'y a pas de temps pour les regrets, d'ailleurs Helena les déteste, comme elle ne supporte pas les effusions de chagrin ou de tendresse. Elle a un cœur, comme tout le monde, et comme tout le monde, elle souffre et plus souvent qu'à son tour, mais elle est bien incapable de montrer ses sentiments, d'exprimer ce qu'elle ressent. Les mots de l'intime ne franchissent pas ses lèvres.

Madame s'est mise en quête de parfums, de lanoline, de tout ce qui est nécessaire à la fabrication des produits, puisque l'usine n'existe plus. Le peu de matière première est rationné. Au marché noir, l'huile d'amandes douces se négocie jusqu'à 800 francs le litre. Elle attend qu'Artchie, toujours à Hollywood, puisse lui faire parvenir ce dont elle a besoin. Mais il faudra des semaines et des mois, parfois, avant de recevoir les premiers envois.

Les Parisiens souffrent d'engelures. Les femmes de la haute société demandent aux voyageurs transatlantiques de leur rapporter de la vaseline de New York. Toutes sont en quête de crèmes hydratantes pour le visage et les mains, de maquillage aussi. Le rouge à lèvres reste le meilleur des antidépresseurs.

Sans hésitation, Madame a donc repris sa blouse de chimiste, retroussé ses manches et retrouvé les heures bénies passées dans sa *cuisine*. Elle mélange tout ce qu'elle a sous la main pour fabriquer des crèmes, qu'elle conditionne et vend elle-même comme au bon vieux temps de Melbourne ou de Londres. Elle n'a pas besoin d'artifices pour rajeunir, il lui faut du labeur et voilà tout. Infatigable Helena. Elle est la première arrivée, la dernière à partir et ne ménage pas sa peine. Sa rage finit par payer. Le salon du Faubourg retrouve bientôt son aura. Rénové par Louis Süe, il sera aussi beau qu'avant et même davantage.

Les journaux de mode reparaissent peu à peu et tentent aussi d'aider les femmes à rester belles, avec les moyens du bord. En novembre 1945, de retour des Etats-Unis, Helene Lazareff a lancé le magazine *Elle*. Dès le premier numéro, les journalistes expliquent aux lectrices les principes du système D, selon le fameux *make do and mend*, « faire durer et raccommoder » en vigueur en Angleterre pendant les années de guerre : confectionner un nouveau chandail ou des socquettes avec de la laine détricotée, se teindre les jambes d'un onguent ocre pour remplacer les bas introuvables ou hors de prix – sans oublier la ligne fine de la couture qui court du talon au haut de la cuisse – se rincer les cheveux avec des décoctions de plantes.

Une jeune femme de la meilleure société, fille d'ambassadeur, infirmière puis Résistante pendant la guerre, est engagée à la rédaction du magazine. Il s'agit d'Edmonde Charles-Roux, qui, deux ans plus tard, entre à *Vogue,* où elle s'occupe de la rubrique Courrier avant d'en devenir la rédactrice en chef et d'imposer son style.

C'est dans le bureau de Michel de Brunhoff, directeur du magazine, qu'Helena et Edmonde se rencontrent. Leur demi-siècle d'écart ne les empêche pas de nouer durant vingt ans une amitié forte, que le temps ne démentira pas. Edmonde Charles-Roux se souvient avec une affection mêlée d'admiration de « cette petite femme faite d'un bloc, très polonaise et très juive, courageuse, tolérante, ouverte d'esprit, au regard singulier sur les êtres et les choses, dont les deux expressions favorites étaient "alright" et "too much[3]" ».

— Helena Rubinstein m'a poussée à écrire, poursuit-elle. Elle avait décelé un talent d'écrivain en moi et m'a donné les clés d'une petite maison attenant à son moulin de Combs-la-Ville pour que je puisse travailler au calme. J'y suis allée tous les week-ends pendant deux ans. Là-bas, j'ai pu commencer mon premier roman, *Oublier Palerme*. Elle y réunissait toute sa famille, Mala, Horace, ses sœurs. Nous nous sommes revues régulièrement, à chaque fois qu'elle séjournait à Paris. Nous déjeunions ensemble, je l'accompagnais dans les ateliers des peintres qu'elle aimait, dans les galeries de tableaux. A l'époque, je n'avais pas d'argent, elle me faisait sans cesse des cadeaux : un collier de perles, une cravate de vison... Ses attentions continues m'ont beaucoup aidée.

Vraie généreuse dans le fond, prompte à débusquer les talents, à les encourager, Helena se montre parfois ambivalente. Elle peste contre Oscar qui s'est mis dans la tête de donner de l'argent à tous les réfugiés qu'il connaît et qui défilent dans la boutique. Pourtant elle a fait venir à Paris un certain nombre de parents survivants de la Shoah, leur a fourni le gîte, le couvert, un travail, des études. Sans doute veut-elle choisir elle-même qui elle aide et qui elle aime.

La société d'après-guerre reste déboussolée. Les soldats démobilisés ne réussissent plus à revivre en harmonie avec leurs épouses après ces longues années de séparation. Beaucoup demandent le divorce. Cependant le couple et surtout la famille semblent le plus sûr des cocons. Le général de Gaulle lance un appel vibrant pour reconstruire la France : le *baby-boom* engendre 860 000 enfants entre 1946 et 1950 et autant pendant les dix années suivantes.

Les hommes récupèrent leurs emplois, le travail des femmes fléchit donc tel un impitoyable jeu de bascule. Cette baisse va perdurer jusqu'au milieu des années soixante. La ménagère au foyer, devenue un enjeu majeur pour les publicitaires, consacre soixante quatorze heures hebdomadaires à briquer, laver, repasser, torcher. La presse féminine qui prône la conciliation des tâches domestiques et de l'élégance, explique comment être une bonne épouse et une bonne mère, sans rien perdre de son style. Les jeunes filles qui sortent de l'école veulent être secrétaires, infirmières, institutrices. Des métiers que tous encouragent car ils ne menacent pas le pouvoir masculin. Mais les Françaises votent enfin et ce n'est pas trop tôt. Une ordonnance d'avril 1944 leur a octroyé le droit d'être des citoyennes à part entière.

Les fêtes, les bals costumés et masqués ont repris. Cependant les élégantes doivent encore se résoudre à porter leur garde-robe d'avant-guerre. Sous l'Occupation, la mode était devenue un subtil bricolage. On a fait du neuf avec du vieux, taillé des vêtements dans des rideaux, des draps, de vieilles robes, des vestes d'hommes. Les années de pénurie qui suivent la Libération réclament plus que jamais des trésors d'imagination. Seuls les nouveaux riches qui ont fait fortune au marché noir peuvent se permettre de s'habiller dans les maisons de couture qui n'ont pas fermé.

Alors, on improvise, on invente, on récupère. Les femmes arborent des sandales à plate-forme en liège, des manteaux de mouton à larges épaulettes achetés trois hivers auparavant. Les midinettes se parent d'énormes turbans Charles X, confectionnés par leurs soins, les jeunes intellectuels des deux sexes portent des tenues de ski à la ville. Les zazous imposent leur dégaine. A Saint-Germain-des-Prés, au Bilboquet, au Tabou, les garçons et les filles dansent sur les rythmes importés par les soldats américains, serrés dans leurs premiers blue-jeans. C'est ainsi que la vie continue.

Christian Dior, le protégé d'Helena, qui la conseillait dans ses choix artistiques lorsqu'il tenait sa boutique d'art, avant la guerre, a dû se résoudre à changer de métier depuis la ruine de ses parents pendant la crise de

1929. Après avoir tenté de placer quelques dessins à *Vogue,* encouragé par la voyante de la haute société, madame Delahaye, qui lui a prédit qu'il ferait fortune grâce aux femmes, il s'est orienté vers la couture. Financé par le roi du coton, Marcel Boussac, son défilé de ce mois de février 1947, avenue Montaigne, lance le *New Look* qui rallonge les ourlets et donne de l'ampleur aux jupes, malgré la pénurie de tissu. Après les sobres années Chanel d'avant-guerre, on revient à la femme femme, froufroutante et sophistiquée. C'est une véritable révolution, acclamée dans le monde entier.

Madame se retrouve au premier rang avec ses amies Carmel Snow et Marie-Louise Bousquet, sans la présence desquelles aucune présentation de mode ne peut commencer. Elle est assise à côté de Lady Diana Cooper, la femme de l'ambassadeur anglais en France. Elles se sont rencontrées pour la première fois à Londres dans les années 1910. Diana Manners, qui n'était pas encore mariée à Duff Cooper, était un membre actif du groupe de La Coterie que fréquentait Margot Asquith.

— Ma chère, demande Helena, dévorée de curiosité et sans doute un peu jalouse, comment faites-vous pour rester aussi mince depuis trente-cinq ans que je vous connais ?

— Le pamplemousse en tranches. Je le mange et je l'applique aussi sur mon visage.

Helena hoche la tête, perplexe. Elle n'ignore pas que les acides de l'agrume sont d'excellents draineurs pour la peau mais elle ne saura jamais si le même pamplemousse commence d'abord en compresses sur le visage de Lady Cooper pour finir dans son assiette...

Juliette Gréco, Boris Vian, Jacques Prévert et d'autres inconnus faméliques, qui rêvent de repas chauds et de gloire, hantent les boîtes de nuit et les cafés. Albert Camus, éditorialiste à *Combat,* monte *Caligula* au théâtre Hébertot. Jean-Paul Sartre enseigne la philosophie au lycée Henri-IV et retrouve souvent ses élèves au café de

Flore. L'existentialisme est un mot furieusement tendance, galvaudé par ceux qui n'y comprennent rien, tout autant que le surréalisme l'a été, avant la guerre.

En 1947, Elsa Triolet obtient le Prix Goncourt, avec son recueil de nouvelles *Le Premier accroc coûte deux cents francs.* Au Flore, Simone de Beauvoir prépare un pavé féministe : *Le Deuxième Sexe,* qui paraît en 1949. Le livre va faire éclater la chape retombée sur les femmes, après ce grand vent de liberté vécu entre les deux guerres.

Madame est trop âgée pour que ces combats la passionnent. D'ailleurs, elle a gagné son indépendance toute seule et avec un demi-siècle d'avance. Pour l'heure, la seule bataille qui compte pour elle est la reconstruction de son empire européen. Dès qu'elle le peut, elle entame un tour du vieux continent et, tout comme en France, ce qu'elle découvre l'afflige.

Londres a pâti de la guerre plus encore que Paris. Les Anglais ont eu faim, froid, ils ont manqué de tout. Les bombardements ont tué plus de dix mille personnes et fait un million et demi de sans-abri. Même le palais de Buckingham a été touché. La British Library a perdu un grand nombre d'ouvrages, l'East End qui abrite les principales industries de la capitale a beaucoup souffert.

On rapporte à Helena la question que Churchill posait tous les matins en se réveillant après une nuit de Blitz.

— Et Saint-Paul ?

La cathédrale de Londres est devenue le symbole d'une ville qui reste toujours debout malgré les décombres. Après la destruction du 24, Grafton Street, le salon de Madame s'est provisoirement installé au 48, Berkeley Square, mais le lieu n'est ni assez grand ni assez chic pour Londres. Pendant la guerre, Boris Forter, qui a mis son épouse Marisa et leur fils Claude à l'abri en France, a rencontré Birgit, une jeune Suédoise réfugiée à Londres. Elle travaille à l'ambassade de Norvège et habite sur le même palier que lui. Ils sont tombés amoureux.

A la fin de l'année 1944, Marisa est toujours en France et l'inévitable s'est produit. Birgit est enceinte. Boris ne sait pas quoi faire. Avant même d'annoncer la nouvelle à sa femme, il écrit à Artchil, qui est pour lui plus un ami qu'un patron : « Je me trouve dans une situation délicate, ma voisine est enceinte de moi et je pense demander le divorce mais avant d'agir, je voudrais avoir votre avis. »

La réponse d'Artchil est rapide et sans équivoque : « Si vous voulez garder votre poste, ne divorcez pas de Marisa. Madame y sera absolument opposée et sera même inflexible devant de tels agissements. Elle ne vous en parlera pas directement mais elle vous renverra. Que ferez-vous alors ? Les temps sont si difficiles. Il vaut mieux être prudent et attendre un peu avant d'agir. » Malgré le chagrin de Birgit, Boris décide de temporiser. Il a réfléchi : il lui a promis de les entretenir, l'enfant et elle, et s'il perd son emploi, il ne pourra pas honorer sa promesse.

Pour sauver les apparences, il a l'idée de lui faire contracter un mariage fictif avec un employé de l'ambassade de Norvège, nommé Henryk Wolmar. Il est probable que Boris ait payé ce dernier pour qu'il accepte le contrat. Le mariage a lieu à l'hôtel Savoy, où Boris et Birgit occupent durant la nuit la suite nuptiale réservée aux mariés. L'enfant prénommé Robert naît un peu plus tard, et prend le nom de famille de son beau-père qui retourne à Oslo, dès que la guerre est terminée.

Quatre ans plus tard, Christian, un autre garçon, verra le jour : sa naissance semble cette fois délibérée. Marisa est désormais au courant, Boris ne divorce pas pour autant toujours soucieux de la réaction de sa patronne. Il semble difficile de croire que Madame ait eu une influence si déterminante sur la vie de ses employés. Mais Boris Forter, qui a sans cesse besoin d'argent pour subvenir aux besoins importants de ses deux familles, se tait cependant. Il vit dans la terreur de perdre son emploi[4].

A Londres, Helena a enfin retrouvé Artchil.

Ensemble, ils parcourent les rues de la capitale anglaise en recherchant le meilleur emplacement pour ouvrir un nouveau salon... Elle se souvient, très émue, de sa première arrivée à Londres et ne peut s'empêcher de la lui raconter.

Le Prince a souvent entendu cette histoire-là, il l'a lue aussi dans d'innombrables journaux, elle fait partie de la légende Rubinstein. Chaque fois, Helena ajoute de nouveaux détails. Soudain, elle s'interrompt dans son récit et fait signe au chauffeur de s'arrêter. Elle sort une liasse de livres de son sac en croco, paye sans oublier de réclamer une note, et descend du taxi presque en courant, entraînant Artchil à sa suite. Elle lui désigne une adorable maison du XVIIIe siècle, qui a échappé aux bombardements. C'est là qu'elle veut établir son nouveau salon. Renseignements pris, la maison qui a appartenu à Mrs. Willy James, une célèbre beauté edwardienne qui y recevait le roi, est bien à louer. Elle est située à quelques mètres de l'ancienne, au 3, Grafton Street.

Helena fait aménager l'intérieur mais ne change rien à la façade, flanquée d'un porche à l'ancienne et d'un adorable perron. Ceska, qui vient de revenir de New York, s'en occupera comme avant, avec Boris Forter.

Le tour d'Europe de Madame l'emmène en Suisse (« C'est là où il y a de l'argent »), en Italie, en Espagne, et même en Allemagne, comme à son habitude, elle ne veut penser qu'à l'avenir. Partout, elle établit ou rénove ses salons, construit des usines, renforce la distribution. Les clientes européennes souhaitent que les nouvelles créations Rubinstein soient importées des Etats-Unis. Elle leur donne satisfaction en proclamant à chaque lancement en Europe que le produit vient d'Amérique. Et inversement.

— Si seulement ils savaient que les formules sont les mêmes, les composants et les emballages aussi...

En cinq ans, sa mission est accomplie. Son affaire est redevenue la plus prospère de France, plus importante même que celle d'Elizabeth Arden, grâce à son travail acharné et à l'efficacité de son directeur, Emmanuel Ameisen.

— Bien que les jours n'aient que vingt-quatre heures, je prétends, moi, qu'ils en ont quarante-huit ! répète-t-elle souvent.

La jungle rose

Madame a fini par retourner en Amérique. Moins éprouvé que le vieux continent, le pays pleure cependant ses trois cent mille soldats morts pour libérer l'Europe. L'économie de guerre s'est reconvertie dans la production de biens de consommation, qui ciblent un nouveau secteur, très prometteur, la *middle class* urbanisée. Le congrès a voté une loi qui autorise les constructions autour des villes. On voit donc émerger un peu partout ces petites banlieues souriantes, avec leurs résidences toutes semblables, leurs bouts de pelouse identiques, leurs paniers de basket, leurs barbecues et leurs gamins joueurs de base-ball, qui se prennent pour Joe Di Maggio.

Les intérieurs sont tous dessinés sur le même modèle. Au rez-de-chaussée, la cuisine équipée de robots et d'appareils ménagers dernier cri, le salon-salle-à-manger ; à l'étage, les chambres à coucher. Ce *modern way of life* dont le modèle va être importé un peu partout dans le monde, sacralise le retour de la ménagère au foyer. *Rosie the Riveter* est loin. C'est même comme si elle n'avait jamais existé. Tout de suite après la guerre, quatre millions de femmes ont perdu leur emploi et l'industrie lourde en a licencié deux millions. Celles qui s'accrochent sont secrétaires ou vendeuses, et n'ont aucun espoir d'accéder à des postes de responsabilités.

Le nombre de salariées ne cesse pourtant d'augmenter, mais cette évolution se heurte à un *backlash*, un retour en arrière, encouragé par les psys, les publicitaires, les médias, qui proclament avec un accent de triomphe que les femmes ont, pour le bonheur de tous, repris le chemin de la maison. Comme en France, les émancipées des années trente, les *flappers*, les bohèmes ont disparu comme par enchantement au profit des épouses aimantes et des mères de famille comblées.

Le *sweet home* est devenu le rempart contre le communisme et le mal. On se marie de plus en plus et de plus en plus tôt pour faire deux ou trois enfants par famille. Les filles de la bourgeoisie vont à l'université dans le but de se dégoter un bon époux, avec une bonne situation. Une fois la bague au doigt, elles rangent leurs robes de mariée dans un placard, avec leurs diplômes, et elles restent au foyer. En apparence, elles semblent accepter sans se plaindre ce modèle victorien qu'on leur impose à nouveau.

Mais les cabinets des psychanalystes ne désemplissent pas et la consommation d'alcool et d'anxiolytiques augmente. Dans leurs banlieues modèles, avec leurs enfants bien nourris et leurs maris *bread winners* qui rentrent de la grande ville par le train de 17 heures, elles se meurent d'ennui à petit feu. Leurs existences s'étiolent. C'est *La Femme Mystifiée* que Betty Friedan décrira dix ans plus tard, dans un pamphlet féministe qui fait l'effet d'une bombe.

En 1953, le rapport Kinsey sur « Le comportement sexuel de la femme » est tout aussi explosif. On y apprend que, tout comme les hommes, les femmes « aiment ça ». Le scandale fait se déchaîner l'Amérique bien-pensante et les ligues de vertu. Car une fille *bien* ne doit pas coucher. Les 250 000 exemplaires vendus par l'auteur, pourtant médecin et chercheur, attisent le feu : Kinsey est traîné plus bas que terre. La majorité silencieuse refuse d'entendre que 62 % des femmes interrogées se masturbent, ou que 26 % d'entre elles trompent leurs maris...

Le modèle qui triomphe est celui d'une icône froide, comme la guerre du même nom. L'élégante Miss ou Mrs. Perfect porte un manteau de fourrure, des talons hauts, une jupe au genou, un parfum lourd, des ongles longs et vernis assortis à son rouge à lèvres, un casque de cheveux laqués et souvent permanentés. Elle est mariée ou sur le point de l'être.

La bonne santé de l'économie repose sur les épaules des femmes. On compte sur elles pour dépenser. Toutes achètent des cosmétiques. En 1948, neuf Américaines sur dix possèdent au minimum un tube de rouge à lèvres, un quart d'entre elles un mascara et une palette d'ombres à paupières. Après la guerre, les ventes de produits de beauté atteignent 13 millions par an. Dix ans plus tard, le chiffre s'est envolé à 34 millions.

Désormais, on trouve aussi ces produits dans les gigantesques supermarchés et dans les *malls,* ces nouvelles églises de l'Amérique moderne. Dans le même temps, les ventes à domicile s'accroissent. En quinze ans, *Avon* multiplie par huit son chiffre d'affaires. Les publicitaires, les *admen* dont les grandes agences sont concentrées sur Madison Avenue, à New York, segmentent le marché en secteurs de plus en plus pointus pour mieux atteindre leurs cibles : les ménagères au foyer, les étudiantes, les secrétaires, les vendeuses, les Afro-Américaines, les Asiatiques, etc. Comme au début du siècle, le mot clé est l'invisibilité (« Etre maquillée mais que ça ne se voie pas »), auquel s'ajoute un nouveau concept qui fait fureur, l'indélébilité. (« Un rouge à lèvres qui tienne sur vous, pas sur lui[1] »).

Madame lance une nouvelle poudre à base de soie, la *Silk Powder.* Elle doit sa création au tandem Boris et Ceska qui ont su récupérer le brevet que la maharani de Baroda – une ville de l'Etat indien du Gujarat – a essayé de développer avec un chimiste. Ce dernier a inventé un système qui pulvérise de la soie sur la poudre de riz. Le résultat est harmonieux, les visages ainsi maquillés semblent recouverts d'un halo translucide.

Pour diverses raisons, la maharani se retire du projet. Le chimiste rencontre Boris Forter qui en comprend tout de suite l'intérêt financier et se montre très intéressé. Convaincu du succès de la poudre, il fait faire des essais et utilise toute la force de persuasion dont il est capable pour convaincre Helena. Il fait même des aller-retour entre Londres et New York.

Boris a vu juste. Créée en 1949, *Silk Powder* devient un best-seller en Europe. Aux Etats-Unis, le FDA met d'abord son veto, mais le service du marketing trouve un autre système pour la présenter et la poudre peut être introduite sur le marché américain. Cependant, Helena ne perd jamais de vue que le maquillage n'est qu'un des multiples aspects de ses affaires. Au cours de la décennie qui suit l'immédiate après-guerre, elle crée deux crèmes, un premier soin raffermissant, *Contour lift firm*, et la première émulsion huile dans l'eau, la *Lanolin vitamin formula*, qui contient des dérivés de lanoline purifiée.

C'est une innovation : jusqu'à présent les crèmes composées d'une émulsion d'eau dans l'huile – où des gouttelettes d'eau sont éparpillées dans une phase huileuse – donnaient une texture hydratante, protectrice, mais grasse. L'émulsion huile dans l'eau – où des gouttelettes d'huile sont éparpillées dans une phase aqueuse – produit une substance plus légère.

Un nouveau programme de beauté voit le jour. Mala est chargée de s'en occuper. Il s'agit du *Five day life of beauty*, décliné en différentes options, dont l'objectif est d'enseigner les soins fondamentaux aux jeunes femmes actives, qui viennent au salon le soir après le travail, et les samedis toute la journée. L'ordre du jour varie peu : des examens et des soins de la peau, des conseils sur le maquillage, des prescriptions de régimes, et des exercices physiques. La marque porte aussi la bonne parole dans les hôpitaux, avec la « beauty therapy » qui remonte le moral et améliore le physique des malades. Dans la foulée, Mala crée aussi des programmes de beauté pour les aveugles.

La bataille avec les concurrents continue de plus belle, au point que le *Time* surnomme le marché des cosmétiques *The pink jungle*, la jungle rose². Au grand dam d'Helena, Elizabeth Arden débauche son meilleur directeur, Georges Carroll. Six mois plus tard, ce dernier dîne avec Horace et lui demande de le réintégrer dans l'entreprise. Les versions diffèrent. Caroll prétend qu'il a démissionné parce qu'il ne supportait plus Elizabeth Arden. En retour, celle-ci répand le bruit que Caroll a été licencié parce qu'il était nul...

Quoi qu'il en soit, Madame le reprend avec un salaire conséquent, d'abord pour faire plaisir à Horace, ensuite parce qu'elle espère ainsi obtenir des informations de première main sur sa rivale. Les deux femmes ne cessent de s'épier et souvent, elles inventent les mêmes concepts au même moment. Parce que le marché réclame sans cesse de la nouveauté, elles recyclent même d'anciens produits et les rebaptisent au goût du jour.

Un des succès d'Arden exaspère Madame : le parfum *My Love*, dont Cocteau dessine la campagne publicitaire et les emballages. Pour elle qui connaît et apprécie l'écrivain, c'est un coup de poignard. Elle prend l'affaire comme une trahison. Quelque temps plus tard, on lui rapporte que Miss Arden a eu un accident. L'un de ses chevaux lui a coupé un doigt d'un coup de dents.

— Comment va le cheval ? demande Madame.

Charles Revson, toujours très présent dans la bataille, est lui aussi devenu la bête noire d'Helena, au point de l'empêcher de dormir. En 1947, il a ouvert son salon et installé ses bureaux dans un énorme building situé sur la Cinquième Avenue, fort d'un sondage qui laisse ses concurrentes loin derrière : 95 % des femmes qui utilisent du vernis possèdent au moins un flacon de sa marque. Il a aussi conquis le marché des crèmes en lançant *Eterna 27*, un nom étudié par ses services de marketing. 25 fait trop jeune et 30 trop âgé[3]...

Oscar essaye en vain de calmer la fureur de sa tante qui pense que le *nailman* veut tout détruire, elle d'abord et « le business » ensuite.

— Ne t'inquiète pas, ça ne marchera pas, voyons ! Dans quelques mois Eterna s'appellera Returna...

Helena éclate de rire mais cette fois Oscar a tort. La crème marche très fort. Revson ne s'arrête pas là. Quand Madame lance *UltraFéminine*, il réplique par *Ultima*. Elle trépigne mais Revson poursuit son irrésistible ascension. Si leur qualité laisse parfois à désirer, les noms de ses produits confinent au génie. A une époque où les teen-agers sont devenus rois, il faut leur servir du rêve et de l'humour, coller à l'univers acidulé qui est le leur. Il invente *Pink Coconut, Frosted Champagne Taffy* ou *Pineapple Yum Yum*, qui touchent leur cible immédiatement.

Ce diable d'homme, qui a la réputation d'être un monstre en affaires, a le marketing dans le sang. Pour lancer un nouveau rouge à lèvres, il achète une pleine page du *New York Times*. La publicité montre un trou, entouré de fumée, avec ces simples mots : « *Where is the fire ?* »

Une semaine plus tard, le flamboyant lipstick *Where is the fire* est sur toutes les lèvres. En 1952, Revson lance *Fire and Ice*, dont la campagne de publicité crée un véritable choc. Photographiée par Richard Avedon, le mannequin vedette Dorian Leigh incarne une femme au sex-appeal assumé avec son fourreau argenté, ses longs ongles écarlates, semblables à des griffes, et sa bouche entrouverte, comme offerte. On dirait qu'elle flotte dans l'espace. Sur la page de droite, onze questions très intimes, en forme de test, permettent aux lectrices de savoir si elles sont faites pour *Fire and Ice*.

— Vous arrive-t-il de danser pieds nus ? Rêvez-vous secrètement que le prochain homme de votre vie soit un psychiatre ? Si les vols touristiques étaient ouverts, achèteriez-vous un billet pour Mars ?

Les femmes qui répondent avec une belle unanimité au questionnaire ont l'impression de s'allonger sur un divan sans rien débourser. De fait, cette campagne est d'une rare intelligence. Avec une hypocrisie consommée, miss *Fire and Ice* réconcilie la *sexy girl* et la *nice girl*, les deux images contradictoires imposées aux femmes. Le message est clair : dépenser son argent et en tirer du plaisir n'est plus un péché.

Tout le monde parle de *Fire and Ice*... Les actions de Revlon grimpent au point que Madame en achète.

— Si le *nailman* peut me faire gagner de l'argent, pourquoi me gêner ?

Mais l'outsider qu'on n'attend pas, celle qui va à son tour leur faire de l'ombre, est déjà sur les starting-blocks et piaffe en attendant son heure.

Josephine Esther Mentzer, plus connue sous le nom d'Estée Lauder, est née en 1908, dans le Queens, dans une famille de Juifs hongrois et tchèques. Son père, Abraham, tient une quincaillerie. En travaillant pour lui, la jeune fille a appris l'art de la vente et l'importance de l'emballage. Son oncle paternel, John, fabrique des crèmes de beauté. Elle le regarde avec attention quand il les fait chauffer sur le fourneau de la cuisine. Oncle John lui enseigne peu à peu tout son savoir-faire.

Au début des années trente, Josephine épouse Joseph Lauter, d'origine juive autrichienne, qui s'est établi comme marchand de tissus. Leur vie conjugale est compliquée. Ils ont un fils, Léonard, en 1932, divorcent, se remarient dix ans plus tard, ont un autre fils, Ronald. Esther Mentzer Lauter, devenue Estée Lauder, avec un d, continue à vendre des crèmes sous son nom. En 1946, elle crée sa petite entreprise familiale.

L'aventure démarre avec quatre produits, deux crèmes, une huile nettoyante et une lotion. Son commerce reste longtemps confidentiel. Il y a juste Estée, son mari, leurs fils, une de ses belles-filles et une secrétaire standardiste. Puis l'affaire se développe. Estée est plus jolie que ses deux principales rivales, et surtout beaucoup plus jeune. En les observant, elle a compris la toute-puissance de l'image et a décidé de façonner la sienne. Elle se présente en personne dans les salons de beauté et les grands magasins, séduit les acheteuses, enthousiasme les clientes par son bagout. Il n'y a rien de bien neuf sous le soleil de la beauté, excepté elle-même.

Saks commence à vendre ses produits. Bergdorf, Goodman et d'autres vont suivre. Le bouche à oreille fonctionne. Son succès est dû à la qualité de ses crèmes et surtout à ses techniques de marketing innovantes. Pour chaque achat, Estée Lauder offre des échantillons gratuits aux clientes qui raffolent de ces bonus miniatures. Aussi menteuse qu'Helena et Arden réunies, et tout aussi volontaire, elle s'est inventé un pedigree de riche héritière catholique – sa mère l'est à moitié – élevée dans une maison luxueuse à Long Island, avec des écuries, un chauffeur et une nurse italienne. La quincaillerie paternelle est vite oubliée.

Charles Revson est furieux devant tant de *chutzpah,* de culot.

— Son nom n'est pas Estée, c'est Esther – de-Brooklyn !⁴

Ou plus exactement du Queens. Quand Lauder lance, en 1953, son premier parfum, *Youth Dew,* alors qu'Helena a baptisé l'une de ses crèmes *Skin Dew,* ses adversaires comprennent que désormais, elle va jouer avec eux dans la cour des grands. Forte, enveloppante, la fragrance est adorée ou détestée mais, jusqu'à aujourd'hui, elle ne laisse personne indifférent.

Arden a surnommé Estée Lauder : « la femme du bas de la rue » et la trouve terriblement vulgaire. Madame la déteste également. Mais Lauder est une rivale de taille, il va falloir compter avec elle. Comme il faudra composer aussi avec les petits malins qui profitent de l'engouement grandissant pour le muscle et la minceur et ouvrent des salles de sport un peu partout en Amérique. Désormais, on sue pour mieux ciseler son corps.

Il y a cependant mieux que l'effort. Slenderella, fondé en 1950 par Larry Mack, propose de perdre du poids sans se fatiguer. Une machine fait tout le travail, à la place de la cliente, secouée comme une salade sur une table de massage. Quarante minutes de ce traitement sont équivalentes à une chevauchée à cheval de dix miles, affirme la publicité. A 2 dollars la séance, les femmes se précipitent. A la fin de la décennie, Larry Mack ouvrira 187 salons à travers tout le pays.

L'engouement pour la perte de poids facile propulse les ventes du Relax-A-Cizor, un fauteuil de massage à installer chez soi. Pour 200 dollars, on peut muscler son ventre et faire fondre sa cellulite en écoutant Frank Sinatra ou Elvis Presley à la radio. « Si ce fantastique courant qui nous fait nous préoccuper de notre santé et de notre condition physique continue, nous allons bientôt devenir une nation de supermen[5] », constate Bert Goodrich, le président de Americain Health Studios, une autre chaîne de salles de sport.

Pour mettre toutes les chances de son côté, Madame a fait appel à David Ogilvy, un Anglais immigré à New York qui, en 1948, a fondé son agence sur Madison Avenue[6]. En quelques années seulement, en inventant et en fixant les règles de la publicité moderne, il est devenu le roi incontesté de ces *admen* qui désormais font la pluie et le beau temps dans les agences et les médias. Cheveux roux flamboyants, yeux bleus perçants, allure aristocratique avec ses costumes de tweed et son nœud papillon immuable, Ogilvy s'exprime avec affectation, tel un gentleman dont il possède les bonnes manières.

Chaque après-midi, à cinq heures précises, une jeune femme lui sert le thé dans son bureau. Il fume beaucoup, indifféremment la pipe, les cigarettes et les gros cigares, il est sexy, charmeur, snob, roule en Rolls avec chauffeur et séduit hommes et femmes par son charisme comme le ferait une star de cinéma. Cet excentrique envisage son métier comme un show permanent.

Dans les soirées où le smoking est obligatoire, il apparaît habillé en kilt, pour se faire remarquer. « C'est une sorte d'autopublicité, explique-t-il. Si vous ne pouvez pas vous promouvoir vous-même, comment espérez-vous promouvoir les autres ? » Une part de son succès vient de l'énergie qu'il met dans ce qu'il désire. Il n'abandonne jamais. Ses idées très précises sont renforcées par la brièveté de ses slogans. Ce fou de travail peut rester dix-huit heures par jour rivé à son bureau. Infatigable, il commence à travailler le matin à 7 heures, et continue chez lui le soir et le week-end. « Le consommateur n'est pas un abruti, c'est ta femme », répète-t-il à ses équipes[7].

Quand il ouvre son agence, Helena Rubinstein fait partie de ses premiers clients. « C'est une femme fascinante, j'ai la plus grande des admirations pour elle », dit-il, balayant d'un revers l'antisémitisme qui règne aussi dans les mieux de la publicité et qui l'a terriblement choqué quand il est arrivé à New York.

Deux drogués de la mise en scène, deux monstres de l'image comme eux, ne pouvaient que se rencontrer et s'apprécier. Madame l'engage pour épauler Horace dont la petite agence est en charge de la publicité de la marque, appuyée par Sara Fox en interne. Tout de suite, Ogilvy est impliqué bien plus qu'il ne le souhaiterait dans les rapports compliqués qui règnent dans cette famille. Il ne recherche pas cette position d'arbitre mais il se retrouve forcément entre la mère et le fils. Pauvre Horace. De tout l'entourage de Madame, il est celui qui pâtit le plus de son caractère volcanique. Dans l'entreprise, sa place demeure toujours floue.

Car il dépend du bon vouloir de sa mère. Dès qu'elle lui confie une mission, un poste, des prérogatives, elle les lui retire aussitôt. Ou bien, elle lui demande son avis, puis elle va montrer ses notes aux managers et ne fait rien de ce qu'il lui suggère. Parfois encore, elle le laisse mener ses projets à sa guise, mais en sous-main, elle avertit la direction pour freiner ses idées ou les mettre de côté jusqu'à ce qu'un autre les reprenne à son compte. Il lui soumet des campagnes brillantes qu'elle juge extravagantes, car elle n'a aucune confiance en lui. Elle le trouve excentrique, idéaliste, pas assez pragmatique.

A quarante ans bien tassés, Horace est un homme intelligent, souvent visionnaire aussi, tout comme Madame, mais il part dans tous les sens à la façon d'un adolescent instable et fougueux. Elevé par sa mère de façon intermittente, oppressé par son caractère dominateur, il se sent éternellement incompris.

Avec lui, Helena se montre plus que jamais possessive, exigeante, versatile, cruelle aussi. Quand elle prononce son prénom, c'est souvent avec tristesse mais aussi avec beaucoup d'amour[8]. Comme toujours, elle ne se prive pas d'ajouter qu'il est « génial mais dingue » et que son sens des affaires est voisin de zéro. De son côté, Horace se plaint que sa mère ne respecte que ceux qui lui prennent de l'argent. De fait, il est passé maître dans l'art de lui en soutirer. Elle espère toujours qu'il va changer, qu'il deviendra plus raisonnable, mais immanquablement leurs conversations tournent à la confrontation.

Quand Horace entreprend une psychanalyse, Madame a une réaction terrible. Elle envoie au psy les notes angoissées que son fils lui adresse au travail. Il faut préciser à sa décharge qu'Horace accumule les catastrophes. Au début des années cinquante, il a une aventure avec une jeune danseuse noire, la petite amie d'un gangster. Ce dernier décide de faire chanter Horace qui réplique en enlevant et en séquestrant le couple. Arrêté, il passe quelques jours en prison. L'affaire fait grand bruit à New York.

— Il n'y a qu'Horace pour avoir l'idée stupide de kidnapper un gangster ! fulmine Madame.

Et il n'y a qu'Artchil pour savoir calmer sa volcanique épouse. Son flegme est rarement pris au dépourvu devant ses colères. Il profite de sa vie dorée avec panache, se rend fréquemment à Hollywood où il a encore plus d'amis qu'à New York, et accompagne Madame dans ses voyages en Europe et en Amérique du Sud.

Lors d'un séjour à Grasse où Helena visite les usines et les champs de parfums, le Prince tombe amoureux d'une bâtisse de pierre blanche dans l'arrière-pays et persuade sa femme de l'acheter. Comme tous les Russes blancs, Artchil est fou de la Côte d'Azur et plus particulièrement de Cannes où séjourne en permanence une importante colonie de ses compatriotes. Helena, qui ne sait rien lui refuser, acquiert la maison. Elle lui offre aussi un yacht, qu'elle revendra vite.

Louis Süe est une fois de plus chargé de la rénovation. Contrairement à ses autres demeures, Helena a voulu faire de cette « Maison Blanche », un endroit simple et bucolique, où dominent le vert et le blanc. Nichée dans un petit bois d'oliviers sous lesquels pousse la lavande sauvage, la maison possède un charme irrésistible. En contrebas, on a creusé une piscine de proportions olympiques.

Ce petit paradis a été immortalisé par Brassaï, plus familier du Paris nocturne que des résidences secondaires. Le photographe qui fréquente les mêmes cercles artistiques que Madame et collabore à *Harper's Bazaar* a sans doute honoré une commande, d'autant plus aisément qu'il vit lui-même tout près de là. Ses photos montrent Madame posant au milieu de champs de fleurs ou entre les branches d'un olivier. Dans cette dernière posture, elle ne semble pas très à son aise.

Toute délicieuse que soit la maison, elle est inhabitée la plupart du temps, ce qui la rend triste et austère. « Un hôtel de luxe », remarque Patrick O'Higgins quand il la visite pour la première fois. Il manque le fouillis habituel que Madame affectionne, les couleurs chaudes qui sont sa signature en décoration, ses amoncellements d'objets, ses trop-pleins de collections.

Artchil s'est vite lassé de son caprice. Il préfère prendre le soleil à Palm Beach, en Floride ou à Los Angeles dans les propriétés des stars. Helena n'a jamais le temps d'y aller et, de toute façon, se poser sur une chaise longue et faire la sieste à l'ombre, bercée par le chant des cigales, n'a jamais fait partie de sa conception des loisirs.

A son grand dépit, le couple n'y séjournera pas plus de cinq ou six fois.

— J'aurais dû appeler cette maison l'Eléphant Blanc ! se plaint-elle souvent. Elle a coûté une fortune et ne sert à rien...

Le dernier homme de sa vie

Il est grand, mince, roux, britannique d'allure, avec cette légère raideur dans le maintien qui affecte parfois les anciens militaires revenus à la vie civile. D'origine irlandaise comme son nom le laisse supposer, Patrick O'Higgins est né à Paris entre les deux guerres. De son propre aveu, il a été élevé dans une « atmosphère de docilité[1] » par des parents cosmopolites, nomades et riches qui l'ont mis en pension en Grande-Bretagne, puis en Suisse à l'âge le plus tendre. A dix-huit ans, il s'est engagé dans l'armée canadienne, puis il a été envoyé en Angleterre et transféré dans la garde irlandaise. Officier d'infanterie, il est gravement blessé pendant la bataille du Rhin et passe deux longues années à l'hôpital.

Démobilisé, Patrick O'Higgins part alors pour New York. Une grand-mère américaine lui a laissé un petit héritage, insuffisant toutefois pour mener l'existence dont il rêve sans travailler. Il découvre la vie nocturne, les artistes de Greenwich Village, se fait des relations et pas mal d'amis dans la haute société, dont il maîtrise admirablement les codes. Presque naturellement, il est engagé comme journaliste à *Flair*, un magazine lancé par Fleur Cowles, une des figures de la société new-yorkaise, écrivain, journaliste, publiciste, peintre et hôtesse légendaire.

Son mari, Gardner Cowles, un magnat de la presse qui, entre autres journaux, est le propriétaire de *Look*, a mis beaucoup d'argent dans ce magazine dont les contributions littéraires ou artistiques sont signées Tennessee Williams, Simone de Beauvoir, Eleanor Roosevelt, Salvador Dalí ou Lucian Freud. Malheureusement, malgré le talent de sa blonde directrice, dont tous s'accordent à louer l'intelligence, le charme, la culture, l'élégance, derrière les lunettes noires qu'elle porte en permanence, le journal est un gouffre financier.

O'Higgins, qui ne gagne pas très bien sa vie, est cependant conscient de la chance qu'il a de vivre à New York, dans une atmosphère mondaine et éclairée. A vingt-six ans, le jeune homme parle couramment plusieurs langues et sa remarquable éducation lui a appris à se « débrouiller dans l'adversité, à skier, à danser le tango et à se montrer prévenant avec les dames âgées, spécialement quand elles ont de l'argent[2] ».

La fortune le met par hasard sur la route de Madame, un beau matin d'hiver. Il marche d'un bon pas sur Madison Avenue pour se rendre à la rédaction de *Flair*, lorsque son regard se pose sur cette femme minuscule, enveloppée d'un manteau de fourrure composé de queues de vison, un chapeau melon noir vissé sur sa tête, qui court plus qu'elle ne marche sur les larges trottoirs. Amusé tout autant qu'intrigué et curieux de nature, il ne peut s'empêcher de la suivre.

En chemin, Madame croise le comte Federico Pallavicini, un peintre et décorateur italien, très apprécié de la jet-set, qui a mis sa patte et son talent dans quelques-uns de ses appartements. A l'époque, Pallavicini est directeur artistique à *Flair*. Tout le monde se salue. Madame apprécie en silence l'élégance nonchalante mais étudiée de O'Higgins, sa veste de tweed usagé, sa chemise anglaise et ses chaussures de cuir fin. Puis elle tourne les talons et repart, toujours sans lui avoir adressé la parole, en direction de ses bureaux.

O'Higgins demeure interloqué par le personnage. C'est un peu comme si le lapin d'Alice au Pays des

Merveilles lui était soudain apparu au beau milieu des buildings. Il s'enquiert de son identité auprès de son collègue. « C'est la Sarah Bernhardt de la beauté[3] », proteste Pallavicini, stupéfait devant l'ignorance du jeune homme, pourtant au fait de la jet-set internationale. Mais O'Higgins n'a jamais entendu parler d'Helena Rubinstein. Du reste, le domaine des cosmétiques lui est parfaitement étranger.

Quelque temps après leur première rencontre, ils se revoient à un cocktail donné par Fleur Cowles. Dans ce sublime appartement situé dans la partie haute de la ville, meublé d'un bric-à-brac de meubles anciens et coûteux et de tableaux de Renoir, de Kooning et de ceux de la maîtresse de maison, se presse, comme toujours aux parties de l'hôtesse, un mélange de New-Yorkais et de jet-set, d'intellectuels, de magnats de la finance et de stars, Léonard Bernstein, Greta Garbo, Maurice Chevalier, Noël Coward, Cary Grant, les Rockefeller...

Tout snob qu'il est, O'Higgins n'a jamais vu autant de personnalités et de célébrités réunies dans un même endroit. Il est ébloui, ne sait plus où donner de la tête. Son regard croise alors celui d'Helena. Elle est assise sur un fauteuil bas, ses petits pieds touchent à peine le sol. Elle est vêtue d'un ensemble de brocart magenta, sans doute signé Balenciaga, et chaussée de petites chaussures ornées de couronnes d'or. Dix rangs de rubis taillés assortis à ses boucles d'oreilles bordeaux se répandent sur sa poitrine. Deux émeraudes brillent sur chacune de ses mains et une énorme broche de rubis est accrochée à son corsage.

O'Higgins la décrira quelques années plus tard comme le portrait vivant de Tseu Hi, la dernière impératrice de Chine. « Elle était à la fois effrayante et aimable[4]. »

Madame, qui lui intime de venir la rejoindre, lui fait subir un interrogatoire en règle. Son immense curiosité pour les autres n'a pas été altérée par l'âge ; elle aime la jeunesse et se nourrit de son énergie. Quand le jeune homme lui apprend qu'il travaille à *Flair*, elle ne peut retenir un haussement d'épaules, et lui prédit que le journal, trop extravagant, ne durera pas. Elle lui propose de venir la voir quand il aura cessé de paraître.

Un bon demi-siècle sépare Helena Rubinstein et Patrick O'Higgins, mais pendant les quinze ans qui vont suivre, ils ne vont plus se quitter. En tout bien tout honneur car O'Higgins est homosexuel et ne s'en cache pas. Leur relation étrange connaîtra beaucoup de hauts et pas mal de bas, mais en dépit de quelques coups durs, O'Higgins va demeurer aux côtés de son excentrique patronne, attentif et fidèle. Elle l'a embauché comme secrétaire mais il sera aussi directeur du marketing, nounou, homme à tout faire et fils spirituel.

De l'avis de ceux qui l'ont connu, O'Higgins possède un humour très anglais, teinté d'une familiarité insolente[5]. Son regard sur Madame est spirituel, irrévérencieux, empreint de tendresse mais jamais exempt de coups de griffes, à la manière d'un chaton joueur. Leurs rapports ressemblent à un combat permanent sans vainqueur ni vaincu : elle ordonne, il obéit, puis il se révolte. Radoucie, elle revient alors vers lui mais c'est pour mieux le tyranniser.

Au final, il l'a sincèrement aimée, et elle aussi sans doute, bien qu'elle eût préféré se faire hacher menu plutôt que de l'avouer à quiconque. La docilité de l'un et l'énergie de l'autre ont forgé entre eux un lien hors du commun. Au fur et à mesure qu'O'Higgins découvre la véritable histoire de Madame, soit qu'elle la lui raconte elle-même quand elle est en veine de confidences, soit en interrogeant son entourage, son admiration pour elle va grandissant.

Malgré son agacement devant son autoritarisme et ses petites manies qui s'accroissent en vieillissant, il réussit à garder ses distances tout en exauçant ses moindres désirs. C'est son travail mais il s'en acquitte avec autant de conscience professionnelle que d'empathie pour sa patronne. De son côté, elle apprécie son tact, sa disponibilité, son sens de l'humour, son don pour les langues. Plus le temps passe, et plus elle le considère presque comme un troisième fils, sans pour autant se montrer maternelle, ce dont elle est bien incapable.

Quelques années après sa disparition, il raconte leur drôle de vie commune dans un livre bourré d'anecdotes[6]. Sa plume est souvent trempée dans une encre caustique, mais il ne se montre jamais blessant ni cruel, même si le portrait qu'il retrace de Madame confine parfois à la caricature. Sans doute parce que, à la fin, leur relation sera teintée d'amertume. Le très grand âge a encore accru l'égoïsme d'Helena et O'Higgins a du mal à le lui pardonner. Sa mort le laissera cependant inconsolable.

Quand elle l'engage, Madame a près de quatre-vingts ans. Toujours aussi énergique, elle prend un soin extrême à sa toilette, n'utilise ni canne ni lunettes, grimpe les escaliers sans l'aide de personne et travaille sept jours sur sept. A New York, elle a transformé le dernier étage de son triplex en galerie d'art, ouverte au public. Sa première exposition a montré de jeunes peintres américains. Cette manifestation n'est qu'un prétexte de plus pour faire parler de sa marque, et c'est franchement réussi, comme toujours. Les journaux s'enthousiasment pour les tableaux présentés ; les revues d'art demandent à photographier ses propres collections.

La publicité qui résulte de ce genre d'opération plaît évidemment aux banquiers de Madame, qui en supputent les futurs bénéfices. Les lectrices qui pénètrent dans l'univers de Madame s'identifient à elle, même si leurs moyens financiers sont loin de ressembler aux siens. Une femme qui n'a pas les moyens de s'offrir un tableau trouvera une compensation dans l'achat d'un rouge à lèvres. Toutes apprécient que Madame ait acquis chacune des œuvres qui composent sa collection avec l'argent gagné grâce à son travail. Pour de très nombreuses

Américaines, Helena Rubinstein est devenue le modèle
de la femme qui a gagné toute seule son indépendance
financière.

Madame s'intéresse à tout : si elle fréquente moins le
théâtre qu'auparavant, elle s'est prise de passion pour le
cinéma. Elle y va tous les mardis soir, le plus souvent
avec Sara Fox. Elle donne alors congé à Albert, son valet
philippin, et choisit un bon western. Sa préférence va
aux films de John Ford, surtout si John Wayne en est le
héros. Quand la séance est terminée, elle insiste pour rester à la suivante. Malgré sa prédilection pour les soirées
tranquilles, où elle joue au bridge avec Artchil et quelques membres de sa famille, elle apprécie toujours les
mondanités, surtout lorsque les journalistes de *Vogue*,
du *Harper*'s ou de *Glamour* sont présents pour l'interviewer. Elle donne souvent des déjeuners ou des dîners,
où elle invite des convives triés sur le volet à visiter sa
galerie d'art et à admirer ses collections de tableaux.

Le premier repas auquel O'Higgins est convié, juste
avant qu'elle ne l'engage, a lieu dans son triplex de Park
Avenue. Le jeune homme est fasciné par le décor, qu'il
juge somptueux et d'avant-garde, avec une touche de
mièvrerie due aux mélanges anticonformistes qu'elle
affectionne : le vrai et le faux, le clinquant et le sobre, le
coûteux et le bon marché. La première impression de
O'Higgins est que le cadre de vie de Madame lui ressemble intimement.

Ce jour-là, une excellente société se retrouve autour
de la table de la salle à manger. Salvador Dalí fait partie
des invités, avec l'écrivain anglais, Sir Osbert Sitwell et
sa sœur, Dame Edith Sitwell, femme de lettres et poé-
tesse, et David Ogilvy, le publicitaire de Madame. Artchil s'est excusé. Avant l'arrivée de ses hôtes, tout en
ingurgitant les petites saucisses polonaises qu'elle affectionne en guise d'apéritif, Madame a expliqué à O'Higgins que son mari haïssait les gens de lettres. Le jeune

homme fait aussi la connaissance d'Horace Titus, qu'il compare à un pasteur barbu.

Pendant le déjeuner, Madame se montre à la fois très agitée et très gaie, sans doute pour cacher son manque total de mémoire des noms, qui s'aggrave avec l'âge. Elle se trompe d'ailleurs sans cesse. Sa table est comme d'habitude dressée avec goût, dans une de ces palettes monochromes qui ont établi sa réputation d'hôtesse. De la nappe aux verres d'opaline, des bouquets aux assiettes, le rose domine, de toutes ses nuances, du fuchsia au saumon, du pastel à l'écarlate. David Ogilvy, toujours provocateur, lui fait remarquer que c'est la couleur favorite d'Elizabeth Arden.

— Elle n'en a pas l'exclusivité, que je sache ?

La princesse a fait servir des légumes frais qui viennent de sa maison de Greenwich, suivis d'une ribambelle de plats, tous roses, dont l'apothéose est une mousse de framboises. La conversation décousue passe du français à l'anglais et O'Higgins a du mal à suivre. Il n'est pas le seul. Madame montre aussi quelques défaillances, masquées par son autorité. S'amorce alors une discussion passionnée sur les défaites de la France. Edith Sitwell claironne avec fierté que ses ancêtres anglais ont brûlé Jeanne d'Arc.

Madame n'a pas entendu. Ogilvy lui répète la phrase, sortie de son contexte.

— Il fallait bien que quelqu'un le fasse, rétorque-t-elle, impériale.

Quand le déjeuner s'achève, Helena tente de placer O'Higgins dans l'agence d'Ogilvy. Ce dernier proteste gentiment mais avec fermeté, il emploie déjà six des protégés de Madame. Gêné, le jeune homme remercie et se lève pour prendre congé. Helena le raccompagne jusqu'à l'ascenseur et lui attrape les mains avec beaucoup de douceur, en lui proposant de rester en contact.

— N'oubliez pas que je suis votre amie.

Elle aussi a eu un coup de cœur.

Quand *Flair* disparaît, Patrick qui pige désormais au *Harpers's Bazaar* écrit une lettre à Helena pour l'en informer. Quelque temps plus tard, elle lui renvoie un courrier de Paris, lui demandant de l'appeler à son retour de New York. Elle tient parole et l'engage au poste de secrétaire à « un salaire de misère », 7 000 dollars par an, qu'elle marchande âprement.

Pour le jeune homme, ce nouveau job est une aubaine incroyable, car ses difficultés financières sont criantes, mais il doit avant tout faire ses preuves. Il est d'abord affecté au courrier, une place stratégique qui, dans une entreprise, mène les ambitieux à tout, à condition d'en sortir vite. Son bureau situé à côté de celui de Madame est minuscule, presque un placard, mais « le nouveau protégé de Madame », ainsi que le staff, mi-jaloux, mi-méprisant, le surnomme tout de suite, doit s'en contenter.

Ruth Hopkins, la secrétaire en chef, lui donne tout de suite quelques clés de l'entreprise. Elle lui décrit un par un les membres de la famille, à commencer par le Prince, que tous considèrent comme un « chic type ». Oscar Kolin, qui ressemble à l'acteur David Niven, est le vice-président et l'exécuteur des hautes œuvres. Roy, le président du conseil d'administration, ne met jamais les pieds au bureau, au contraire de son frère Horace qui entend se mêler de tout. Enfin il y a la belle Mala, douce et brillante, qui dirige l'institut de la Cinquième Avenue et fait l'unanimité autour d'elle.

Du côté de l'équipe, Harold Weill gère depuis son propre cabinet d'avocat toutes les affaires de Madame. Jérôme Levande est l'administrateur et le souffre-douleur préféré de sa patronne qu'elle affuble de noms doux en yiddish, dont *nudnik* – idiot – n'est pas le pire. On trouve aussi Georges Caroll, le directeur des ventes, Amy Blaisdel, la chargée des relations publiques, Sara Fox, directrice de la publicité et du marketing en interne, Richard Augenblick, directeur des exportations, un des favoris de Madame qui le surnomme « Le Grand Seigneur ».

Dans toutes les filiales autour du monde, les employés se disputent, s'espionnent, se détestent, quel que soit leur rang dans la hiérarchie ou dans la famille. A Paris, Stella, la sœur d'Helena, et Emmanuel Ameisen, le directeur de la filiale française, ne peuvent pas se souffrir. A Londres, Ceska Cooper et Boris Forter se supportent à peine. A New York, Horace déteste toujours Oscar surtout depuis que ce dernier a été promu exécutive vice-président, ce qui l'a littéralement rendu fou de rage. Sara Fox n'aime pas Richard Augenblick, Jerome Levande ne souffre pas Georges Caroll. Madame aime plus que jamais diviser, manipuler, jouer les uns contre les autres, ainsi qu'elle continue de le faire avec ses deux fils et son neveu.

Ses colères sont légendaires et ses oublis aussi. Tout le monde doit saisir sur-le-champ de qui elle veut parler quand elle se met en fureur parce qu'elle ne retrouve pas le nom de l'intéressé, ce qui lui arrive fréquemment. Un jour, dans une crise de rage, elle va jusqu'à oublier le prénom d'Oscar Kolin.

Patrick O'Higgins apprend donc sur le tas à démêler l'écheveau embrouillé des relations de sa patronne avec son staff et avec sa famille. Tous font partie des innombrables acteurs de ce petit théâtre de la beauté dont le metteur en scène est cette vieille femme tyrannique et géniale. Il va surtout comprendre très vite que le travail passe avant tout pour sa patronne, qu'il remplace aisément sa famille, ses loisirs, ses amours.

Elle a beau lui répéter que l'argent est une malédiction, grâce à sa fortune, elle téléguide chaque geste de ses sœurs, de son mari, de ses fils, de ses neveux et nièces, de ses employés et bien entendu de son secrétaire, épluche leurs frais, leurs dépenses, contrôle leurs moindres actions. Il ne fait pas bon lui résister.

Quand tout va trop bien, Madame s'ennuie. Elle s'ingénie alors à semer le désordre au sein de son état-major et s'épanouit dans le chaos ainsi créé. Elle sévit aussi aux échelons inférieurs. Son péché mignon est de se faire raconter ce qui se passe dans les services, par les jeunes secrétaires nouvellement engagées.

Encouragées par Helena qui tout en leur caressant la main, darde sur elles un regard d'acier, elles sont bien obligées de s'exécuter. Quelques minutes plus tard, le téléphone sonne chez le chef de service incriminé qui se fait passer un savon.

Madame, toujours debout à l'aube, annonce son arrivée par le sempiternel et tonitruant : « Quoi de neuf ? » Elle s'occupe de tout sans relâche. A peine est-elle assise à son bureau, qu'elle convoque les secrétaires, toutes surnommées « ma petite fille », lit le courrier en partance, annote, fait toujours tout refaire. Très agitée, elle exige de voir tout le monde, exhorte ses employés à travailler plus, lance des ordres qu'elle annule deux heures plus tard, interroge tout un chacun, de l'huissier jusqu'au portier.

Dans la matinée vont se succéder les réunions avec les différents chefs de service. Madame vérifie les emballages, insulte le responsable s'ils ne sont pas à son goût, ou si elle les trouve trop chers, se plaint plus que jamais du gaspillage. Quand on cherche un nom à un nouveau produit, elle se trompe rarement. Chacun y va de sa suggestion, mais c'est elle qui a le dernier mot.

Pour se détendre, elle suce sans arrêt des bonbons à la menthe ou des caramels, elle en a toujours des poignées dans ses sacs ou ses tiroirs. Si elle pose ses bagues sur la table, c'est qu'elle va se mettre en colère et s'acharner sur son interlocuteur qui baisse la tête en attendant la fin de l'orage. A l'heure de la pause, ses secrétaires échangent les noms de nouveaux tranquillisants.

Elle n'est pas seulement crainte. A New York, Paris, Londres et dans la plupart des capitales, elle est aussi estimée, admirée, respectée.

— Elle a changé le visage de chaque femme en Amérique, de toutes les femmes du monde ! Elle est un pionnier, un être qui éveille, un créateur. Il n'y a pas une femme au monde qui ne soit fascinée par elle ! disent les journalistes.

Il lui arrive aussi de montrer des accès de gentillesse inouïs. Elle n'oublie jamais de donner aux journalistes le petit présent qui fait plaisir, les bijoux qu'elle porte sur elle avant de les offrir car, pense-t-elle, le cadeau est ainsi doublement apprécié.

Elle a des attentions aussi pour son équipe, surtout pour les plus humbles de ses employés. Anna, une jeune hôtesse du salon, l'invite à sa party d'anniversaire. Il fait très froid et la neige tombe à gros flocons sur New York. Ce n'est pas un temps à mettre un directeur dehors, d'ailleurs presque tous ont décliné l'invitation. Le poste de la jeune femme n'est pas situé assez haut dans la hiérarchie pour que ces gens si importants daignent se déplacer. Ce soir-là, Madame est malade, alitée, mais elle surmonte sa fatigue et apparaît au milieu de la fête, parée de ses plus beaux bijoux, au moment où Anna souffle ses vingt-cinq bougies.

Même si l'affaire est désormais une holding, elle s'obstine à la diriger à l'ancienne, elle au sommet et ses sujets à ses pieds. Mais elle a atteint un tel niveau de réussite et de gloire, qu'on ne peut guère lui en tenir rigueur. Au milieu des années cinquante, les Américaines dépensent 4 billions de dollars en produits et soins de beauté. Helena Rubinstein Inc. qui compte 26 000 employés, génère pour sa part un chiffre d'affaires mondial de 22 millions de dollars par an. Ses salons et ses points de vente à l'étranger vendent 12 millions de dollars de produits[7].

A Manhattan, son institut de la Cinquième Avenue accueille 74 000 clientes par an qui peuvent dépenser jusqu'à 150 dollars pour une journée passée à se faire bichonner. Madame possède 52 % des actions de 30 millions de dollars, et la presque totalité de ses filiales. Elle a implanté et développé sa marque au Canada, en Italie, en Suisse, en Allemagne, en Espagne, en Afrique du Sud, au Moyen-Orient, au Mexique, au Brésil, en Argentine, fermé ses salons de Melbourne et de Sydney mais développé la vente. Elle a partagé l'affaire australienne en trois, au profit de ses fils et de sa sœur Ceska. Et bien entendu, elle gémit dès qu'elle le peut sur les profits qu'ils en tirent.

Les impôts l'obsèdent de plus en plus. Pour lui éviter de payer trop de taxes, Horace lui suggère de créer des fondations. Une fois n'est pas coutume, elle suit les conseils de son fils. Les fondations Helena Rubinstein voient le jour en Angleterre puis en Extrême-Orient et enfin aux Etats-Unis. Horace aimerait que la fondation américaine s'occupe d'innovations, sponsorise des projets scientifiques utiles à la marque, mais sa mère s'intéresse avant tout à l'aspect fiscal de la chose. Cependant, cette fondation va lui permettre d'aider des femmes et des enfants qui en ont besoin. Aujourd'hui encore, c'est avant tout sa mission.

Deux nouvelles usines Rubinstein ont vu le jour, l'une au Canada, l'autre à Roslin, Long Island, pour remplacer la première désormais obsolète. Elle a coûté 4 500 000 dollars et s'étend sur trois kilomètres. Entièrement automatisée, l'usine est censée tripler la production. Une machine spectaculaire est programmée pour remplir un million de bouteilles et de pots par jour. D'énormes cuves d'acier mixent les crèmes et l'eau de toilette.

Les bureaux sont désormais situés au numéro 655 de la Cinquième Avenue, car il a fallu s'agrandir. Madame a engagé encore plus de vice-présidents, encore plus de directeurs, ce qui fait au bout du compte encore plus de hiérarchie et devient contre-productif. Le constat la met en colère, mais elle ne veut rien lâcher et surtout rien déléguer.

Elle se plaint à Sara Fox, se remémore les temps heureux où elles étaient juste toutes les deux à s'occuper du marketing. Les affaires n'ont plus rien à voir avec celles qu'elle a connues quarante ans auparavant. Faut-il engager un manager extérieur à la famille ? Laisser les choses en l'état ? Ce sont trop de questions auxquelles elle a du mal à répondre.

La gestion quotidienne d'une hydre aussi gigantesque que la marque Rubinstein, pourvue de tant de têtes différentes, n'est ni simple ni de tout repos. L'« Impératrice » qui passe plus que jamais son temps à voyager, se sent souvent fatiguée. Elle régit tout et tous, comme si elle avait encore trente ans, mais sa santé en pâtit souvent.

Toujours entourée de monde, cette solitaire compte au fond très peu d'amis. Et sans doute en souffre-t-elle. La mort d'Edward Titus, à Cagnes, en 1951, va la replonger loin en arrière, dans ce passé empreint de passion, de colère, de jalousie et de douleur qui l'a profondément meurtrie. Encore une fois, elle ne sait pas exprimer sa peine et elle se montre incapable de réconforter ses fils.

Elle demande à Patrick de s'occuper d'Horace qui a séjourné à Cagnes-sur-Mer, auprès de son père dont la santé était chaque jour un peu plus chancelante, et de le sortir « pour le distraire de son chagrin ».

Elle-même est plus affectée qu'elle le pensait par ce décès. Edward a été la passion de sa vie, le seul homme qu'elle ait véritablement aimé, il reste aussi le père de ses enfants. Mais en apprenant cette triste nouvelle, elle agit comme à son habitude : elle feint de ne rien ressentir et, pour refouler son chagrin, elle replonge illico dans le tourbillon de sa vie.

La fondatrice
de la science de la beauté

Tout va-t-il trop bien pour elle ? Sans doute pas. Mais à plus de quatre-vingts ans, Madame s'ennuie. Elle a la bougeotte. Dans ce drôle de monde des années cinquante où la guerre de Corée fait peser le risque d'un troisième conflit international, elle ne pense qu'à voyager. Aux Etats-Unis, le sénateur Joseph McCarthy traque les rouges dans une chasse aux sorcières qui rend le pays paranoïaque. Julius et Ethel Rosenberg, jugés coupables d'avoir espionné au profit de l'Union soviétique, croupissent à Sing Sing, en attendant de trépasser sur la chaise électrique.

Madame ne veut pas s'attarder sur les mauvaises nouvelles, ni sur le climat politique incertain. Elle a envie de repartir pour l'Europe. O'Higgins veut-il l'accompagner ? Comme le jeune homme acquiesce avec enthousiasme, elle cherche alors à le dissuader de venir. En vieillissant, l'un de ses défauts majeurs, l'esprit de contradiction porté à son pinacle, a encore empiré. Elle ne supporte ni qu'on lui résiste, ni qu'on lui cède trop facilement.

Son jeune secrétaire a vite repéré son fonctionnement. Malgré les commentaires mi-ironiques, mi-sérieux de l'équipe, il tient bon. Tous autour de lui connaissent les petites manies de Madame et s'en gaussent derrière son dos. L'un conseille à O'Higgins d'éteindre les lumières de sa chambre, et de faire attention à ne pas trop utiliser l'ascenseur de l'immeuble, car le gaspillage d'électricité, « électrique » comme elle dit, la rend hystérique. L'autre le prévient de contrôler les fermetures Eclair des robes de sa patronne car « si elles sont ouvertes, un orage se prépare ». Malgré son goût pour les paquebots, Helena, qui vit avec son temps, se déplace désormais en avion. Ce n'est pas la première fois qu'elle vole, mais elle se montre anxieuse et, à bord, elle va forcer un peu sur la vodka pour se calmer. Comme à son habitude, elle part avec une armada de bagages, auxquels il faut ajouter une demi-douzaine de sacs à main, bourrés à craquer de pulls, de livres et de journaux. Le duo qu'elle forme avec O'Higgins ressemble plus à un couple d'immigrants en fuite, ou à deux Marx Brothers en goguette, qu'au voyage d'affaires de l'éminente madame Rubinstein accompagnée par son secrétaire.

Au début des années cinquante, les voyages durent quatorze heures et comprennent une escale obligatoire en Irlande, à l'aéroport de Shannon. Une joyeuse troupe de religieuses l'entoure bientôt et Madame signe des autographes à tour de bras. En retour elle récolte leurs adresses et promet de leur envoyer des échantillons de ses produits. Elle tient toujours parole. C'est ainsi, pense-t-elle avec raison, qu'elle peut le mieux fidéliser les clientes à sa marque. De plus, ajoute-t-elle, un petit échantillon ne la ruinera pas.

La France, où Madame se rend rituellement deux à trois fois par an, se remet lentement de la guerre. Les Françaises oscillent entre deux styles, la maman et la putain, la femme au foyer et la femme-objet, à l'image des actrices sensuelles à la poitrine généreuse personnifiées sur les écrans mondiaux par Gina Lollobrigida, Sophia Loren, Sylvana Mangano ou Marilyn Monroe. Mais de Paris à Marseille, de Tourcoing à Brives-la-Gaillarde, le sex-appeal de Brigitte Bardot enflamme les foules. Lancée à l'âge de quinze ans par Hélène Lazareff, la directrice de *Elle*, qui, selon la légende, a repéré la très jeune fille sur le quai d'une gare et l'a fait photographier pour la couverture du magazine, la jeune actrice est en passe de devenir le symbole universel de la féminité, de la liberté sexuelle, de la révolution des mœurs qui couve. Les modes qu'elle lance vont être adoptées par toutes, ses ballerines, ses robes en tissu vichy, sa blondeur, ses yeux bordés d'un trait d'eye-liner et ses chignons choucroute. Le monde entier va vivre à l'heure de Saint-Tropez, le petit port de pêcheurs de la Côte d'Azur où BB possède une villa, *La Madrague*. L'étoile de ce microcosme de la jet-set ne pâlira plus jamais.

Les Françaises ne sont pas toutes des Bardot, loin s'en faut. Dans la vraie vie, les diplômées qui veulent travailler cherchent à accéder aux professions masculines. Rien n'est encore gagné : les secrétaires, les employées, les vendeuses, sont bien plus nombreuses que les avocates ou les médecins. Mais elles ont le devoir d'être impeccables des cheveux jusqu'aux ongles des pieds, comme les y exhortent les magazines et les publicités. Les produits de beauté sont moins un luxe qu'une nécessité sur laquelle il est interdit de transiger.

Pourtant une enquête du magazine *Elle*, parue en 1951, a révélé que 37 % des femmes ne font leur toilette « complète » qu'une fois par semaine, que 39 % ne se lavent les cheveux qu'une fois par mois et qu'un quart d'entre elles ne se brossent jamais les dents. « Les Françaises ne sont pas propres », commente Françoise Giroud, la rédactrice en chef, qui exhorte ses lectrices à suivre l'exemple des Américaines. Comment faire quand deux logements sur dix seulement sont dotés de salle de bains contre 90 % aux Etats-Unis ? Les deux tiers des maisons ne possèdent pas l'eau courante et à peine 10 % de la population a pu acquérir une machine à laver.

Il faut pourtant faire des efforts d'hygiène, le sujet est à l'ordre du jour. Lancé par L'Oréal, le shampooing

Dop mène l'offensive en utilisant pour la première fois les autobus parisiens comme support. A la même époque, les plus belles actrices du monde, de Grace Kelly à Brigitte Bardot, prêtent leur image au savon Lux. Dans ses interviews, Helena Rubinstein admet, un peu naïvement, qu'une femme peut prendre soin d'elle « avec seulement deux crèmes et dix minutes d'attention par jour. » Heureusement pour la bonne marche de son entreprise, ses clientes sont plus dépensières que raisonnables. L'époque le veut ainsi.

Car la vie a beau être toujours difficile et le pouvoir d'achat encore très bas, l'appétit pour la nouveauté est sans limites. Comme en Amérique, la fièvre de la consommation a gagné le pays : produits de beauté, scooters, tourne-disques, radio, télévision, automobiles, pour lesquelles il faut des licences d'achat, et que l'on attend un an. Le Salon des Arts ménagers qui a rouvert ses portes au Grand Palais connaît un immense succès auprès du public malgré l'exiguïté des appartements peu conçus pour accueillir les appareils présentés.

Aimantée par les Etats-Unis, la France s'engage sur la voie des « Trente Glorieuses ». Un éditorial du *Monde,* hostile à l'américanisme, affirme que les chewing-gums polluent le bitume parisien, que les bas nylon des femmes sont vendus par la firme Du Pont de Nemours, que les Frigidaires ont été créés par la General Motors. *Coca Cola,* s'indigne le quotidien, colonise la France avec ses pubs rouges et flamboyantes placardées partout. Mais l'essor d'une culture jeune, avec la musique, les jeans, les tee-shirts, le cinéma, va diffuser encore plus, s'il en était besoin, ce modèle américain. Protester contre ce qui vient d'Outre-Atlantique vous classe vite dans le rang des vieux « schnocks ».

Ce qui est loin d'être le cas de Madame, toujours bon pied bon œil, même si son arrivée à Paris est au diapason de son départ échevelé. Emmanuel Ameisen, le directeur général de la filiale française, « l'homme le plus compétent de l'affaire », selon ses dires, vient les chercher à Orly.

Le douanier insiste pour ouvrir le coffret à bijoux que Madame a gardé précieusement avec elle pendant toute la traversée, posant ses petits pieds dessus pour dormir.

La mallette déborde de rubis, d'émeraudes, de diamants, de grosses pierres précieuses vraies et fausses. La totalité du contenu représente une véritable fortune. Méfiant, le douanier approche quelques-unes des plus belles pièces devant ses yeux, pour mieux les examiner. Tous retiennent leur souffle.

— De la fantaisie, laisse tomber Madame, avec dédain.

— Ça se voit, répond l'homme qui referme la mallette et la lui rend.

Il les laisse passer tandis qu'elle murmure *idler*, idiot, en s'éloignant.

Gaston, le chauffeur, les dépose quai de Béthune où les accueillent les domestiques, Eugénie et Marguerite ; cette dernière conduit tout de suite O'Higgins vers une chambre dont l'agencement spartiate – une cellule capitonnée de plaques de bois – tranche avec le reste de l'appartement. C'est celle d'Artchil, quand il est là. Le Prince a son entrée particulière, ainsi personne ne peut contrôler ses allées et venues. Marguerite lui énumère les possessions de sa patronne. Six cent vingt-deux « nègres » à épousseter chaque jour, soixante-deux « peintures », dix-huit services de tables différents... « Je suis sa femme de chambre depuis trente ans, lui confie-t-elle. Je l'ai vue changer au fur et à mesure que son affaire prenait de l'ampleur. »

Marguerite évoque l'époque d'Edward Titus, qu'elle a bien connu puisqu'elle est entrée au service de la famille dans les années vingt, pour s'occuper de la maison et des deux garçons. « Madame était très jalouse et cette épreuve l'a durcie. Quand ils se sont séparés, elle n'a plus pensé qu'au travail et le Prince n'a rien pu y changer malgré tous ses efforts. »

La femme de chambre qui a assisté aux déballages intimes, aux disputes cachées, aux tromperies et aux rancœurs, juge sa patronne avec affection mais sans indulgence, comme le font Gaston et Eugénie. Tous les trois se plaignent de sa pingrerie : elle leur rembourse seulement la moitié des notes car elle est persuadée qu'ils la volent. Ils se vengent en lui servant avec parcimonie de la nourriture infecte, tandis qu'ils se gobergent à la cuisine. C'est ce que O'Higgins, affamé après un dîner beaucoup trop succinct, va bientôt découvrir.

De fait, Madame octroie un budget misérable à ses domestiques pour tenir la maison tout comme elle donne des pourboires maigrelets aux serveurs, éteint sans cesse les lumières, râle quand les employés quittent le bureau à six heures du soir. Elle répète « *too much* » à propos du prix de tout et de rien, son « international bon mot », comme disent les journalistes. Elle peut cependant dépenser dix mille dollars en une seule après-midi de shopping chez Dior et Hermès où elle a ses habitudes. Elle achète ses chaussures par dizaines de paires et ses sacs Kelly par quatre ou cinq exemplaires à la fois.

Mais elle permet à beaucoup de monde autour d'elle de survivre. Elle a confié des travaux divers, parfois inutiles, à des « pauvres femmes » comme elle les appelle, des veuves, des retraitées, des rescapées de la guerre. Elle emploie toujours quatre de ses sœurs. Stella Oscestowitz, la présidente de l'affaire en France, a toujours été la plus belle selon l'avis d'Emmanuel Ameisen qui trouve qu'elle possède, plus que toutes les autres, « la magie des sœurs Rubinstein. » Sans doute doit-elle sa collection d'époux à son physique.

Stella souhaite se remarier pour la troisième fois avec le comte de Bruchard, et réclame à son aînée une dot conséquente. Helena rechigne, tempête, mais finit par plier. Les liens entre les deux sœurs sont aussi houleux et difficiles qu'avec le reste de la famille.

Avant leur départ, Horace a décrit par le menu à O'Higgins ce qui l'attendait à Paris, en espérant sans doute l'effrayer. Il lui a raconté que Stella a récemment menacé de se suicider et que le commentaire de sa mère a été impitoyable.

— Elle ne se tuera pas. Elle vient de se commander quatre robes.

Selon les prédictions d'Horace, Madame mène la vie dure à son secrétaire. A six heures tapantes, tous les matins, elle l'appelle au téléphone dans sa chambre. Le jeune homme qui passe toutes ses nuits dans les lieux de plaisir homosexuels de la capitale, est exténué. A peine le petit déjeuner avalé, elle l'entraîne rue du Faubourg-Saint-Honoré, où elle déboule comme une furie, houspillant le personnel, sa sœur Stella et Emmanuel Ameisen en tête.

O'Higgins est surpris par le salon qu'il trouve petit, vieillot et sale, contrastant avec le luxe et le raffinement de l'institut de New York. Il rencontre Giza Goldberg, que Emmanuel Ameisen lui présente comme l'une des salariées les plus importantes de l'affaire parisienne. Juste après la guerre, Madame l'a fait venir de Pologne, avec sa fille Litka. Ameisen lui présente aussi Sylvia Bedhjet, l'assistante parisienne.

Comme à New York, la porte du bureau reste toujours ouverte et chacun peut y être convoqué dans l'heure. La cadence quotidienne de travail demeure infernale et O'Higgins le comprend sur-le-champ. Il tape le courrier, sert d'interprète ou de porte-parole, assiste aux réunions de marketing. C'est lui qui trouve la nouvelle devise de Madame : « Helena Rubinstein, la fondatrice de la Science de la Beauté », au cours d'un débriefing sur *Deep Cleanser*, le démaquillant qu'elle est en train de mettre au point.

En l'absence d'Artchil, Patrick sert d'escorte à sa patronne. O'Higgins est enchanté de rencontrer le Tout-

Paris. C'est un drôle de couple que forment cette vieille femme et ce jeune homme en âge d'être son petit-fils, qui doit à la fois se tenir comme un membre de sa famille et garder la distance de l'employé. Dans l'un de ses rares moments d'abandon, Madame suggère à Emmanuel Ameisen de « donner un peu d'argent de poche au jeune homme ».

Ils vont déjeuner chez Christian Dior, qui est un vieil ami de Madame, puis à la *Méditerranée*, place de l'Odéon, un restaurant découvert par Christian Bérard qui y venait avec Cocteau et Vertès, juste après la guerre. Le décès du peintre, en 1949, a beaucoup attristé Madame. Jean, le patron du restaurant, la salue d'un vigoureux « Princesse ! » et la place dans le carré réservé aux célébrités, ce qui la fait rougir de contentement. Elle n'aime rien tant que d'être reconnue. D'ailleurs une procession de célébrités et d'anonymes défile bientôt à leur table. La mémoire défaillante de Madame n'a pas retenu tous les noms, mais entre deux cuillères de bouillabaisse, elle salue sans faiblir.

Parmi les tâches qui incombent à O'Higgins, il y a l'organisation des déjeuners avec les rédactrices et les directrices des magazines féminins les plus importants. Il invite ainsi Irène Brin, la représentante du *Harper's Bazaar* à Rome, et la correspondante à Paris de huit journaux italiens. Pendant tout le déjeuner qui a lieu au restaurant de l'hôtel de *Castiglione,* rue du Faubourg-Saint-Honoré, la signora Brin tente de persuader Madame de séjourner à Rome où son mari Gasparo del Corso, possède une galerie d'art.

Madame et la signora Brin se revoient dès le lendemain chez Marie-Louise Bousquet. Depuis les années trente, la journaliste est restée la grande figure incontestée de la vie parisienne. Elle tient toujours son salon, « mon corridor », comme elle l'appelle, tous les jeudis de six heures à neuf heures, à son domicile, place du Palais-Bourbon. C'est le rendez-vous obligé de la crème de la crème, et, dit-on, l'antichambre de l'Académie française. Audrey Hepburn, Jean Genet, Jean Cocteau, John Huston, Bernard Buffet, Francis Poulenc, Alice B. Toklas, Henri Cartier-Bresson qui discute avec André Malraux, et bien d'autres figures de la jet-set et de l'intelligentsia internationales, sont là ce jour-là.

Marie-Louise Bousquet se déplace à l'aide d'une canne à pommeau d'or dont elle se sert comme un commissaire priseur de son marteau. Entre autres « petits » cadeaux, Helena lui a offert une voiture et lui donne souvent de l'argent cash. « Ces pauvres journalistes ne gagnent rien », explique-t-elle. Truman Capote décrit ainsi leur hôtesse : « D'un âge incertain, la couleur actuelle de ses cheveux acajou rouge peut poser un point d'interrogation mais la beauté de sa silhouette reste indiscutable. » La plume impitoyable de l'écrivain épingle aussi ses réunions : « les boissons y sont exécrables, les pièces surchargées de monde, mais l'hôtesse ébouriffée comme un perroquet a beau parler d'un ton affecté et semer la zizanie, tout paraît excusable, oui, tout. »

Bousquet a surnommé O' Higgins le « Lovair » d'Helena Rubinstein. Elle n'est pas la seule à broder sur une relation si improbable. Dans le petit milieu consanguin de la mode, de la beauté et de la presse, beaucoup se posent des questions, à force de voir le couple toujours ensemble. Les mœurs de Patrick ne laissent cependant place à aucune ambiguïté, mais Madame s'en inquiète. « Le Prince est très jaloux, il en sera très fâché. » Mais elle finit par hausser les épaules, elle se moque des qu'en-dira-t-on, prétend-elle, et elle espère bien que son secrétaire fera de même. Au fond, et malgré sa pudeur, elle est sans doute secrètement ravie qu'on puisse entretenir de telles rumeurs sur son compte.

La signora Brin ne les lâche pas et leur présente son mari, Gasparo del Corso. En Italie, l'art est en pleine renaissance, explique-t-il, volubile avant de détailler son projet. Il entend proposer à Madame de financer vingt jeunes artistes italiens pour qu'ils peignent des scènes imaginaires de la vie aux Etats-Unis, où ils n'ont jamais mis les pieds. Une exposition itinérante de leurs œuvres serait ensuite organisée, d'abord en Europe puis en Amérique. La signora Brin et son mari réussissent à convaincre Madame de devenir le mécène de ces artistes

La vie parisienne continue. Quai de Béthune, un déjeuner réunit Edmonde Charles-Roux de *Vogue*, accompagnée d'un de ses amis, un jeune homme très mince nommé Hubert de Givenchy, Janet Flanner du *New Yorker*, le baron Elie de Rothschild, André Malraux, et une dizaine d'autres convives. Madame leur sert du caviar dans de la vaisselle d'or qu'elle a soigneusement rangée dans le coffre-fort de sa salle de bains.

« Madame, note O'Higgins, était de ces femmes qui en raison de leur propre manque de conversation arrivent souvent à détendre les gens timides[1]. »

Malraux, qui au départ n'a pas ouvert la bouche, finit par se dégeler. Pendant plus d'une demi-heure on n'entend que lui. Son monologue brillant aborde tous les sujets possibles, de l'archéologie au maquillage, des arts mortuaires de l'Afrique noire aux tribus du Bénin, les Dogons, et les Sénoufos dont Madame possède des statues par dizaines, qui sont exposées sous leurs yeux dans la salle à manger.

Après le café, elle leur fait visiter l'appartement et surtout la terrasse légendaire d'où l'on peut apercevoir tous les grands monuments de Paris. Elle leur montre la statue antique de Dionysos qu'elle considère comme l'un de ses plus grands trésors, et qui a été criblée de balles par l'occupant nazi. Malraux lui demande si elle a repris ses affaires en Allemagne.

— Business is business ! La monnaie allemande est une bonne monnaie ![2]

Malgré les membres de sa famille morts dans les camps d'extermination, le passé est le passé pour Madame. Seuls les vivants comptent. En prenant congé,

André Malraux se penche vers le baron de Rothschild et murmure :

— Quel phénomène !

— Elle est aussi exactement comme mon arrière-grand-mère, réplique ce dernier. Une *groisser fardiner*, un grand chef de famille.

Patrick O'Higgins accompagne aussi sa patronne dans les ateliers d'artistes. Sa toute première visite est pour Van Dongen, qui a le même âge que Madame. Ils se connaissent depuis les belles années de Montparnasse. Un bon nombre de portraits peints par le maître décorent les murs du studio : Mistinguett, les Dolly Sisters, Joséphine Baker, qu'Helena se souvient avoir maquillée à ses débuts au Casino de Paris. Van Dongen rétorque du tac au tac qu'il lui a maquillé le bout de ses seins...

Pour huit millions de francs, Helena fait l'acquisition d'un tableau qui en vaudra le triple à la mort du peintre, non sans l'avoir férocement marchandé avec la très jeune madame Van Dongen qui compte utiliser l'argent de la vente pour s'acheter une maison dans le Midi. En sortant, Madame, heureuse du marchandage, jubile et demande à son secrétaire de lui rappeler d'envoyer des produits à son hôtesse qui, selon elle, a la peau sèche. C'est son invariable diagnostic.

Elle aime acheter, partout où elle se trouve, et entraîne O'Higgins dans les grands magasins, dans les supermarchés dont elle lui affirme qu'ils représentent l'avenir, chez les antiquaires. Sans se lasser, elle arpente le périmètre sacré autour du salon de beauté, la rue du Faubourg-Saint-Honoré, la rue Royale, la rue de Rivoli. Elle cherche, fouille, se demande comment employer telle ou telle de ses trouvailles pour sa marque. Chez Cartier, elle fait l'acquisition d'une boîte en or cannelé contenant deux tubes de rouge en or, saphir et rubis. Elle la fera recopier l'année suivante pour lancer à New York le lipstick

Nite 'n Day. Personne, pas même Cartier, ne se doute de l'emprunt.

Elle fait aussi le tour des maisons de couture, accompagnée par une petite femme qui la suit comme son ombre et note dans sa tête les nouveaux détails, pour reproduire ensuite les modèles à prix plus doux. Balenciaga reste son favori, mais Dior, Lanvin, Jacques Fath, Givenchy, Jean Dessès et le tout jeune Guy Laroche ont également l'honneur de sa présence à leurs défilés. Plus tard, elle deviendra aussi cliente de Pierre Cardin, André Courrèges et bien entendu d'Yves Saint Laurent qui sera le dernier de ses couturiers de prédilection.

Quand Chanel rouvre sa maison en 1954, après quelque quinze années de purgatoire, Madame assiste à la première collection rue Cambon. Elle est emballée par la nouvelle élégance proposée par Mademoiselle, sobre comme à son habitude, avec ses tailleurs en tweed d'inspiration militaire, ses blouses de soie assorties à la doublure des vestes, ses chaussures bicolores et ses sacs matelassés dont l'anse est une chaîne dorée. Le tailleur ne va plus à sa silhouette replète mais elle en adopte les accessoires sans hésiter.

En quittant la France après ce long séjour, Madame et O'Higgins se rendent à Vienne. Elle y est attendue pour une conférence de presse. Cinq ans après la guerre, la reconstruction n'a pas commencé et la plupart des maisons sont en ruine derrière leurs façades toujours debout.

Ce voyage se révèle fructueux. Madame revoit son amie, la comtesse autrichienne qui a inventé le mascara *waterproof,* lancé en 1939 à l'Exposition internationale de New York, au cours d'un ballet nautique, l'Aquacade. La comtesse travaille avec Victor Silson, le mari de Mala, et quelques techniciens, à un nouveau système très ingénieux.

Le *Mascaramatic,* un nom trouvé par Sara Fox, est créé quelques années plus tard, en 1958. L'innovation est de taille : le boîtier dans lequel les femmes crachent habituellement pour humidifier le mascara est remplacé par un tube d'acier dans lequel se coule une brosse, trempant dans une formule fluide. Finis les paquets compacts qui collent les cils entre eux.

La première année, les ventes oscillent entre deux et trois millions d'unités. Tous ses concurrents, Revlon en tête, n'ont de cesse de la copier. Madame réplique en lançant *Long Lash,* le même produit que le précédent, mais dont le mascara s'enrichit de particules de nylon. Les femmes qui l'utilisent ont l'impression de voir leurs cils s'allonger, c'est du reste ce que leur promettra la publicité.

Après une escale à Zurich où Helena achète un terrain pour faire construire une usine, leur périple les mène en Italie. Malgré tous ses efforts, Madame a vieilli. Elle se sent fatiguée. A peine arrivée à Rome, elle contracte une pneumonie dont elle manque mourir. Elle est sauvée par un médecin italien qui la met sous oxygène et lui administre des antibiotiques. La rapidité de la guérison est spectaculaire. Helena est tellement impressionnée par les résultats du nouveau traitement, à base de pénicilline, qu'elle achète cinq mille actions du laboratoire qui le fabrique.

Paniqué par l'état de sa patronne avant sa résurrection miraculeuse, Patrick O'Higgins a appelé Horace qui, après l'affaire de son kidnapping manqué, s'est réfugié dans le Sud de la France, près de Cannes, pour écrire et peindre. Il lui apprend que sa mère est mourante et lui demande de venir la retrouver toutes affaires cessantes. Horace fait de son mieux, mais lorsqu'il débarque, c'est pour trouver Helena en pleine forme, qui ronchonne et le houspille en le voyant arriver.

Au fond, même si elle n'en dit rien, elle est bien contente que son fils soit accouru à son chevet. Il a quarante ans bien tassés, mais elle le traite toujours comme un gamin dont elle énumère les talents en lui ébouriffant les cheveux. « C'est un artiste, un littéraire », dit-elle à tous ceux qui passent à son chevet, comme si elle vantait les mérites d'un jeune bachelier qui s'interroge sur son avenir.

Horace demeure à Rome le temps de la convalescence de sa mère. Il sort beaucoup, fréquente tout ce que la ville compte de célébrités et d'artistes, invite des tablées entières au restaurant et met toutes ses notes de frais sur le compte de sa mère.

Patrick et lui s'apprécient et nouent une amitié sincère. Ils convainquent Helena de s'associer au projet de mécénat dont lui ont parlé Irène Brin et son mari, à Paris. A Rome, la signora est revenue à la charge. Flatterie, courbettes, tous les moyens sont bons. Elle voit en Madame, dit-elle, une protectrice des arts de la Renaissance, une Médicis moderne. Bien évidemment, Madame se pâme d'aise et dit oui à tout. Elle ne va pas le regretter.

Les meilleurs peintres italiens des années cinquante, Enrico d'Assia, Burri, Mirko, Mosca, Fazzini et quelques autres figurent dans cette exposition intitulée : « Vingt scènes imaginaires de la vie américaine vues par vingt jeunes artistes italiens. » Horace et Patrick les ont choisis ensemble. L'exposition débute à Rome en 1953, à la galerie Obelisco dont Gasparo del Corso, le mari d'Irène Brin, est le propriétaire. Puis elle est envoyée à New York dans la galerie de peinture privée qu'Helena a aménagée au dernier étage de son triplex. Le bénéfice est destiné à des œuvres de charité. Bientôt, on voit les tableaux partout, des magazines habituels aux revues d'art, plus classiques. L'exposition voyage ensuite pendant deux ans à travers les Etats-Unis, où elle connaît la même affluence qu'à New York et à Rome. Cinquante millions de personnes au moins admireront ces toiles dans les musées, les vitrines, les magazines, avant qu'elles rejoignent à nouveau les murs de l'appartement de Park Avenue.

Décorée par le gouvernement italien de la *Stella della Solidarieta*, une médaille dont elle prétend ne savoir que faire, Madame exulte. Pour huit mille dollars, le retour sur investissement aura été de plus d'un demi-million de dollars de publicité libre. Elle inclut dans ses comptes « les abominables dépenses » de son fils à Rome. A sa mort, les vingt toiles, peintes par ceux qui étaient devenus les meilleurs artistes italiens des années cinquante, sont évaluées à plus de cent mille dollars.

En partant de Rome, Madame veut se rendre à la « Maison Blanche », sa propriété située à proximité de Grasse. Le médecin lui a ordonné une longue convalescence et elle-même a décidé qu'elle avait « besoin d'air ». C'est Horace qui conduit la Pontiac de location décapotable. Enveloppée dans ses fourrures, Madame s'est assise auprès de lui. Patrick est derrière, coincé avec les bagages. En chemin, le trio s'arrête pour dîner à l'hôtel Welcome, à Villefranche. Là, sont attablés Jean Cocteau et Jean Marais, accompagnés de deux femmes. L'une est la duchesse de Gramont qui séjourne dans son domaine d'Aix-en-Provence d'où elle s'est échappée pour la soirée, l'autre est la nouvelle muse de Cocteau, la diaphane et richissime Francine Wesweiller, qui possède une propriété à Saint-Jean-Cap-Ferrat, la villa « Santo Sospir ».

Mariée à l'un des héritiers de la Shell, avec lequel ses rapports sont rien moins que distendus, madame Weisweiler a mis à la disposition de Jean Cocteau ses limousines, ses domestiques, ses propriétés, son hôtel particulier de la place des Etats-Unis et sa villa de la Côte d'Azur. Elle se consacre entièrement à lui et lui offre une existence confortable et gâtée. Ils sont devenus inséparables.

Ce soir-là, Jean Cocteau salue avec grandiloquence : « L'Impératrice de Byzance ». Madame et lui ne se sont pas revus depuis l'époque où Misia tenait son salon. Elle minaude en lui donnant du « Poète » long comme le bras et propose au petit groupe de déjeuner tous ensemble le lendemain. Cocteau accepte mais il l'invite à venir chez madame Weisveiller. Au cours de leurs brefs échanges, il lui sert force compliments qu'elle accepte tout en le sermonnant parce qu'il est un « vilain flatteur ». Pourtant Cocteau est l'un de ceux qui l'ont le mieux percée à jour. Un peu plus tard, il dira d'elle à O'Higgins : « Madame Rubinstein se nourrit des différends humains, particulièrement de ceux qu'elle invente. Mais prenez garde à ses silences ! Quand ils se produisent c'est qu'elle est en train de préparer une offensive ! »

Dans son refuge du Sud de la France, Horace ne s'est pas contenté de peindre et d'écrire. Il s'est mis dans la tête de fabriquer du parfum. Avec un couple d'amis américains, les Scott, il a créé une ferme où il cultive le jasmin, et ouvert une raffinerie près de Grasse. Oscar Kolin a envoyé une lettre à sa tante pour le prévenir des activités de son cousin et l'avertir qu'il a dépensé énormément d'argent pour ce projet, ce qui évidemment met Madame en fureur. Les fragrances synthétiques coûtent bien moins cher, fulmine-t-elle. Tout le monde, à commencer par elle-même, mais aussi Chanel, Rochas, Lanvin, Guerlain et bien d'autres, se fournit chez un spécialiste, monsieur Amic, qui cultive le jasmin en quantité industrielle et réduit ainsi les coûts de fabrication.

Horace réussit cependant à convaincre sa mère de venir voir ses champs, à quelques kilomètres de la Maison Blanche. Mais la visite est un fiasco. Madame passe à peine dix minutes au pas de course, à faire le tour de la maison, des plantations et du laboratoire. Elle trouve tout minable, dénigre ce qu'on lui montre, se veut à peine polie et pour tout dire, carrément méprisante, avec les amis de son fils. Horace demeure silencieux sous l'affront.

Sur le chemin du retour, il ne parle toujours pas. Mais son visage blême en dit plus long que n'importe quel discours. Le trio est en avance pour leur déjeuner au cap d'Antibes, chez madame Weisweiller. Aussi, sortant de son mutisme, il suggère d'aller prendre l'apéritif à la Réserve, le restaurant le plus cher de Beaulieu.

— Tu es fou ? proteste sa mère.

Horace freine alors brusquement et se retourne vers elle. Son visage a viré au cramoisi. O'Higgins pense qu'il va se trouver mal tellement il est en colère. Le mot « fou » a été un catalyseur. Horace est avant tout fou de rage. Il explose et traite sa mère d'avare et de méchante, lui reproche de ne penser qu'à l'argent qui est « son dieu ».

Puis il jette les clefs sur les genoux du secrétaire et sort de la voiture en claquant la porte, laissant Patrick O'Higgins interdit, et Madame, tremblante.

Ultimes cartouches

Son caractère est certes impossible. Ses sautes d'humeur, son irascibilité, son autoritarisme, sa tyrannie n'ont fait que s'aggraver avec l'âge. Tous la craignent, tous l'évitent quand sa fureur se déchaîne, tous s'en plaignent dès que l'orage est passé, en redoutant que la foudre ne leur tombe dessus à nouveau. Mais au fond – et tous le savent aussi – cette Helena qui les terrorise peut aussi se montrer tendre, généreuse, aussi démunie qu'une enfant devant les émotions qu'elle éprouve. Tour à tour, ses multiples personnalités apparaissent sans qu'il soit possible de décider laquelle est la véritable. Le sait-elle elle-même ?

La brouille avec son fils la fait souffrir bien plus qu'elle ne veut se l'avouer. Après l'altercation dans la voiture, Patrick et elle sont rentrés sans un mot à la Maison Blanche. Horace, qui refuse de lui parler désormais, s'est réfugié chez des amis, aussi Madame a-t-elle écourté son séjour à Grasse et est-elle rentrée à New York avec son secrétaire, un mois avant la date prévue.

Dans les couloirs de l'entreprise, elle passe sans dire un mot, la mine si sombre que tous se demandent ce qui lui est arrivé. Elle se montre préoccupée, absente même, s'enferme dans son bureau, déjeune en solitaire, espère en vain un mot de repentir d'Horace, une lettre, un coup de téléphone. Mais rien, il boude dans sa retraite du Sud de la France. Et elle souffre.

O'Higgins a fort à faire. Madame lui a fait jurer de garder le silence, mais comment réussir à tenir sa promesse quand, l'un après l'autre, Oscar Kolin et Artchil Gourielli l'invitent à déjeuner pour en savoir plus ? Fidèle au pacte qu'il a passé avec sa patronne, le jeune homme refuse de les renseigner. Devenu maître dans l'art de l'esquive, il évite les réponses précises, prétend qu'il ne sait rien. Seul Roy, méprisé à tort par sa mère qui le trouve « gentil mais quelconque », l'a percée à jour. Il a tout de suite deviné qu'elle a eu une prise de bec avec son frère. Aussitôt, la rumeur fait le tour des bureaux.

Elle finit par raconter sa dispute avec son fils mais, selon son habitude, elle donne à chacun une version différente de l'histoire. A présent qu'ils « savent », elle s'autorise à s'épancher et le fait sans limites. Chacun est convoqué, les secrétaires, Sara, Mala, Roy, Artchil, l'avocat, le comptable... Elle leur raconte l'incident de son point de vue à elle, et va même jusqu'à en parler à Barry et à Toby, les deux enfants d'Horace, que les histoires de leur grand-mère n'ont jamais interessés. Elle ne peut se faire à l'idée que son fils adoré l'ait accusée d'être une méchante et une avare. Le choc est trop rude, elle ne se voit pas ainsi. Chaque fois qu'elle y pense, les larmes lui montent aux yeux.

Mais comme toujours, ses crises d'abattement ne durent pas longtemps. Il lui faut une diversion, aussi décide-t-elle de se consacrer à la rénovation de la maison Gourielli qui part à vau-l'eau. Ironie du sort, c'est depuis longtemps l'un des chevaux de bataille d'Horace qui enrage de voir un si beau projet laissé à l'abandon. Mais comme pour le reste, elle n'a pas voulu l'écouter.

A différents signes cependant, elle a compris depuis un bon moment qu'un dépoussiérage de la boutique est essentiel pour garder son avance sur le secteur masculin. Au milieu des années cinquante, le marché de la beauté pour hommes génère un chiffre d'affaires de

150 millions de dollars par an. Il y a de quoi faire. Mais Madame n'est pas toute seule dans la course. Dans la foulée des produits Gourielli, Elizabeth Arden a lancé une ligne pour hommes : un after-shave, une eau de toilette, un talc, une poudre de toilette ainsi qu'une lotion hydratante pour la seule clientèle londonienne. Il ne faut pas lui laisser l'avantage. Le bilan est pourtant désastreux, la maison Gourielli perd un argent fou. Sans personne pour s'en occuper à l'exception de ces « pauvres femmes » qu'affectionne Helena et qu'elle place où elle le peut, la boutique vite devenue vieillotte est envahie par un bric-à-brac de moindre qualité. Après mûre réflexion, Madame engage Elinor MacVickar, une ancienne rédactrice en chef beauté au *Harper's Bazaar*. Elle décide aussi que son secrétaire doit l'aider à remonter l'affaire, et surtout « servir de cobaye » pour essayer les différents produits qu'elle entend créer. O'Higgins doit devenir l'homme de Gourielli, l'image de cette maison tombée en décrépitude.

Elle le remplace momentanément auprès d'elle par Gloria O'Connors, une « fille de la haute société », qui est la sœur d'une comtesse italienne. En cela, Madame demeure fidèle à sa stratégie qui est de mettre les gens en place, puis de les faire tomber avant de les reprendre à nouveau. Tout le monde autour d'elle a déjà subi ou subira le même sort. O'Higgins est mécontent mais il tient à son job et il ne peut que s'incliner.

Compétente, énergique, Elinor MacVickar sait exactement ce qu'elle veut. Avec l'aide de Patrick O'Higgins, elle décide de transformer le rez-de-chaussée en une élégante boutique pour hommes, l'une des premières à New York. Elle remplace le rose, le bleu, les verreries et les kitscheries par un décor masculin et sobre : marbre blanc, acier, cuivre, verre vont être les nouveaux matériaux. Déconcertée par le minimalisme du décor, qu'en d'autres temps, elle aurait sans doute aimé, Madame déteste : elle trouve que l'endroit ressemble à un hôpital. Artchil qui revient de vacances d'hiver à Palm Beach s'insurge contre l'idée de Mrs. MacVickar, d'installer un salon de coiffure au deuxième étage. Il proteste de tout son être. Un prince russe ne saurait donner son nom à un tel projet. Mais Elinor MacVickar n'en tient pas compte et continue à aller de l'avant. Elle commande l'ameublement et le matériel nécessaires au salon de coiffure, et puis les lotions, les shampooings, les teintures, sans oublier les crèmes pour le visage, fabriquées d'après les formules pour les femmes. Véritable cobaye, O'Higgins doit tout essayer, tout tester au point qu'il en rêve la nuit. Parfois, les lotions ont un effet miraculeux sur sa peau qu'il trouve « embellie », d'autres fois, l'expérimentation échoue lamentablement, il est couvert de boutons sur le visage.

Mais au beau milieu des travaux, Madame est soudain hospitalisée. On lui a découvert un cancer du cou et elle est opérée dans l'urgence. Les nouvelles franchissent peu le cordon sanitaire que sa famille instaure autour d'elle. Cependant Horace qu'on a tout de suite alerté, rentre de France tout exprès pour voir sa mère qui lui pardonne. La scène de réconciliation entre eux est touchante. Madame se sent tout de suite un peu mieux. Elle demande alors à Patrick O'Higgins de venir la voir. Il la trouve bien vieillie et bien frêle.

Assis à son chevet, il lui décrit l'avancée des travaux et s'étend, en homme élégant, sur les vêtements que Mrs. MacVickar et lui ont commandés en Italie et en Angleterre : les cachemires, les chemises, les chaussettes de fil, les vestes de tweed, les chaussures de cuir souple. Il lui détaille les salons de coiffure et de massages, le sauna, et évoque le téléscripteur qu'ils vont installer pour que les clients puissent avoir accès aux derniers cours de la Bourse pendant qu'ils se feront couper les cheveux.

Madame l'écoute sans vraiment réagir et montre un air de plus en plus sceptique, chaque fois qu'il énumère une nouvelle trouvaille. Son visage ne s'éclaire que lorsqu'il lui parle des produits qu'il a essayés. Elle se redresse alors à moitié : « C'est seulement avec cela, dit-elle, que Gourielli peut gagner de l'argent. » Sur sa demande, O'Higgins revient la voir tous les jours, quand le bureau est fermé. Il passe surtout les week-ends. Elle lui confie que les membres de sa famille qui pourtant l'entourent de toute leur affection, n'ont rien d'intéressant à lui dire. Elle s'ennuie et pour se distraire, elle regarde un peu la télévision. David Ogilvy insiste pour que, à l'instar de Charles Revlon qui subventionne une série d'émissions « La Question à 64 000 dollars », elle sponsorise elle aussi une émission. La chaîne le lui a proposé avant de s'adresser au « *nailman* » mais elle n'y a pas cru et elle a énergiquement refusé. Le succès de l'émission va pourtant la faire réfléchir.

Peu à peu, elle se rétablit et se remet au travail. A sa demande, on installe dans sa chambre des lignes de téléphone supplémentaires, des machines à écrire, des télex. Ses secrétaires se relaient auprès d'elle tous les matins pour prendre son courrier en note. Tous les jours, Patrick O'Higgins lui fait part des progrès de la maison Gourielli. Elle le nomme directeur de la publicité : « Les gens vous aiment, lui dit-elle. Pour réussir dans ce métier, il faut savoir se faire aimer. »

O'Higgins prend son rôle très au sérieux, un peu trop, sans doute. Il prend contact avec tous les journalistes influents de la ville. Le premier article paraît dans le *Herald Tribune*, sous la plume d'Eugenia Sheppard, la célèbre journaliste de mode qui suit depuis toujours la carrière de Madame. Le titre est explicite : « Un jeune Irlandais prépare le lancement de la nouvelle boutique pour hommes d'Helena Rubinstein. » Sheppard qui décrit O' Higgins en termes flatteurs, explique aussi tout ce qu'on peut trouver dans la boutique, des rasoirs qui épousent la forme du crâne, en passant par les masques à la boue d'Ischia, qui sont en réalité fabriqués dans l'usine de Long Island. La journaliste a compris la formidable innovation que représente ce salon de beauté unique en son genre et loue le flair de Madame qui a senti l'énorme possibilité de cette industrie naissante. Cependant l'article rend Helena folle de rage. Elle ne comprend pas pourquoi son secrétaire est ainsi mis en avant. Dans sa naïveté ou son zèle, le jeune homme a oublié la leçon essentielle pour tout chargé de publicité : toujours s'effacer devant le client. Madame mettra des années à lui pardonner cet impair.

O'Higgins a pourtant obtenu de nombreux articles et trois belles pages dans *Life*. Avant même l'ouverture officielle, les clients se bousculent déjà dans la boutique. Quand MacVickar et O'Higgins envoient à Madame la liste détaillée de toute la promotion gratuite qui a fait économiser huit cent mille dollars, ils reçoivent en retour la liste annotée dans la marge, avec ces simples lignes : « Vous auriez dû vous débrouiller pour obtenir un million ! »

De son lit d'hôpital, Madame dirige l'inauguration dans ses moindres détails. Elle a choisi la soirée du jeudi, celle où sortent les gens élégants. O'Higgins dresse la liste des invités en mélangeant les genres ; sa patronne fait des coupes sombres dans les invitations et dans le buffet. Le petit jeu n'a pas de fin : derrière son dos, O'Higgins réinvite les gens dont le nom a été biffé et commande plus de champagne et de saumon. Très vite, la boutique est pleine à craquer de célébrités, les sœurs Gabor, Gore Vidal, Truman Capote, Salvador Dalí, et tant d'autres. C'est alors que Madame, que tout le monde croit dans son lit de malade, fait une apparition-surprise, habillée d'une robe neuve, coupée comme une blouse de paysan russe, et parée de ses plus beaux bijoux.

Soutenue de chaque côté par un médecin et une infirmière, elle se tient cependant droite comme une statue
antique, ferme sur ses jambes, altière. Elle avance, fend
la foule en saluant de droite et de gauche comme une
impératrice, appréciant d'un hochement de tête les hommages qu'on vient lui rendre, embrasse ses proches qui
n'en reviennent pas de la trouver là et déjà critiquent le
médecin de l'avoir laissé sortir. Elle les fait taire d'un
geste et adresse à O' Higgins le sourire espiègle d'une
jeune fille, ravie de son bon tour.

Malgré sa superbe, elle souffre trop cependant pour
rester plus de dix minutes. En partant, elle demande une
assiette de saumon fumé : la nourriture de l'hôpital est
horrible, dit-elle.

Madame guérit mais son énergie légendaire semble
l'abandonner. La nouvelle maison Gourielli aurait pu
être un succès, d'ailleurs les vedettes de cinéma en sont
folles. Yul Brunner, comme Tony Curtis, en sont les
clients les plus assidus. Mais elle n'arrive pas à suivre le
rythme. De guerre lasse, elle a fini par s'incliner devant
le refus du Prince de voir son nom accolé à un salon de
coiffure. Elle lâche prise. Gourielli qui perd plus de deux
cent mille dollars par an, finit par fermer. Elle était sans
doute trop en avance sur son temps. Madame reconvertit les produits Gourielli en Rubinstein, car une « bonne
cuisinière doit savoir préparer un repas à partir de quelques restes », dit-elle à ses chimistes.

Elle repart pour l'Europe avec sa nouvelle secrétaire
qui l'abandonne en route, reprise par ses activités mondaines. Dès son retour, Madame convoque O' Higgins et
lui demande de reprendre sa place auprès d'elle. Il
retrouve donc son minuscule bureau tout près du sien,
leurs activités communes, leurs voyages en tête à tête. En
novembre 1955, ils se trouvent tous les deux à Paris,
quai de Béthune. Un coup de téléphone réveille le jeune
homme au milieu de la nuit.

Artchil Gourielli vient de succomber à une crise cardiaque.

Patrick O'Higgins se charge d'annoncer la nouvelle à sa patronne. Malgré l'heure très matinale, Madame est déjà réveillée. Elle se tient assise sur son lit, toute droite, le plateau du petit déjeuner posé sur ses genoux. Le ciel gris de novembre donne une ambiance sinistre à la pièce, faiblement éclairée par les lampes de chevet. Avant même que son secrétaire puisse ouvrir la bouche, elle a compris. Crainte ou prémonition, elle a rêvé cette nuit-là qu'elle voyait le Prince étendu dans un cercueil capitonné de blanc. Elle s'en est ouverte à Marguerite venue lui apporter sa collation comme tous les matins.

Pendant un moment qui semble infini au jeune homme, Madame gémit et sanglote, cependant que tous s'affairent autour d'elle pour tenter de la consoler un peu. La mort d'Artchil est pour elle une perte inimaginable. Pendant leurs dix-huit ans de vie commune, elle a vraiment aimé le Prince, d'une façon possessive au début, plus calmement par la suite. Ils ont eu des rapports heureux, sans heurts ou presque, qui ont été l'exact contraire de sa relation avec Edward Titus.

Artchil était un compagnon précieux, drôle, attentif. Il avait toujours le mot pour rire, le compliment à la bouche. Il savait prendre du bon temps, ne se privait de rien, loisirs, jeux, vacances, bridges, mondanités, sans ostentation mais sans honte non plus, comme si cela lui était réservé de toute évidence. S'il sortait souvent seul, ayant renoncé à entraîner sa femme, toujours obsédée par ses affaires, il la respectait infiniment. « A côté d'Helena, toutes les femmes sont inintéressantes[1] », répétait-il à qui voulait l'entendre. Ses nombreux plaisirs nécessitaient de l'argent. Avec lui Helena ne s'était jamais montrée avare. Du reste, il n'avait abusé de rien.

A sa mort, Madame devient la seule héritière du Prince qui n'a pas de famille. Quand ils se sont mariés, elle a fait stipuler sur le contrat que tout ce qu'elle lui donnerait lui reviendrait s'il mourait le premier. C'était une disposition étrange puisqu'il était son cadet de vingt ans. Madame a eu du flair, comme toujours : en mourant, Artchil rend à sa veuve le demi-million de dollars qu'il a obtenu d'elle.

Pendant des jours qui semblent des semaines, Madame demeure prostrée dans son lit, elle est incapable de se lever et surtout, elle ne veut voir personne. De Paris, de Londres, de New York, du monde entier, les télégrammes et les lettres affluent, les coups de téléphone se succèdent. On lui envoie des fleurs, on dépose des cartes de visite. Elle ne répond à rien. D'ailleurs elle ne veut pas se rendre aux obsèques. Elle déteste les enterrements qui la renvoient à sa propre mort. En refusant d'enterrer son mari, elle défie le destin : pas de cercueil, pas de deuil, pas de chagrin. Le déni, pour enfantin qu'il soit, n'empêche pas la douleur de s'exprimer. Artchil lui manque sans cesse. Sans lui elle se sent perdue. Même lorsqu'ils restaient un moment sans se voir, il ne se passait pas de jour sans qu'ils se parlent au téléphone.

Souvent elle s'interrompt au bord d'une phrase.

— N'est-ce pas, Artchie...

— Demandons à Artchie...

Mais la vie doit reprendre le dessus vaille que vaille. C'est toujours son vieux réflexe de survie.

Après une longue période d'immobilité, elle décide de mener à son terme un ancien projet qui lui tient vraiment à cœur. Il s'agit de son portrait par Pablo Picasso.

Le peintre et Madame se connaissent depuis la fin de la Première Guerre mondiale. Elle lui a rendu de fréquentes visites dans son atelier de la rue de la Boétie. Le premier tableau qu'elle lui a acheté a été le portrait de Pablo, le fils que l'artiste a eu avec la ballerine russe

Olga Koklova. Au cours des années qui ont suivi, elle a fait l'acquisition d'œuvres nombreuses, dont la tapisserie *Femmes* qui orne les murs de son triplex. Leurs chemins se sont croisés à de nombreuses reprises, mais le peintre n'a jamais fait partie du cercle de peintres et d'artistes qui a gravité autour du couple Titus pendant les années vingt.

Helena, qui s'est déjà fait peindre par les plus grands, Helleu, Dufy, Laurencin, Dalí, Tchelitchew, rêve depuis longtemps déjà d'ajouter Picasso à sa collection de portraits d'elle-même. Mais elle a beau lui envoyer lettres et télégrammes, il fait la sourde oreille. Leur amie commune, Marie Cuttoli, a entrepris de nouveaux travaux d'approche, ce qui n'a pas été une mince affaire.

Picasso se méfie-t-il d'Helena ? Déteste-t-il, comme on l'a prétendu souvent, son caractère autoritaire ? A-t-elle tout simplement, selon une autre version de l'histoire, « oublié » de proposer de le payer ? Toujours est-il qu'il ne donne jamais suite à ses avances. L'été précédent, pourtant, après des dizaines de coups de téléphone et de lettres, elle a obtenu gain de cause et posé deux fois pour lui.

Puis, reprise par ses obligations elle est rentrée à New York. La mort d'Artchil lui fournit un prétexte pour reprendre les séances qui devraient la distraire de son chagrin. Elle pense peut-être que le pinceau de l'artiste la rendra immortelle, qu'il la fera passer à la postérité. Quoi qu'il en soit et quelles que soient ses raisons, elle veut ce tableau et elle l'aura.

Dans l'avion qui les emmène à Nice, Helena explique à Patrick que Marie Cuttoli a aidé Picasso en l'installant dans son musée d'Antibes. Elle a supervisé le tissage de ses tapisseries et l'a secondé dans sa fabrique de céramiques. C'est dire si elle est proche de lui. En échange de son intervention auprès du peintre, Helena a promis à son amie le premier appartement qui se libérerait, quai de Béthune, pour l'une de ses relations, un homme politique nommé Georges Pompidou. Il n'est pas encore Premier ministre mais son talent est déjà très prometteur.

Madame s'installe d'autorité dans le minuscule trois-pièces que possède sa sœur Stella, à Cannes, cependant que Patrick va vivre, un peu contre son gré, dans un hôtel bon marché. Stella est déjà séparée de son troisième mari, le comte de Bruchard, et elle habite seule, en ruminant sa tristesse. Elle emploie ses journées à jouer au bridge avec des Russes et des Polonais qu'elle invite à quelques parties organisées pour distraire sa sœur pendant son séjour chez elle.

Picasso n'a pas envie de recevoir Madame. Durant quelques jours, les coups de téléphone dont elle le submerge n'ont aucun effet sur lui. Il fait répondre par un domestique qu'il est absent, ou bien, il prend lui-même l'appareil et déguise sa voix. Le manège dure quelques jours jusqu'au moment où elle finit par déjouer ses stratagèmes. Il en faudrait bien plus pour la décourager : elle décide de se rendre chez lui sans rendez-vous, accompagnée par sa sœur et par son secrétaire.

Picasso, qui à soixante-quinze ans montre la même énergie inépuisable que Madame, habite « La Californie », une agglomération de petits immeubles et de jolies villas construites au début du siècle, avec la jeune Jacqueline Roque, de quarante-cinq ans sa cadette.

Le couple prend l'apéritif avec Daniel Kahnweiler, le marchand du peintre, et l'acteur Gary Cooper, quand Madame déboule dans le jardin, flanquée de sa suite. Picasso et Helena tombent dans les bras l'un de l'autre. « Le diable », comme elle le surnomme depuis toujours, est vêtu de son uniforme : un polo marin à rayures, échancré au cou, et un maillot de bain. Madame porte un corsage vif et une jupe paysanne, et arbore quelques-uns de ses spectaculaires bijoux.

Picasso leur propose de partager leur pique-nique de charcuteries et de viandes froides, arrosé d'un bon vin rouge, ce que le trio accepte de bon cœur. Puis il les raccompagne dans une vieille Citroën délabrée sans jamais mentionner le fameux portrait. Helena insiste encore, elle le veut absolument. A contrecœur, le peintre lui donne rendez-vous le lendemain à six heures du soir. Elle revient à l'heure dite avec Patrick. Picasso lui demande de s'asseoir dans la salle à manger. De la fenêtre, elle peut apercevoir le jardin. Sous chaque arbre ou presque, trône une sculpture en bronze massif. Le regard se perd au loin, jusqu'à la Méditerranée.

Helena porte une blouse mexicaine très colorée que le maître a choisie pour elle parmi tous les vêtements qu'elle a apportés. Il dessine en face d'elle, sur de larges feuilles de papier posées sur la table. Personne dans la maison n'a le droit de troubler le tête-à-tête de ces deux monstres sacrés. O'Higgins s'est installé sur la terrasse avec Jacqueline. Il feuillette des magazines de cinéma en silence. A l'intérieur, Picasso et Madame bavardent comme deux vieux complices.

— Quel âge avez-vous ? demande brusquement le peintre.

— Je suis plus vieille que vous, répond-elle sur le même ton.

Il sourit, puis il regarde longuement son modèle, comme s'il examinait une porcelaine fragile.

— Vous avez de grandes oreilles, dit-il enfin. Comme les miennes. Les éléphants aussi ont de grandes oreilles. Ils vivent éternellement. Et nous aussi nous vivrons éternellement !

Il pose son crayon, s'approche et la scrute encore.

— La distance entre vos oreilles et vos yeux est exactement la même que la mienne. Ça veut dire que vous êtes un génie, tout comme moi[2] !

Picasso exécute en tout quarante croquis d'Helena. Il dessine son visage, ses mains, ses bijoux, sans doute dans le but de commencer un jour un vrai portrait. Certains dessins sont durs, cruels même, et montrent la vieille femme autoritaire et despote qu'elle est devenue.

D'autres sont plus malicieux ou plus complexes. Il s'attarde souvent sur ses mains, comme si elles étaient plus expressives que son visage, et souligne, d'un simple trait, le contraste entre sa mise simple et l'extravagance de ses bagues et de ses bracelets. Mais il ne va jamais au-delà des esquisses.

Pendant toutes les années qui vont suivre, Madame lui demande cent fois d'achever son travail et de transformer l'essai. Elle lui envoie des lettres, des photos d'elle, des cadeaux pour lui et pour Jacqueline, dont un gri-gri africain qu'elle possède depuis sa jeunesse et auquel elle tient plus que tout. Elle le flatte, le supplie, le menace. Mais rien n'y fait. Il lui demande même un jour pourquoi elle est si pressée. « Nous avons déjà beaucoup vécu vous et moi, mais il nous reste encore pas mal de temps. » Elle qui a largement dépassé les quatre-vingts ans est consciente de ce qui reste.

Elle ne le reverra jamais. Selon John Richardson, critique d'art et biographe du peintre, Picasso était convaincu qu'il mourrait avant elle, s'il terminait le portrait. Le peintre refuse de donner ses croquis à son modèle, mais il les a montrés à Richardson qui les trouve « brillants »[3].

Richardson omet de lui préciser ce qu'il pense personnellement de ses « griffes couvertes de diamants » et de son visage qui la montre « aussi chauve et rapace qu'un aigle. » Au contraire, il lui ment, prétend que Picasso l'a « ennoblie », qu'il a fait d'elle un aigle.

Le critique est un ami de collège de Patrick O'Higgins. Les deux hommes se sont retrouvés par hasard à New York au début des années cinquante. Patrick l'a invité à prendre un verre chez lui. Richardson a été fort surpris de découvrir, dans l'appartement, un collage de Juan Gris retrouvé quelque temps auparavant dans les cartons d'Helena. O'Higgins lui révèle qu'il s'agit d'un faux que Madame lui a donné et qu'il compte offrir à l'un de ses amis pour Noël.

L'ami est vraiment chanceux, se dit Richardson. Le collage de Gris, tout à fait authentique, vaut au bas mot 20 000 dollars de l'époque (plus de 500 000 dollars d'aujourd'hui.) Le critique lui demande alors s'il ne serait pas plus judicieux de le vendre.

Un rendez-vous est pris dans l'appartement de Park Avenue, en présence d'Helena. Richardson découvre ainsi d'autres « faux » de Juan Gris. Avec l'accord de Madame, il les vend, en obtient un excellent prix et s'arrange pour s'inclure avec O' Higgins dans l'affaire. Richardson a tout de suite compris comment Madame fonctionne. Il arrive chez elle avec tout le cash qu'il a pu réunir en petites coupures et lui propose d'acheter l'un de ses tableaux. Toute milliardaire qu'elle est, elle ne peut pas résister à son offre, elle aime trop les affaires. Pour elle, c'est presque comme un jeu. Richardson fait ainsi l'acquisition d'un Picasso que lui avait offert Edward dans les années vingt.

La façon dont John Richardson décrit dans son livre une Madame vieillissante comme une icône trop parée, « trop maquillée, trop bijoutée », est d'une cruauté qui ne se teinte d'aucune indulgence ni surtout d'aucun res-pect pour le personnage.

Tout caustique qu'il ait pu être envers son autoritaire patronne, Patrick O'Higgins a toujours posé sur ses sou-venirs le voile d'une réelle affection.

The show must go on

De retour à New York, après ses parenthèses can-
noises, Madame s'est lancée une fois de plus dans le travail à corps perdu. C'est d'abord pour éviter de penser à
Artchil, mais aussi, mais surtout, parce que ses concurrents directs, les Arden, Revlon ou Lauder, ne lui laissent aucun répit. La bataille est de plus en plus difficile
pour garder l'hégémonie sur un marché dont la croissance semble ne jamais devoir s'arrêter.

Au milieu des années cinquante, les Américaines
dépensent quatre billions de dollars pour leur beauté.
Prendre soin d'elles-mêmes est plus que jamais devenu
une nécessité pour les vingt millions de jeunes actives
que compte le pays. L'accent est désormais mis sur les
yeux, soulignés d'eye-liner. Les nouvelles beautés ont un
regard de biche : Ingrid Bergman, Elizabeth Taylor, Cyd
Charisse, Grace Kelly, Rita Hayworth, Kim Novak et
Marilyn Monroe sont copiées du bout de leurs cheveux
trop laqués à la pointe des escarpins vertigineux.

Les magazines qui donnent les recettes de leur succès
publient aussi des récits sur le destin horrible de femmes
inconscientes, qui, ayant atteint l'âge canonique de quarante ans, se laissent aller et se réveillent une fois leurs
maris partis avec une rivale plus jeune et plus fraîche.
Pour sa part, Madame n'a jamais cessé de mettre ces
écervelées en garde. Dans toutes ses interviews, elle

rappelle sans cesse qu'une épouse ne doit jamais oublier de séduire son conjoint. C'est le b.a.-ba du mariage. Si le taux de divorces augmente dans des proportions effrayantes en Amérique, c'est bien la preuve que les femmes oublient cette règle essentielle. « Une femme qui sort sans rouge à lèvres se sent nue », affirme Max Factor de son côté. « A moins qu'elle ne soit fermière[1] », ajoute-t-il, un tantinet méprisant. Car même au fin fond des plaines du Middle East, les cultivatrices regardent la télévision, lisent les magazines et vont au drugstore local pour s'approvisionner en *lipstick*. Les teen-agers qui disposent désormais d'un fort pouvoir d'achat deviennent, dès douze ans, une armée de consommatrices à séduire.

Les sommes en jeu dans l'industrie de la beauté sont énormes et nombreux sont les secteurs qui s'en nourrissent : les agences de publicité qui conçoivent les campagnes et achètent de l'espace dans les supports, les journaux, la radio... Et bien sûr ce tout nouveau média qui a désormais la faveur des *admen* : la télévision. Madame, que le petit écran ennuyait, a fini par se laisser convaincre d'en tâter par David Ogilvy. Surtout, elle enrage du succès de Charles Revlon. « La question à 64 000 dollars », l'émission qu'il sponsorise, a fait décoller son chiffre d'affaires, désormais plus élevé que celui d'Helena Rubinstein. Elle accepte donc de parrainer le show d'Imogene Coca et de Sid Caesar, un programme assez quelconque mais très populaire[2].

Juste avant le générique, un spot d'une minute est diffusé à sa gloire. On la voit juchée sur un trône surmonté d'un dais, vêtue d'une robe de satin blanc signée Dior, agrémentée de zibeline, quelques rangs de perles autour du cou. Avec son inimitable accent, elle débite son message.

— Moi, Helena Rubinstein, donnez-moi dix minutes de votre temps et je vous ferai gagner dix ans de vie.

Tout le monde adore son physique. Et par-dessus tout, les téléspectateurs trouvent sa voix irrésistible. Elle l'est en effet, à ceci près que celle qui est enregistrée n'est pas la sienne mais celle d'une actrice russe. Madame est incapable d'enregistrer un texte sans trébucher sur chaque mot, aussi a-t-il fallu user de ce subterfuge. Les mains couvertes de bagues ne sont pas non plus les siennes mais celles de sa nièce, Mala, car dans la réalité, elle est très maladroite. Seule sa personne est bien réelle.

A son grand dam, l'émission ne fait pas décoller les ventes. Mais elle y gagne une aura qu'elle n'avait jamais obtenue, malgré la renommée de sa marque. Le grand public connaissait les produits mais ignorait tout de la femme. A la mythique milliardaire inapprochable, presque un personnage de fiction, se substitue pour la première fois cette petite dame emplie d'humanité qui a consacré sa vie à la beauté.

A près de quatre-vingt-cinq ans, elle devient populaire. Dans les boîtes de nuit, les chansonniers la parodient, et le *New Yorker* publie sa caricature. Les chauffeurs de taxi qui la reconnaissent enfin la saluent d'un « Hi Helena » quand elle monte dans leur voiture. Ils lui demandent des nouvelles de sa famille et certains s'enhardissent à lui glisser des mots tendres en yiddish. Leonard Lyons, le plus célèbre chroniqueur du pays, dont la chronique du *New York Post* « The Lyons Den » est attendue avec ferveur par ses lecteurs six jours sur sept, la surnomme « La reine Victoria juive ».

La télévision qui la propulse sur le devant de la scène en fait une figure nationale. Quand le show est supprimé, elle continue néanmoins d'acheter de l'espace publicitaire, malgré le scepticisme d'Ogilvy et celui de sa famille qui ne saisissent pas cette nouvelle lubie. Mais cette fois, Madame a compris la leçon. Quand elle lance un nouveau déodorant, elle achète des spots avant les matchs de lutte dont elle raffole, tout comme elle adore les programmes de sport violent. « La sueur, il n'y a pas de meilleur moyen pour vendre ce genre de produit », dit-elle, coupant court aux protestations. Un million d'exemplaires vendus dans les drugstores lui donnent raison.

Sa revanche sur Revlon est complète quand son adversaire est accusé de trafiquer *La question à 64 000 dollars* et de donner les questions à l'avance aux candidats pour les faire gagner. L'affaire fait scandale mais personne ne peut rien prouver. Surtout, ses actions montent au plus haut. Un peu plus tard, Revlon est soupçonné d'avoir placé des micros chez ses concurrents pour les espionner, une pratique à laquelle Helena elle-même n'aurait jamais pensé. Mais même sans l'usage d'une technique sophistiquée, la copie est de mise entre concurrents. La guerre froide a généré une paranoïa de l'espionnage. James Bond ne triomphe pas encore au cinéma, mais les romans de l'écrivain britannique Ian Fleming, dont il est le héros, sont tous des best-sellers. Les lecteurs apprécient son flegme et l'utilisation des gadgets pour soutirer des informations au camp adverse. Le domaine de la beauté n'échappe pas à la règle ambiante : il suffit d'être aux aguets et de débaucher à prix d'or des managers ou des cadres employés par la concurrence. Les transferts d'un groupe à l'autre sont nombreux. Grace Gilbert l'attachée de presse de Revlon est engagée chez Rubinstein. On s'arrache les directeurs, les publicitaires, en espérant apprendre ainsi des secrets de fabrication ou des formules rares.

Après la mort d'Artchil, Helena a tenté une fois de plus de se rapprocher de ses fils. En vain. Roy, remarié pour la troisième fois, vient d'avoir une fille prénommée Helena qui naît en 1958. Il dirige toujours l'usine de Long Island, et évite sa mère autant qu'il le peut. Horace se détache de l'affaire. L'année précédente, il a percuté une voiture, en prenant une route à contresens et blessé les quatre passagers, tous de la même famille. L'accident de la route demeure une constante chez lui, depuis qu'il est en âge de tenir un volant.

Madame se trouve à nouveau à Paris avec Patrick O'Higgins en ce mois d'avril 1958, quand l'horrible leur parvient. Horace est mort, à quarante-six ans, d'un ultime accident.

Il conduisait trop vite, comme à son habitude. Sur un pont de Long Island, sa voiture a percuté un pylône. Conduit à l'hôpital, son état n'inspirait pas d'inquiétude. Pourtant, il a succombé deux jours plus tard à une crise cardiaque. Horace Titus a toujours eu le cœur fragile, c'était son point faible au propre comme au figuré.

Patrick O' Higgins est une fois de plus le messager de mauvais augure, chargé d'annoncer la triste nouvelle à Madame ; et comme pour la mort d'Artchil, la même scène de cauchemar se reproduit. Depuis quelques années, Madame, chez qui on a diagnostiqué un diabète, est sujette à de fréquents évanouissements.

Cette fois, c'est l'émotion qui lui fait perdre connaissance. Pendant dix jours, elle est incapable de quitter son lit et refuse de voir quiconque, hormis les familiers. Les coups de fil, les lettres, les télégrammes de sympathie, les cartes de visite, les fleurs par brassées affluent du monde entier quai de Béthune. On dirait une malédiction qui se répète.

Madame demeure prostrée, immobile, rigide comme une statue de pierre. Ce deuxième choc est beaucoup trop dur à supporter pour elle, et les calmants ne lui sont d'aucun secours. Malgré leurs rapports conflictuels, leurs disputes, l'incompréhension mutuelle, la façon dont elle l'a toujours dénigré en le traitant de « maboul », elle a toujours adoré son fils cadet. Elle aimait retrouver en lui le charme, les manières élégantes et l'intelligence brillante d'Edward Titus.

Horace ressemblait aussi beaucoup à sa mère, sans doute trop pour qu'ils réussissent à s'entendre. Ils avaient le même caractère, impulsif, enthousiaste, parfois naïf.

« Horace était son préféré, explique l'un de ses amis, parce qu'il avait toujours des ennuis. S'il y a bien quelque chose que Madame aime encore plus que le travail, ce sont les gens à problèmes[3]. »

Dans quelques-uns de ses livres, Madame s'est déjà livrée à une introspection, teintée de culpabilité, un mot qui l'effleure rarement. « Il m'arrive parfois de me reprocher d'avoir gagné tant d'argent et d'avoir entraîné mes fils dans la marée de mes affaires[4]. Horace aurait pu courir son aventure personnelle avec plus d'intensité s'il avait dû défendre, au prix même de la misère, ce problème de la forme, peinture, écriture, qui est sa nécessité intérieure », ajoute-t-elle.

Dans son autobiographie, dictée un peu plus tard, elle évoquera son deuil à mots voilés : « Si ce n'avait pas été pour ma famille, mon équipe et mon travail, je n'aurais pas pu continuer ainsi[5]. »

C'est sans doute tout ce qu'elle est capable d'extérioriser et pour elle, c'est déjà beaucoup. De retour à New York, elle se mure dans le silence et tente, comme à l'accoutumée, de s'abrutir de travail, son seul médicament contre la souffrance. Elle fait semblant de vivre comme si Horace était encore présent. Désormais, sa porte est toujours close. Elle passe ses journées à ne rien faire, simplement assise derrière son bureau, broyant du noir toute seule. Elle ne parle à personne. Son équipe s'étonne de son comportement glacial. Quelqu'un ose même lui en faire la remarque.

— Certaines personnes sont détruites par le chagrin, d'autres se transforment en blocs de pierre, réplique-t-elle sèchement.

Une de ses amies, plus jeune que Madame puisqu'elle a eu une liaison avec Horace quelques années auparavant, vient lui présenter ses condoléances au bureau. Helena l'accueille calmement, ferme la porte derrière elle et puis revient s'asseoir.

— Maintenant je peux pleurer, dit-elle, d'une petite voix qui se brise.

Et elle s'écroule en sanglots. Cet après-midi-là, elle pleure longtemps et beaucoup. Elle pleure le fils mort qu'elle n'a pas su aimer, elle pleure le fils vivant qui ne l'aime pas. Elle pleure ses morts chéris, Edward et Artchil, ses parents Hertzel et Gitel, elle pleure sa sœur Régina, elle pleure aussi sa vie qui s'enfuit. Son amie reste à ses côtés, sans un mot. De temps à autre, elle lui prend la main pour tenter de l'apaiser un peu, mais Helena reste murée dans ses tristes pensées. Au crépuscule, elle la raccompagne chez elle. Madame sort de la voiture, courbée en deux par la douleur. Elle parcourt les quelques mètres de trottoir qui la séparent du seuil de l'immeuble. Le doorman lui ouvre la porte et appelle l'ascenseur. Devant ses yeux bouffis par les larmes, il n'ose pas lui lancer l'habituel « Good evening Madame ».

A la porte de chez elle, en attendant que son valet philippin vienne l'accueillir, elle n'est plus qu'une très vieille dame inconsolable qui rassemble ses forces avant de pénétrer dans son bel appartement trop grand, trop vide, trop silencieux, où seuls les pas feutrés des domestiques maintiennent un semblant de vie.

En Amérique, « the show must go on ». C'est ce que lui a dit son amie pour tenter de la consoler, cette après-midi où Helena, enfin, a pu exprimer son chagrin. « Tu es une matriarche. C'est à toi de reprendre le dessus et de nous montrer le chemin », a-t-elle ajouté. Alors, comme un boxeur sonné qui finit par se relever juste avant le coup de gong fatidique, Helena décide une fois de plus de surmonter ce nouveau coup du sort. Et elle s'applique de toutes ses forces à suivre le but qu'elle s'est fixé.

Cecil Beaton a envoyé un petit mot de sympathie à Patrick O'Higgins qui est un de ses vieux amis. En post-scriptum, il lui apprend que Graham Sutherland désire peindre madame Rubinstein. Le peintre qui figure parmi les artistes les plus célèbres d'Angleterre a réalisé les portraits de Somerset Maugham et de Winston Churchill, que tous s'accordent à considérer comme des chefs-d'œuvre. « C'est une chance à ne pas laisser passer, insiste le photographe. De plus, Sutherland n'a jamais fait le portrait d'une femme. »

Madame accepte la proposition sans hésiter. Elle pense que ce portrait sera un excellent dérivatif, tout comme les séances de pose pour Picasso l'ont été à la mort d'Artchil, trois ans auparavant.

Et puis, elle aime Londres. D'abord, la ville lui rappelle Edward et leurs rares moments de bonheur conjugal, et ses deux fils y sont nés, comme tous les vrais Londoniens, au son des « Bow Bells », les cloches de l'église Sainte-Mary. Ensuite, elle en apprécie l'atmosphère. Après avoir pansé ses blessures de guerre et s'être brillamment reconstruite, la capitale est devenue un centre d'affaires très actif. Les stylistes n'ont plus rien à envier au reste du monde, l'industrie de la beauté explose. L'Anglaise de la middle class dépense huit livres par an pour ses produits de maquillage et les teens en sont des consommateurs effrénés.

La ville ne la déçoit jamais. Il règne dans l'air une énergie palpable, un enthousiasme qu'elle ne trouve pas ailleurs et qui la dope. Là-bas elle se sent jeune à nouveau. « Si j'avais encore les mensurations adéquates, j'achèterais mes vêtements à Londres. Sans doute suis-je un peu fatiguée des défilés parisiens interminables, des essayages épuisants et de la cherté des prix. » Le *Swinging London* est en germe, Carnaby Street ouvre ses premières boutiques excentriques, *I was Lord Kitchener's valet* ou *Biba*. Les Beatles, les Who, les Rolling Stones se produiront bientôt au Marquee Club. Très sensible aux ambiances, Madame qui aime tout de Londres et envisage même de commencer une collection de peintres

« pop », a capté que c'est là, au cœur de la vieille Angleterre, que l'Europe est en train de se ressourcer. Et que, pour une fois, l'Amérique va suivre.

Enfin, Boris Forter, le sémillant directeur de ses affaires anglaises, est toujours l'homme de la situation. Il sait la traiter comme plus personne ne le fait. En vrai gentleman qu'il est, il envoie une voiture de maître la chercher à l'aéroport, lui réserve une suite princière au Claridge, l'emmène dîner dans les meilleurs restaurants, lui donne de petites enveloppes bourrées de billets de banque pour ses menus frais. C'est son argent à elle qu'il dépense ainsi, celui qu'il continue de gagner dans ses petits trafics avec Ceska, mais Madame feint de l'ignorer et se laisse traiter avec volupté, comme une reine invitée par un gouvernement étranger, qui reçoit tous les honneurs dus à son rang.

Elle envisage sérieusement de s'installer à Londres et demande à Boris et Ceska de lui chercher un pied-à-terre. Mais pour l'heure, seul le présent l'occupe. En l'occurrence, ce portrait monopolise ses pensées. Elle propose à Graham Sutherland de venir la rejoindre au Claridge, c'est là qu'elle veut poser.

Les premières séances durent une semaine. Graham Sutherland et sa femme Cathy vivent à une heure de Londres, dans une ancienne ferme aménagée. Le peintre doit faire quotidiennement quelques heures de route pour venir retrouver Madame à son hôtel. Au bout de huit jours, après avoir dessiné tous les croquis possibles du visage, des mains et du corps de Madame, il décide de s'octroyer une pause pour réfléchir et pour se reposer. Les aller-retour l'ont épuisé. Madame repart alors pour Paris et propose au peintre et à sa femme de venir la rejoindre. Là-bas, elle se remet à travailler douze heures par jour pour rattraper le temps perdu.

Le matin de son rendez-vous avec Sutherland, Madame se regarde longuement dans le miroir de la salle de bains. Elle déteste l'image de vieille femme ravagée que son reflet lui renvoie. Elle se trouve laide, grosse, elle ne peut pas se supporter et pense que le peintre va revenir sur sa décision de la portraiturer. Dans un geste désespéré – elle qui a passé sa vie à expliquer les vertus de l'hygiène du sport, des régimes appropriés, et qui en a fait son métier – avale en toute hâte des décoctions laxatives, censées lui faire perdre un peu de poids dans les heures qui viennent.

Elle n'y va pas de main morte : en quelques minutes, elle ingurgite la moitié d'une bouteille d'huile de ricin, quelques pilules de séné, un grand verre de jus de pamplemousse chaud et deux tasses de café noir très fort. Evidemment les mixtures se mélangent dans son estomac à jeun, la nausée la prend, et son diabète chronique ajoute au malaise. Madame s'évanouit. Dans sa chute, son visage heurte le coin d'un des pieds de bronze qui soutiennent son lit.

Quand elle revient à elle, toute seule, elle n'appelle pas à l'aide. Elle retourne à la salle de bains, et se plonge dans un bain chaud dont la chaleur la ranime. Un peu reposée, elle tente de dissimuler ses yeux bleus sous un maquillage trop chargé en vert et en rouge, puis elle revêt une robe de Balenciaga richement brodée. Avec ses gros bijoux, son chignon et son visage peinturluré comme un Indien sur le sentier de la guerre, elle ressemble à « Theda Bara dans le rôle du comte Dracula[6] ». Ce n'est pas l'image que le monde entier devrait avoir de la grande madame Rubinstein.

Mais Sutherland est littéralement fasciné. Il trouve son maquillage « sensationnel ». C'est ainsi qu'il entend la peindre. D'ailleurs, il décide de ne pas tenir compte de tous les croquis qu'il a déjà faits, et repart à zéro. Les séances de pose ont lieu tous les jours pendant une semaine.

Puis Madame rentre à New York et le peintre retourne dans son atelier pour terminer son œuvre. Six mois plus tard, le portrait est exposé dans une galerie londonienne de King's Road. Pour le découvrir, Madame s'est entourée de Patrick O'Higgins, de Boris Forter, de sa sœur Ceska, et des chargés de publicité et de relations publiques pour la société anglaise Helena Rubinstein. Elle est terrible ment anxieuse de voir le résultat. En arrivant, elle demande à s'asseoir pour contempler les portraits. Graham Sutherland en a présenté non pas un mais deux, dont l'un en pied, ainsi que plusieurs des études qu'il a faites de son visage.

Sur le premier portrait, le plus connu, elle a l'air d'une vieille femme tyrannique et hautaine, une « autocrate vindicative ». Etrangement, cette image d'elle-même à laquelle elle ne s'attendait pas, l'envoûte autant qu'elle la déroute.

— Est-ce que je ressemble vraiment à ça ? demande-t-elle à son secrétaire.

O'Higgins esquive la question. A ses yeux, la ressemblance est frappante. Fidèle à ce que son modèle est vraiment, le peintre a su saisir ce côté sévère et impérieux de sa personnalité. Madame déteste cette représentation d'elle-même. Elle pense que ces portraits qui la font ressembler à une sorcière (« oui mais richissime », commente Boris Forter en aparté) vont être préjudiciables à ce qu'elle représente : le commerce de la beauté.

Quelques jours plus tard, les tableaux sont exposés à la Tate Gallery. Madame refuse d'assister à l'inauguration. Pourtant, plus de cent mille Londoniens défilent pour les admirer. Unanimes, les critiques louent à la fois le talent de l'artiste et le courage du modèle qui a accepté de s'en remettre à un pinceau « si audacieux et si impitoyable ». La Reine et la Reine-mère viennent à leur tour contempler les toiles, ce qui impressionne Helena bien plus encore que toutes les louanges.

A New York, la télévision a révélé sa personnalité au public. A Londres, son portrait la lance. Elle devient à la mode. Les journalistes la redécouvrent et font paraître bon nombre d'articles qui retracent la biographie de

« La petite jeune fille de Cracovie ». Le *Sunday Times* lui propose même de publier ses Mémoires.

Une fois l'exposition terminée, Madame récupère la toile et l'accroche dans la galerie de son appartement de Park Avenue. Elle ne l'aime pas mais il fait l'unanimité, autant parmi ses proches que parmi les médias. L'autre portrait a été acheté par un collectionneur, Lord Beaverbrook pour son musée du New Brunswick au Canada. Les premières esquisses de Sutherland ont trouvé place au musée de Sao Paulo et au palais présidentiel de Brasilia.

Toutes ces nouvelles la font changer d'avis : le portrait ne lui déplaît plus. Mais elle se refuse à l'admettre.

— Pourquoi alors l'accrochez-vous chez vous ? lui demande l'un de ses amis.

— Il y avait un espace vide sur le mur !

Les voyages sont le meilleur des remèdes pour atténuer ses souffrances. Dans les quelques sept années qui lui restent à vivre, Madame fait plusieurs fois le tour du monde, entraînant à sa suite Patrick O'Higgins. Tout compulsifs qu'ils soient, ses déplacements la maintiennent en vie. « A un âge où la plupart des femmes se balancent dans leurs rocking-chairs, Madame Rubinstein prend des avions, des bateaux, des voitures, des rickshaws[7]. Elle inquiète ses publicitaires en Australie, poursuit l'article, conseille les directeurs des nouvelles usines qu'elle a bâties en France, Italie, Allemagne et Afrique du Sud. Enfin, l'incessant flux de lettres qu'elle reçoit et envoie tout autour du monde, est remarqué par la journaliste qui s'amuse à imaginer que la poste pourrait envisager une succursale dans son appartement de New York.

Dès qu'elle se retrouve à l'étranger, son caractère difficile, accentué par le grand âge, se modifie agréablement. Elle se montre stoïque, fataliste, chaleureuse et presque aimable. Aussi O'Higgins ne se fait-il pas prier pour l'accompagner.

Un périple de seize semaines les conduit d'abord à Los Angeles et plus précisément à Hollywood. Bon nombre de producteurs lui ont maintes fois proposé de réaliser un film sur sa vie mais aucun projet n'a vu le jour. Ce n'était jamais le bon timing, ni les bons acteurs. Et puis au fond, en avait-elle vraiment envie ? Ce n'est pas si sûr. Elle a rejeté plusieurs offres, car sa vie, toute romanesque qu'elle soit, serait forcément trahie par sa représentation au cinéma.

Mais cette fois, elle confie à Louella Parsons, la célèbre commère, que si Merle Oberon acceptait de jouer son personnage, elle reviendrait sur ses positions. Après ses succès dans *Les hauts de Hurlevent*, ou *Désirée*, la belle comédienne anglo-indienne a épousé un richissime industriel italien et se tient un peu à l'écart des studios et préfère se consacrer à son mari et aux deux enfants que le couple a adoptés. Elle décline l'offre. Le film ne verra donc jamais le jour. La déception est-elle si grave ? Madame a d'autres priorités, à commencer par la découverte du Japon qu'elle ne connaît pas encore.

Dans un pays où l'industrie des cosmétiques est aussi ancienne qu'en Europe et aux Etats-Unis, la conquête du marché dominé par Shiseido, lancée en 1872 par un pharmacien de la Marine, et par Kanebo, créée en 1887, est un challenge important. Les deux marques qui commencent doucement à s'exporter hors de leur île, sont l'une et l'autre à la pointe de la recherche scientifique. D'autres enseignes, comme Shu Uemura, émergent avec succès. Mais tout ce qui vient d'Occident fascine les Japonais, et Helena Rubinstein qui a sa chance décide de s'investir dans une conquête qui la ranime un peu.

Elle donne des conférences, rencontre des hommes d'affaires, des investisseurs, des banquiers, tous masculins. Les Japonais ne sont pas habitués à traiter avec des femmes, aussi puissantes soient-elles. Fort heureusement, le respect pour les personnes âgées l'emporte sur la misogynie. Pour eux, madame *Lubinstein* est avant tout une

Mama San. Il faudra cependant quatre ans pour que sa ligne de cosmétiques soit lancée et rencontre un succès jamais démenti depuis.

Pour se détendre après toutes ces interminables réunions, Madame et son secrétaire vont visiter Kyoto où ils séjournent à l'hôtel Miyako. Ils rentrent d'une promenade dans la ville lorsque le concierge leur annonce que « deux belles dames anglaises habillées en hommes » les attendent au bar. Il s'agit de Cecil Beaton et Truman Capote, partis ensemble en voyage d'agrément. Le premier porte un grand chapeau de paille sur la tête et a superposé sur son torse quantité de vestes et de foulards tandis que Capote arbore un bonnet en raton laveur. Helena n'est pas choquée le moins du monde par leur excentricité. Les artistes, les intellectuels ont parfaitement le droit de s'habiller comme ils le veulent, dit-elle à Patrick, hilare.

Le quatuor prend le thé, et échange des propos divertissants sur les lieux touristiques de l'Extrême-Orient. C'est après cette rencontre mémorable que, sur une suggestion de Patrick, Madame a l'idée de confier à Cecil Beaton la décoration de la galerie de peinture aménagée dans son appartement new-yorkais. L'artiste la transforme en jardin d'hiver exotique, parée de bambous et de meubles en osier. Comme souvent, le résultat lui déplaira, ce n'est pas assez riche pour elle...

Le voyage se poursuit. A Hong Kong, Madame se livre au shopping de façon frénétique. Elle adore la ville, se goberge de nourriture chinoise, achète des kilos de perles et des kilomètres de soie. Elle tombe amoureuse des *qipao*, les tuniques chinoises longues et sans manches, dont elle a remarqué à quel point elles sont seyantes. Elle en fait fabriquer un bon nombre à ses mesures par un petit tailleur et les adopte pour ses soirées new-yorkaises.

En Australie, Patrick a la surprise de se rendre compte qu'à Melbourne, Sydney, Adelaïde, Perth, sa patronne

est toujours traitée en héroïne nationale. L'accueil reçu
est délirant. Elle refuse cependant de retourner à Coleraine. « J'avais froid, j'avais faim, l'endroit était horrible, je travaillais vingt heures par jour y compris le
dimanche. Je crois que s'il me fallait tout recommencer
je préférerais me tuer[8]. »
Puis ils se dirigent vers l'Europe. A Paris, mademoiselle Chanel propose à Madame de l'accompagner en
Suisse où elle lui apprendra, dit-elle, à se reposer.
— Mais je ne veux pas apprendre à me reposer !
proteste-t-elle.

A peine revenue à New York, elle repart en Israël.
Trois ans auparavant, elle a rendu visite à sa nièce,
Rachel Shalev, la sœur de Mala et d'Oscar, qui vit avec
sa famille au kibboutz Neveih Etan, dans la vallée Beit-
Shean qui fait face à la frontière jordanienne. Madame a
bien souvent demandé à Rachel de venir la rejoindre aux
Etats-Unis mais la réponse a été invariable : malgré les
difficultés qu'elle y rencontre, malgré la pauvreté et la
guerre, sa nièce aime son pays, n'a pas envie de le quitter. Madame n'a compris ce que Rachel voulait lui dire
qu'en s'y rendant à son tour.
C'est Mala qui l'a convaincue d'y aller. La jeune
femme accompagnée par Victor Silson, son mari, a rendu
plusieurs fois visite à sa sœur et elle a été enthousiasmée
par tout ce qu'elle a vu. En s'y rendant, Madame a ressenti la même chose. Le peuple israélien l'a conquise
avec sa force, son énergie, son courage. Elle qui aime les
pionniers, se reconnaît en eux. Et puis la ferveur de sa
nièce lui redonne de la force.
En partant, elle s'est promis de revenir. Cette fois, elle
veut rencontrer les personnalités officielles. Elle déjeune
chez madame Weizman, la veuve du premier président
de l'Etat qui lui demande tout de suite des conseils de
beauté. « Vous avez la peau sèche ! » est l'invariable

réponse qu'elle sert à toutes les femmes. Passé un certain âge, il n'est pas très difficile d'avoir raison. Le Premier ministre David Ben Gourion donne un déjeuner en son honneur. Madame rencontre Golda Meir, alors ministre des Affaires étrangères. Pendant cet entretien, elle demeure sur la défensive. Elle ne sait pas comment se comporter avec une femme qui lui est supérieure. Madame a bien l'intention de construire une usine, à condition que le jeune Etat lui consacre un musée en retour. Elle entend lui faire la donation d'une partie de ses tableaux et souhaite qu'un pavillon Helena Rubinstein pour l'Art contemporain soit construit à Tel-Aviv, pour les recevoir. Mais elle n'investit que 250 000 dollars dans le projet alors qu'il en aurait fallu beaucoup plus pour construire le musée dont elle rêve.

Le pavillon qui est inauguré en janvier 1959 la déçoit. Elle n'aime pas l'architecture, trouve que le bâtiment n'est pas assez grandiose et surtout qu'il n'est pas uniquement consacré à sa gloire, puisqu'il fait partie d'un ensemble de constructions. Dépitée, elle n'offrira au musée que quelques tableaux, mais elle lui léguera la collection de maisons de poupées, qu'elle a patiemment réunie depuis un bon demi-siècle, et qui comprend quelque vingt mille meubles miniatures, et des centaines de poupées minuscules habillées en costumes d'époque. L'usine israélienne sera achevée trois ans plus tard, en 1962.

L'été de cette même année 1959, Helena s'envole pour la foire de Moscou, avec Mala, Ceska, Patrick, et une infirmière qui la suit désormais dans chacun de ses déplacements. Elle a 87 ans et sa santé de plus en plus fragile nécessite une surveillance de tous les instants. Sa dernière visite en Russie remonte à 1936, au moment des purges staliniennes.

Les échanges entre l'Est et l'Ouest recommencent tout doucement. Le Département d'Etat l'a invitée à représenter les cosmétiques américains à la foire de Moscou.

Madame s'intéresse toujours aussi peu à la politique – en dehors d'une passion pour le général de Gaulle – mais elle comprend tout de suite les opportunités offertes par l'immensité du marché. Et par-dessus tout, la possibilité d'être la première sur un territoire que ses concurrents vont bientôt lui disputer, la stimule. « C'était un challenge important. Nous devions montrer nos méthodes de beauté et de maquillage à un très vaste public de femmes russes[9]. » Elle dépense cent mille dollars pour construire le pavillon Rubinstein et pour faire imprimer des milliers de brochures explicatives en russe. La foire, située au Park Sokilniki, est inaugurée par le vice-président américain, Richard Nixon, et le Premier ministre russe Nikita Khrouchtchev, c'est dire si l'événement est d'importance. En dépit de la pesanteur qui règne à Moscou, le voyage l'a passionnée. Son petit groupe est dispersé dans différents hôtels, ce qui rend les communications et les rendez-vous difficiles et épuisants. Mais l'excellence de la nourriture, « du caviar, du bortsch russe, du poulet à la Kiev et le pain le plus frais, les glaces les plus crémeuses qu'on puisse imaginer...[10] » qui replonge Helena au cœur de ses racines slaves, et surtout l'accueil enthousiaste des femmes russes, effacent peu à peu toutes ses appréhensions.

Chaque fois qu'elle rencontre une difficulté pour se faire servir à l'hôtel ou au restaurant, elle offre un rouge à lèvres à l'employée. Ce langage universel de la beauté aplanit bien des obstacles. Artchil lui a aussi appris quelques phrases en russe, et ce léger viatique lui sert abondamment. Tous les matins, elle arrive à la première heure à la foire et, plutôt que de s'asseoir avec les dignitaires à la tribune officielle, elle demeure sur son stand et se charge elle-même de la démonstration de ses produits, secondée par Mala, comme au bon vieux temps de sa jeunesse en Australie.

Les officiels sont choqués mais les Russes affluent en masse. Le stand ne désemplit pas. Toutes ces femmes, jeunes, vieilles, jolies, laides, privées depuis si longtemps de soins de beauté, sont avides de conseils, de diagnostics, d'échantillons. Madame l'a bien compris et se tue à la tâche. « Les dignitaires politiques, Khrouchtchev et Nixon, avaient à peine jeté un regard au stand... Ils avaient d'autres chats à fouetter, bien plus importants que nous. Mais en observant la foule qui se pressait autour de nous, je me suis mise à penser que les politiciens allaient et venaient... mais qu'il y aurait toujours des femmes ![11] »

A son retour de Moscou, malgré tous les efforts fournis, elle semble en pleine forme. Patrick O' Higgins, lui, est épuisé et lui demande, mi-intrigué, mi-fâché, pourquoi elle tient tellement à s'agiter ainsi. Après quoi court-elle ?

— En quoi cela peut-il aider votre affaire à prospérer ?

— Ça m'aide moi ! Je *suis* mon affaire. Et puis, ajoute-t-elle dans un souffle, ça m'aide à survivre[12].

On ne peut pas vivre toujours

Alors, elle survit.

Deux fois par an, accompagnée d'une infirmière, d'un médecin et de l'indispensable O' Higgins, elle retourne en Europe. A Paris, en janvier et en juillet, elle est présente à toutes les collections de haute couture. Son intérêt pour la mode ne faiblit pas. Elle assiste aux débuts de Saint Laurent, rue Spontini, en janvier 1962, comme elle a assisté à ceux de Poiret, de Chanel, de Schiap, de Balenciaga, de Dior et de tant d'autres qu'elle a découverts ou encouragés. Elle achète un tailleur en shantung, une robe de mousseline, une tunique brodée, un manteau qu'elle annule pour le remplacer quelques jours plus tard par une robe.

A la Fondation Yves Saint Laurent où sont soigneusement conservés toutes les commandes depuis les débuts de la Maison, la sienne figure parmi les toutes premières du tout premier cahier. Pierre Bergé raconte que les maquillages du défilé ont été fournis par la marque. Madame voulait signer avec Saint Laurent une licence de parfums. Mais son équipe, se souvient-il sans trop s'en remémorer les raisons, a fait échouer le projet.

Pierre Bergé qui l'a rencontrée quelques années avant la création de la maison de couture, chez Marie-Louise Bousquet, se souvient encore d'elle avec admiration : « Elle avait un regard d'une rare intelligence, un maintien aristocratique, c'était une lady. Son argent ne sentait pas l'argent, elle mettait l'art au-dessus de tout[1]. »

Patrick O'Higgins s'arrange pour qu'elle soit photographiée où qu'elle aille. A peine arrive-t-elle dans un endroit public, qu'il s'agisse d'un défilé, d'un vernissage, d'une inauguration, d'un cocktail, les flashes crépitent, les micros se tendent. A près de quatre-vingt-dix ans, qu'elle n'avoue jamais, cette reconnaissance est toujours aussi importante pour elle.

A la demande de Marie Cuttoli, puis de Marie-Hélène de Rothschild, qui figure parmi les nombreuses relations de Patrick, Madame loue le premier étage de l'immeuble du quai de Béthune à Georges Pompidou. « C'est un homme politique qui monte », lui a souvent dit son amie Marie. A l'époque, Pompidou, normalien et agrégé de lettres, ancien maître des requêtes au Conseil d'Etat et ancien directeur général de la Banque Rothschild, a été le directeur de cabinet du général de Gaulle. Quelques mois plus tard, en avril 1962, il sera chargé par le Président de former son gouvernement. Tous ceux qui le connaissent pressentent qu'il est destiné à de très hautes fonctions.

Quand Georges Pompidou vient voir Madame chez elle, elle commence par lui montrer ses collections pour le tester. Il semble ne rien posséder, mais elle comprend tout de suite à quel point sa culture est vaste. Ils discutent du montant de la reprise car l'appartement est richement décoré, et tombent d'accord sur dix millions de francs.

Les Pompidou sont des locataires exemplaires, distingués, polis, presque trop sérieux au goût de Madame. De la petite salle à manger de son appartement, elle a une vue plongeante sur leurs chambres et comme une enfant espiègle, elle s'amuse à les surveiller. Après sa nomination au poste de Premier ministre, Georges Pompidou continue cependant d'habiter quai de Béthune, ce dont Madame n'est pas peu fière.

Chaque matin, la voiture officielle démarre à huit heures cinquante pour se rendre à Matignon. Un car de police et deux motards tracent la route. Madame s'arrange pour appeler un taxi tous les matins à la même heure. Elle profite ainsi du sillage du cortège pour éviter les feux rouges en se rendant rue du Faubourg-Saint-Honoré. Ainsi, elle économise sur le prix de la course.

Survivre, c'est aussi faire des projets. Son nouvel appartement la galvanise. Boris et Ceska ont fini par lui trouver l'oiseau rare, à Londres, dans une grande demeure edwardienne de deux étages située à Knightsbridge. Les architectes lui déconseillent de l'acheter mais comme toujours, Madame n'en fait qu'à sa tête. Elle sait exactement ce qu'elle veut.

Le décorateur à la mode est alors David Hicks, un jeune homme de trente ans très prometteur. Madame qui l'a rencontré à une réception donnée par Fleur Cowles, a tout de suite flairé le talent en lui. David Hicks possède toutes les bonnes cartes pour réussir : il a étudié l'art et le design à la Central School de Londres et il est marié à Lady Pamela Mountbatten, la cousine du prince Philip. Mais en lui confiant la décoration de son appartement, elle va lui donner le tout petit coup de pouce nécessaire pour accélérer sa reconnaissance auprès de la jet-set et des grands de ce monde.

Elle le convoque au milieu du chantier où les ouvriers sont déjà à l'œuvre pour tout casser. Pour parler plus commodément, ils se réfugient dans un coin du salon et s'assoient sur une caisse. Hicks interroge Madame avec précision. Il veut connaître la couleur qu'elle a en tête pour décorer les murs. Elle appelle alors son secrétaire et lui demande une paire de ciseaux. Puis elle découpe sa robe Balenciaga de soie pourpre et tend le morceau de tissu à Hicks, ébahi.

— Je veux ça !

Pour autant, leurs relations ne seront pas toujours simples. Avec sa diplomatie toute britannique, Patrick O' Higgins doit souvent faire le *go between* entre eux. Hicks est perfectionniste et Madame, toujours inquiète, se demande sans cesse si elle a fait le bon choix. Mais quand les travaux sont enfin achevés, elle ne peut que se féliciter.

Petit mais compact, l'appartement est composé de trois chambres à coucher et d'un double salon et salle à manger. Les murs sont tapissés d'un tweed de laine pourpre, de la nuance qu'elle souhaitait. On y retrouve ses chères sculptures de Nadelman, ses statuettes africaines, ses chaises victoriennes. Aux murs sont accrochées des toiles de Picasso, Atlan, Clave, Chagall. Dans sa chambre, un petit portrait de son ami Poiret peint par Roger de La Fresnaye.

La presse encense le travail du décorateur, qui a banni, comme à son habitude, le luxe clinquant au profit d'un raffinement exigeant dans les moindres détails. Madame aime donc l'endroit, sauf la cuisine qu'elle trouve trop exiguë.

Quand elle y séjourne, ce qui ne se produira pas très souvent, faute de temps, elle aime profiter de sa petite terrasse, plantée d'arbustes fleuris, qui donne sur Hyde Park. A la tombée du jour, elle s'installe dans un fauteuil et regarde le parc, réfléchissant au temps écoulé et à celui qui lui reste.

A New York, comme ailleurs, Patrick s'occupe de tout. Il est devenu tout à la fois un assistant, un compagnon, une infirmière. Il remplit le vide laissé par Artchil et Horace. De bonne composition, toujours présent et disponible, il se fait houspiller sans cesse. Les rapports ne sont pas toujours paisibles, ni au beau fixe, en particulier dès qu'il s'agit d'argent. Le salaire de Patrick, qu'il juge à juste titre insuffisant, est une de leurs causes de querelles les plus fréquentes. Le jeune homme a un réseau fourni d'amis et de relations partout dans le monde, un carnet d'adresses composé de la moitié des membres de la jet-set et sa patronne en est la première bénéficiaire.

— Elle essayera de vous tuer, lui a dit Cecil Beaton quand le jeune homme lui a demandé son avis au moment d'entrer au service de Madame. Rendez-vous indispensable et donnez votre démission tous les six mois c'est la seule façon d'obtenir d'elle un salaire honnête[2]. O'Higgins a suivi ce judicieux conseil. De temps en temps, quand Helena sent qu'il est sur le point de craquer, elle lui accorde un bonus, comme si elle lui octroyait une récompense.

La mère du jeune homme décède d'une embolie en 1962. Patrick lui était très attaché et la culpabilité le dispute vite au chagrin. L'a-t-il suffisamment vue à la fin de sa vie ? N'a-t-il pas trop privilégié sa patronne au détriment de sa mère bien-aimée ? Après les obsèques, Madame l'emmène en Europe sans trop vouloir considérer son chagrin. Elle tente d'appliquer sur lui le traitement qui lui a si bien réussi à la mort d'Artchil et de Horace : elle le surcharge de travail.

Epuisé, Patrick contracte une mauvaise grippe à Paris où sévit une forte épidémie et doit garder la chambre quelques jours. Quand il n'a plus de fièvre, Madame le convoque et le couvre d'injures pour l'avoir laissée toute seule. Dans sa fureur, elle le traite de « bon à rien ».

Ce n'est pas la première fois que ses paroles dépassent sa pensée. Méchante et injuste, elle l'est de plus en plus souvent, avec lui, comme avec tout son entourage. Mais ce « bon à rien » est le mot de trop, qu'il reçoit comme une claque. Blessé, il ne veut plus la voir et rechute. Reclus de fatigue, tenant à peine debout, il doit se faire hospitaliser. Mais cette fois, ce n'est pas une grippe. Les médecins diagnostiquent une dépression.

Madame ne lui téléphone pas pour prendre de ses nouvelles, ne lui envoie pas de fleurs. Elle se mure dans le silence, comme si c'était lui le fautif. De plus en plus blessé, et cette fois déterminé à ne pas pardonner, Patrick décide de ne plus jamais la revoir. Jean Dessès, le couturier, qui affectionne Madame au point de l'appeler en plaisantant « ma fiancée », lui est alors d'un grand secours. Le jeune homme est sans le sou. Il lui offre un séjour à La Mamounia, à Marrakech, pour qu'il puisse recouvrer ses forces après ce mois passé à l'hôpital. Patrick O'Higgins envoie un mot à Madame pour lui dire qu'il s'absente, sans toutefois lui préciser l'endroit où il se rend.

Le luxe inouï de l'hôtel, la nourriture, le calme, le climat marocain, s'unissent pour lui faire rapidement récupérer sa santé. En sortant pour la première fois de sa chambre après quelques jours passés à dormir, O'Higgins rencontre Nina Midvani, une princesse géorgienne, amie de longue date d'Helena. En télégraphiant tout de suite à Paris, elle apprend à Madame la présence de son secrétaire à l'hôtel.

Madame a sans doute des remords. Cette vieille femme solitaire qui n'a jamais appris à aimer n'a pas compris toute seule que le jeune homme lui manque et qu'elle tient vraiment à lui. Il a fallu que de toutes parts, ses amis, ses relations le lui disent et qu'ils fassent pression sur elle pour lui faire changer d'attitude. Mais elle n'est pas obtuse. Elle réfléchit et comprend peu à peu ce que son attitude a eu de blessant. Elle inonde alors son secrétaire de lettres et de messages.

De son côté, O'Higgins qui a eu longtemps envie de démissionner, mortifié par l'ingratitude de sa patronne, hésite à présent. Il met dans la balance sa vie de servitude contre une liberté qui risque de lui apporter une insécurité financière. Et puis, les lettres qu'il reçoit finissent par le toucher. Madame est souffrante, alitée, sans doute victime elle aussi d'une dépression nerveuse. Elle s'est réfugiée chez Stella, à Cannes.

« Quand on m'a rapporté que j'avais été méchante avec vous, j'en suis presque tombée raide, lui écrit-elle. Je vous jure en souvenir de votre mère morte que votre bien-être m'importe plus que celui de tout être au monde ». Elle ajoute qu'elle ne sait pas le montrer parce que, toute sa vie, elle a été seule. Elle ne sait pas faire étalage de ses sentiments. Dans un Post-Scriptum, elle lui précise qu'elle aurait voulu lui envoyer de l'argent, mais tant qu'il n'est pas là pour ouvrir le coffre, elle ne peut pas le faire[3].

Tous les jours, elle lui adresse ainsi des lettres affectueuses. « Je vous aime comme une mère, la mère que vous avez perdue. »

Quand Patrick se sent tout à fait remis, il revient à Paris et se rend quai de Béthune. Madame est encore à Cannes, elle ne rentrera que le lendemain. Les trois domestiques, Gaston, Eugénie et Marguerite, font fête au jeune homme.

— Madame était dans un état terrible sans vous, lui disent-ils. Elle vous aime vraiment, qui d'autre pourrait-elle aimer ? Mais vous êtes jeune et elle est vieille. C'est à vous de faire la paix.

Le lendemain, Patrick est à l'aéroport pour attendre sa patronne. En signe de paix, il porte un énorme et coûteux bouquet de fleurs, comme elle les aime. Quand elle l'aperçoit, son visage s'illumine. Pour la première fois depuis bien longtemps, Madame semble heureuse. Mais elle lève sa petite main gantée, comme pour lui dire . « Ne commençons pas avec les effusions. »

Alors Patrick ravale les mots d'affection qu'il voulai. prononcer. En l'attendant, il a préparé un petit discours. pour lui signifier ce qu'il ressent à son endroit, mais il se tait. L'attitude de Madame ne permet pas les épanche ments. Elle n'a jamais su composer avec les émotions, elle ne sait pas se livrer, elle préfère, comme toujours, botter en touche. Elle ne lui raconte rien non plus de sa propre dépression nerveuse. Ils parlent de tout et de rien, du Maroc et de Cannes, échangent mille propos en apparence insignifiants mais qui veulent dire beaucoup pourtant et qui enterrent définitivement la hache de guerre entre eux.

Désormais, Madame va se montrer plus gentille et plus aimante, bien que son exigence de tous les instants reste intacte. Elle s'enquiert de sa santé, et prend soin de lui tandis qu'il prend soin d'elle et se comporte comme un fils dévoué. Sans doute comblent-ils ainsi leurs manques respectifs. Mais le doute n'est pas permis. Ils tiennent l'un à l'autre.

A plus de quatre-vingt-dix ans, le cerveau d'Helena est toujours aussi agile, mais son corps ne suit plus. Son diabète lui cause plus que jamais de fréquents évanouissements. Au New York Hospital, sa suite est toujours prête. On la transporte régulièrement, au moindre signe de faiblesse, et pendant quelques jours, elle est placée sous oxygène pour récupérer un peu du souffle qui lui manque. Malgré ses efforts pour se tenir toujours sur le pont, elle est bien obligée de ralentir le rythme.

Au quotidien, elle ingurgite un nombre impressionnant de médicaments, de tranquillisants, d'antidiabétiques, d'abaisseurs de tension, de diurétiques et aussi de somnifères car elle ne dort plus beaucoup. Pourtant elle se couche toujours à dix heures du soir et se réveille invariablement à six heures du matin.

Les toutes dernières années, cependant, après son réveil matinal et la lecture intégrale de tout son courrier qu'elle parcourt avec un vif intérêt « et même les publicités ! » elle reste au lit jusqu'à midi et reçoit son avocat pour une réunion de travail tous les jours à sept heures trente. Ensuite elle convoque ses agents de change. Ces réunions la stimulent mais elle a de plus en plus de mal à aller au bureau.

Alors, toujours de son lit, elle téléphone à ses amis et à ses partenaires dans le monde entier, elle attend ses secrétaires pour leur dicter le courrier. O'Higgins arrive alors, puis Roy, Oscar, ou Mala. Quand elle peut enfin sortir du lit, en fin de matinée, elle prend un bain chaud, enduit son corps de crème, s'oblige à faire quelques exercices de gymnastique, se maquille. Une femme de chambre l'aide à coiffer son éternel chignon. « J'aimerais parfois une coiffure moins sévère, plus apprêtée, mais j'ai toujours manqué de patience pour tout ce qui concernait ma propre apparence et puis surtout, mes journées ses passent à prendre des décisions, à rencontrer des gens et le temps passe trop vite[4]. »

Tous les jours, qu'elle soit à New York, Paris, Londres ou ailleurs, elle se rend au bureau, même le dimanche, où elle convoque souvent Oscar en fin de matinée, au grand dam de sa famille qui l'attend en vain pour le déjeuner dominical. Une fois par semaine, elle va faire un tour dans l'une des usines locales pour travailler avec ses chimistes. Sa passion est demeurée intacte. Elle aime toujours autant assister à l'élaboration d'un nouveau produit, d'une nouvelle fragrance, s'enduire les mains et le visage d'une crème qu'elle envisage de lancer. Travailler avec son équipe, être à l'écoute des désirs changeants des femmes ne la lasse jamais, et d'ailleurs, jamais elle ne se plaint de la fatigue.

Elle a toujours autant de mal à s'entendre avec Roy, et se dispute sans cesse avec ses sœurs qui l'exhortent à profiter un peu de la vie. Mais non, elle ne veut pas prendre de vacances, elle connaît l'Italie, et l'Espagne et la Riviera, à quoi bon ? C'est du temps perdu, et du temps, elle n'en a plus tant que ça. Les affaires restent sa seule passion.

Il ne se passe pas de jour sans rendez-vous avec des journalistes du monde entier. Dans les médias, Madame bénéficie d'une véritable aura de sympathie. Sa réputation n'est plus à faire. Sa richesse, sa simplicité, son courage, son énergie, sa capacité de travail, son sens de l'humour, font l'admiration de tous. Elle est devenue une icône. Du reste, les titres qui la concernent sont explicites : « Princess of beauty business », « Richest woman of the world », « The most fascinating woman of the beauty business ».

Au cours des interviews, elle explique inlassablement son intérêt pour les méthodes scientifiques appliquées à la beauté, montre ses collections, ses maisons de poupées, parle de ses voyages, de la mode qui toujours la passionne. Les Français ont toujours sa préférence et surtout Balenciaga, dit-elle, mais elle s'intéresse aussi aux créateurs américains comme James Galanos ou Norman Norell.

Et pour mieux démontrer ce qu'elle avance, elle ouvre son dressing, montre les tenues qu'elle collectionne depuis toujours, Poiret, Worth, Molyneux, Chanel. « J'évite depuis longtemps le noir et les robes marquées à la taille. » Elle ne porte plus que de longues tuniques amples, fidèle sans doute à celles que son ami Poiret a inventées en 1911, sous le nom d'*overall*.

Et comme c'est l'usage depuis plus d'un demi-siècle, toutes repartent avec des produits Rubinstein. « Dans son portrait, Sutherland a montré sa majesté et sa force de caractère mais il a omis de montrer la gentillesse qui fait qu'on oublie tout de suite qu'elle préside un empire qui vaut des millions de dollars », écrit une journaliste du *New York Times*.

Un de ses traits de caractère qui fascine le plus les journalistes, outre son don prodigieux pour les affaires, est sa parfaite indifférence au passé, malgré son âge. Très vite, elle explique à ses visiteurs qu'elle perd tout intérêt pour un produit dès qu'il est lancé sur le marché. « J'aime me projeter vingt ans en avant. Mais bien évidemment, je dois aussi penser aux deux, trois, cinq prochaines années[5] », affirme-t-elle en souriant.

Quand on lui demande si elle compte se retirer, la
réponse est invariable.
— No ! Absolutely no !

Son testament enregistré à la fin des années cinquante
ne la quitte plus guère, au point qu'elle s'endort désormais en ayant toujours auprès d'elle le gros cahier de
deux cents pages recouvert de cuir noir qui ressemble à
une bible. Elle le refait sans cesse, ajoute des codicilles,
supprime des dons, au gré de ses désamours ou de ses
affections nouvelles.

Ce matin-là, Harold Weill, son avocat, a décidé qu'il
ne se rendrait pas à leur rendez-vous quotidien de huit
heures trente... Il s'est disputé avec elle et sans doute un
peu plus excédé que de coutume, il a voulu marquer le
coup en s'absentant.

Alors que Madame, réveillée depuis l'aube, peste
parce qu'il est en retard, trois cambrioleurs déguisés en
livreurs de fleurs sonnent à la porte du triplex. Ils bousculent Albert, le valet philippin, le ligotent et font de
même avec les deux autres domestiques, puis ils se rendent tout droit dans la chambre de Madame.

Elle est assise toute droite dans son lit de lucite, ses
journaux et quelques menus objets éparpillés autour
d'elle. Elle lit le *New York Times* tout en mâchonnant
un toast. Les cambrioleurs lui demandent la clef du coffre : tout le monde sait à New York, car les médias ne se
privent pas de le raconter, qu'elle garde pour plus d'un
million de dollars de bijoux dans son appartement.

— Je suis une vieille femme et vous ne me faites pas
peur. Vous pouvez me tuer mais vous ne me volerez pas.
Sortez !

Les clefs du coffre sont dans son sac, qui se trouve
dans son lit, à côté d'elle. Pendant que les voleurs
fouillent partout, regardent sous les meubles, ouvrent les
tiroirs de la salle de bains, sortent les vêtements du dressing, elle s'arrange pour les extirper. Il faut les cacher,

vite, et le premier endroit qui lui vient à l'esprit, c'est le creux entre ses deux seins volumineux, sous sa chemise de nuit. Il était temps. De retour dans la chambre, l'un des malfrats aperçoit le sac, s'en empare et vide le contenu sur son lit. Il trouve cent dollars qu'il glisse prestement dans sa poche. Absorbé par ce larcin, il ne s'est pas rendu compte que Madame, qui pas une seconde ne s'est départie de son sang-froid, a réussi à dissimuler des boucles d'oreilles en diamants qui se trouvent aussi dans le sac et qui valent quarante mille dollars au bas mot. Elle s'est arrangée pour les recouvrir discrètement d'un vieux Kleenex. Puis elle continue à regarder la scène, toujours avec le même calme apparent. Les cambrioleurs sont furieux : sans la clef, ils ne peuvent pas ouvrir la porte du placard de la salle de bains, où se trouve le coffre. Madame maîtrise à présent la situation, et elle s'en amuse.

— Votre ami a pris cent dollars, dit-elle en désignant l'un des voleurs. Veillez bien à ce qu'il les partage avec vous.

Fou de rage, l'homme qu'elle vient de désigner la sort brutalement de son lit, sans aucun respect pour son grand âge, et l'attache à une chaise avec ses draps de satin qu'il a déchirés pour en faire des liens. Madame se met alors à hurler. Sa voix stridente réussit à les mettre en fuite. Son valet, qui a pu se détacher, accourt, il la délivre et prévient la police et l'entourage de Madame.

Weill arrive tout de suite. Mala et Niuta, la femme de Roy, débarquent alors que la police est déjà là. Madame, un peu choquée, ne cesse de répéter que les cambrioleurs sont de « gentils garçons », distingués, avec les mains propres et soignées. Ils devaient sûrement la connaître et même, ajoute-t-elle, ils ont sans doute travaillé pour elle, comme manutentionnaires ou serveurs au cours d'une de ses réceptions.

— C'étaient des amateurs, ajoute-t-elle un peu plus tard avec dédain. Ils n'ont pris ni les Picasso, ni les fourrures, ni les boîtes en or et les bijoux dans les vitrines. L'événement fait le tour de la ville. Les journalistes affluent et se massent devant sa porte. Les chaînes de télévision envoient des équipes pour l'interviewer.

— Madame, vous devez être épuisée, lui dit Harold Weill, son avocat, qui se sent malgré tout un peu coupable. Il la presse de s'habiller. Il veut l'emmener tout de suite à Greenwich pour qu'elle se repose. Mais elle proteste avec énergie.

— Me reposer ? Vous êtes fou ? Donnez-moi mon rouge à lèvres et laissez entrer la presse. C'est excellent pour les affaires...

Madame s'habille et se maquille avec soin. Elle met autour de son cou les perles que les cambrioleurs n'ont pas réussi à voler et, ainsi parée, elle répond aux questions des journalistes qui tendent leurs micros en demandant des détails. Dans New York, on parle longtemps de l'affaire. Sa popularité s'en trouve encore renforcée.

L'épisode laisse cependant des traces profondes en elle. Sa méfiance déjà très aiguë se transforme en paranoïa. Elle pense que tout le monde la trahit ou la vole. Elle fait changer les serrures de l'appartement, installe une nouvelle alarme. Elle craint de ne pas avoir autant de chance si des voleurs revenaient une deuxième fois.

Pour la première fois de sa vie, Madame se sent soudain très vieille.

Elle s'envole une dernière fois pour l'Europe. A Paris, elle a plaisir à revoir ses vieux amis, surtout les femmes, qu'elle surnomme « les intellectuelles ». Edmonde Charles-Roux, toujours fidèle, a écrit sur son compte un article élogieux dans *Vogue*. Elle l'y décrit comme une femme « élégante, à la voix calme mais autoritaire ».

Accompagnée par Patrick, Madame visite une dernière fois tous les endroits qu'elle a aimés, le marché aux Puces de Saint-Ouen, Honfleur, son usine de Saint-Cloud. Depuis longtemps, elle a vendu la Maison Blanche à un membre de la famille du président René Coty. « J'espère qu'ils l'aiment mieux que je ne l'ai fait », a-t-elle dit quand la vente a été conclue. Mais elle a gardé le moulin de Combs-la-Ville, et cet été-là, pour la dernière fois, elle donne une de ses garden-parties dont elle a le secret et où elle a invité deux cents personnes.

Le temps est divin, elle reçoit donc dehors, autour d'un buffet. Dans le jardin est disposé tout le mobilier de la maison. Elle a fait transformer les écuries en bar pour garder les boissons au frais. Pour compléter le décor, elle demande à son personnel d'accrocher dans les arbres et les arbustes tous les tableaux de maîtres qui ornent sa maison de campagne, Monet, Renoir, Chagall, Modigliani... Un peu à l'écart de la maison coule un ruisseau, bordé de saules pleureurs.

— Mettons le Picasso à l'ombre sous les saules, décide-t-elle. De toute façon, il déteste les parties.

« Helena Rubinstein, conclut la journaliste Jean Lorimer qui relate l'anecdote, était probablement la plus immense, la plus folle et la plus généreuse de toutes les hôtesses, Elsa Maxwell comprise[6]. »

Madame s'accroche à la vie mais elle pense beaucoup à la mort. Le siècle tourne désormais sans elle. Le Président Kennedy est mort assassiné en 1963 à Dallas et Johnson l'a remplacé. En Amérique, les femmes se rassemblent, décidées à gagner un peu de liberté. Betty Friedan vient de publier *La Femme mystifiée,* un manifeste en faveur des opprimées qui annonce les grands bouleversements féministes qui vont secouer la planète. La contestation gagne la jeunesse qui s'insurge contre la guerre au Vietnam. A San Francisco, les hippies réinventent l'amour, tandis que le jean, vêtement universel, réinvente la mode.

Madame lance une nouvelle crème aux hormones. La photo de la publicité la montre, vêtue d'une tunique brodée, face à la Vénus de Milo. Le message est osé mais limpide : le grand âge crée de la sagesse qui, à son tour, crée de la beauté. Dans la foulée, elle invente le *Dancing Yéyé*, une déclinaison en couleur du mascaramatic. Mais ni le packaging ni le lancement ne lui plaisent, le tout est bien trop « old fashioned » pour elle.

Peu à peu, elle s'est laissé distancer par Revlon, Max Factor, Lauder et Avon. Sa seule consolation est d'être toujours loin devant Elizabeth Arden. En 1963, après treize ans de collaboration, David Ogilvy met un terme à leur contrat. Lorsque le publicitaire a lancé son agence sur Madison Avenue, Helena Rubinstein a été l'une de ses premières clientes. Mais les temps sont différents désormais : le budget de Revlon dépasse dix fois le sien.

Un éditeur anglais lui a proposé de publier son auto-biographie et malgré son horreur du passé, Madame se soumet à l'exercice, qui l'occupe. Jean Lorimer, une journaliste du *Daily Express,* recueille ses confidences et va être sa *ghost writer*. Patrick O' Higgins, qui réécrira le livre, la pousse à plus d'authenticité, il prétend que le public attend une vraie version de sa vie et non une romance expurgée, mais Madame refuse.

Ce qui restera de sa vie, pense-t-elle, ce qui passera à la postérité, c'est ce qu'elle aura elle-même soigneusement filtré. Heureusement, elle ne peut pas tout contrôler.

Cependant elle se laisse aller à quelques vraies confidences. La dernière fois que Jean Lorimer la rencontre, au mois de décembre 1964, Madame se montre nostalgique pour la première fois. Elle avoue que son existence a été une succession d'échecs, que ce soit avec son père, son premier mari, ses enfants. L'argent n'est pas tout, poursuit-elle. Elle a sans doute brisé le cœur de son père en refusant l'homme qu'il avait choisi pour elle et en partant pour l'Australie. Avec Edward Titus, elle n'a pas été aussi compréhensive qu'elle aurait dû l'être. Trop obsédée par la construction de ses affaires, elle passait seulement un mois ou deux par an avec lui. Il avait des aventures mais aucune n'était sérieuse[7].

Madame demeure pensive pendant quelques instants. La journaliste retient son souffle, l'instant est fragile. Puis elle reprend, en chuchotant presque :

— Je peux le dire à présent avec le recul, mais à l'époque j'étais jalouse et inexpérimentée. Aurais-je dû avoir des aventures moi-même ? Je l'ai souvent regretté. Peut-être cela m'aurait-il rendue moins dure.

Elle parle beaucoup avec Patrick, devenu son seul confident, son ami le plus proche. Il lui demande si elle a peur de la mort.

— Plus du tout ! J'ai attendu trop longtemps. Ce doit être une expérience intéressante. On ne peut pas vivre tout le temps, n'est-ce pas ?

Mais Patrick veut croire qu'elle ne mourra jamais, tant son cerveau est affûté, son esprit vif, son sens de l'humour toujours intact. Le 31 mars 1965, elle ne se sent pas bien. Elle est admise comme à l'accoutumée au New York Hospital. La veille, elle a passé tout l'après-midi dans son usine de Long Island.

Le matin, elle est restée dans son lit, son équipe autour d'elle. Elle s'est énervée sur la maquette d'une campagne publicitaire, parce que les lettres étaient « trop petites » et qu'il n'y avait pas assez de texte à lire. Puis elle a répondu presque sèchement à Mala au sujet du mode d'emploi d'une nouvelle ligne de produits de maquillage, trop compliqué selon elle.

— Il faut faire simple afin que tout un chacun puisse comprendre tout de suite.

Le travail terminé, elle s'est un peu détendue et s'est enquise des derniers potins de la ville.

— Givenchy dessine-t-il toujours les modèles pour Audrey Hepburn ? C'est un gentleman et elle est une lady, ils sont faits pour s'entendre.

Quelqu'un lui demande si elle a aimé *Goldfinger,* qu'elle est allée voir la veille avec Sara Fox.

— Trop brutal ! Mauvais exemple. Mais je l'ai vu deux fois ![8]

A l'hôpital, où elle est transportée l'après-midi, sur ordre de ses médecins, elle a une attaque, suivie d'une embolie. Elle meurt le lendemain matin dans sa chambre d'hôpital. A 93 ans.

Seule.

Sa disparition fait la une des journaux américains. Dans le monde entier, la presse lui consacre des articles. On évoque sa légende, on détaille son empire. Dans le *Herald Tribune*, un hommage de Patrick O'Higgins qui, pour cet événement exceptionnel, a pris la place de la chronique de la journaliste Eugenia Sheppard, résume le sentiment général, partagé par sa famille et son équipe : « Nous pensions qu'elle était immortelle. »

A sa mort, Helena Rubinstein est présente dans plus de trente pays, fait tourner quatorze usines, emploie 32 000 personnes dans les dizaines de salons de beauté de quinze pays différents. Sa fortune personnelle se monte à cent millions de dollars, en propriétés, valeurs et obligations, bijoux, œuvres d'art, meubles et argent au chaud dans les banques de trois continents.

La veillée mortuaire a lieu dans un salon funéraire. Au comble de la tristesse, Patrick O' Higgins se repasse ses phrases en boucle. « Souvenez-vous que je suis votre amie. Faites-vous des progrès ? Devenez-vous plus fort ? Quoi de neuf ? » Contrairement au reste de la famille, il pense, et Mala est de son avis, que Madame n'aurait pas souhaité une cérémonie « simple », et ils mettent tout en œuvre pour que cette dernière fête soit la plus grandiose.

Ils auraient aimé que la veillée se passe dans son appartement mais ils doivent s'incliner. Mala et lui choisissent « avec soin et amour » les bijoux et les vêtements pour l'accompagner dans sa dernière demeure, ses « bonnes perles », ses bagues camées, ses émeraudes et ses rubis. La robe dont elle est vêtue est une tunique de Saint Laurent, brodée de cailloux du Rhin. Toujours avec l'aide de Mala, Patrick fait livrer des brassées de fleurs, des œillets, des pieds d'alouette et des pivoines, pour entourer son cercueil qui ressemble à un berceau de verdure.

Alors qu'une grève des taxis paralyse la ville, Le Tout-New York se presse pendant trois jours pour lui présenter ses hommages. Dans ce cercueil, Madame paraît étonnamment petite, plus encore que de son vivant. Elle ressemble à « une poupée mexicaine, belle et richement parée. » Sa peau est lisse, ses cheveux brillent, elle semble avoir été dessinée par un artiste. Son visage reflète une sérénité qu'on ne lui connaissait pas. « Je n'oublierai jamais, s'émeut O'Higgins, la noblesse de ses traits. »

Madame est enterrée au cimetière du New Jersey, aux côtés du Prince Artchil Gourielli, son époux. Là, enfin, elle se repose.

L'Empire après l'Impératrice

Dans les quarante-quatre pages, dont vingt-sept de codicilles, de ce fameux testament qui ne l'a plus quittée jusqu'à son dernier souffle, Madame a couché quelques centaines d'héritiers, qui vont recevoir des sommes d'argent plus ou moins importantes. Tous n'en sont pas satisfaits. Beaucoup s'estiment lésés, ainsi son valet philippin, Albert, qui l'a fidèlement servie pendant des années, et qui reçoit une rente à vie de cinq cents dollars annuels, ce qui le met en rage.

Mala hérite des perles blanches et noires, d'un Derain, d'un Nadelman, d'un Kandinsky, et d'une rente annuelle de cinq mille dollars, mais elle conserve ses hautes fonctions dans l'entreprise, ce qui fait dire à un O'Higgins, très philosophe, que sa tante souhaitait qu'elle perpétue l'affaire. « Si elle lui avait légué une somme plus importante, alors qui sait ? Mala aurait peut-être choisi de se retirer[1] ? » Ce ne sera pas le cas. Dans le triumvirat qui se met en place, après la mort de Madame, Roy dirige désormais l'empire tandis que Mala, toujours en charge des activités créatrices, seconde son frère Oscar Kolin, devenu vice-président.

Patrick O'Higgins lui-même n'est pas très bien récompensé pour sa loyauté. Madame lui a légué cinq mille dollars en liquide et deux mille dollars annuels jusqu'à sa mort – il décédera en juin 1980, à 58 ans –. Selon

Harold Weill, l'avocat, Madame a eu ce mot très dur quand elle a ajouté le codicille : « Pour qu'il ne crève pas de faim ! » Mais l'étonnant jeune homme en prend son parti, et trouve même des arguments pour la comprendre.

Après tout, plaide-t-il, il ne fait pas partie de la famille et n'a travaillé que quatorze ans pour sa richissime patronne. En supposant qu'il vive encore vingt ans, calcule-t-il (il ne le sait pas encore, mais il mourra dix-huit ans plus tard) cela représente quarante-cinq mille dollars de l'époque. O'Higgins conclut que si Madame n'a pas voulu lui laisser la somme d'un coup, c'est qu'elle le sait très dépensier et qu'elle a voulu le protéger contre ses propres démons.

Dans l'entreprise, tout le monde reçoit des sommes variées, des secrétaires « les petites filles » de Madame, à Sara Fox, la directrice du marketing, Boris Forter hérite d'un tableau de Sutherland qu'il revend pour s'acheter une voiture de sport. Les amies journalistes ne sont pas en reste : Marie-Louise Bousquet hérite d'une rente de 1 200 dollars par an et Grace Davidson de 3 000 dollars.

Madame a refusé de donner la plupart de ses objets personnels, à l'exception des vêtements et des fourrures. Ces dernières sont partagées entre Niuta, la femme de Roy, et Mala. Les robes dont ses placards étaient remplis, et dont certaines, comme les modèles de Poiret, ont plus de cinquante ans, sont léguées à des musées ou à des parentes et amies selon leur degré d'ancienneté. Ses sœurs reçoivent des bijoux : Stella, un collier de perles et Manka, les rubis.

Quelques mois après la mort de Madame, la galerie Parke-Bernet de New York, sur l'ordre des exécuteurs testamentaires, organise la vente aux enchères de ses bijoux. Si l'événement est retentissant et très médiatisé, le résultat, en revanche, se montre décevant. En trois heures presque tout est vendu, mais les « bonnes » perles, dont elle avait acheté une rangée sur la Riviera le jour où elle avait découvert la première infidélité d'Edward Titus, les bagues, les boucles d'oreilles de diamants taillés en poire, les saphirs, les topazes, les émeraudes de la taille d'un bouchon de carafe, ne rapportent qu'un demi-million de dollars, soit moins de la moitié du chiffre qu'on aurait pu attendre de la vente de tels trésors.

Peu de temps après, les collections d'art sont vendues à leur tour, toujours par Parke-Bernet. La vente dure dix jours et rapporte cinq millions de dollars, la moitié des droits de succession. Le catalogue raisonné comporte cinq gros tomes, et comprend les peintures, les sculptures, les dessins, les gravures, les meubles anciens, les statues et les objets d'Art primitif, africain et océanien. Plus de dix mille personnes défilent pour admirer ces chefs-d'œuvre sans précédent.

Quelques tableaux, vraiment faux ceux-là, sont retirés de la vente, dont un Picasso représentant Guillaume Apollinaire, qui fait partie des « petites erreurs » de Madame. Mais le reste des collections atteint des sommes astronomiques, eu égard aux sommes dérisoires que Madame a déboursées pour les acquérir. Un seul masque Senoufo est vendu quatre-vingt mille dollars. La statue de Brancusi, *Bird in Flight*, part à cent quarante mille dollars.

En 1990, la *Bangwa Queen*, le fleuron de la collection d'Art africain de Madame, est revendue par des collectionneurs qui ont acquis la pièce à la vente aux enchères. Ils l'avaient payée vingt-neuf mille dollars et en obtiennent trois millions cinq cent mille dollars. La même année, Sotheby's revend *La Négresse Blanche* de Brancusi, huit millions de dollars.

Sa famille proche bénéficie de sa fortune. Son fils, ses petits-enfants, ses neveux et nièces, tous reçoivent des sommes plus ou moins importantes. Mais une fois payés les droits de succession, le plus gros va à un trust familial, dont la famille reçoit les dividendes. Madame voulait ainsi leur signifier que tous devaient travailler pour vivre.

Le reste de l'argent va à la fondation Helena Rubinstein dont les bureaux se trouvent toujours sur Madison Avenue. Quand l'entreprise a été vendue, les parts de l'affaire américaine, les compagnies étrangères et les propriétés qui leur appartenaient sont aussi allées à cette Fondation. Le board est composé de membres de sa famille. Diane Moss, la fille d'Oscar Kolin, a succédé à son père au poste de présidente. Susan et Louis Slesin, les beaux-enfants de Roy, décédé en avril 1989, en sont respectivement directrice et trésorier.

Si le lieu n'a rien de luxueux, les toiles qui ornent les murs ont une valeur inestimable. Ce sont les portraits de Madame peints par Dalí, Dufy, Marie Laurencin, Helleu, ou Vertès. Le plus impressionnant est sans doute celui de Graham Sutherland, le plus doux, celui de Marie Laurencin. « Ma fortune provient des femmes et doit leur revenir à elles ainsi qu'à leurs enfants, pour améliorer la qualité de leur vie », avait affirmé Madame, en créant sa Fondation. Chaque année, elle attribue des bourses dont le montant total varie entre un et deux millions de dollars, principalement destinées à l'éducation, à la santé et à la culture.

Le triplex de Park Avenue, le « château dans les airs » est acheté par un avocat qui le revend un an plus tard... à Charles Revlon ! On imagine avec quelle gourmandise *the nailman* a pris sa revanche sur l'Impératrice. Il met plus de deux ans à le redécorer à son goût très personnel et plutôt clinquant.

Patrick O' Higgins, invité à dîner chez lui quelques années plus tard, raconte avec sa causticité habituelle ce décor de nouveau riche qui « aurait tellement fait rire Madame ». Rien ne trouve grâce aux yeux avertis du jeune homme. « Le Roi des Ongles a un goût très ordinaire, disait Madame, mais c'est grâce à ça qu'il a si bien réussi. »

Le quai de Béthune est d'abord vendu au comte de Chandon, puis revendu à un riche Libanais avant d'être acheté pour la troisième fois. Il vient d'être entièrement redécoré par l'architecte décorateur parisien, François Josef Graf. De l'aveu de ce dernier, il n'est absolument rien resté de l'appartement initial, excepté la majestueuse terrasse qui surplombe Paris, et la rampe d'escalier[2].

Stella continue à vivre au 216, boulevard Raspail, dans l'appartement dont sa sœur lui a accordé la jouissance jusqu'à sa mort. Ceska reste à Londres, dans le pied-à-terre décoré par David Hicks. Elle ne survit que dix-huit mois à Helena.

A New York, l'industrie de la beauté semble se concentrer tout d'abord dans l'immeuble de la General Motors puisque, successivement, Estée Lauder et Revlon y achètent des bureaux. En 1970, c'est au tour de l'entreprise Helena Rubinstein Inc. de s'y installer. L'endroit est alors surnommé par la presse et les publicitaires : « General Odours[3] ». Roy, Oscar et Mala engagent des décorateurs pour donner à l'ensemble une touche raffinée, suivant l'exemple de Madame. Ses meubles et ses tableaux semblent autant de passerelles entre le passé et l'avenir : on y trouve certaines pièces de son mobilier victorien, des statues de Nadelman, des miroirs, du mobilier de Knoll qui lui ont appartenu.

Trois ans plus tard, les héritiers de Madame, sans doute dépassés par la gestion d'une entreprise aussi gigantesque, vendent l'affaire à Colgate Palmolive pour 143 millions de dollars. La famille se retire alors du commerce de la beauté. Mais Colgate ne réussit pas à maintenir la marque à flot. Celle-ci se déprécie vite, malgré quelques campagnes lancées à grand renfort de publicité.

En 1980, Albi Entreprise Inc., une petite affaire de cosmétiques, s'en porte acquéreur, elle ne réussit guère à lui rendre son éclat. L'affaire est revendue en 1988 à L'Oréal. Depuis, la marque est distribuée dans une trentaine de pays. La vente des produits se concentre en Europe et en Asie où Helena Rubinstein connaît une très belle croissance.

La marque, qui a inventé le premier mascara automatique, se distingue toujours par sa créativité et son expertise en matière de maquillage : ainsi le mascara *Lash Queen Feline Blacks*, un de ses plus grands succès.

Les produits, à l'instar des lignes *Collagenist*, *Prodigy* et du dernier-né *Prodigy Powercell*, qui stimule le renouvellement cellulaire de la peau, résultent de recherches extrêmement pointues. Dans un souci permanent d'innovation, la marque conserve des liens très forts avec de grands scientifiques comme Madame les avait tissés en son temps. Selon Elisabeth Sandager, la directrice générale internationale : « Si Helena Rubinstein était toujours en vie, elle aurait certainement conclu le partenariat que nous avons signé en 2008 avec le Dr Pfulg, fondateur de Montreux en Suisse. Nous avons développé avec ce chirurgien mondialement réputé une ligne de soins innovante, inspirée des actes de chirurgie esthétique. »

Selon Beatrice Dautresme[4], la création du programme Femmes pour la Science en partenariat avec l'Unesco qui récompense chaque année des chercheuses du monde entier, a été inspirée en droite ligne par l'incessante obsession de Madame de mêler étroitement la Beauté et la Science.

En 2007, Demi Moore est devenue l'égérie de la marque… Une petite femme « déterminée, intelligente, forte et séduisante[5] », à l'image d'Helena Rubinstein.

Madame l'aurait sans doute beaucoup appréciée.

Notes

Préface

1. « Madame Rubinstein : The Little lady from Krakow has Made a Fabulous Success of Selling Beauty », Elaine Brown Keifer, *Life*, 21 juillet 1941.
2. Susan Slesin, *Over the top : Helena Rubinstein, Extraordinary Style, Beauty, Art, Fashion, and Design*, Pointed Leaf Press, 2004.

L'Éxil

1. Edmonde Charles-Roux, 1957.
2. *My Life for Beauty*, Helena Rubinstein, Simon Schuster, 1965.
3. *Ibid.*

Kazimierz

1. Date de naissance controversée : 1870 ou 1872 ? Cette dernière date est citée par Patrick O'Higgins dans son livre, *Madame, Dans l'enfer doré d'Helena Rubinstein*, Robert Laffont, 1971.
2. Photocopies du passeport de Helena Rubinstein (1922) (www.ancestry.com)
3. *My Life for Beauty*, Helena Rubinstein.
4. Entretien de l'auteur avec Litka Fasse, petite-cousine d'Helena Rubinstein. Juin 2009. Quand Litka et sa mère Giza Goldberg se réfugient à Paris après la guerre, grâce à Helena Rubinstein qui les a aidées à émigrer, il est question que la jeune fille âgée de seize ans reprenne des études, ce à quoi HR s'oppose absolument. « Pourquoi devrait-elle avoir son bac ? Je ne l'ai pas passé, moi ! »
5. Source Alfred Silberfeld, généalogiste.
6. *Madame, Dans l'enfer doré d'Helena Rubinstein, op. cit.*

La famille Rubinstein

1. *Je suis esthéticienne*, Helena Rubinstein, Editions du Conquistador, 1957.
2. *My Life for Beauty*, Helena Rubinstein, *op. cit.*
3. *Ibid.*
4. « War Paints, Madame Helena Rubinstein et Miss Elizabeth Arden, Their lives, their times, their Rivalty », Lindy Woodhead, Wiley, 2004.
5. *My Life for Beauty*, Helena Rubinstein, *op. cit.*

Un Nouveau Monde sans pitié

1. *The Age*, Melbourne, 25 août 1979.
2. *Ibid.*

242, Collins Street

1. *Madame, Dans l'enfer doré d'Helena Rubinstein*, *op. cit.*
2. *Herald Melbourne*, 1971.
3. Photocopies de la demande de naturalisation d'Helena Rubinstein (source Antoine Silberfeld).

La Beauté c'est le pouvoir

1. *The Mercury*, 12 octobre 1906.
2. *Ibid.*
3. *Histoire de la Beauté*, Georges Vigarello, Points Seuil, 2004.
4. *The Art of Feminine Beauty*, Helena Rubinstein.
5. *Ibid.*

Le retour aux sources

1. *Le monde d'hier, Mémoires d'un Européen*, Stefan Zweig, Belfond, 1933.
2. *Histoire de la Beauté*, *op. cit.*
3. La chirurgie du bonheur, Sander Gilman in 100 000 ans de beauté, (Modernité Globalisation) Gallimard.
4. *Madame, Dans l'enfer doré d'Helena Rubinstein*, *op. cit.*
5. *Au bonheur des dames*, Emile Zola, Livre de Poche.
6. *Histoire de la beauté*, *op. cit.*
7. *Ibid.*
8. *Ibid.*

Edward William Titus

1. *My Life for Beauty*, *op. cit.*
2. *Madame, Dans l'enfer doré d'Helena Rubinstein*, *op. cit.*
3. *Le dernier verre*, Dr Olivier Ameisen, Denoël, 2008.

4. Mail d'Eva Ameisen, sœur d'Olivier et Jean-Claude Ameisen et fille d'Emmanuel Ameisen – Mai 2010. Le grand-père d'Emmanuel Ameisen avait eu neuf enfants : Arthur Ameisen (Edward Titus), David, Mala, Lisa, Sarah, Frida, Hanka, Oleg et Jacob, père d'Emmanuel. Ce dernier avait été engagé dans l'entreprise par son oncle qu'il admirait énormément. En arrivant de Pologne avant la guerre, il vécut chez lui, rue Delambre. (Entretien téléphonique avec Olivier Ameisen, mai 2010).

5. Photocopies du passeport et de la demande de naturalisation d'Edward Titus et d'Helena Rubinstein, établis en 1922 et 1923, documents de demande de naturalisation d'Arthur Ameisen (ww.ancestry.com).

6. *Ibid.*

7. Biographie de Arthur Ameisen. Bibliographic Review, Pittsburgh http ://www.sloco.net/pa-files/Allegheny/Alleg.1897.8-144.pdf

8. ancestry.com

9. Correspondance email avec Barry Titus et Eva Ameisen, 2010.

Mayfair Lady

1. *My Life for Beauty*, Helena Rubinstein, *op. cit.*

2. « The Fair Ladies », *Time*, 8 août 1960.

3. « Beauty in Jars and Vials » Jo Swerling, Profiles, *The New Yorker*, 30 juin 1928.

4. Paul Morand, Londres, 1933.

5. ancestry.com, annuaire des mariages, de juin à sept 1908 à Londres.

24, Grafton Street

1. « War Paints, Madame Helena Rubinstein et Miss Elizabeth Arden, Their lives, their times, their Rivalty », Lindy Woodhead, *op. cit.*

2. L'Argus, 3 février 1909.

3. *En habillant l'époque*, Paul Poiret, Grasset, 1930.

4. *Ibid.*

5. *My Life for Beauty*, Helena Rubinstein, *op. cit.*

6. Selon le mot d'Elizabeth Arden pour parler de sa rivale.

7. *The Mercury*, 27 mars 1909.

8. *My Life for Beauty*, Helena Rubinstein, *op. cit.*

9. *En habillant l'époque*, Paul Poiret, *op. cit.*

10. Poiret, François Baudot, Mémoires de la mode, Editions Assouline, 1997.

11. *En habillant l'époque*, Paul Poiret, *op.cit.*

Riche et célèbre

1. *En habillant l'époque*, Paul Poiret, *op. cit.*
2. Annuaire téléphonique de Londres, page 754, (www.ancestry.com)
3. *Au temps du Bœuf sur le Toit*, Maurice Sachs, Les Cahiers Rouges, Grasset 1987.
4. *My Life for Beauty*, Helena Rubinstein, *op. cit.*
5. *Ibid.*
6. Archives de la marque, L'Oréal, Paris.
7. *Ibid.*

À nous deux, Paris

1. *French ways and their meanings*, Edith Wharton, Appleton and Company, 1919.
2. *Ibid.*
3. Le diable à Paris, L Gozlan, 1843, in *Histoire de la Beauté* de Georges Vigarello, *op. cit.*
4. *Histoire de la Beauté*, Georges Vigarello, *op. cit.*
5. *L'Irrégulière, l'Itinéraire de Coco Chanel*, Edmonde Charles-Roux, Grasset, 1974.
6. Georges Vigarello, *Histoire de la Beauté*, *op. cit.*
7. *Ibid.*
8. « Madame de Gencé, Le cabinet de toilette d'une honnête femme, Paris, 1909 » in « La beauté veut se voir », par Sabine Melchior Bonnet, *100 000 ans de beauté*, Gallimard.
9. *100 000 ans de beauté, op. cit.*
10. *Ibid.*
11. « La chirurgie du bonheur Sander Gilman » 100 000 ans de beauté, Modernité/globalisation.
12. *En habillant l'époque*, Paul Poiret, *op. cit.*
13. *Les salons de la IIIe République*, Anne Martin Fugier, Perrin, 2003, 2009.
14. *Au temps du Bœuf sur le Toit*, Maurice Sachs, *op. cit.*
15. *Misia, la vie de Misia Sert*, Arthur Gold et Robert Fitzdale, Folio Gallimard, 1980.
16. *Ibid.*
17. *Ibid.*
18. *Madame, Dans l'enfer doré d'Helena Rubinstein*, Patrick O'Higgins, *op. cit.*
19. *Ibid.*
20. *Ibid.*
21. *L'Irrégulière, l'Itinéraire de Coco Chanel*, Edmonde Charles-Roux, *op. cit.*
22. *My Life for Beauty*, Helena Rubinstein, *op. cit.*

La Beauté éclairant le monde

1. *American Beauty*, Lois W. Banner, Knopf, 1983.
2. *Ibid.*
3. *Ibid.*
4. *Ibid.*
5. « War Paints, Madame Helena Rubinstein et Miss Elizabeth Arden, Their lives, their times, their Rivalty », Lindy Woodhead, *op. cit.*
6. *Histoire de la beauté*, Georges Vigarello, *op. cit.*
7. « The Powder and The Glory », Ann Carol Grossman, Annie Reisman, PBS Documentary based on Lindy Woodhead's War Paint.
8. *Over the top, Helena Rubinstein : Extraordinary Style, Beauty, Art, Fashion, and Design*, Susan Slesin. *op. cit.*
9. *Ibid.*
10. *Ibid.*
11. « Helena Rubinstein's beauty salons, fashion and Modernist Display, Marie.J.Clifford », in Winthertur Portfolio.
12. *Ibid.*
13. *Ibid.*
14. Republic of Dreams, Greenwich Village, Ross Wetzsteon, The American Bohemians 1910-1960, Paperback.

The Great Rubinstein Road Tour

1. *Je suis esthéticienne*, Helena Rubinstein, *op. cit.*
2. *Ibid.*
3. *Ibid.*
4. *Ibid.*
5. *My Life for Beauty*, Helena Rubinstein, *op. cit.*
6. *Daily Express*, 5 avril 1965.

Paris est une fête

1. *Paris 1919 : Six months who changed the world*, Margaret McMillan, Random House Trade Paperbacks, 2003.
2. *Au temps du Bœuf sur le Toit*, Maurice Sachs, *op. cit.*
3. *Paris was our Mistress*, Samuel Putnam, Southern Illinois University Press.
4. *Au temps du Bœuf sur le Toit*, Maurice Sachs, *op. cit.*
5. *Snob Society*, Francis Dorléans, Flammarion.
6. *Au temps du Bœuf sur le Toit*, Maurice Sachs, Les Cahiers Rouges, Grasset.
7. *Ibid.*
8. *Vogue* 1934, in *Histoire de la beauté*, Georges Vigarello, *op. 7cit.*

9. *L'allure de Chanel*, Paul Morand, Folio Gallimard, 2009.
10. *Colette journaliste*, auteur, Seuil 2010.
11. Nathalie Herschdorfer, « Extension du domaine du rêve » *100 000 ans de beauté*, *op. cit.*
12. « People who wants to look young and Beautiful », Allison Gray *American Magazine*, décembre 1922.
13. *Je suis Esthéticienne*, Helena Rubinstein, *op. cit.*
14. « People who wants to look young and Beautiful », Allison Gray, *op. cit.*
15. *Paris est une fête*, Ernest Hemingway, Gallimard, 1964.
16. *Passage de l'Odéon, Sylvia Beach, Adrienne Monnier et la vie littéraire à Paris entre les deux guerres*, Laure Murat, Fayard, 2003.
17. *Madame, Dans l'enfer doré d'Helena Rubinstein*, *op. cit.*
18. *Ibid.*
19. *My Life for Beauty*, Helena Rubinstein, *op. cit.*
20. Poème d'Edward Titus à sa femme, 1920.
21. « Beauty in Jars and Vials », Jo Swerling, Profiles, *The New Yorker*, 30 juin 1928.

L'amie des artistes

1. *Au temps du Boeuf sur le Toit*, Maurice Sachs, *op. cit.*
2. *My Life for Beauty*, Helena Rubinstein, *op. cit.*
3. *Over the top : Helena Rubinstein : Extraordinary Style, Beauty, Art, Fashion, and Design*, Susan Slesin, *op. cit.*
4. *My Life for Beauty*, Helena Rubinstein, *op. cit.*
5. *Ibid.*
6. *Madame, Dans l'enfer doré d'Helena Rubinstein*, *op. cit.*
7. DV par Diana Vreeland, Paperback Da Capo Press, 2004, Knopf, 1984.
8. *Ibid.*
9. *Sunday Times*, janvier 1962.
10. Entretien de l'auteur avec Pierre Bergé, février 2010.
11. Archives Helena, L'Oréal, Paris.
12. *Marie-Laure de Noailles, la vicomtesse du Bizarre*, Laurence Benaim, Grasset, 2001.

Et la beauté devint une industrie

1. *New York Post*, 9 février 1939.
2. Hope in a jar, The making of America Beauty Culture, Kathy Peiss, *op. cit.*
3. *Ibid.*
4. *Ibid*
5. *Ibid*
6. *The New Yorker*, 3 mars 1928.

7. *Over the Top, Helena Rubinstein : Extraordinary Style, Beauty, Art, Fashion, and Design*, Susan Slesin, *op. cit.*
8. *Time*, 30 juillet 1928.
9. « Beauty in Jars and Vials » Jo Swerling, Profiles, *The New Yorker*, 30 juin 1928.

Le pot de crème contre le pot de fer

1 The Family of Mayer Lehman of Lehman Brothers Rembered by His Descendent, Center for Jewish History, Syracuse Press, 2007.
2. *Antisemitism in America*, Leonard Dimmersein, Oxford University.
3. *Ibid.*
4. « War Paints, Madame Helena Rubinstein et Miss Elizabeth Arden, Their lives, their times, their Rivalty », Lindy Woodhead, *op. cit.*
5. « Beauty in Jars and Vials » Jo Swerling, Profiles, *The New Yorker*, 30 juin 1928.
6. « War Paints, Madame Helena Rubinstein et Miss Elizabeth Arden, Their lives, their times, their Rivalty », Lindy Woodhead, *op. cit.*
7. *Ibid.*
8. *Au temps du Boeuf sur le Toit*, Maurice Sachs, *op. cit.*
9. *Ibid.*
10. « War Paints, Madame Helena Rubinstein et Miss Elizabeth Arden, Their lives, their times, their Rivalty », Lindy Woodhead, *op. cit.*

Le deuil éclatant du bonheur

1. *The Art of Feminine Beauty*, Helena Rubinstein, *op. cit.*
2. *Ibid.*
3. « War paints, Madame Helena Rubinstein et Miss Elizabeth Arden, Their lives, their Rivalty », Lindy Woodhead, *op. cit.*
4. *Madame, Dans l'enfer doré d'Helena Rubinstein*, Patrick O'Higgins, *op. cit.*
5. *Over the top : Helena Rubinstein : Extraordinary Style, Beauty, Art, Fashion, and Design*, Susan Slesin, *op. cit.*
6. *Ibid.*

La vie de famille

1. *Over the top : Helena Rubinstein : Extraordinary Style, Beauty, Art, Fashion, and Design*, Susan Slesin, *op. cit.*
2. Echange de mails avec Barry Titus, janvier 2010.

3. Entretien avec Christian Wolmar, fils de Boris Forter, avril 2010.
4. *The Mala Rubinstein Book of Beauty*, Mala Rubinstein, Double day, 1973
5. *Ibid.*
6. *Ibid.*
7. *Ibid.*
8. *Ibid.*
9. *Yedioth Aronot*, 9 mai 1984.

Rester jeune !

1. Hope in a jar Kathy Peiss : The making of America Beauty Culture, *op. cit.*
2. *Ibid.*
3. Interview Christian Wolmar, fils de Boris Forter, avril 2010.
4. *Ibid.*
5. *Ibid.*
6. *Mademoiselle Magazine*, août 1937.
7. *Ibid.*

L'odeur de la poudre

1. « Elizabeth Arden : Queen. » *Fortune*, août 1930.
2. *Ibid.*
3. « Madame Rubinstein : The Little lady from Krakow has Made a Fabulous Success of Selling Beauty », Elaine Brown Keiffer, *Life*, juillet 1941.
4. « Elizabeth Arden : Queen. » *Fortune, op. cit.*
5. Marie. J. Clifford, Helena Rubinstein's beauty salons, fashion and Modernist Display, *op. cit.*
6. *Ibid.*
7. DV by Diana Vreeland, *op. cit.*
8. *Ibid.*
9. *Food For Beauty, Helena Rubinstein's famous Diet*, David McKay, New York, 1938.
10. *Ibid.*
11. Archives Helena Rubinstein, L'Oréal, Paris.
12. « The Fair Ladies », *Time*, 8 août 1960.

Princesse Gourielli

1. *Madame, Dans l'enfer doré d'Helena Rubinstein*, Patrick O' Higgins, *op. cit.*
2. Entretien de l'auteur avec madame Diane Moss, petite-nièce de Helena Rubinstein, juin 2009.
3. *Smith Weekly*, novembre 1938.

4. *New York Post*, 9 février 1939.
5. Entretien de l'auteur avec madame Erica Titus Friedman, mai 2009, à Cannes.
6. *Ibid.*
7. *La mode des années 40*, Yvonne Deslandres, Seuil-Regard.
8. *L'Ordre*, 1939
9. *Candide*, 1939.
10. *In my fashion*, Bettina Balland, 1960.
11. *Ibid.*
12. *Fire and Ice, The Story of Charles Revson the man who built the Revlon Empire*, Andrew Tobias, William Morrow & Co, 1976.

La guerre vue de New York

1. Itv Christian Wolmar, mars 2010.
2. Librement adapté de « Madame Rubinstein : The Little lady from Krakow has Made a Fabulous Success of Selling Beauty », Elaine Brown Keiffer, *Life*, juillet 1941.
3. Helena Rubinstein's beauty salons, fashion and Modernist Display, Marie. J. Clifford, *op. cit.*
4. *Antisemitism in America*, Leonard Dimmersein, *op. cit.*

Un château dans les airs

1. « Salvador Dalí's guest at Helena Rubinstein's Victory Garden Party », *New Yorker*, juillet 1943.
2. Lettres de Roy Titus à sa mère, documents fournis par Susan Slesin.
3. *Antisemitism in America*, Leonard Dimmersein, *op. cit.*
4. Entretien de l'auteur avec Litka Fasse, Paris, juillet 2009.

Reconstruire encore une fois

1. *Le dernier verre*, Dr Olivier Ameisen, Denoël 2008.
2. *Paris Journal*, 1944-1955, Janet Flanner, HBJ Books.
3. Entretien de l'auteur avec Edmonde Charles-Roux, juin 2009.
4. Entretien de l'auteur avec Christian Wolmar, avril 2010.

La Jungle rose

1. *Hope in a jar : The Making of America Beauty Culture*, Kathy Peiss, *op. cit.*
2. « Modern living : the Pink Jungle », *Time*, 16 juin 1958.
3. *Fire and Ice, The Story of Charles Revson the man who built the Revlon Empire*, Andrew Tobias, *op. cit.*
4. *Ibid.*
5. « Modern living : The Pink Jungle », *Time*, 16 juin 1958.

6. *Sunday Times*, janvier 1962.
7. *Ibid.*
8. *Madame, Dans l'enfer doré d'Helena Rubinstein*, Patrick O'Higgins, op. cit.

Le dernier homme de sa vie

1. *Madame, Dans l'enfer doré d'Helena Rubinstein*, op. cit.
2. *Ibid.*
3. *Ibid.*
4. *Ibid.*
5. Entretien de l'auteur avec Bernard Minoret, février 2010.
6. *Madame, Dans l'enfer doré d'Helena Rubinstein*, Patrick O'Higgins, op. cit.
7. « Cosmetic's : Beauty Handmaiden », *Time*, 26 janvier 1953.

La fondatrice de la science de la beauté

1. « Princess of Beauty Business », T.F. James, *Cosmopolitan*, 1959.
2. *Ibid.*

Ultimes cartouches

1. *The Sorcerer's Apprentice*, John Richardson, Chicago Press, 2001.
2. *Ibid*

The show must go on

1. « Modern living : The Pink Jungle », *Time*, 16 juin 1958.
2. *Ibid.*
3. « Princess of Beauty Business », TF James, *Cosmopolitan*, 1959.
4. *Je suis Esthéticienne*, Helena Rubinstein, op. cit.
5. *My Life for Beauty*, Helena Rubinstein, op. cit.
6. *Madame, Dans l'enfer doré d'Helena Rubinstein*, Patrick O'Higgins, op. cit.
7. « Princess of Beauty Business », TF James, *Cosmopolitan*, 1959.
8. *Ibid.*
9. Archives Helena Rubinstein, L'Oréal, Paris.
10. *My life for beauty*, Helena Rubinstein, op. cit.
11. Archives Helena Rubinstein, L'Oréal, Paris.
12. *Madame, Dans l'enfer doré d'Helena Rubinstein*, Patrick O'Higgins, op. cit.

On ne peut pas vivre toujours

1. Entretien de l'auteur avec Pierre Bergé, février 2010.
2. *Madame, Dans l'enfer doré d'Helena Rubinstein*, Patrick O'Higgins, *op. cit.*
3. *Ibid.*
4. *My Life for Beauty*, Helena Rubinstein, *op. cit.*
5. « Princess of Beauty Business », TF James, *Cosmopolitan*, 1959.
6. *Daily Express*, 6 avril 1965
7. *Ibid.*
8. « A tribute », Patrick O' Higgins, *Herald Tribune*, 11 avril 1965.

L'Empire après l'Impératrice

1. *Madame, Dans l'enfer doré d'Helena Rubinstein*, Patrick O'Higgins, *op. cit.*
2. Entretien téléphonique de l'auteur avec François-Joseph Graf, architecte décorateur, octobre 2009.
3. « War Paints Madame Helena Rubinstein et Miss Elizabeth Arden, Their lives, their times, their Rivalty », Lindy Woodhead, *op. cit.*
4. Entretien de l'auteur avec Béatrice Dautresme, vice-présidente de L'Oréal France, juin 2009.
5. Citation tirée du site L'Oréal, marque Helena Rubinstein.

Bibliographie

Autobiographies et ouvrages d'Helena Rubinstein

Helena Rubinstein, *My Life for Beauty*, Simon et Schulster, New York, 1965.
Helena Rubinstein, *Je suis Estheticienne*, Editions du Conquistador, 1957.
Helena Rubinstein : *The Art of feminine Beauty*, Horace Liveright, 1930.
Helena Rubinstein, *Food for Beauty*, David Mc Kay, New York, 1938.

Biographies

Maxene Fabe : *Beauty Millionaire, The life of Helena Rubinstein*, Thomas Y Crowell Company, New York, 1972.
Catherine Jadzdewski : *Helena Rubinstein*, Assouline, 2003.
Madeleine Leveau-Fernandez : *Helena Rubinstein*, Flammarion, 2003.
Patrick O' Higgins : *Madame, Dans l'enfer doré d'Helena Rubinstein*, Robert Laffont, 1971.
Susan Slesin : *Over the top, Helena Rubinstein : Extraordinary Style, Beauty, Art, Fashion, and Design*, Pointed Leaf Press, 2004.
Lindy Woodhead : *War Paint, Madame Helena Rubinstein et Miss Elizabeth Arden, Their lives, their times, their Rivalty*, Wiley, 2004.

Essais, documents

Le goût de l'Australie, Mercure de France, 2009.

Dr Olivier Ameisen, *Un dernier verre*, Denoël, 2008.

Claude Arnaud, *Jean Cocteau*, NRF Gallimard, 2003.

Laurence Benaim, *Marie-Laure de Noailles, La Vicomtesse du Bizarre*, Grasset, 2001.

François Baudot, *Schiaparelli*, Assouline, 1997.

Veronique Chalmet, *Peggy Guggenheim*, Payot, 2009.

Edmonde Charles-Roux, *L'irrégulière, l'itinéraire de Coco Chanel*, Grasset, 1974.

Colette journaliste, Editions du Seuil, 2010.

Marie-Françoise Colombani et Michèle Fitoussi, *ELLE, une Histoire des Femmes 1945-2005*, Editions Filippachi, 2005.

Francis Dorléans, *Snob Society*, Flammarion, 2009.

Umberto Eco, *Histoire de la Beauté*, Flammarion, 2008.

Dan Frank, *Bohèmes*, Calmann Lévy, 1998.

Anne Martin Fugier, *Les salons de la IIIe République*, Perrin, 2003.

John Glassco, *Mémoires de Montparnasse*, Viviane Hamy, 2010.

Arthur Gold et Robert Fitzdale, *Misia : La vie de Misia Sert*, Folio Gallimard, 1980.

Albert Londres, *Le Juif errant est arrivé*, Le Serpent à Plumes, 1998.

Emmanuelle Loyer, *Paris à New York : Intellectuels français en exil 1940-1947*, Grasset, 2005.

Adrienne Monnier, *Éternelle libraire*, hors commerce, mars 2010.

Laure Murat, *Passage de l'Odéon, Sylvia Beach, Adrienne Monnier et la vie littéraire à Paris entre les deux guerres*, Fayard, 2003.

Paul Morand, *L'allure de Chanel*, Folio Gallimard, 2009.

Abbé Mugnier, *Journal Mercure de France*, 1985.

Pauline Peretz (Sous la direction de) *New York, histoire, promenade, anthologie, dictionnaire*, Robert Laffont Bouquins, 2009.

Paul Poiret, *En habillant l'époque*, Grasset, 1986.

Samuel Putnam, *Les mémoires de Kiki de Montparnasse*, 1930.

Maurice Sachs, *Au temps du Bœuf sur le Toit*, Les Cahiers Rouges, Grasset et Fasquelle, 1987.

Dominique de Saint Pern, *Les amants du soleil noir*, Grasset, 2005.

— *L'extravagante Dorothy Parker*, Grasset, 1994.

Michèle Sarde, *Colette libre et entravée*, Points Seuil, 1984.

Yannick Ripa, *Les femmes en France de 1880 à nos jours*, Editions du Chêne, 2007.

Georges Vigarello, *Histoire de la Beauté*, Points Seuil, 2007.

Françoise Wagener, *Je suis née inconsolable, Louise de Vilmorin*, Albin Michel, 2008.

Stefan Zweig, *Le monde d'hier*, Belfond, 1982.

Cent mille ans de beauté L'Oréal, Gallimard, 2009.

Tony Allan, *American in Paris*, Bison Books, 1977.

Frederick. L. Allen, *Only Yesterday, An informal history of the 20's*, Harper & Row, 1931.

Bettina Balland, *In my fashion*, David Mc Kay Inc., 1960.

Lois W. Banner, *American Beauty*, Knopf, 1983.

Morley Callaghan, *That summer in Paris*, Paperback, 2007.

Fleur Cowles, *Friends and Memories*, Jonathan Cape, 1975.

Leonard Dimmerstein, *Antisemitism in America*, Oxford University Press, New York, 1994.

Eleanor Dwight, *Diana Vreeland*, Harpers Collins, 2002.

Janet Flanner, Paris-Journal (1944-1955) (HBJ).

Janet Flanner, Paris-Journal (1956-1964) (HBJ).

Billy Klüver-Julie Martin, Kiki's Paris Artists and Lovers 1900-1930, (Abrams 1989).

Stanislaw Markowski, *Kazimierz, The jewish quarter of Cracow, 1870-1988*, Nicolas Jeanson Editeur, 2006.

Hermione Lee Edith Wharton, Random House, 2007.

The Family of Mayer Lehman of Lehman Brothers Rembe red by His Descendent (Center for Jewish History, Syra cuse Press, 2007.)

Kathy Peiss, *Hope in a jar : The making of America Beauty Culture*, Holt, 1998.

Samuel Putnam, *Paris was our Mistress*, Southern Illinois University Press, 1947.

John Richardson, *The Sorcerer's Apprentice*, Chicago, 2001.

Mala Rubinstein, *The Mala Rubinstein Book of Beauty*, Doubleday, 1973.

DV by Diana Vreeland, William Morrow & Co, 1976.

Noel Riley, *Sylvia Beach and the Lost Generation, A History of Literary Paris in the twenties and Thirties*, Fitch Norton, 1985.

Penelope Rowlands, *A Dash of Daring : Carmel Snow and Her Life in Fashion, Art and Letters*, Atria Simon & Schuster, 2005.

Andrew Tobias, *Fire and Ice The Story of Charles Revson the man who built the Revlon Empire*.

Edith Wharton, *A Backward Glance, an Autobiography*, Touchstone Simon and Schuster, 1933/1998.

Edith Wharton, *French ways and their meanings*, Appleton and Company, 1919.

The Powder and the Glory, Ann Carol Grossman, Annie Reismann, PBS Documentary based on Lindy Woodhead's War Paint.

Romans

DH Lawrence, *L'Amant de Lady Chatterley*, Livre de Poche.

Ernest Hemingway, *Paris est une fête*, Gallimard, 1964.

Ludwig Lewisohn, *Le Destin de Mr. Crump*, Phébus Poche, 1998.

Isaac Bashevis Singer, *Le Manoir*, Stock, 1968.

Isaac Bashevis Singer, *Le Spinoza de la rue du Marché*, Denoël Folio, 1997.

Paul Loup Sulitzer, *Hannah*, L'Impératrice, Stock Editions N° 1, 1985.

Jules Verne, *Le Tour du Monde en quatre-vingts jours*, Livre de poche, 1976.

Catalogues

Park Benet Galleries NY, 1966, The Helena Rubinstein. Collection Catalogs, vente des 20-29 avril 1965.

Bibliographie 489

Etudes

Helena Rubinstein Beauty Salons, Fashion and Modernist
Display, Marie J. Clifford, Winterthur Museum, Portfilio
2003
Les Juifs et les Etats-Nations dans l'Europe Contemporaine,
Victor Karady, Actes de la recherche en sciences sociales,
1997 (Persée http ://ww.persee.fr)
« La société multiculturelle et multinationale de Galicie de
1772 à 1918 : Allemands, Polonais, Ukrainiens, et Juifs »,
conférence de Isabel Röskau-Rydel. Annuaire de l'Ecole
Pratique des hautes Etudes mis en ligne le 26 novembre
2008 (http ://ashp.revues.org/index).

Sites internet consultés

www.ancestry.com
www.genealogy.com
www.onlinenewspaper.com/australi.htlm
http ://newspapers.nla.gov.au/
www.oldmagazinearticles.co
www.krakow-info.com/jewishq.htlm
www.circe.paris.sorbonne.fr/villes (10 siècles de présence
juive à Cracovie)
www.scrapbookpages.com/poland/kazimierz
www.lexilogos.com/yiddish-dictionnary.htm
www.nytimes.com
www.time.com

Remerciements

Merci à Jane Creech, Barbara Friedman, Diane Moss, Nicholas Pappas, Laurie Shapley, à New York ; à Alfred Silberfeld et Barry Titus en Floride ; à Olivier Ameisen, Eva Ameisen, Pierre Bergé, Marie Chauveau, Edmonde Charles-Roux, Charles Dantzig, Béatrice Dautresme, Litka Fasse, François-Joseph Graf, Bernard Minoret, Christine Mue, Elaine Sciolino, Antoine Silberfeld, Maougocha Smorag, à Paris ; à Erica Friedman à Cannes ; à Christian Wolmar, à Londres.

Tous m'ont éclairée ou guidée d'une façon ou d'une autre et toujours avec beaucoup d'intérêt, de gentillesse et de disponibilité.

Un grand merci posthume à Patrick O' Higgins. Son récit tellement drôle, affectueux et vivant m'a tout de suite fait aimer Helena Rubinstein, sa patronne. J'aurais vraiment souhaité le rencontrer.

Merci à Elizabeth Sandager, directrice internationale de L'Oréal Luxe, à Marie-Hélène Arwheiller, ancienne directrice de la communication et de l'image Helena Rubinstein, et à Florence Lafragette, qui la remplace désormais à ce poste. Toutes trois m'ont donné accès aux précieuses archives d'Helena Rubinstein à Paris et m'ont constamment aidée et soutenue dans mes recherches.

Un merci tout aussi grand à Thierry Consigny.

Merci à Susan Slesin qui m'a si amicalement ouvert ses archives et sa maison d'éditions à New York, et m'a fait partager ses souvenirs sur sa « belle-grand-mère » et son admiration pour elle.

Merci à Manuel Carcassonne, mon éditeur et très cher ami, qui croit depuis le début à ce projet dont il est l'initiateur et qui m'a forcée à aller plus loin, à « donner plus », à dépasser mes limites.

Merci à Charline Bourgeois-Tacquet pour son enthousiasme et sa lecture aiguë, précise, bluffante.

Merci à la dream team du 61, rue des Saints-Pères, Christophe Bataille, Antoine Boussin, Aline Gurdiel, Agnès Nivière, Muguette Vivian et Jean-François Paga, directeur artistique superinspiré.

Merci à Susanna Lea, à son énergie, à son amitié et à sa « *bonne paire de chaussures pour conquérir le monde* ».

Merci à Marie-Françoise Colombani, mon amie, dont les fous rires et les histoires cocasses m'ont accompagnée pendant ces très longs mois de l'hiver 2010. Mieux que quiconque, elle sait le comment du pourquoi. Qu'elle se souvienne seulement de nos mails ensommeillés, à cinq heures du matin, quand notre première journée de travail commençait déjà. Un jour on en rigolera... D'ailleurs, on en rigole déjà.

Et last but not least, merci à Guy Princ, qui supporte sans se plaindre, depuis seize ans, mes weeks-ends studieux et mes soirées passées à écrire, mes réveils très matinaux et mes couchers trop tardifs, nos vacances à trois (lui, moi et l'ordinateur portable), mes énervements (passagers), mes stress, ma fatigue, mon indisponibilité. Son soutien m'est plus que précieux.

TABLE

Cet ouvrage a été imprimé en France
par CPI Bussière
à Saint-Amand-Montrond (Cher)
en décembre 2010

Composé par Nord Compo Multimédia
7, rue de Fives, 59650 Villeneuve-d'Ascq

N° d'Édition : 16486. — N° d'Impression : 103427/4.
Première édition : dépôt légal : septembre 2010.
Nouveau tirage : dépôt légal : décembre 2010.